徐震堮著

世說新語校箋

文史哲出版社印行

世說新語校箋

著者：徐震堮
出版者：文史哲出版社
登記證字號：行政院新聞局局版臺業字〇七五五號
發行所：文史哲出版社
印刷者：文史哲出版社
臺北市羅斯福路一段七十二巷四號
郵撥〇五一二八八一二號彭正雄帳戶
電話：三五一一〇二八
實價新台幣五〇〇元
中華民國七十八年九月再版

馬梁王奔叛。續晉陽秋曰、梁王珎之、字景度。中興書曰、初桓玄篡位、國人死標奉珎之奔壽陽。義旗既興、歸朝廷。仕至大常、以罪誅者。玄時事形已濟、在平乘上、笳鼓並作、直高詠云、簫管有遺音、梁王安在哉。阮詠懷詩也。

世說新書卷第六

世說新語下

宋臨川王義慶撰
梁劉孝標注

容止第十四

魏武將見匈奴使自以形陋不足雄遠國（魏氏春秋曰武王姿貌短小而神明英發）使崔季珪代帝自捉刀立牀頭既畢令間諜問曰魏王何如匈奴使答曰魏王雅望非常（魏志曰崔琰字季珪清河東武城人聲姿高暢眉目疎朗須長四尺甚有威重）然牀頭捉刀人此乃英雄也魏武聞之追殺此使

何平叔美姿儀面至白魏明帝疑其傅粉正夏月與

前言

世說新語是南朝宋臨川王劉義慶所作的一部主要記載漢末、三國、兩晉士族階層遺聞軼事的小說。義慶是劉裕仲弟長沙景王道憐的兒子，出嗣給臨川烈王道規，襲封臨川王。宋書本傳說他「性簡素，寡嗜欲，愛好文義，才詞雖不多，然足爲宗室之表。撰徐州先賢傳十卷奏上之，又擬班固典引爲典叙，以述皇代之美」。沒有提到世說新語，但南史本傳有之。

此書宋書本傳不載，隋志及新舊唐志及南史但稱世說。宋黃伯思東觀餘論說：「世說之名，肇於劉向，其書已亡，故義慶所集名世說新書，段成式酉陽雜俎引王敦澡豆事，尚作世說新書，可證，不知何人改爲新語。」今所見唐寫本，後題「世說新書卷六」，因之有人認爲唐人所見，皆稱「新書」，「新語」之名，當起於五代以後。或又以爲「世說新語」之名已見於史通雜說，疑「新書」之稱後起。然新唐書藝文志有王方慶續世說新書十卷，方慶又在劉知幾前。按虞世南北堂書鈔所引皆但標世說，與隋志相同，頗疑此書本名世說，後人以與劉向書同名，因增字以爲區別。至於「新書」「新語」二名，唐初並行，孰先孰後，文獻不足，只好存疑。汪藻叙錄稱「晁文元、錢文僖、晏元獻、王仲至、黃魯直家本皆作世說新語。」則新語這個名字，從宋初起已經通行了。

漢代郡國舉士，注重鄉評里選，所以漢末郭泰號稱有人倫之鑒，許劭有「汝南月旦評」；魏晉士大夫好尚清談，講究言談容止，品評標榜，相扇成風，一經品題，身價十倍，世俗流傳，以爲美談。常有人把它記錄下來，集成書帙，流行於世。裴啟的語林、郭澄之的郭子等，就是這一類書，劉義慶的書比較後出，許多材料是從這些書裏輯錄出來的。現在其他同類的書大都散佚了，只有這一部書，比較完整地保存下來。

世說原分八卷，劉注本分十卷，現在已不可再見。僅唐寫本殘卷後題世說新書卷第六，尚存十卷本的舊貌。今世所傳都分三卷，據汪藻叙錄：「晁氏（名迥，諡文元。）本以德行至文學爲上卷，方正至豪爽爲中卷，容止至仇隙爲下卷。」並與今本合，則宋初已然。又書後董弅跋云：「後得晏元獻公手自校本，盡去重複，其注亦小加剪截。」則今世所傳本，不但非十卷之舊，劉孝標注也已經過晏殊的刪節。以唐寫本校之，除文字異同外，僅「何晏、鄧颺令管輅作卦」及「王緒、王國寶相爲脣齒」二條注，就多出二百餘字，董氏的話是信而有徵的。但正文並未芟薙，唐寫本存者規箴篇二十四事，捷悟篇七事，夙惠篇七事，豪爽篇十三事，凡五十一事，內容與次序並與三卷本相同。故諸家所輯佚文，多不足信，葉德輝世說新語佚文的前言裏亦頗多疑詞。

此校箋稿乃是二十餘年前的札記，當時讀這部書，頗多不易通曉之處，曾取後漢書、三國志、晉書互相參校，遇有異同，就寫在書眉上，見聞寡陋，罣一漏萬，實在不敢自信，偶然被友人見了，以爲可存，慫恿整理出版，因又稍加補充，但不能通曉之處還很多，只好付諸闕疑，不敢妄爲之說，補遺正謬，有待於高明。

本書用涵芬樓影印明袁氏嘉趣堂本作爲底本，校以唐寫本（附影宋本後）、影印金澤文庫所藏宋本（簡稱影宋本）、沈寶硯據傳是樓藏宋槧本所作校語（簡稱沈校本）、明淩瀛初刻批點本（簡稱淩刻本）及王先謙思賢講舍刻本（簡稱王刻本）。凡此諸本異文甚多，各種史書及類書所引也時有出入，只取其可以是正底本的，其明顯錯誤或和文義無甚關係的皆不錄。近人著作如沈劍知先生之札記及王利器先生之影宋本校記，亦曾涉獵，有所借資，並應誌謝。惟劉盼遂先生之世說新語札記徧訪不獲，殊覺缺然。

引用諸家之說，皆注明出處，其中劉辰翁、劉應登、王世懋的評語，見於淩刻本；嚴復語取之華東師範大學圖書館所藏盛氏愚齋藏書世說新語眉批，全書僅寥寥數條。

書中所用晉宋常語與習見義有出入的以及名物之難曉者，輯爲世說新語詞語淺釋，附於書後。

全書正文，仍分三卷，原卷每卷又分上下，賞譽篇適居中卷之中，分成兩截。茲去其上下之目，書中各事，按篇加以編號，中有誤分誤合者，一一加以釐正。並將正文中出現的人物（引用古人除外），編成索引，以便檢尋。

徐震堮記。

目録

附錄

世說新語卷上

宋　臨川王義慶　撰

梁　劉孝標　注

德行第一

1 陳仲舉言爲士則，行爲世範，登車攬轡，有澄清天下之志。汝南先賢傳曰：「陳蕃字仲舉，汝南平輿人。有室荒蕪不掃除㊀，曰：『大丈夫當爲國家掃天下。』值漢桓之末，閹豎用事，外戚豪橫。及拜太傅，與大將軍竇武謀誅宦官，反爲所害。」爲豫章太守，海內先賢傳曰：「蕃爲尚書，以忠正忤貴戚，不得在臺㊁，遷豫章太守。」至，便問徐孺子所在，欲先看之㊂。謝承後漢書曰㊃：「徐穉字孺子，豫章南昌人。清妙高跱，超世絕俗。前後爲諸公所辟，雖不就，及其死，萬里赴弔。常預炙雞一隻，以綿漬酒中，暴乾以裹雞，徑到所赴冢隧外，以水漬綿，斗米飯，白茅爲藉，以雞置前，醊酒畢，留謁即去㊄，不見喪主。」主簿白：「羣情欲府君先入廨㊅。」陳曰：「武王式商容之閭，席不暇煖。許叔重曰：「商容，殷之賢人，老子師也。」車上跽曰式。吾之禮賢，有何不可！」袁宏漢紀曰：「蕃在豫章，爲穉獨設一榻，去則懸之。見禮如此。」

㊀「有室荒蕪」二句——案後漢書本傳曰：「父友同郡薛勤來候之，謂蕃曰：『孺子何不洒掃以待賓客？』」蕃曰云云。

㈡不得在臺——東漢統稱尚書、御史、謁者爲三臺（尚書爲中臺，御史爲憲臺，謁者爲外臺）。陳蕃自尚書出爲豫章太守，故云。

㈢看——訪候曰看，此六朝常語，今語猶然。始見於韓非子外儲說左：「梁車新爲鄴令，其姊往看之。」

㈣謝承後漢書——沈劍知世說新語校箋（以下簡稱沈箋）：「謝承後漢書，隋志一百三十卷，云無帝紀。吳武陵太守謝承撰。按葉德輝世說引用書目漏錄此書。」文選廣絕交論「門罕漬酒之彥」注引謝書，「以水漬綿」下多「使有酒氣」一句，語意更明。

㈤謁——名刺。史記酈生傳：「使者懼而失謁，跪拾謁，還走。」通鑑五五漢紀注：「書姓名以自通求見曰刺，秦漢之間謂之謁。」

㈥府君——晉書考異曰：「漢人稱郡守曰府君。晉宣帝之曾祖量，豫章太守，祖儁，潁川太守，父防，京兆尹，故皆稱府君，而征西獨稱將軍，不相混也（按見晉書禮志）。然永和二年有司奏稱征西、豫章、潁川三府君，領司徒蔡謨議亦稱四府君，則征西亦稱府君矣。宋書禮志：『高祖開封府君，曾祖武原府君，皇祖東安府君，皇考處士府君，七世右北平府君，六世相國掾府君。』開封、武原皆縣令，而相國掾、處士皆冒府君之稱，自後士大夫敍述先世，遂以府君爲通稱矣。」

2 周子居常云㈠：「吾時月不見黃叔度，則鄙吝之心已復生矣！」子居別見㈡。典略曰：「黃憲字叔度，汝南慎陽人㈢。時論者咸云『顏子復生』。而族出孤鄙，父爲牛醫。潁川荀季和執憲手曰：『足下吾師範也！』後見袁奉高，曰：『卿國有顏子，寧知之乎？』奉高曰：『卿見吾叔度邪？』戴良少所服下，見憲則自降薄，悵然若有所失。母問：『汝何不樂乎？復從牛醫兒所來邪？』良曰：『瞻之在前，忽焉在後㈣，所謂良之師也！』」

㈠周子居——賞譽一注引汝南先賢傳云：「周乘字子居。」後漢書黃憲傳曰：「同郡陳蕃、周擧常相謂曰：『時月之閒不見黃生，則鄙吝之萌復存乎心。』」案，擧字宣光，見後漢書左雄傳，與此不同，未知孰是。

㈡子居別見——謂見賞譽一注。

㈢愼陽——沈欽韓曰：「前漢書地理志：『汝南郡愼陽。』師古曰：『愼字本作滇，音真，後誤爲愼耳。今猶有真丘、真陽縣，字並單作真，知其音不改也。闞駰曰：永平五年失印更刻，遂誤以水爲心。』」

㈣「瞻之在前」二句——論語子罕：「顏淵喟然歎曰：『仰之彌高，鑽之彌堅，瞻之在前，忽焉在後，夫子循循然善誘人，博我以文，約我以禮，欲罷不能。旣竭吾才，如有所立，卓爾，雖欲從之，末由也已。』」戴借此語以見不可企及之意。

3 郭林宗至汝南，造袁奉高，續漢書曰：「郭泰字林宗，太原介休人。泰少孤，年二十，行學至城皋屈伯彥精廬㈠，乏食，衣不蓋形，而處約味道，不改其樂。李元禮一見稱之曰：『吾見士多矣！無如林宗者也。』及卒，蔡伯喈爲作碑，曰㈡：『吾爲人作銘，未嘗不有慚容，唯爲郭有道碑頌無愧耳！』初以有道君子徵，泰曰：『吾觀乾象、人事，天之所廢，不可支也㈢。』遂辭以疾。」汝南先賢傳曰：「袁宏字奉高㈣，愼陽人。友黃叔度於童齒，薦陳仲擧於家巷。辟大尉掾，卒。」車不停軌，鸞不輟軛；詣黃叔度，乃彌日信宿。人問其故，林宗曰：「叔度汪汪如萬頃之陂，澄之不清，擾之不濁，其器深廣，難測量也。」泰別傳曰：「薛恭祖問之，泰曰：『奉高之器，譬諸汎濫㈤，雖清易挹也。』」

㈠行學至城皋屈伯彥精廬——「城皋」，乃「成皋」形近之誤。後漢書郭泰傳：「就成皋屈伯彥學，三年畢業，博通墳籍。」精廬，學舍也。後漢書姜肱傳：「乃就精廬求見徵君。」注：「精廬卽精舍也。」王先謙集解引黃山曰：「儒林蔡玄傳：『精盧晢建。』彼注云：『精廬，講讀之舍。』精廬，精舍，皆研精學術之地也。」

㈡蔡伯喈爲作碑曰——後漢書郭泰傳作「蔡邕爲其文，既而謂涿郡盧植曰。」

㈢「天之所廢」二句——沈箋曰：「後漢書章懷注：左傳晉汝叔寬之詞。按左傳定元年『廢』作『壞』，而漢紀、抱朴子同作『廢』。『廢』『壞』一音之轉，因而致誤耳。」

㈣袁宏字奉高——「袁宏」，影宋本及沈校本並作「袁閎」，「閎」亦「閬」之誤。後漢書黄憲傳注：「袁閬字奉高。」劉攽校曰：「袁閬字奉高，閎字夏甫。此言奉高當作『閬』也。」案黄憲傳：「既而前至袁閬所。」注：「一作閎。」案袁閬字奉高，見後漢書王龔傳。太平御覽卷二六四引汝南先賢傳同。

㈤汎濫——汎濫在此處無義，後漢書黄憲傳作「氿濫」，是也。氿泉穴出，穴出，側出也；濫泉正出，正出，涌出也。見爾雅釋水。漢書敘傳：「懷氿濫而測深乎重淵。」是此語所本。「氿」誤爲「汎」，後漢書郭泰傳又誤作「泛」。

4 李元禮風格秀整，高自標持，欲以天下名教是非爲己任㈠。薛瑩後漢書曰：「李膺字元禮，潁川襄城人。抗志清妙，有文武儁才。遷司隸校尉。爲黨事自殺。」後進之士有升其堂者，皆以爲登龍門。三秦記曰：「龍門一名河津，去長安九百里，水懸絶，龜魚之屬莫能上，上則化爲龍矣。」

㈠名教——儒者因名設教，故曰名教。名謂名分。論語子路：「子曰：『必也正名乎……名不正則言不順，言不順則事不成，事不成則禮樂不興，禮樂不興則刑罰不中，刑罰不中則民無所措手足。』」名教之義蓋出於此。

5 李元禮嘗歎荀淑、鍾皓先賢行狀曰㈠：「荀淑字季和，潁川潁陰人也。所拔韋褐芻收之中，執案刀筆之吏㈡，皆爲英彦。舉方正，補朗陵侯相，所在流化。鍾皓字季明，潁川長社人。父、祖至德著名。皓高風承世，除林慮長，不之肯。人位不足，天爵有餘。」曰：「荀君清識難尚㊂，鍾君至德可師。」海內先賢傳曰：「潁川先輩爲海內所師者，定陵陳穉叔，潁陰荀淑，長社鍾皓。少府李膺宗此三君，常言：『荀君清識難尚，陳、鍾至德可師。』」

㊀先賢行狀——葉德輝世說引用書目録曰：「亦稱潁川先賢行狀。」

㊁案——案牘也。

㊂尚——論語里仁：「好仁者無以尚之。」注：「尚，加也。」

6 陳太丘詣荀朗陵，貧儉無僕役，陳寔傳曰：「寔字仲弓㊀，潁川許昌人。爲聞喜令、太丘長，風化宣流。」乃使元方將車，先賢行狀曰：「陳紀字元方，寔長子也。至德絶俗，與寔高名並著，而弟諶又配之。每宰府辟召，羔鴈成羣㊁，世號『三君』，百城皆圖畫。」季方持杖後從㊂，長文尚小，載著車中。既至，荀使叔慈應門，慈明行酒，餘六龍下食㊃，張璠漢紀曰：「淑有八子：儉、鯤、靖、燾、汪、爽、肅、敷㊄。淑居西豪里，縣令苑康曰：『昔高陽氏有才子八人。』遂署其里爲高陽里。時人號曰『八龍』。」文若亦小，坐著膝前。于時太史奏：「真人東行。」檀道鸞續晉陽秋曰：「陳仲弓從諸子姪造荀父子，于時德星聚，太史奏：『五百里賢人聚。』」

㊀寔字仲弓——錢大昕後漢書考異：「洪氏隸續載陳寔碑，云字仲躬。」

㊁羔鴈——禮記曲禮：「凡贄，卿羔，大夫鴈。」此以喻禮聘之物。

㊂季方持杖後從——「後從」，影宋本及沈校本作「從後」。

㊃下食——進食也。詳附録語詞簡釋。

㊄儉、鯤、靖、燾、汪、爽、肅、敷——「鯤」，影宋本及沈校本作「緄」，後漢書荀淑傳正作「緄」。「汪」，魏志荀彧傳注引張

璠漢紀作「詵」。「敷」，後漢書荀淑傳作「專」（疑「旉」之誤），注云：「本或作『敷』。」魏志荀彧傳注引張璠漢紀作「旉」。

7 客有問陳季方：海內先賢傳曰：「陳諶字季方，寔少子也。才識博達，司空掾公車徵，不就。」「足下家君太丘有何功德而荷天下重名？」季方曰：「吾家君譬如桂樹生泰山之阿㊀，上有萬仞之高，下有不測之深；上爲甘露所霑，下爲淵泉所潤。當斯之時，桂樹焉知泰山之高，淵泉之深？不知有功德與無也。」

㊀吾家君譬如桂樹生泰山之阿——玩文義，諶蓋以桂樹自比，而以泰山比其父，「吾」下疑脫「於」字。

8 陳元方子長文，有英才，魏書曰：「陳羣字長文，祖寔，嘗謂宗人曰：『此兒必興吾宗。』及長，有識度，其所善皆父黨。」與季方子孝先陳氏譜曰：「諶子忠，字孝先。州辟不就。」各論其父功德，爭之不能決。咨於太丘，太丘曰：「元方難爲兄，季方難爲弟㊀。」一作「元方難爲弟，季方難爲兄。」

㊀「太丘曰」三句——嚴復曰：「此記者述太丘語意耳，古無父字其子之事。」嚴批見盛氏愚齋藏世說新語，全書僅寥寥數條，書今藏華東師範大學圖書館。

9 荀巨伯遠看友人疾，荀氏家傳曰：「巨伯，漢桓帝時人也，亦出潁川，未詳其始末。」值胡賊攻郡，友人語巨伯曰：「吾今死矣，子可去。」巨伯曰：「遠來相視，子令吾去，敗義以求生，豈荀巨伯所行邪！」賊既至，謂巨伯曰：「大軍至，一郡盡空，汝何男子，而敢獨止？」巨伯曰：「友人有疾，不忍委之，寧以我身代友人命。」賊相謂曰：「我輩無義之人，而入有義之國。」遂班軍而還，一郡並獲全。

10 華歆遇子弟甚整，雖閒室之内，嚴若朝典㊀。魏志曰：「歆字子魚，平原高唐人。」魏略曰：「靈帝時，與北海邴原、管寧俱遊學相善，時號三人爲一龍，謂歆爲龍頭，寧爲龍腹，原爲龍尾㊁。」陳元方兄弟恣柔愛之道，而二門之裏，兩不失雍熙之軌焉。

㊀嚴若朝典——「嚴」，影宋本及沈校本並作「儼」，續談助四引小說同。儼，矜莊貌，見曲禮「儼若思」注。又敬也，見爾雅釋詁。嚴亦訓莊、訓敬。二字古通用。

㊁「寧爲龍腹」二句——魏志華歆傳注引魏略作「原爲龍腹，寧爲龍尾」，御覽卷四〇七引魏略同。

11 管寧、華歆共園中鋤菜，傅子曰：「寧字幼安，北海朱虛人，齊相管仲之後也。」見地有片金，管揮鋤與瓦石不異㊀，華捉而擲去之。又嘗同席讀書，有乘軒冕過門者㊁，寧讀如故，歆廢書出看。寧割席分坐，曰：「子非吾友也！」魏略曰：「寧少恬靜，常笑邴原、華子魚有仕宦意。及歆爲司徒，上書讓寧。寧聞之，笑曰：『子魚本欲作老吏，故榮之耳！』」

㊀揮鋤——初學記一七引裴子語林作「揮鍤如故」。

㊁有乘軒冕過門者——沈箋曰：「左傳閔二年：『鶴有乘軒者。』杜預注：『軒，大夫車也。』冕不當言乘，此乃贅字。蓋因行文每軒冕連用，傳鈔時不覺誤入耳。」案此處「軒冕」乃偏義複詞，僅取「軒」義。沈說非。

12 王朗每以識度推華歆㊀。魏書曰：「朗字景興，東海郯人。魏司徒。」歆蜡日禮記曰：「天子大蜡八。」伊耆氏始爲蜡。蜡，索也。歲十二月，合聚萬物而索饗之。」五經要義曰：「三代名臘，夏曰嘉平，殷曰清祀，周曰大蜡，總謂之臘。」晉博士張亮議曰：「蜡者，合聚百物索饗之，歲終休老息民也。臘者，祭宗廟五祀。傳曰：『臘，接也，祭則新故交接也。』秦、漢已來，臘之明日爲祝歲㊁，古之遺語也。」嘗集子姪燕飲，王亦學之。有人向張華說此事，張曰：「王之學華，皆是形骸之外，去之所以更遠。」王隱晉書曰：「張華字茂先，范陽人也。累遷司空，而爲趙王倫所害。」

㊀王朗每以識度推華歆——御覽卷三三三作「王朗中年以識度推伏華歆」。

㊁臘之明日爲祝歲——「祝歲」，影宋本及沈校本作「初歲」。沈箋曰：「藝文類聚五、太平御覽三三同引亮議，作『臘，接也，祭宜在新故交接也。俗謂臘之明日爲初歲，秦漢以來有賀，此古之遺語也。』」按世說注屢經宋人削改，未必爲孝標原文，自以類聚、御覽所引爲正也。且「祭則新故交接」句，「則」字于詞不順，「宜在」二字故當勝之。「祝歲」，宋本亦作「初歲」，蓋以形似而誤爲「祝」也。然證以崔寔四民月令：「臘明日爲小歲，進酒尊長，修刺賀君師。」徐爰家儀：「蜡本施祭，故不賀。其明日爲小歲，賀稱『初歲福始，罄無不宜。』」則「初歲」當作「小歲」，無論「祝歲」矣。又可證「秦漢以來有賀」一句亦不可少，而此誤奪也。尚疑「有賀」下當有「初歲福始」二語，不然何以云「此古之遺語」耶？

13 華歆、王朗俱乘船避難，有一人欲依附，歆輒難之。朗曰：「幸尚寬，何爲不可？」後賊追至，王欲舍所攜人。歆曰：「本所以疑，正爲此耳。既已納其自託，寧可以急相棄邪？」遂攜拯如初。世以此定華、王之優劣。華嶠譜敍曰：「歆爲下邽令，漢室方亂，乃與同志士鄭太等六七人避世。自武關出，道遇一丈夫獨行，願得與俱，皆哀許之。歆獨曰：『不可。今在危險中，禍福患害，義猶一也。今無故受之，不知其義，若有進退，可中棄乎？』衆不忍，卒與俱行。此文夫中道墮井，皆欲棄之。歆乃曰：『已與俱矣，棄之不義。』卒共還出之而後別。」

14 王祥事後母朱夫人甚謹。晉諸公贊曰：「祥字休徵，琅邪臨沂人。」祥世家曰：「祥父融，娶高平薛氏，生祥；繼室以廬江朱氏，生覽。」晉陽秋曰：「後母數譖祥，屢以非理使祥，弟覽輒與祥俱。又虐使祥婦，覽妻亦趨而共之。母患㊀，方盛寒冰凍，母欲生魚，祥解衣將剖冰求之，會有處冰小解，魚出。」蕭廣濟孝子傳曰：「祥後母忽欲黃雀炙，祥念難卒致。須臾，有數十黃雀飛入其幕。母之所須，必自奔走，無不得焉。其誠至如此。」家有一李樹，結子殊好，母恒使守之。時風雨忽至，祥抱樹而泣。蕭廣濟孝子傳曰：「祥後母庭中有李，始結子，使祥晝視鳥雀，夜則趁鼠㊁。一夜風雨大至，祥抱泣至曉。母見之惻然。」祥嘗在別牀眠，母自往闇斫之；值祥私起㊂，空斫得被。既還，知母憾之不已，因跪前請死。母於是感悟，愛之如己子。虞預晉書曰：「祥以後母故，陵遲不仕㊃。年向六十㊄，刺史呂虔檄爲別駕。時人歌之曰：『海、沂之康，寔賴王祥，邦國不空，別駕之功。』累遷太保。」

㊀母患——沈籛曰：「按『母患』爲句，辭意不足，顯有脫文。晉書採取孫盛此文，作『朱患之，乃止』，則『母患』下當補『之乃止』三字。」

㊁夜則趁鼠——「趁」，影宋本及沈校本作「趂」，是。廣雅：「趂，逐也。」何承天纂文：「關西以逐物爲趂。」

㊂私——左襄十五年云：「師慧過宋朝，將私焉。」注：「私，小便。」

㊃陵遲——淹滯之意。晉書卞壼傳「陵遲積年」，與此同義。

㊄「年向六十」二句——錢大昕晉書考異：「案魏志，呂虔爲徐州刺史，在文帝時。計文帝黃初元年，祥纔三十有六耳，

卽被徵在黃初之末，亦止四十餘，何得云耳順也！王隱晉書云：『祥始出仕，年過五十。』蓋據舉秀才、除溫令而言，非指爲別駕之日也。」

15 晉文王稱阮嗣宗至愼，每與之言，言皆玄遠，未嘗臧否人物。魏書曰：「文王諱昭，字子上，宣帝第二子也。」魏氏春秋曰：「阮籍字嗣宗，陳留尉氏人，阮瑀子也。宏達不羈，不拘禮俗。兖州刺史王昶請與相見，終日不得與言，昶愧歎之，自以不能測也。口不論事，自然高邁。」李康家誡曰㊀：「昔嘗侍坐於先帝，時有三長史俱見。臨辭出，上曰：『爲官長，當清、當愼、當勤，修此三者，何患不治乎？』並受詔。上顧謂吾等曰：『必不得已而去，於斯三者何先？』或對曰：『清固爲本。』復問吾，吾對曰：『清愼之道，相須而成，必不得已，愼乃爲大。』上曰：『卿言得之矣。可舉近世能愼者誰乎？』吾乃舉故太尉荀景倩、尚書董仲達、僕射王公仲㊁。上曰：『此諸人者，溫恭朝夕，執事有恪，亦各其愼也。然天下之至愼者，其唯阮嗣宗乎！每與之言，言及玄遠，而未嘗評論時事，臧否人物，可謂至愼乎！』」

㊀李康家誡曰——嚴可均曰：「御覽四百三十引王隱晉書，亦載李康家誡，『康』乃『秉』之誤。魏志李通傳注引王隱晉書，是『秉』字。秉乃通之孫。」案晉書李重傳：「重父景。」唐人諱「昞」爲「景」，「秉」爲「昞」之同音字，亦諱作「景」。

㊁吾乃舉故太尉荀景倩尚書董仲達僕射王公仲——晉書荀顗傳：「荀顗字景倩，魏太尉彧之第六子也。武帝踐阼，以顗爲司徒，加侍中，遷太尉。」董王二人未詳。

16 王戎云：「與嵇康居二十年，未嘗見其喜慍之色。」康集敍曰：「康字叔夜，譙國銍人。」王隱晉書曰：「嵇本姓奚㊀，其先避怨徙上虞，移譙國銍縣。以出自會稽，取國一支，音同本奚焉。」虞預晉書曰：「銍有嵇山，家於其側，因氏焉。」康別傳曰：「康性含垢藏瑕，愛惡不爭於懷，喜怒不寄於顏。所知王濬沖在襄城，面數百，未嘗見其疾聲朱顏。此亦方中之美範，人倫之勝業也。」文章敍録曰：「康以魏長樂亭主壻，遷郎中，拜中散大夫。」

(一)嵇本姓溪——「溪」，影宋本及沈校本作「奚」，是，下文「音同本奚」可證。魏志王衞二劉傅傳注引虞預晉書曰：「康家本姓奚，會稽人。先自會稽遷于譙之銍縣，改爲嵇氏，取稽字之上，加山以爲姓，蓋以志其本也。」尤爲確證。

17 王戎、和嶠同時遭大喪，俱以孝稱。王雞骨支牀，和哭泣備禮。晉諸公贊曰：「戎字濬沖，琅邪人，太保祥宗族也。文皇帝輔政，鍾會薦之曰：『裴楷清通，王戎簡要(一)。』卽俱辟爲掾。晉踐阼，累遷荆州刺史。以平吳功，封安豐侯。」晉陽秋曰：「戎爲豫州刺史，遭母憂(二)，性至孝，不拘禮制，飲酒食肉，或觀棋奕，而容貌毁悴，杖而後起。時汝南和嶠亦名士也，以禮法自持。處大憂，量米而食，然顦顇哀毁，不逮戎也。」武帝謂劉仲雄曰：王隱晉書曰：「劉毅字仲雄，東萊掖人，漢城陽景王後也。亮直清方，見有不善，必評論之，王公大人望風憚之。僑居陽平，太守杜恕致爲功曹(三)，沙汰郡吏三百餘人。三魏僉曰：『但聞劉功曹，不聞杜府君。』累遷尚書司隸校尉。」「卿數省王、和不？聞和哀苦過禮，使人憂之。」仲雄曰：「和嶠雖備禮，神氣不損；王戎雖不備禮，而哀毁骨立(四)。臣以和嶠生孝，王戎死孝。陛下不應憂嶠，而應憂戎。」晉陽秋曰：「世祖及時談以此貴戎也。」

(一)「裴楷清通」二句——嚴復曰：「清通者，中清而外通也；簡要者，知禮法之本而所行者簡。二者皆老莊之道。」

(二)「戎爲豫州」二句——晉書本傳：「遷豫州刺史，受詔伐吳。吳平，進爵安豐侯，後遷光祿勳，吏部尚書，以母憂去職。」與晉陽秋所紀不同。

(三)「僑居陽平」二句——「陽平」，晉書劉毅傳作「平陽」。案通鑑九六晉紀注：「魏郡、陽平、廣平爲三魏。」下云「三魏僉曰」，則作「陽平」是也。魏志杜恕傳但言起家河東太守，不載陽平事。

㈣「王戎」二句——嚴復曰：「所重性情而汰落儀節，此其所由爲簡要也歟？」通鑑七八魏紀注：「骨立者，言其瘠甚，身肉俱消，唯骨立也。」

18 梁王、趙王，朱鳳晉書曰：「宣帝張夫人生梁孝王彤㈠，字子徽，位至太宰；桓夫人生趙王倫，字子彝，位至相國。」國之近屬，貴重當時。裴令公晉諸公贊曰：「裴楷字叔則，河東聞喜人，司空秀之從弟也。父徽，冀州刺史。有俊識。楷特精易義，累遷河南尹、中書令，卒。」歲請二國租錢數百萬，以恤中表之貧者。或譏之曰：「何以乞物行惠？」裴曰：「損有餘，補不足，天之道也㈡。」名士傳曰：「楷行己取與，任心而動，毀譽雖至，處之晏然，皆此類㈢。」

㈠宣帝張夫人生梁孝王彤——「彤」，沈校本作「肜」，晉書本傳同。

㈡「損有餘」三句——老子：「天之道，損有餘以補不足；人之道則不然，損不足以奉有餘。」

㈢「名士傳曰」五句——嚴復曰：「此則是『清通』二字注脚。」

19 王戎云：「太保居在正始中㈠，不在能言之流；及與之言，理中清遠㈡。將無以德掩其言？」晉陽秋曰：「祥少有美德行。」

㈠太保居在正始中——「居」，沈校本作「君」。

㈡理中清遠——「理中」沈校本作「理致」，晉書王祥傳同。按「理中」是當時習語。文學三八：「豈是求理中之談哉！」賞譽一三三注引王濛別傳亦有「談道貴理中」之語，似不誤。晉書於當時口語，多易以雅言，沈校所據宋本，或據晉書臆改。案六朝人語，凡得其當者每以中字繫之，不僅「理中」一詞也。得理之中曰「理中」，得事之中曰「事中」，晉書明帝紀：「詔曰：『大事初定，其命惟新。其令太宰、司徒以下，詣都坐參議政道，諸所因革，務盡事中。』」晉書劉頌傳：「雖强弱不適，制度舛錯，未盡事中。」南齊書豫章文獻王傳：「上答曰：『事中恐不得從所陳。』」皆謂事理也。得計之中者曰「計中」，南齊書垣榮祖傳：「明帝初卽位，四方反，除榮祖冗從僕射，遣還徐州，說刺史薛安都曰：『天之所廢，誰能興之！使君今不同八百諸侯，如民所見，非計中也。』」猶言非計之得也。並可證明「理中」之義。

20 王安豐遭艱，至性過人。裴令往弔之㊀，曰：「若使一慟果能傷人，濬沖必不免滅性之譏。」曲禮曰：「居喪之禮，毁瘠不形㊁，視聽不衰。不勝喪，乃比於不慈不孝。」孝經曰：「毁不滅性，聖人之教也。」

㊀裴令——本書中率指裴楷，晉書王戎傳載此事，屬之裴頠。

㊁毁瘠不形——「瘠」原誤作「濬」，據影宋本及沈校本改。

21 王戎父渾，有令名，官至涼州刺史。世語曰：「渾字長原。有才望㊀，歷尚書、涼州刺史。」渾薨，所歷九郡義故㊁，懷其德惠，相率致賻數百萬，戎悉不受。虞預晉書曰：「戎由是顯名。」

㊀有才望——「才」沈校本作「士」。

㊁九郡義故——沈箋曰：「按晉書地理志，涼州統郡八，曰金城，曰西平，曰武威，曰張掖，曰西郡，曰酒泉，曰敦煌，曰西海。此『九』字當作『八』。」義謂義從，故爲故吏。後漢書班超傳：「以幹（徐幹）爲假司馬，將弛刑及義從千人就超。」通鑑四六漢紀注：「義從，自奮願從行者。」晉州郡得自募部曲，亦曰義從。

22 劉道真嘗爲徒，晉百官名曰：「劉寶字道真，高平人。」徒，罪役作者。扶風王駿虞預晉書曰：「駿字子臧，宣帝第十七子㊀，好學至孝。」晉諸公贊曰：「駿八歲爲散騎常侍，侍魏齊王講。晉受禪，封扶風王，鎮關中，爲政最美。薨，贈武王。西土思之，但見其碑贊者，皆拜之而泣，其遺愛如此。」以五百疋布贖之，既而用爲從事中郎。當時以爲美事。

㊀宣帝第十七子——晉書宣五王傳，宣帝九男，此云第十七子，誤。文選任昉爲范始興作求立太宰碑表李善注引臧榮緒晉書：「扶風王駿，字子臧，宣帝第七子也。」則「十」字乃衍文。

23 王平子、胡毋彥國諸人，皆以任放爲達，或有裸體者。晉諸公贊曰：「王澄字平子，有達識，荆州刺史。」永嘉流人名曰：「胡毋輔之字彥國，泰山奉高人，湘州刺史。」王隱晉書曰：「魏末，阮籍嗜酒荒放，露頭散髮，裸袒箕踞。其後貴游子弟阮瞻、王澄、謝鯤、胡毋輔之之徒，皆祖述於籍，謂得大道之本。故去巾幘，脫衣服，露醜惡，同禽獸。甚者名之爲通，次者名之爲達也。」樂廣笑曰：「名教中自有樂地㊀，何爲乃爾也？」

㊀名教——見本篇四注，此指儒家相傳之禮法，與老莊放達之教相對。

24 郗公值永嘉喪亂，在鄉里，甚窮餒。鄉人以公名德，傳共飴之㊀。公常攜兄子邁及外生周翼二小兒往食，鄉人曰：「各自饑困，以君之賢，欲共濟君耳，恐不能兼有所存。」公於是獨往食，輒含飯著兩頰邊，還，吐與二兒。後並得存，同過江。郗鑒別傳曰：「鑒字道徽，高平金鄉人，漢御史大夫郗慮後也。少有體正，就思經籍，以儒雅著名。永嘉末，天下大亂，饑饉相望。冠帶以下，皆割己之資供鑒。元皇徵爲領軍，遷司空、太尉。」中興書曰：「鑒兄子邁，字思遠，有幹世才略，累遷少府、中護軍。」郗公亡，翼爲剡縣㊁，解職歸，席苫於公靈牀頭，心喪終三年。周氏譜曰：「翼字子卿，陳郡人。祖奕，上谷太守。父優，車騎咨議。歷剡令、青州刺史、少府卿，六十四而卒。」

㈠傳共飴之——此飴字讀食，去聲，養也，以食食人也。與訓餳之飴音義並異。晉書王薈傳：「以私米作饘粥，以飴餓者。」南史嚴世期傳：「同縣俞陽妻莊，年九十，莊女蘭，七十，並老病無所依，世期飴之二十年，死，並殯葬。」並同。傳，輪流也。

㈡翼爲剡縣——剡縣，晉書地理志屬會稽郡。案：據晉書成帝紀，郗鑒薨於咸康五年八月，則周翼爲剡令之時，可得而推已。

25 顧榮在洛陽，嘗應人請，覺行炙人有欲炙之色，因輟己施焉，同坐嗤之。榮曰：「豈有終日執之，而不知其味者乎？」後遭亂渡江，每經危急，常有一人左右己，問其所以，乃受炙人也。文士傳曰：「榮字彥先，吳郡人。其先越王勾踐之支庶，封於顧邑，子孫遂氏焉。世爲吳著姓。大父雍，吳丞相。父穆，宜都太守。榮少朗俊機警，風穎標徹。歷廷尉正。曾在省與同僚共飲，見行炙者有異於常僕，乃割炙以噉之。後趙王倫篡位，其子爲中領軍，逼用榮爲長史。及倫誅，榮亦被執，凡受戮等輩十有餘人。或有救榮者，問其故，曰：『某省中受炙臣也。』榮乃悟而歎曰：『一餐之惠，恩今不忘。古人豈虛言哉！』」

26 祖光禄少孤貧，性至孝，常自爲母炊爨作食。王隱晉書曰：「祖納字士言，范陽遒人。九世孝廉。納諸母三兄，最治行操，能清言。歷太子中庶子、廷尉卿。避地江南，温嶠薦爲光禄大夫。」王平北聞其佳名㈠，以兩婢餉之，因取爲中郎。王乂別傳曰：「乂字叔元，琅邪臨沂人。時蜀新平，二將作亂㈡，文帝西之長安，乃徵爲相國司馬，遷大尚書，出督幽州諸軍事，平北將軍。」有人戲之者曰：「奴價倍婢。」祖云：「百里奚亦何必輕於五羖之皮邪！」楚國先賢傳曰：「百里奚字井伯，楚國人。少仕於虞爲大夫。晉欲假道於虞以伐虢，諫而不聽，奚乃去之。」說苑曰：「秦穆公使賈人載鹽於虞，諸賈人買百里奚以五羊皮。穆公觀鹽，怪其牛肥，問其故，對曰：『飲食以時，使之不暴，是以肥也。』公令有司沐浴衣冠之，公孫支讓其卿位，號曰『五羖大夫』。」

㈠王平北——晉書祖納傳作「平北將軍王敦。」案敦未嘗爲平北將軍。嚴可均以爲別是一人，蓋同時同姓名者。劉孝標注以爲王乂，乂，王衍之父。晉書考異曰：「世說稱王敦，必云王大將軍，晉史好采世說，豈此例尚未之知邪？」

㈡二將——謂鄧艾、鍾會。

27 周鎮罷臨川郡還都，未及上，住泊青溪渚㈠，永嘉流人名曰：「鎮字康時，陳留尉氏人也。祖父和，故安令。父震，司空長史。」中興書曰：「鎮清約寡欲，所在有異績。」王丞相往看之。丞相別傳曰：「王導字茂弘，琅邪人。祖覽，以德行稱。父裁，侍御史㈡。導少知名，家世貧約，恬暢樂道，未嘗以風塵經懷也。」時夏月，暴雨卒至，舫至狹小，而又大漏，殆無復坐處。王曰：「胡威之清，何以過此！」卽啓用爲吳興郡。晉陽秋曰：「胡威字伯虎，淮南人。父質，以忠清顯。質爲荆州，威自京師往省之。及告歸，質賜威絹一匹。威跪曰：『大人清高，於何得此？』質曰：『是吾奉祿之餘，故以爲汝糧耳！』威受而去。每至客舍，自放驢，取樵爨炊。食畢，復隨旅進道。質帳下都督陰齎糧，要之，因與爲伴，每事相助經營之，又進少飯，威疑之，密誘問之，乃知都督也，謝而遣之。後以白質，質杖都督一百，除其吏名。父子清慎如此。及威爲徐州，世祖賜見，與論邊事及平生，帝歎其父清，因謂威曰：『卿清孰與

父?」對曰:「臣清不如也。」帝曰:「何以爲勝汝邪?」對曰:「臣父清畏人知,臣清畏人不知,是以不如遠矣!」㈡

㈠青溪渚——景定建康志:「吳大帝赤烏四年,鑿東渠,名青溪。通城北塹潮溝,闊五丈,深八尺,以洩玄武湖水。發源鍾山,而南流經京,出今青溪閘口,接于秦淮。」

㈡「父裁」二句——案晉書王覽傳:「子裁,撫軍長史。」王導傳:「父裁,鎮軍司馬。」並與此異。

28 鄧攸始避難,於道中棄己子,全弟子。晉陽秋曰:「攸字伯道,平陽襄陵人。七歲喪父母及祖父母㈠,持重九年。性清愼平簡。」鄧粲晉紀曰:「永嘉中,攸爲石勒所獲,召見,立幕下與語,說之,坐而飯焉。攸車所止,與胡人鄰轂。胡人失火燒車營,勒吏案問胡,胡誣攸,攸度不可與爭,乃曰:『向爲老姥作粥,失火延逸,罪應萬死。』勒知,遣之。所誣胡厚德攸,遺其驢馬護送,令得逸。」王隱晉書曰:「攸以路遠斫壞車,以牛馬負妻子以叛㈡,賊又掠其牛馬,攸語妻曰:『吾弟早亡,唯有遺民;今當步走,儋兩兒盡死,不如棄己兒,抱遺民。吾後猶當有兒。』婦從之。」中興書曰:「攸棄兒於草中,兒啼呼追之,至莫復及。攸明日繫兒於樹而去,遂渡江。至尚書左僕射,卒。弟子綏,服攸齊衰三年。」既過江,取一妾,甚寵愛。歷年後,訊其所由,妾具說是北人遭亂,憶父母姓名,乃攸之甥也。攸素有德業,言行無玷,聞之哀恨終身,遂不復畜妾。

㈠七歲喪父母及祖父母——案晉書本傳:「七歲喪父,尋喪母及祖母。」「祖」下無「父」字,是也。下云:「持重九年」,蓋連服三喪,故云九年。「父」字恐是衍文。

㈡以牛馬負妻子以叛——「叛」沈校本作「逃」,是。

29 王長豫爲人謹順,事親盡色養之孝。中興書曰:「王悅字長豫,丞相導長子也。仕至中書侍郎。」丞相見長豫輒喜，見敬豫輒嗔。　文字志曰：「王恬字敬豫，導次子也。少卓犖不羈，疾學尚武，不爲導所重。至中軍將軍。多才藝，善隸書，與濟陽江彪以善奕聞。」長豫與丞相語，恒以慎密爲端。丞相還臺㊀，及行，未嘗不送至車後㊁。恒與曹夫人併當箱篋。長豫亡後，丞相還臺，登車後，哭至臺門；曹夫人作簏㊂，封而不忍開。　王氏譜曰：「導娶彭城曹韶女，名淑。」

㊀臺——晉宋間謂朝廷禁省爲臺，見容齋續筆。

㊁未嘗不送至車後——「未」原在上句「行」字上，據影宋本及沈校本乙正。

㊂曹夫人作簏——沈箋曰：「按『曹夫人作簏』句費解。晉書王悅傳：『恒爲母曹氏襞斂箱篋中物。悅亡後，其母長封作篋，不忍復開。』則簏者，謂長豫舊日所併當之箱簏，曹夫人封之不忍復開。『封』字疑當在『作簏』上。」按原文自可通，作簏者謂貯於簏中。

30　桓常侍聞人道深公者，輒曰：「此公既有宿名，加先達知稱，又與先人至交，不宜說之。」

桓彝別傳曰：「彝字茂倫，譙國龍亢人，漢五更桓榮十世孫也㊀。父穎㊁，有高名。彝少孤，識鑒明朗。避亂渡江。累遷散騎常侍。」僧法深，不知其俗姓㊂，蓋衣冠之胤也。道徽高扇，譽播山東㊃。爲中州劉公弟子。值永嘉亂，投迹揚土，居止京邑。內持法綱，外允具瞻，弘道之法師也。以業慈清淨㊄，而不耐風塵，考室剡縣東二百里岇山中。同遊十餘人，高棲浩然。支道林宗其風範，與高麗道人書㊅，稱其德行。年七十有九㊆，終於山中也。」

㊀漢五更桓榮十世孫也——「十世」晉書本傳作「九世」。

㊁父穎——「穎」，影宋本及沈校本作「顥」，晉書本傳及譙國龍亢桓氏譜同。

㊂「僧法深」二句——案慧皎高僧傳：「竺道潛字法深，姓王，琅玡人，晉丞相武昌郡公敦之弟也。年十八出家，事中州劉元真爲師。」

㊃山東——十駕齋養新録：「秦都關中，以六國爲山東。賈誼謂秦幷山東三十餘郡，又云山東豪俊並起而亡秦族矣，是也。漢書：山東出相，山西出將。亦泛指函關以東，非今所稱山東也。」此云山東，亦泛指中原。

㊄以業慈清淨——「慈」，影宋本及沈校本作「滋」。

㊅道人——十駕齋養新録：「六朝以道人爲沙門之稱，不通於羽士。南齊書顧歡傳『道士與道人戰儒墨，道人與道士辯是非。』南史陶貞白傳：『道人道士，並在門中，道人左，道士右。』是道人與道士較然有別矣。南史宋宗室傳前稱慧琳道人，後稱沙門慧琳，是道人卽沙門。」

㊆年七十有九——「七十有九」高僧傳作「八十九」。

31 庾公乘馬有的盧，晉陽秋曰：「庾亮字元規，潁川鄢陵人，明穆皇后長兄也。淵雅有德量，時人方之夏侯太初、陳長文之倫。侍從父琛避地會稽㊀，端拱嶷然，郡人嚴憚之，覲接之者，數人而已。累遷征西大將軍、荆州刺史。」伯樂相馬經曰：「馬白額入口至齒者，名曰楡鴈，一名的盧，奴乘客死，主乘棄市。凶馬也。」或語令賣去，語林曰：「殷浩勸公賣馬。」庾云：「賣之必有買者，卽復害其主㊁，寧可不安己而移於他人哉？昔孫叔敖殺兩頭蛇以爲後人，古之美談。賈誼新書曰：「孫叔敖爲兒時，出，道上見兩頭蛇，殺而埋之。歸見其母，泣，問其故，對曰：『夫見兩頭蛇者，必死。今出見之，故爾。』母曰：『蛇今安在？』對曰：『恐後人見，殺而埋之矣！』母曰：『夫有陰德，必有陽報，爾無憂也！』後遂興於楚朝，及長，爲楚令尹。」效之，不亦達乎？」

㈠侍從父琛避地會稽——案晉書本傳云：「父琛。」又云「隨父在會稽」。「侍從」二字必有一衍。

㈡即復害其主——「主」原誤作「生」，據影宋本及沈校本改。

32 阮光祿在剡，曾有好車，借者無不皆給。有人葬母，意欲借而不敢言，阮後聞之，歎曰：「吾有車，而使人不敢借，何以車爲？」遂焚之。阮光祿別傳曰：「裕字思曠，陳留尉氏人。祖略，齊國內史。父顗，汝南太守㈠。裕淹通有理識，累遷侍中。以疾，築室會稽剡山，徵金紫光祿大夫，不就。年六十一卒。」

㈠「祖略」四句——「齊國內史」、「汝南太守」，晉書阮放傳作「齊國太守」、「汝南內史」。案晉書職官志，郡皆置太守，諸王國以內史掌太守之任。武帝紀：「太康十年改諸王國相爲內史。」據此，自當以此注爲正，然本書及晉書於太守、內史，往往不甚分別。錢大昕晉書考異：「晉時郡置太守，王國則置內史，行太守事，然名稱率相亂。如陸雲稱清河內史，亦稱太守；桓彝稱宣城內史，亦稱太守；蘇峻稱歷陽內史，亦稱太守；孫默稱琅邪太守，亦稱內史；邵存稱武邑內史，亦稱太守；周廣稱豫章內史，亦稱太守；王曠稱丹陽太守，亦稱內史；王承稱東海太守，亦稱內史。」

33 謝奕作剡令，中興書曰：「謝奕字無奕，陳郡陽夏人。祖衡，太子少傅。父裒，吏部尚書。奕少有器鑒，辟太尉掾，剡令，累遷豫州刺史。」有一老翁犯法，謝以醇酒罰之，乃至過醉而猶未已。太傅時年七八歲，著青布絝，在兄膝邊坐，諫曰：「阿兄，老翁可念㈠，何可作此！」奕於是改容曰：「阿奴欲放去邪？」遂遣之。

㈠可念——「念」者憐憫之意；「可念」猶可憫也，是爾時常語。本書輕詆門九：「卿當念我。」念亦憐也。

34 謝太傅絕重褚公，常稱「褚季野雖不言，而四時之氣亦備㈠。」文字志曰：「謝安字安石，奕弟也。

世有學行。安弘粹通遠，温雅融暢。桓彝見其四歲時，稱之曰：『此兒風神秀徹，當繼蹤王東海㈡。』善行書。累遷太保，録尚書事，贈太傅。」晉陽秋曰：「褚裒字季野，河南陽翟人。祖䂮，安東將軍。父治㈢，武昌太守。裒少有簡貴之風，沖默之稱。累遷江、兖二州刺史，贈侍中、太傅。」

㈠「常稱」二句——劉辰翁曰：「謂外雖不言而未嘗中無分別，卽『陽秋』之意。」按「陽秋」上似脱「皮裏」二字，語見晉書褚裒傳。

㈡王東海——王承，字安期，湛子。襲爵藍田縣侯，官東海太守。

㈢父治——「治」，影宋本及沈校本作「洽」，晉書本傳同。

35 劉尹在郡，臨終綿惙，聞閣下祠神鼓舞，正色曰：「莫得淫祀！」劉尹別傳曰：「惔字真長，沛國蕭人也，漢氏之後。真長有雅裁，雖蓽門陋巷，晏如也。歷司徒左長史、侍中、丹陽尹。爲政務鎮静信誠，風塵不能移也。」外請殺車中牛祭神，真長答曰：「丘之禱久矣㈠，勿復爲煩！」包氏論語曰：「禱，請也。」孔安國曰：『孔子素行合於神明，故曰丘之禱久矣。」

㈠丘之禱久矣——論語述而：「子疾病，子路請禱。子曰：『有諸？』子路對曰：『有之。誄曰：禱爾于上下神祇。』子曰：『丘之禱久矣。』」孔安國注：「孔子素行合于神明，故曰：『丘之禱久矣。』」邢昺疏曰：「孔子不許子路，故以此言拒之。」

36 謝公夫人教兒，問太傅：「那得初不見君教兒？」答曰：「我常自教兒。」謝氏譜曰：「安娶沛國劉耽女。」按太尉劉子真，清潔有志操，行己以禮，而二子不才，並瀆貨致罪，子真坐免官㈠。客曰：「子奚不訓導之？」子真曰：「吾之行事，是其耳目所聞見，而不放效，豈嚴訓所變邪？」安石之旨，同子真之意也。

㊀「二子不才」三句——案晉書劉寔傳，二子躋、夏。躋官至散騎常侍，夏以貪污，放棄于世。寔兩次皆以夏罪免官，不言緣二子。

37 晉簡文爲撫軍時，續晉陽秋曰：「帝諱昱，字道萬，中宗少子也，仁聞有智度㊀。穆帝幼沖，以撫軍輔政。大司馬桓溫廢海西公而立帝，在位三年而崩。」所坐牀上，塵不聽拂，見鼠行跡，視以爲佳。有參軍見鼠白日行，以手板批殺之，撫軍意色不說。門下起彈教曰㊁：「鼠被害，尚不能忘懷；今復以鼠損人，無乃不可乎？」

㊀仁聞有智度——「仁聞」，影宋本及沈校本作「仁明」，是。

㊁彈教——蔡邕獨斷曰：「諸侯言曰教。」文選有傅亮爲宋公修張良廟教、爲宋公修楚元王墓教，沈約鍾山詩應西陽王教。撫軍意色不悅，或有責備之言，故門下起而彈之。文曰彈教，意即彈撫軍也。續談助四引小說，「教」作「辭」，屬下讀。

38 范宣年八歲，後園挑菜，誤傷指，大啼。人問：「痛邪？」答曰：「非爲痛，身體髮膚，不敢毀傷㊀，是以啼耳。」宣別傳曰：「宣字子宣，陳留人，漢萊蕪長范丹後也。年十歲，能誦詩書。兒童時，手傷，改容。家人以其年幼，皆異之。徵太學博士、散騎常侍㊁，一無所就。年五十四卒。」宣潔行廉約，韓豫章遺絹百匹，不受；中興書曰：「宣家至貧，罕交人事。豫章太守殷羨見宣茅茨不完，欲爲改室，宣固辭。羨愛之㊂，以宣貧，加年饑疾疢，厚餉給之，宣又不受。」續晉陽秋曰：「韓伯字康伯，潁川人。好學，善言理。歷豫章太守、領軍將軍。」減五十匹，復不受。如是減半，遂至一匹，既終不受。韓後與范同載，就車中裂二丈與范云：「人寧可使婦無褌邪？」范笑而受之。

㊀「身體髮膚」二句——孝經：「身體髮膚，受之父母，不敢毀傷，孝之始也。」

㊁徵太學博士、散騎常侍——案散騎常侍乃顯職，范宣寒素，安能驟膺此職？晉書本傳作散騎郎。

㊂羨愛之——羨謂殷羨。「羨愛之」，晉書本傳作「庾爰之」。爰之，庾翼之子。

39 王子敬病篤，道家上章，應首過㊀，問子敬：「由來有何異同得失㊁？」子敬云：「不覺有餘事，唯憶與郗家離婚。」王氏譜曰：「獻之娶高平郗曇女，名道茂，後離婚。」獻之別傳曰：「祖父曠，淮南太守。父羲之，右將軍。咸寧中，詔尚餘姚公主，遷中書令，卒。」

㊀「道家上章」二句——李詳曰：「隋書經籍志：道經有諸消災度厄之法。依陰陽五行術數推人年命，書之如章表之儀，并具贄幣，燒香陳讀，云奏上天曹，請爲陳厄，謂之上章。後漢書皇甫嵩傳：「張角自稱大賢良師，奉事黃老道，蓄養弟子，跪拜首過。」「首」如自首之首，謂自陳罪過。按後漢書劉焉傳：張魯祖陵，「順帝時客於蜀，學道鶴鳴山中，造作符書，以惑百姓。受其道者輒出五斗米，故謂之米賊。陵傳子衡，衡傳於魯。魯遂自號師君，其來學者，初名爲鬼卒，後號祭酒。祭酒各領部衆，衆多者名曰理頭。皆校以誠信，不聽欺妄，有病但令首過而已。」李賢注引典略曰：「初，熹平中，妖賊大起，漢中有張脩爲太平道，張角爲五斗米道。太平道師持九節杖，爲符祝，教病人叩頭思過，因以符水飲之，病或自愈者，則云此人信道，其或不愈，則云不信道。脩法略與角同，加施淨室，使病人處其中思過。又

使人爲姦令祭酒，主以老子五千文，使都習，號姦令。爲鬼吏，主爲病者請禱之法，書病人姓字，說服罪之意。作三通，其一上之天，著山上，其一埋之地，其一沉之水，謂之三官手書。使病者家出米五斗以爲常，故號五斗米師也。」言語篇七一注引晉安帝紀曰：「凝之事五斗米道。孫恩之攻會稽，凝之謂民吏曰：『不須備防，吾已請大道，許遣鬼兵相助，賊自破矣。』既不設備，遂爲恩所害。」此云上章首過，卽五斗米道爲病者請禱之法。晉書王羲之傳：「王氏世事五斗米道，而凝之彌篤。」可證。

㈡由來有何異同得失——由來，猶云歷來，向來。異同得失乃偶辭偏義之例，異同與得失各爲一詞，此處專着重後者；而得失一詞中，又專取一失字。有何異同得失，猶言有何過失。晉書本傳無「異同」二字。

40 殷仲堪既爲荊州，值水儉㈠，食常五盌，盤外無餘肴，飯粒脫落盤席閒，輒拾以噉之。雖欲率物㈡，亦緣其性真素。每語子弟云：「勿以我受任方州，云我豁平昔時意㈢，今吾處之不易。貧者，士之常，焉得登枝而捐其本！爾曹其存之。」晉安帝紀曰：「仲堪，陳郡人，太常融孫也。車騎將軍謝玄請爲長史，孝武說之，俄爲黃門侍郎。自殺袁悅之後，上深爲晏駕後計，故先出王恭爲北蕃㈣，荊州刺史王忱死，乃中詔用仲堪代焉。」

㈠水儉——荒年穀不足曰儉。水儉謂水澇成災，田穀不收也。

㈡率物——率，表率；物，人也。言爲人表率。

㈢豁——忘棄也。

㈣北蕃——晉書王恭傳：「乃以恭爲都督兗、青、冀、幽、并、徐州、晉陵諸軍事、平北將軍、兗、青二州刺史，假節，鎮京口。」謂之北蕃，從軍號爲稱也，蕃同藩。詳「北府」注。

41 初，桓南郡、楊廣共説殷荆州，宜奪殷覬南蠻以自樹。桓玄別傳曰：「玄字敬道，譙國龍亢人，大司馬溫少子也。幼童中，溫甚愛之，臨終，命以爲嗣。年七歲，襲封南郡公。拜太子洗馬、義興太守。不得志，少時去職，歸其國。與荆州刺史殷仲堪素舊，情好甚隆。」周祗隆安記曰：「廣字德度，弘農人，楊震後也。」晉安帝紀曰：「覬字伯道㊀，陳郡人。由中書郎出爲南蠻校尉。覬亦以率易才悟著稱，與從弟仲堪俱知名。」中興書曰：「初，仲堪欲起兵，密邀覬，覬不同。楊廣與弟佺期勸殺覬，仲堪不許。」覬亦卽曉其旨。嘗因行散㊁，率爾去下舍，便不復還，內外無預知者。意色蕭然，遠同鬭生之無慍。時論以此多之。春秋傳曰：「楚令尹子文，鬭氏也。」論語曰：「令尹子文三仕爲令尹，無喜色；三已之，無慍色。」

㊀覬字伯道——晉書本傳作「殷顗字伯通」。

㊁行散——魏晉人好服五石散。抱朴子金丹：「五石者，丹砂、雄黃、白凡（礬）、曾青、慈（磁）石也。」其藥皆金石之類，服後必徐步以消釋之，謂之「行散」。鮑照有行藥至城東橋詩，「行藥」卽「行散」。

42 王僕射在江州，爲殷、桓所逐，奔竄豫章，存亡未測。徐廣晉紀曰：「王愉字茂和，太原晉陽人，安北將軍坦之次子也。以輔國司馬出爲江州刺史㊀。愉始至鎭，而桓玄、楊佺期舉兵以應王恭，乘流奄至。愉無防，惶遽奔臨川，爲玄所得。玄篡位，遷尚書左僕射。」王綏在都，既憂戚在貌，居處飲食，每事有降。時人謂爲「試守孝子」。中興書曰：「綏字彥猷，愉子也，少有令譽。自王渾至坦之六世盛德，綏又知名于時，冠冕莫與爲比。位至中書令、荆州刺史。桓玄敗後，與父愉謀反，伏誅。」

㊀以輔國司馬出爲江州刺史——案晉書本傳云：「稍遷驃騎司馬，加輔國將軍，出爲江州刺史。」與晉紀異。

43 桓南郡玄也。既破殷荊州，收殷將佐十許人，咨議羅企生亦在焉。玄別傳曰：「玄克荊州，殺殷道護及仲堪參軍羅企生、鮑季禮㊀，皆仲堪所親仗也。」桓素待企生厚，將有所戮，先遣人語云：「若謝我，當釋罪。」企生答曰：「爲殷荊州吏，今荊州奔亡，存亡未判，我何顏謝桓公！」中興書曰：「企生字宗伯，豫章人。殷仲堪初請爲府功曹，桓玄來攻，轉咨議參軍。仲堪多疑少決，企生深憂之，謂其弟遵生曰：『殷侯仁而無斷，事必無成。成敗天也，吾當死生以之。』及仲堪走，文武並無送者，唯企生從焉。路經家門，遵生紿之曰：『作如此分別，何可不執手！』企生回馬授手，遵生便牽下之，謂曰：『家有老母，將欲何行？』企生揮泣曰㊁：『今日之事，我必死之。汝等奉養不失子道。一門之內，有忠與孝，亦復何恨！』遵生抱之愈急。仲堪於路待之，企生遙呼曰：『今日死生是同，願少見待。』仲堪見其無脫理，策馬而去。俄而玄至，人士悉詣玄，企生獨不往，而營理仲堪家。或謂曰：『玄性猜急，未能取卿誠節，若遂不詣，禍必至矣。』企生正色曰：『我殷侯吏，見遇以國士，不能共殄醜逆，致此奔敗，何面目就桓求生乎？』玄聞，怒而收之，謂曰：『相遇如此，何以見負？』企生曰：『使君口血未乾，而生此姦計。自傷力劣，不能剪定凶逆，我死恨晚爾！』玄遂斬之，時年三十有七。衆咸悼之。」既出市，桓又遣人問：「欲何言？」答曰：「昔晉文王殺嵇康㊂，而嵇紹爲晉忠臣。王隱晉書曰：「紹字延祖，譙國銍人。父康，有奇才儁辯。紹十歲而孤，事母孝謹。累遷散騎常侍。惠帝敗於蕩陰，百官左右皆奔散，唯紹儼然端冕，以身衛帝。兵交御輦，飛箭雨集，遂以見害也。」從公乞一弟以養老母。」桓亦如言宥之。桓先曾以一羔裘與企生母胡，胡時在豫章，企生問至㊃，即日焚裘。

㈠殺殷道護及仲堪參軍羅企生鮑季禮——「鮑季禮」，影宋本及沈校本作「鮑季札」。

㈡企生揮泣曰——「泣」，影宋本及沈校本作「涕」。

㈢昔晉文王殺嵇康——案企生晉臣，不當稱晉文王，晉書本傳但稱文帝。

㈣企生問至——問，信也。謂企生凶問。

44 王恭從會稽還，周祇隆安記曰：「恭字孝伯，太原晉陽人。祖父濛，司徒左長史，風流標望。父蘊，鎮軍將軍，亦得世譽。」恭別傳曰：「恭清廉貴峻，志存格正，起家著作郎，歷丹陽尹、中書令，出爲五州都督、前將軍、青兗二州刺史。」王大看之。王忱，小字佛大。晉安帝紀曰：「忱字元達，平北將軍坦之第四子也。甚得名於當世。與族子恭少相善，齊聲見稱。仕至荆州刺史。」見其坐六尺簟，因語恭：「卿東來，故應有此物，可以一領及我。」恭無言。大去後，卽舉所坐者送之。既無餘席，便坐薦上。後大聞之，甚驚，曰：「吾本謂卿多，故求耳。」對曰：「丈人不悉恭，恭作人無長物㈠。」

㈠長物——長讀爲冗長之長，去聲，文賦：「故無取乎冗長。」長物，贅餘無用之物。

45 吴郡陳遺㈠，未詳。家至孝㈡。母好食鐺底焦飯，遺作郡主簿，恒裝一囊，每煮食，輒貯錄焦飯㈢，歸以遺母。後值孫恩賊出吴郡，晉安帝紀曰：「孫恩一名靈秀，琅邪人。叔父泰，事五斗米道，以謀反誅。恩逸逃於海上，聚衆十萬人，攻没郡縣。後爲臨海太守辛昺斬首送之㈣。」袁府君山松，別見。卽日便征。遺已聚斂得數斗焦飯，未展歸家㊄，遂帶以從軍。戰於滬瀆，敗，軍人潰散，逃走山澤，皆多饑死，遺獨以焦飯得活。時人以爲純孝之報也。

㊀吳郡陳遺——案南史孝義傳有遺傳，謂宋初吳郡人，少爲郡吏，事即見傳中。

㊁家至孝——「家」字似衍文，或「家」上有脫字。

㊂録——收藏也，爾時常語。抱朴子對俗：「又服還丹金液之法，若且欲留在世間者，但服半劑，而録其半，若後求昇天，便盡服之。」

㊃後爲臨海太守辛昺斬首送之——「辛昺」，晉書孫恩傳作「辛景」，蓋唐世祖名昞，故諱「昺」爲「景」也。

㊄未展歸家——案南齊書王儉傳：「吏部尚書王晏啓及儉喪，上答曰：『儉年德富盛，志用方隆，豈意暴疾，不展救護，爲異世，奄忽如此，痛酷彌深！』」此言「未展歸家」，句法正同，疑「未展」「不展」與「未及」「不及」同義。

46 孔僕射爲孝武侍中，豫蒙眷接。烈宗山陵㊀，孔時爲太常，形素羸瘦，著重服，竟日涕泗流漣，見者以爲真孝子。續晉陽秋曰：「孔安國字安國，會稽山陰人，車騎愉第六子也㊁。少而孤貧，能善樹節，以儒素見稱。歷侍中、太常、尚書，遷左僕射、特進，卒。」

㊀烈宗——晉孝武帝廟號。

㊁車騎愉第六子也——案晉書孔愉傳：「三子：誾、汪、安國。」「六」字疑誤。會稽山陰孔氏譜多第四子祇。

47 吳道助、附子兄弟居在丹陽郡後㊀，遭母童夫人艱，道助，坦之小字；附子，隱之小字也。吳氏譜曰：「坦之字處靖，濮陽人。仕至西中郎將功曹。父堅，取東苑童儈女，名秦姬。」朝夕哭臨及思至、賓客弔省，號踊哀絶，路人爲之落淚。韓康伯時爲丹陽尹，母殷在郡，每聞二吳之哭，輒爲悽惻，語康伯曰：「汝若爲選官，當好料理此人。」康伯亦甚相知。韓後果爲吏部尚書，大吳不免哀制，小吳遂大貴達。鄭緝孝子傳曰：「隱之字處默，少有孝行，遭母喪，哀毀過禮。時與太常韓康伯鄰居㈠。康伯母，揚州刺史殷浩之妹，聰明婦人也。隱之每哭，康伯母輒輟事流涕，悲不自勝，終其喪如此。謂康伯曰：『汝後若居銓衡，當用此輩人。』後康伯爲吏部尚書，乃進用之。」晉安帝紀曰：「隱之既有至性，加以廉潔，奉祿頒九族，冬月無被。桓玄欲革嶺南之敝，以爲廣州刺史。去州二十里，有貪泉，世傳飲之者其心無厭。隱之乃至水上，酌而飲之，因賦詩曰：『石門有貪泉，一歃重千金。試使夷齊飲，終當不易心。』爲盧循所攻，還京師。歷尚書、領軍將軍。」晉中興書曰：「舊云：往廣州飲貪泉，失廉潔之性。吳隱之爲刺史，自酌貪泉飲之，題石門爲詩云云。」

㈠居在丹陽郡後——郡後，謂府舍之後，猶今語之「府後」「縣後」也，故殷夫人得聞其哭聲。

㈡時與太常韓康伯鄰居——晉書亦云「與太常韓康伯鄰居」。案韓伯傳，轉丹陽尹、吏部尚書、領軍將軍。既疾病，占候者云：「不宜此官。」朝廷改授太常，未拜卒。孝子傳及晉書云太常，蓋史家敘事以最後之官稱之也。

言語第二

1 邊文禮見袁奉高，閡也㈠。失次序㈡。文士傳曰：「邊讓字文禮，陳留人。才儁辯逸。大將軍何進聞其名，召署令史，以禮見之。讓占對閑雅㈢，聲氣如流，坐客皆慕之。讓出就曹，時孔融、王朗等並前爲掾，共書刺從讓㈣，讓平衡與交接。後爲九江太守，爲魏武帝所殺。」奉高曰：「昔堯聘許由，面無怍色。皇甫謐曰㈤：「由字武仲，陽城槐里人也。堯、舜皆師而學事焉。後隱於沛澤之中，堯乃致天下而讓焉。由爲人據義履方，邪席不坐，邪膳不食，聞堯讓而去。其友巢父聞由爲堯所讓，以爲汚己，乃臨池洗耳。池主怒曰：『何以汙我水？』由於是遁耕於中嶽潁水之陽，箕山之下，終身無經天下色，死葬箕山之巔，在陽城之南十里。堯因就其墓，號曰箕山公神，以配食五嶽，世世奉祀，至今不絕也㈥。」

先生何爲顛倒衣裳㈦？」文禮答曰：「明府初臨㈧，堯德未彰，是以賤民顛倒衣裳耳！」按袁閎卒於太尉掾，未嘗爲汝南㈨，斯說謬矣。

㈠閎也——「閎」當作「閬」，見前德行三校記。

㈡失次序——謂舉止失措。次序卽「措」字之緩呼。

㈢占對——後漢書袁敞傳：「自獄中占獄吏上書自訟。」注：「占謂口授也。」凡口述其詞曰占，詩有「口占」是也。

㈣共書刺從讓——後漢書本傳作「並修刺候焉」。案「從」字無義，當作「候」。

㈤皇甫謐曰——王先謙校：「『皇甫謐』下當有『高士傳』三字，事見今高士傳上卷，御覽逸民六引此，亦作『皇甫士安高士傳。』」

㈥至今不絕也——「絕」原誤作「緦」，據影宋本及沈校本改。

㈦先生何爲顛倒衣裳——詩齊風東方未明：「東方未明，顛倒衣裳。」袁借此詩語以嘲邊之舉止失措。

㈧明府——漢人稱太守爲府君，明府乃明府君之簡稱。

㈨未嘗爲汝南——邊讓陳留人，以部民自居，此句當云「未嘗爲陳留」。後漢書郡國志，汝南屬豫州，陳留屬兗州，作汝南誤。

2 徐孺子穉也。年九歲，嘗月下戲，人語之曰：「若令月中無物，當極明邪？」五經通議曰：「月中有兔、蟾蜍者何？月，陰也；蟾蜍亦陰也，而與兔並明，陰繫於陽也。」徐曰：「不然。譬如人眼中有瞳子，無此必不明。」

3 孔文舉融也。年十歲，隨父到洛。時李元禮有盛名，爲司隸校尉。詣門者，皆儁才清稱及中表親戚乃通。文舉至門，謂吏曰：「我是李府君親。」既通，前坐。元禮問曰：「君與僕有何親？」對曰：「昔先君仲尼與君先人伯陽有師資之尊㈠，是僕與君奕世爲通好也。」元禮及賓客莫不奇之。太中大夫陳韙後至㈡，人以其語語之，韙曰：「小時了了，大未必佳。」文舉曰：「想君小時，必當了了。」韙大踧踖。

續漢書曰：「孔融字文舉，魯國人，孔子二十四世孫也㈢。高祖父尚，鉅鹿太守。父宙，泰山都尉㈣。」融別傳曰：「融四歲，與兄食梨，輒引小者㈤。人問其故，答曰：『小兒法當取小者。』年十歲，隨父詣京師。河南尹李膺有重名，融欲觀其爲人，遂造之。膺問：『高明父祖嘗與僕周旋乎㈥？』融曰：『然。先君孔子與君先人李老君同德比義，而相師友，則融與君累世通家也。』衆坐莫不歎息，僉曰：『異童子也！』太中大夫陳韙後至，同坐以告，韙曰：『人小時了了者，長大未必能奇。』融應聲曰：『卽如所言，君之幼時，豈實慧乎？』膺大笑，顧謂融曰：『長大必爲偉器！』」

㈠「先君仲尼」二句——老子號伯陽父，見史記老子韓非列傳索隱。傳云：「孔子適周，將問禮於老子。」事亦見孔子世家及大戴禮，故云有師資之尊。

㈡太中大夫陳韙後至——「陳韙」，後漢書孔融傳作「陳煒」，魏志崔琰傳注引續漢書及御覽卷三八五引孔融別傳並同。

㈢孔子二十四世孫也——魏志崔琰傳注作「孔子二十世孫」。案孔宙碑云：「孔子十九世之孫也。」融爲宙子，則當作「二十世孫」，「四」字衍。

㈣泰山都尉——「泰山」原誤作「泰世」，據影宋本及沈校本改。

㈤輒引小者——「引」，沈校本作「取」。案後漢書本傳注引孔融家傳作「引」，引亦取也。

㈥高明父祖嘗與僕周旋乎——孔氏雜說：「謂人爲明公、閣下之類，亦可謂之高明。孔融傳李膺謂融曰：『高明必爲偉器。』又曰：『高明父祖與僕有舊恩。』」案南齊書豫章文獻王傳：「嶷又與右率沈約書曰：『斯文之託，歷選惟疑，必待文蔚辭宗，德僉茂履，非高明而誰？』」「僕」，原誤作「儀」，據影宋本及沈校本改。

4 孔文舉有二子，大者六歲，小者五歲。晝日父眠，小者牀頭盜酒飲之，大兒謂曰：「何以不拜㈠？」答曰：「偷，那得行禮！」

㈠何以不拜——御覽三八五此上有「酒以行禮」四字。

5 孔融被收，中外惶怖。時融兒大者九歲，小者八歲㈠，二兒故琢釘戲，了無遽容。融謂使者曰：「冀罪止於身，二兒可得全不？」兒徐進曰：「大人豈見覆巢之下，復有完卵乎？」尋亦收至。魏氏春秋曰：「融對孫權使有訕謗之言，坐棄市。二子方八歲、九歲，融見收，奕棋端坐不起。左右曰：『而父見執。』二子曰：『安有巢覆而卵不破者哉？』遂俱見殺。」世語曰：「魏太祖以歲儉禁酒，融謂『酒以成禮，不宜禁』，由是惑衆，太祖收寘法焉。二子齠齔，見收，顧謂二子曰：『何以不辟？』二子曰：『父尚如此，復何所辟！』」裴松之以爲世語云融兒不辟，知必俱死，猶差可安；孫盛之言，誠所未譬。八歲小兒，能懸了禍患，聰明特達，卓然既遠，則其憂樂之情，固亦有過成人矣！安有見父被執，而無變容，奕棋不起，若在暇豫者乎？昔申生就命，言不忘父，不以己之將死，而廢念父之情也。父安尚猶若玆，而況顛沛哉！盛以此為美談，無乃賊夫人之子與！蓋由好奇情多，而不知言之傷理也。

㊀「時融兒」二句——後漢書本傳作「女年七歲，男年九歲」。案晉書羊祜傳：「祜前母孔融女，生兄發。」則融女未死也。

6 潁川太守髡陳仲弓。按寔之在鄉里，州郡有疑獄不能決者，皆將詣寔。或到而情首，或中途改辭，或託狂悖，皆曰「寧為刑戮所苦，不為陳君所非」。豈有盛德感人，若斯之甚，而不自衛，反招刑辟，殆不然乎？此所謂東野之言耳㊀！客有問元方：「府君何如？」元方曰：「高明之君也。」「足下家君何如？」曰：「忠臣孝子也。」客曰：「易稱：『二人同心，其利斷金；同心之言，其臭如蘭。』王廙注繫辭曰：「金至堅矣，同心者其利無不入。蘭，芳物也。無不樂者，言其同心者，物無不樂也。」何有高明之君，而刑忠臣孝子者乎？」元方曰：「足下言何其謬也！故不相答。」客曰：「足下但因傴為恭，而不能答㊁。」元方曰：「昔高宗放孝子孝己，帝王世紀曰：「殷高宗武丁有賢子孝己，其母蚤死，高宗惑後妻之言，放之而死，天下哀之。」尹吉甫放孝子伯奇，琴操曰：「尹吉甫，周卿也，有子伯奇，母死，更娶，後妻生子曰伯邽㊂，乃譖伯奇於吉甫。於是放伯奇於野。宣王出遊，吉甫從，伯奇乃作歌，以言感之。宣王聞之，曰：『此孝子之辭也！』吉甫乃求伯奇於野，而射殺後妻。」董仲舒放孝子符起。未詳。唯此三君，高明之君；唯此三子，忠臣孝子。」客慚而退。

㊀此所謂東野之言耳——案後漢書本傳：「時有殺人者，同縣楊吏以疑寔，縣遂逮繫，考掠無實，而後得出。」則世說所

記，未可決其必無。或即此一事，而傳聞異辭耳。

㊁但因傴爲恭——謂實不能答而以不屑答相對，亦猶傴者矯爲恭敬之狀以掩其病。

㊂後妻生子曰伯邽——「伯邽」，說苑作「伯封」，琴操作「伯邦」。「封」、「邦」蓋一聲之轉，此引琴操作「邽」，疑形近之譌。

7 荀慈明與汝南袁閬相見，荀爽一名諝。漢南紀曰：「諝文章典籍無不涉，時人諺曰：『荀氏八龍，慈明無雙。』潛處篤志，徵聘無所就。」張璠漢紀曰：「董卓秉政，復徵爽，爽欲遁去，吏持之急，起布衣，九十五日而至三公。」問潁川人士，慈明先及諸兄。閬笑曰：「士但可因親舊而已乎？」慈明曰：「足下相難，依據者何經？」閬曰：「方問國士，而及諸兄，是以尤之耳！」慈明曰：「昔者祁奚內舉不失其子，外舉不失其讎，以爲至公。春秋傳曰：「祁奚爲中軍尉，請老，晉侯問嗣焉，稱解狐，其讎也，將立之而卒。又問焉，對曰：『午也可。』其子也。君子謂祁奚可謂能舉善矣。稱其讎不爲諂，立其子不爲比。」公旦文王之詩，不論堯、舜之德而頌文、武者，親親之義也㊀。春秋之義，內其國而外諸夏㊁。且不愛其親而愛他人者，不爲悖德乎？」

㊀「公旦文王」三句——詩大雅文王之什，文王、大明、緜、棫樸、思齊、皇矣、靈臺皆頌文王之德，下武、文王有聲頌武王能繼文王之業。

㊁「春秋之義」二句——公羊傳成公十五年：「曷爲殊會吳？外吳也。曷爲外也，春秋內其國而外諸夏，內諸夏而外夷狄。」

8 禰衡被魏武謫爲鼓吏，正月半試鼓，衡揚枹爲漁陽摻檛，淵淵有金石聲，四坐爲之改容。典略曰：「衡字正平，平原般人也。」文士傳曰：「衡，不知先所出，逸才飄舉。少與孔融作爾汝之交，時衡未滿二十，融已五十㈠，敬衡才秀，共結殷勤，不能相違。以建安初北游，或勸其詣京師貴游者，衡懷一刺，遂至漫滅，竟無所詣。融數與武帝牋，稱其才，帝傾心欲見，衡稱疾不肯往，而數有言論。帝甚忿之，以其才名不殺，圖欲辱之，乃令錄爲鼓吏㈡。後至八月朝會大閱試鼓節，作三重閣，列坐賓客。以帛絹製衣，作一岑牟㈢，一單絞㈣及小幝。鼓吏度者，皆當脫其故衣，著此新衣。次傳衡，衡擊鼓爲漁陽摻撾㈤，踢地來前，躡駁脚足㈥，容態不常，鼓聲甚悲，音節殊妙。坐客莫不忼慨，知必衡也。既度，不肯易衣。吏呵之曰：『鼓吏，何獨不易服？』衡便止，當武帝前，先脫幝，次脫餘衣，裸身而立，徐徐乃著岑牟，次著單絞，後乃著幝，畢，復擊鼓摻捶而去，顏色無怍。武帝笑謂四坐曰：『本欲辱衡，衡反辱孤。』至今有漁陽摻撾，自衡造也。爲黃祖所殺。」孔融曰：「禰衡罪同胥靡，不能發明王之夢。」皇甫謐帝王世紀曰：「武丁夢天賜己賢人，使百工寫其像，求諸天下。見築者胥靡衣褐於傅巖之野，是謂傅說。」張晏曰：「胥靡，刑名。胥，相也。靡，從也，謂相從坐輕刑也。」魏武慚而赦之。

㈠「時衡未滿二十」二句——後漢書禰衡傳作「衡始弱冠而融年四十」。案融以建安十三年死，年五十六，則建安元年纔四十四歲，融薦衡時，衡年二十四歲。後漢書言建安初，不著何年，但云是時許都初建，賢士大夫四方來集，似即建安元年。表云：「近日路粹、嚴象，亦用異才，擢拜臺郎。」魏志王粲傳注引典略曰：「路粹建安初以高才與京兆嚴像擢拜尚書郎」。魏志荀彧傳注引三輔決錄，嚴象「爲揚州刺史，建安五年，爲孫策廬江太守李術所殺」。象自尚書郎至揚州刺史，不能少於四年，則融之薦衡，在建安元年無疑。二人之年相去二十歲耳，自當以後漢書爲正。抱朴子：「漢末有禰衡者，年二十三，孔融齒過知命。」其誤亦同。

㈡乃令錄爲鼓吏——「令」原誤作「今」，據影宋本及沈校本改。

㈢岑牟——後漢書禰衡傳注：「通史志曰：『岑牟，鼓角士胄也。』」

㈣單絞——鄭玄禮記注曰：「絞，蒼黃之色也。」單，謂單衣。

㈤漁陽摻撾——後漢書禰衡傳「摻」作「參」。注：「臣賢按：參撾是擊鼓之法。而王僧孺詩云：『散度廣陵音，參奏漁陽曲。』而於其詩自音云：『參音七紺反。』後諸文人多同用之。據此詩意，則參曲奏之名，則撾字入於下句，全不成文。下云『復參撾而去』，足知『參撾』二字當相連而讀。參字音爲去聲，不知何所凴也。參，七甘反。」徐鍇云：「摻，三撾鼓。」據李賢注，下「摻搥」亦當作「摻撾」。

㈥躡駁脚足——「駁」字不見字書，後漢書本傳注引作「馺」，「駁」字當即「馺」字形近之誤。本傳云：「蹀躍而前。」張衡南都賦：「羅襪躡蹀而容與。」注：「小步貌。」按躡馺與蹀躍、躡蹀音相近，並與蹀躞同義。

9　南郡龐士元聞司馬德操在潁川，故二千里候之。至，遇德操采桑，士元從車中謂曰：「吾聞丈夫處世，當帶金佩紫，焉有屈洪流之量，而執絲婦之事？」蜀志曰：「龐統字士元，襄陽人。少時樸鈍，未有識者。潁川司馬徽有知人之鑒，士元弱冠往見徽，徽采桑樹上，坐士元樹下，共語自晝至夜。徽異之，曰：『生當爲南州士人之冠冕。』由是漸顯。」襄陽記曰：「士元，德公之從子也。年少，未有識者，唯德公重之。年十八，使往見德操，與語，歎曰：『德公誠知人，實盛德也！』後劉備訪世事於德操，德操曰：『俗士豈識時務，此間自有伏龍、鳳雛。』謂諸葛孔明與士元也。」華陽國志曰：「劉備引士元爲軍師中郎將，從攻洛㈠，爲流矢所中，卒，時年三十八。」德操曰：司馬徽別傳曰：「徽字德操，潁川陽翟人。有人倫鑒識。居荆州，知劉表性暗，必害善人，乃括囊不談議。時人有以人物問徽者，初不辨其高下，每輒言『佳』。其婦諫曰：『人質所疑，君宜辨論，而一皆言「佳」，豈人所以咨君之意乎！』徽曰：『如君所言，亦復佳。』其婉約遜遁如此。嘗有妄認徽豬者，便推與之；後得其豬，叩頭來還，徽又厚辭謝之。劉表子琮往候徽，遣問在不。會徽自鋤園。琮左右問：『司馬君在邪？』徽曰：『我是也。』琮左右見其醜陋，罵曰：『死庸！將軍諸郎欲求見司馬君，汝何等田奴，而自稱是邪！』徽歸，刈頭著幘出見琮。左右見徽，故是向者翁，恐，向琮道之。琮起，叩頭辭謝。徽乃謂曰：『卿真不可。然吾甚羞之，此自鋤園，唯卿知之耳。』有人臨蠶求簇箔者㈡，徽自棄其蠶而與之。或曰：『凡人損己以贍人者，謂彼急我緩也，今彼此正等，何爲與人？』徽曰：『人未嘗求己，求之不與，將慚。何有以財物令人慚者？』人謂劉表曰：『司馬德操，奇士也，但未遇耳。』表後見之，曰：『世間人爲妄語，此直小書生耳！』其智而能愚皆此類。荆州破，爲曹操所得，操欲大用，會其病死。」「子且下車。子適知邪徑之速，不慮失道之迷。昔伯成耦耕，不慕諸侯之榮；莊子曰：「堯治天下，伯成子高立爲諸侯。禹爲天子，伯成辭諸侯而耕於野。禹往見之，趨就下風而問焉，子高曰：『昔堯治天下，不賞而民勸，不罰而民畏。今子賞罰而民且不仁，德自此衰，刑自此立。夫子盍行邪？毋落吾事！』」原憲桑樞，不易有官之宅。家語曰：「原憲字子思，宋人，孔子弟子。居魯，環堵之室，茨以生草，蓬户不完，桑樞而瓮牖，上漏下濕，坐而弦歌。子貢軒車不容巷，往見之，曰：『先生何病也？』憲曰：『憲聞無財謂之貧，學而不能行謂之病。今憲貧也，非病也。夫希世而行，比周而友。學以爲人，教以爲己。仁義之慝，輿馬之飾，憲不忍爲也！』」何有坐則華屋，行則肥馬，侍女數十，然後爲奇？此乃許、父許由、巢父。所以忼慨，夷、齊所以長歎。孟子曰：「伯夷、叔齊，目不視惡色，耳不聽惡聲，與鄉人居，若在塗炭。蓋聖人之清也。」雖有竊秦之爵，千駟之富，古史考曰：「呂不韋爲秦子楚行千金貨於華陽夫人，請立子楚爲嗣。及子楚立，封不韋洛陽十萬戶，號文信侯。」以詐獲爵，故曰竊也。論語曰：「齊景公有馬千駟，民無德而稱焉。」孔安國曰：「千駟，四千匹。」不足貴也。」士元曰：「僕生出邊垂，寡見大義，若不一叩洪鍾、伐雷鼓，則不識其音響也！」

㈠從攻洛——「洛」，當從蜀志本傳作「雒」。

㈡有人臨蠶求簇箔者——「簇」當作「蔟」，說文：「蔟，行蠶蓐。從艸，族聲。」

10 劉公幹以失敬罹罪。典略曰：「劉楨字公幹，東平寧陽人。建安十六年，世子爲五官中郎將，妙選文學，使楨隨侍太子㈠。酒酣，坐歡，乃使夫人甄氏出拜，坐上客多伏，而楨獨平視。他日，公聞，乃收楨，減死，輸作部。」文士傳曰㈡：「楨性辯捷，所問應聲而答，坐平視甄夫人，配輸作部使磨石。武帝至尚方觀作者，見楨匡坐正色磨石，武帝問曰：『石何如？』楨因得喻己自理，跪而對曰：『石出荆山懸巖之巔，外有五色之章，內含卞氏之珍。磨之不加瑩，雕之不增文。稟氣堅貞，受之自然，顧其理枉屈紆繞而不得申。』帝顧左右大笑，卽日赦之。」文帝問曰：「卿何以不謹於文憲？」楨答曰：「臣誠庸短，亦由陛下綱目不疏㈢。」魏志曰：「帝諱丕，字子桓，受漢禪。」按諸書或云㈣，楨被刑魏武之世，建安二十年病亡。後七年文帝乃卽位，而謂楨得罪黃初之時，謬矣！

㈠太子——沈校本「太」作「世」。

㈡文士傳曰——案水經穀水注所引文士傳，與此頗多出入。

㈢亦由陛下綱目不疏——「綱目」，各本皆同，王刻本作「網目」，是。案政事一四注中亦有「網目不失」語，可證。

㈣或云——「或」當作「咸」，形近之誤。

11 鍾毓、鍾會少有令譽，魏書曰：「毓字穉叔，潁川長社人，相國繇長子也。年十四，爲散騎侍郎，機捷談笑，有父風。仕至車騎將軍。」年十三，魏文帝聞之，語其父鍾繇魏志曰：「繇字元常。家貧好學，爲周易、老子訓。歷大理、相國，遷太傅。」曰：「可令二子來！」於是敕見。毓面有汗，帝曰：「卿面何以汗？」毓對曰：「戰戰惶惶，汗出如漿。」復問會：「卿何以不汗？」對曰：「戰戰慄慄，汗不敢出。」

12 鍾毓兄弟小時㈠，值父晝寢，因共偷服藥酒㈡。其父時覺，且託寐以觀之㈢。毓拜而後飲，會飲而不拜。魏志曰：「會字士季，繇少子也。敏惠夙成，中護軍蔣濟著論，謂觀其眸子，足以知人。會年五歲，繇遣見濟，濟甚異之，曰：『非常人也！』及壯，有才數，精練名理。累遷黃門侍郎。諸葛誕反，文王征之，會謀居多，時人謂之子房。拜鎮西將軍，伐蜀，蜀平，進位司徒。自謂功名蓋世，不可復爲人下，謂所親曰：『我淮南已來，畫無遺策，四海共知，持此欲安歸乎？』遂謀反，見誅，時年四十。」既而問毓何以拜，毓曰：「酒以成禮，不敢不拜。」又問會何以不拜，會曰：「偷本非禮，所以不拜。」

㈠鍾毓兄弟小時——案此條與言語四「孔文舉有二子」條是同一事，傳聞有異耳。

㈡因共偷服藥酒——「藥酒」，續談助引小說作「散酒」，案「散」即「五石散」之類。

㈢其父時覺且託寐以觀之——後漢書竇武傳「時見理出」注：「時謂卽時也。」晉書五行志中「其後吳興徐馥作亂，殺太守袁琇，馥亦時滅」，義並相同。時覺猶言忽覺。「託寐」，續談助引小說作「假寐」。

13 魏明帝爲外祖母築館於甄氏，魏末傳曰：「帝諱叡，字元仲，文帝太子。以其母廢，未立爲嗣。文帝與俱獵，見子母鹿。文帝射其母，應弦而倒。復令帝射其子，帝置弓泣曰：『陛下已殺其母，臣不忍復殺其子。』文帝曰：『好語動人心！』遂定爲嗣，是爲明帝。」魏書曰：「文昭甄皇后，明帝母也。父逸，上蔡令，烈宗卽位，追封上蔡君，嫡孫象襲爵。象薨，子暢嗣，起大第，車駕親自臨之。」既成，自行視，謂左右曰：「館當以何爲名？」侍中繆襲曰：文章敍錄曰：「襲字熙伯，東海蘭陵人。有才學，累遷侍中光祿勳。」「陛下聖思齊於哲王，罔極過於曾、閔。此館之興，情鍾舅氏，宜以渭陽爲名。」秦詩曰：「渭陽，康公念母也。康公之母，晉獻公之女。文公遭驪姬之難，未反而秦姬卒，穆公納文公，康公時爲太子，贈送文公於渭之陽，念母之不見也。我見舅氏，如母存焉。」按魏書帝於後園爲象母起觀，名其里曰渭陽。然則象母卽帝之舅母，非外祖母也。且渭陽爲館名，亦乖舊史也。

14 何平叔云：「服五石散㊀，非唯治病，亦覺神明開朗。」魏略曰：「何晏字平叔，南陽宛人，漢大將軍進孫也。或云何苗孫也。尚主，又好色，故黃初時無所事任。正始中，曹爽用爲中書，主選舉，宿舊者多得濟拔。爲司馬宣王所誅。」秦丞相寒食散論曰：「寒食散之方，雖出漢代，而用之者寡，靡有傳焉。魏尚書何晏首獲神效，由是大行於世，服者相尋也。㊁」

㊀五石散——見前德行四一箋引抱朴子。

㊁秦丞相寒食散論——「丞相」當作「承祖」。唐六典「醫博士」注：「宋元嘉二十年，大醫令秦承祖奏置醫學博士，以廣教授，三十年省。」御覽七二二引宋書：「秦承祖，性耿介，專好藝術，於方藥不問貴賤，皆療治之，多所全護，當時稱之爲工手。撰方二十卷，大行於世。」隋書經籍志有秦承祖偃側雜針灸經三卷，亡；又有脈經六卷，秦承祖撰，亡；秦承祖本草六卷，亡；秦承祖藥方四十卷，目三卷。寒食散論或卽在其所撰藥方之中。

15 **嵇中散語趙景真：**嵇紹趙至敍曰：「至字景真，代郡人。漢末，其祖流宕，客緱氏。令新之官，至年十二⊖，與母共道傍看。母曰：『汝先世非微賤家也，汝後能如此不？』至曰：『可爾耳！』歸便就師誦書。蚤聞父耕叱牛聲，釋書而泣。師問之，答曰：『自傷不能致榮華，而使老父不免勤苦。』年十四，入太學觀，時先君在學寫石經古文，事訖，去，遂隨車問先君姓名。先君曰：『年少何以問我？』至曰：『觀君風器非常，故問耳。』先君具告之。至年十五，陽病，數數狂走五里三里，爲家追得。又灸身體十數處。年十六，遂亡命，徑至洛陽，求索先君不得。至鄴，沛國史仲和，是魏領軍史渙孫也，至便依之，遂名翼，字陽和。先君到鄴，至具道太學中事，便逐先君歸山陽，經年。至長七尺三寸，潔白，黑髮，赤脣，明目，鬢鬚不多，閑詳安諦，體若不勝衣。先君嘗謂之曰：『卿頭小而銳，瞳子白黑分明，視瞻停諦，有白起風。』至論議清辯，有從橫才，然亦不以自長也。孟元基辟爲遼東從事，在郡斷九獄，見稱清當。自痛棄親遠游，母亡不見，吐血發病，服未竟而亡。」**「卿瞳子白黑分明，有白起之風，**嚴尤三將敍曰：「白起。平原君勸趙孝成王受馮亭，王曰：『受之，秦兵必至，武安君必將，誰能當之者乎？』對曰：『澠池之會，臣察武安君小頭而面銳，瞳子白黑分明，視瞻不轉。小頭而面銳者，敢斷決也；瞳子白黑分明者，見事明也；視瞻不轉者，執志強也。可與持久，難與爭鋒。廉頗爲人，勇鷙而愛士，知難而忍恥。與之野戰則不如，持守足以當之。』王從其計。」**恨量小狹。」趙云：「尺表能審璣衡之度，**周髀曰：「夏至北方二萬六千里，冬至南方十三萬五千里，日中樹表則無影矣。周髀長八尺，夏至，日晷尺六寸。髀，股也。晷，勾也。正南千里，勾尺五寸；正北千里，勾尺七寸。」周髀之書也。**寸管能測往復之氣。**呂氏春秋曰：「黃帝使伶倫自大夏之西，崑崙之陰，取竹之嶰谷生，其竅厚薄均者，斷兩節閒而吹之，以爲黃鍾之管，制十二筩，以聽鳳凰之鳴；雄鳴六，雌鳴六㊁，以爲律呂。」續漢書律曆志曰：「十二律之變，至於六十，以律候氣。候氣之法，爲室三重，戶閉塗釁，必周密布緹幔，以木爲案，加律其上，以葭莩灰抑其內，爲氣所動者，其灰散也。以此候之。」何必在大，但問識如何耳。」

㊀至年十二——「年十二」，晉書本傳作「年十三」，御覽三八五引趙至別傳同。

㊁雌鳴六——影宋本及沈校本並作「雌亦六」。案呂氏春秋古樂：「雄鳴爲六，雌鳴亦爲六。」

16 司馬景王東征，魏書曰：「司馬師字子元，相國宣文侯長子也。以道德清粹重於朝廷，爲大將軍，錄尚書事。毌丘儉反，師自征之。薨謚景王。」取上黨李喜以爲從事中郎㊀。因問喜曰：「昔先公辟君不就，今孤召君，何以來？」喜對曰：「先公以禮見待，故得以禮進退；明公以法見繩，喜畏法而至耳㊁。」晉諸公贊曰：「喜字季和，上黨銅鞮人也。少有高行，研精藝學。宣帝爲相國，辟喜，喜固辭疾。景帝輔政，爲從事中郎，累遷光祿大夫、特進，贈太保。」

㊀取上黨李喜以爲從事中郎——「李喜」，晉書本傳作「李憙」，水經濁漳水注同。

㊁「喜對曰」五句——後漢書周黃徐姜申屠列傳序：「荀恁字君大，少亦修清節。光武徵，以病不至。永平初，東平王蒼爲驃騎將軍，開東閣延賢俊，辟而應焉。及後朝會，顯宗戲之曰：『先帝徵君不至，驃騎辟君而來，何也？』對曰：『先帝秉德以惠下，故臣可得不來。驃騎執法以檢下，故臣不敢不至。』」與此語全同。明公，通鑑九四晉紀注：「漢魏以來，率呼宰輔岳牧爲明公。」

17 鄧艾口喫㊀，語稱「艾艾」。魏志曰：「艾字士載，棘陽人。少爲農人養犢。年十二，隨母至潁川，讀故太丘長碑，文曰：『言爲世範，行爲士則。』遂名範，字士則，後宗族有同者，故改焉。每見高山大澤，輒規度指畫軍營處所，時人多笑焉。後見司馬宣王，王辟爲掾㊁。累遷征西將軍，伐蜀。蜀平，進位太尉。爲衞瓘所害。」晉文王戲之曰㊂：「卿云『艾艾』，定是幾艾？」對曰：「『鳳兮鳳兮』，故是一鳳。」朱鳳晉紀曰：「文王諱昭，字子上，宣帝次子也。」列仙傳曰：「陸通者，楚狂接輿也，好養性，游諸名山，嘗遇孔子而歌曰：『鳳兮鳳兮，何德之衰！往者不可諫，來者猶可追。』後入蜀，在峩嵋山中也。」

㊀鄧艾口喫——「喫」，影宋本及沈校本並作「吃」。案「喫」乃「吃」之俗字。

㊁王辟爲掾——「王」原誤作「三」，據影宋本改。案魏志本傳：「後爲典農綱紀，上計吏，因使見太尉司馬宣王，宣王奇之，辟之爲掾。」

㊂晉文王戲之曰——「晉文王」，御覽四一六引殷芸小說作「晉宣王」。

18 嵇中散既被誅，向子期舉郡計入洛，文王引進，問曰：「聞君有箕山之志，何以在此？」對曰：「巢、許狷介之士，不足多慕！」王大咨嗟㊀。向秀別傳曰：「秀字子期，河內人。少爲同郡山濤所知，又與譙國嵇康、東平呂安友善，並有拔俗之韻，其進止無不同㊁，而造事營生，業亦不異。常與嵇康偶鍛於洛邑㊂，與呂安灌園於山陽。不慮家之有無㊃，外物不足怫其心。弱冠，著儒道論，棄而不録。好事者或存之。或云：『是其族人所作，困於不行，乃告秀，欲假其名。』秀笑曰：『可復爾耳！』後康被誅，秀遂失圖，乃應歲舉。到京師，詣大將軍司馬文王，文王問曰：『聞君有箕山之志，何能自屈？』秀曰：『常謂彼人不達堯意，本非所慕也。』一坐皆說。隨次轉至黃門侍郎、散騎常侍。」

㊀咨嗟——歎賞其應答之美。本書中「咨嗟」字，大多表讚賞之意。

㈡其進止無不同——「不同」，影宋本及沈校本並作「固必」。案下云「而造事營生，業亦不異」，則作「不同」義長。

㈢偶鍛——「偶鍛」之「偶」與「耦耕」之耦義同。

㈣不慮家之有無——「家之」，影宋本及沈校本並作「家人」。

19 晉武帝始登阼，探策得一。晉世譜曰：「世祖諱炎，字安宇㈠。咸熙二年受魏禪。」王者世數，繫此多少。帝既不說，羣臣失色，莫能有言者。侍中裴楷進曰：「臣聞天得一以清，地得一以寧，侯王得一以爲天下貞㈡。」帝說，羣臣歎服。王弼老子注云：「一者，數之始，物之極也。各是一物所以爲主也㈢。各以其一，致此清、寧、貞。」

㈠字安宇——「安宇」，沈校本作「安世」，是。晉書武帝紀同。

㈡「臣聞天得一以清」三句——老子：「天得一以清，地得一以寧，神得一以靈，萬物得一以生，侯王得一以爲天下貞。」

㈢各是一物所以爲主也——老子王弼注「一物」下有「之生」二字，當據補。

20 滿奮畏風，在晉武帝坐，北窗作琉璃屏㈠，實密似疏，奮有難色。帝笑之，荀綽冀州記曰：「奮字武秋，高平人，魏太尉寵之孫也。性清平。有識。自吏部郎出爲冀州刺史。」晉諸公贊曰：「奮體量清雅，有曾祖寵之風㈡。遷尚書令，爲荀顗所害㈢。」奮答曰：「臣猶吴牛，見月而喘。」今之水牛，唯生江淮間，故謂之「吴牛」也。南土多暑，而此牛畏熱，見月疑是日，所以見月則喘。

㈠北窗作琉璃屏——「琉璃屏」，影宋本及沈校本並作「琉璃扇屏風」，御覽一八八作「琉璃扉」。作「扉」疑是。扉，窗扇也。

㈠有曾祖寵之風——魏志滿寵傳：「子偉嗣。」注引世語：「偉子長武，偉弟子奮。」則奮爲寵之孫，與冀州記合。晉諸公贊以爲曾孫，誤。

㈡爲荀顗所害——案晉書荀顗傳，顗卒於武帝泰始十年（公元二七四年）。魏志滿寵傳注「奮，晉元康中至尚書令、司隸校尉」。元康凡九年（二九一——二九九），奮爲尚書令，顗歿久矣。文選沈約奏弾王源：「滿奮身殞西朝。」注引干寶晉紀：「苗願殺司隸校尉滿奮。」「荀顗」蓋是「苗願」二字形近之訛。

21 諸葛靚在吳，於朝堂大會，晉諸公贊曰：「靚字仲思，琅邪人，司空誕少子也。雅正有才望。誕以壽陽叛，遣靚入質於吳，以靚爲右將軍、大司馬。」孫皓問：「卿字仲思，爲何所思？」對曰：「在家思孝，事君思忠，朋友思信。如斯而已！」

22 蔡洪洪集録曰：「洪字叔開，吳郡人。有才辯。初仕吳朝，太康中，本州從事舉秀才。」王隱晉書曰：「洪仕至松滋令。」赴洛，洛中人問曰：「幕府初開，羣公辟命，求英奇於仄陋，采賢儁於巖穴。君吳、楚之士，亡國之餘，有何異才而應斯舉？」蔡答曰：「夜光之珠，不必出於孟津之河；舊説云：「隋侯出行，有蛇斬而中斷者，侯連而續之，蛇遂得生而去，後銜明月珠以報其德，光明照夜同晝，因曰隋珠㈠。」左思蜀都賦所謂「隋侯鄙其夜光」也。盈握之璧，不必采於崑崙之山。韓氏曰：「和氏之璧，蓋出於井里之中。」大禹生於東夷，文王生於西羌。按孟子曰：「舜生於諸馮，東夷人也。文王生於岐周，西戎人也。」則東夷是舜，非禹也。聖賢所出，何必常處。昔武王伐紂，遷頑民於洛邑，尚書曰：「成周既成，遷殷頑民，作多士。」孔安國注曰：

「殷大夫心不則德義之經，故徙於王都，遍教誨也。」得無諸君是其苗裔乎？」按華令思舉秀才，入洛，與王武子相酬對，皆與此言不異㈡。無容二人同有此辭，疑世說穿鑿也。

㈠「舊說云」八句——案淮南子覽冥訓「隋侯之珠」高誘注與此略同。

㈡「按華令思」四句——晉書以此事入華譚傳。

23 諸名士共至洛水戲，竹林七賢論曰：「王濟諸人嘗至洛水解禊事。明日，或問濟曰：『昨游有何語議？』濟云云。」還，樂令廣也。問王夷甫曰㈠：「今日戲，樂乎？」虞預晉書曰：「王衍字夷甫，琅邪臨沂人，司徒戎從弟。父乂，平北將軍。夷甫蚤知名，以清虛通理稱。仕至太尉，爲石勒所害。」王曰：「裴僕射善談名理，混混有雅致㈡；晉惠帝起居注曰：「裴頠字逸民，河東聞喜人，司空秀之少子也。」冀州記曰：「頠弘濟有清識，稽古，善言名理，履行高整，自少知名。歷侍中、尚書、左僕射。爲趙王倫所害。」張茂先論史、漢，靡靡可聽㈢；晉陽秋曰：「華博覽洽聞，無不貫綜。世祖嘗問漢事，及建章千門萬户，華畫地成圖，應對如流，張安世不能過也。」我與王安豐戎也。說延陵、子房，亦超超玄著㈣。」晉諸公贊曰：「夷甫好尚談稱，爲時人物所宗。」

㈠樂令問王夷甫曰——晉書王戎傳作「或問王濟曰」，與注引竹林七賢論同。

㈡混混——晉書王戎傳：「裴頠論前言往行，衮衮可聽。」按孟子：「原泉混混，不舍晝夜。」杜詩：「不盡長江滾滾來。」音義並相近。「混混」、「衮衮」，並狀其詞源不竭。

㈢靡靡——與「亹亹」、「娓娓」同義。

㈣亦超超玄著——劉辰翁曰：「玄著猶沈著。」疑卽玄遠之義。

24 王武子、晉諸公贊曰：「王濟字武子，太原晉陽人，司徒渾第二子也。有儁才，能清言。起家中書郎，終太僕。」孫子荆文士傳曰：「孫楚字子荆，太原中都人也。」晉陽秋曰：「楚，驃騎將軍資之孫，南陽太守宏之子。鄉人王濟，豪俊公子，爲本州大中正。訪問宏爲鄉里品狀㊀，濟曰：『此人非鄉評所能名，吾自狀之。』曰：『天才英特，亮拔不羣。』仕至馮翊太守。」各言其土地人物之美。王云：「其地坦而平，其水淡而清，其人廉且貞。」孫云：「其山嶵巍以嵯峨，其水泙渫而揚波，其人磊砢而英多。」按三秦記、語林載，蜀人伊籍稱吳土地人物，與此語同㊁。

㊀訪問宏爲鄉里品狀——訪問，乃大中正屬官。晉書劉卞傳：「試經，爲臺四品吏。訪問令寫黃紙一鹿車，卞曰：『劉卞非爲人寫黃紙者也。』訪問知，怒，言於中正，退爲尚書令史。」宏，當作楚。晉書孫楚傳：「初，楚與同郡王濟友善，濟爲本州大中正，訪問銓邑人品狀，至楚，濟曰：『此人非卿所能目，吾自爲之。』乃狀楚曰：『天才英博，亮拔不羣。』」魏志孫資傳注引晉陽秋作「王濟爲本州大中正，訪問關求楚品狀」。案孫楚傳「訪問銓邑人品狀」，晉陽秋「訪問關求楚品狀」，曰「銓」、曰「關求」，皆動詞，有之語意乃備，則「訪問」下當據孫資傳注補「關求」二字，「爲」字當刪。或「爲」字當在「楚」字之上，傳鈔誤倒。

㊁按三秦記三句——王世懋曰：「注是也。吳蜀當此語，是本色。案王、孫同爲太原人。不當土風之異如此。」

25 樂令女適大將軍成都王穎，虞預晉書曰：「樂廣字彥輔，南陽人。清夷沖曠，加有理識。累遷侍中、河南尹。在朝廷用心虛淡，時人重其貞貴。代王戎爲尚書令。」八王故事曰：「司馬穎字叔度㊀，世祖第十九子㊁，封成都王、大將軍。」王兄長沙王執權於洛，晉百官名曰：「司馬乂字士度，封長沙王。」八王故事曰：「世祖第十七子㊂。」遂構兵相圖。長沙王親近小人，遠外君子，凡在朝者，人懷危懼。樂令既允朝望㈣，加有婚親，羣小讒於長沙。長沙嘗問樂令，樂令神色自若，徐答曰：「豈以五男易一女？」晉陽秋曰：「成都王之起兵，長沙王猜廣，廣曰：『寧以一女而易五男？』又猶疑之，遂以憂卒。」由是釋然，無復疑慮㈤。

㈠司馬穎字叔度——晉書本傳作「成都王穎，字章度」。

㈡世祖第十九子——晉書本傳作「武帝（世祖）第十六子」。

㈢世祖第十七子——晉書本傳作「武帝第六子」。

㈣樂令既允朝望——「允」，影宋本及沈校本並作「處」，於義爲長。

㈤無復疑慮——晉書樂廣傳同晉陽秋，與世說異。

26 陸機詣王武子，晉陽秋曰：「機字士衡，吳郡人。祖遜，吳丞相。父抗，大司馬。機與弟雲並有儁才，司空張華見而說之，曰：『平吳之利，在獲二儁。』」機別傳曰：「博學，善屬文，非禮不動。入晉，仕著作郎，至平原內史。」武子前置數斛羊酪，指以示陸曰：「卿江東何以敵此？」陸云：「有千里蓴羹，但未下鹽豉耳！」㈠

㈠「千里蓴羹」二句——宋黃徹䂬溪詩話：「千里蓴羹，未下鹽豉，蓋未受和耳。子美『豉化蓴絲熟』，又『豉添蓴菜紫』。聖俞送人秀州云：『剩持鹽豉煮紫蓴。』魯直『鹽豉欲催蓴菜熟』。」劉辰翁曰：「言外謂下鹽豉後，尚未止此。」千里，王世懋曰：「千里，湖名，今志猶可考。」案杜甫贈別賀蘭銛：「我戀岷下芋，君思千里蓴。」仇兆鰲杜詩詳注：「一統志：『千里湖在溧陽縣東南一十五里，至今產美蓴，俗呼千里蓴。』」

27 中朝有小兒㈠，父病，行乞藥。主人問病，曰：「患瘧也。」主人曰：「尊侯明德君子，何以病瘧？」俗傳行瘧鬼小，多不病巨人。故光武嘗謂景丹曰㊁：「嘗聞壯士不病瘧，大將軍反病瘧耳㊂。」答曰：「來病君子，所以爲瘧耳㊃！」

㊀中朝——晉南渡以後稱渡江前曰「中朝」。晉書周顗傳：「顗在中朝時，能飲酒一石，及過江，雖日醉，每稱無對。」晉書目錄：「右晉十二世、十五帝、一百五十六年。中朝四帝，都洛陽，五十四年；江左十一帝，都建康，一百二年。」

㊁故光武嘗謂景丹曰——「光武」下影宋本及沈校本並有「皇帝」二字。

㊂大將軍反病瘧耳——「耳」，影宋本及沈校本並作「耶」。王先謙校曰：「後漢景丹傳引東觀記作『今漢大將反病瘧邪？』明作『耶』是。」

㊃所以爲瘧耳——「瘧」與「虐」音同，故云。

28 崔正熊詣都郡，都郡將姓陳，問正熊：「君去崔杼幾世？」答曰：「民去崔杼，如明府之去陳恒㊀。」晉百官名曰：「崔豹字正熊，燕國人。惠帝時，官至太傅丞。」

㊀「君去崔杼」四句——案崔杼、陳恒並春秋時齊大夫，皆弒其君，故以此相戲。左傳襄公二十五年：「夏五月乙亥，齊崔杼弒其君光（莊公）。」又哀公十四年：「六月甲午，齊陳恒弒其君壬（簡公）於舒州。」案此條入言語不如入排調。

29 元帝始過江，朱鳳晉書曰：「帝諱叡，字景文。祖伷，封琅邪王。父恭王瑾嗣㊀。帝襲爵爲琅邪王，少而明惠。因亂，過江起義，遂即皇帝位。」謚法曰：「始建國都曰『元』。」謂顧驃騎曰：「寄人國土，心常懷慚。」榮跪對曰：「臣聞王者以天下爲家，是以耿、亳無定處，帝王世紀曰：「殷祖乙徙耿，爲河所毀。」今河東皮氏耿鄉是也。「盤庚五遷，復南居亳。」今景亳是也㊁。九鼎遷洛邑，春秋傳曰：「武王克商，遷九鼎於洛邑。」今之偃師是也。

願陛下勿以遷都爲念！」

㊀父恭王瓘嗣——「瓘」，晉書元帝紀作「覲」。

㊁「盤庚五遷」三句——案御覽八三引帝王世紀曰：「蒙爲北亳，即景亳，湯所盟地。偃師爲西亳，即盤庚所徙者。」與此不同。

30 庾公造周伯仁㊀，虞預晉書曰：「周顗字伯仁，汝南安城人，揚州刺史浚長子也。」晉陽秋曰：「顗有風流才氣，少知名，正體嶷然，儕輩不敢媟也。汝南賁泰㊁，淵通清操之士，嘗歎曰：『汝、潁固多賢士，自頃陵遲，雅道殆衰。今復見周伯仁，伯仁將祛舊風，清我邦族矣！』舉寒素，累遷尚書僕射。爲王敦所害㊂。」伯仁曰：「君何所欣說而忽肥？」庾曰：「君復何所憂慘而忽瘦？」伯仁曰：「吾無所憂，直是清虛日來，滓穢日去耳！」

㊀庾公——謂庾亮。

㊁汝南賁泰——晉書周顗傳作「司徒掾汝南賁嵩」。

㊂爲王敦所害——見下尤悔六。

31 過江諸人，每至美日，輒相邀新亭㊀，藉卉飲宴。丹陽記曰：「新亭，吳舊立，先基崩淪。隆安中，丹陽尹司馬恢之徙創今地。」周侯顗也。中坐而歎曰：「風景不殊，正自有山河之異㊁！」皆相視流淚。唯王丞相導也。愀然變色曰：「當共勠力王室，克復神州㊂，何至作楚囚相對！」春秋傳曰：「楚伐鄭，諸侯救之。鄭執鄭公鍾儀獻晉。景公觀軍府，見而問之曰：『南冠而縶者爲誰？』有司對曰：『楚囚也。』使稅之。問其族，對曰：『伶人也。』『能爲樂乎？』曰：『先父之職，敢有二事？』與之琴，操南音。范文子曰：『楚囚，君子也！樂操土風，不忘舊也。君蓋歸之㊃，以合晉楚之成。』」

㊀新亭——文選謝玄暉新亭渚別范零陵詩李善注引十洲記曰：「丹陽郡新亭在中思里，吳舊亭也。」景定建康志：「新亭亦曰中興亭，去城西南十五里，近江渚。丹陽記曰：『京師三亭，吳舊立，先基既壞，隆安中，丹陽尹司馬恢徙創今地。』」司馬恢即司馬恢之，亦如張玄或作張玄之，晉人如此者非一，詳本篇五一箋一。

㊁正自有山河之異——晉書王導傳、通鑑卷八九晉紀並作「舉目有江河之異」。通鑑注：「言洛都游宴，多在河濱，而新亭臨江渚也。」竊謂作「江河」語雖確切，而意盡於辭，情味反淺，作「山河」語勢潤遠，情味尤淵永，所謂「見此芒芒，不覺百端交集」，正不必以彼易此也。

㊂神州——史記孟荀列傳：「中國曰赤縣神州，赤縣神州內自有九州，禹之序九州是也，不得爲州數。中國外如赤縣神州者九，乃所謂九州也。」後人因以中國爲神州。

㊃君蓋歸之——「蓋」，影宋本及沈校本並作「盍」，是，左傳正作「盍」。

32 衞洗馬初欲渡江，形神慘顇，語左右云：「見此芒芒，不覺百端交集。苟未免有情，亦復誰能遣此！」晉諸公贊曰：「衞玠字叔寶，河東安邑人。祖父瓘，太尉。父恒，黃門侍郎。」玠別傳曰：「玠穎識通達，天韻標令。陳郡謝幼輿敬以亞父之禮。論者以爲出王眉子、平子、武子之右，世咸謂『諸王三子，不如衞家一兒。』娶樂廣女，裴叔道曰：『妻父有冰清之姿，壻有璧潤之望，所謂秦、晉之匹也。』爲太子洗馬。永嘉四年，南至江夏，與兄別於梁里澗，語曰：『在三之義，人之所重。今日忠臣致身之運，可不勉乎？』行至豫章，乃卒。」

33 顧司空未知名，詣王丞相。丞相小極㊀，對之疲睡。顧思所以叩會之，顧和別傳曰：「和字君孝，吴郡人㈡。祖容㈢，吴荆州刺史。父相㈣，晉臨海太守。和總角知名，族人顧榮雅相器愛，曰：『此吾家之騏驥也，必振衰族。』累遷尚書令。」因謂同坐曰：「昔每聞元公顧榮。道公協贊中宗㈤，保全江表。鄧粲晉紀曰：「導與元帝有布衣之好。知中國將亂，勸帝渡江，求爲安東司馬，政皆決之，號『仲父』。晉中興之功，導實居其首。」體小不安，令人喘息。」丞相因覺，謂顧曰㈥：「此子珪璋特達㈦，機警有鋒。」

㈠小極——謂體中不適也，乃爾時常語。「極」蓋「𤻮」之借字，史記司馬相如傳集解引郭璞曰：「𤻮，疲極也。」屈賈列傳：「勞苦倦極，未嘗不呼天也。」已借「極」爲「𤻮」。

㈡吴郡人——「吴郡」，影宋本及沈校本並作「陳郡」。按下云：「族人顧榮雅相器愛，曰：『此吾家之騏驥也，必振衰族。』德行二五注引文士傳：「榮，字彥先，吴郡人。」榮爲雍之孫。吴志顧雍傳：「吴郡吴人也。」則作「吴郡」不誤。

㈢祖容——晉書本傳作「曾祖容」。

㈣父相——晉書本傳作「祖相」。

㈤「聞元公」句——晉書顧榮傳：「謚曰元。」故稱元公。中宗，元帝廟號。

㈥謂顧曰——嚴復曰：「『謂顧』二字必有誤，不宜對本人而云『此子』，不然則『謂』字作品目解，非相謂也。」

㈦此子珪璋特達——「此子」，晉書顧和傳作「卿」，殆是。禮記聘義：「圭璋特達，德也。」疏：「行聘之時，唯執圭璋，特得通達，不加餘幣。」喻顧和人才卓絕，高出餘子。

34 會稽賀生，體識清遠，言行以禮。賀循，別見㈠。不徒東南之美，爾雅曰：「東南之美者，有會稽之竹箭焉。」實爲海內之秀㈠。

㈠賀循別見——見規箴十三。

㈡「不徒東南之美」二句——晉書顧和傳接「機警有鋒」下，並作王導稱顧和之語。

35 **劉琨雖隔閡寇戎，志存本朝㈠。**王隱晉書曰：「琨字越石，中山魏昌人。祖邁，有經國之才。父璠㈡，光祿大夫。琨少稱儁朗。累遷司徒長史、尚書右丞。迎大駕於長安，以有殊勳，封廣武侯。年三十五，出爲并州刺史。爲段日磾所害。」**謂温嶠曰：「班彪識劉氏之復興，馬援知漢光之可輔。**漢書叙傳曰：「彪字叔皮，扶風人，客於天水。隴西隗囂有窺覦之志，彪作王命論以諷之。」東觀漢記曰：「馬援字文淵，茂陵人。從公孫述、隗囂游。後見光武，曰：『天下反覆，盜名字者不可勝數。今見陛下寥廓大度，同符高祖，乃知帝王自有真也㈢。』帝甚壯之。」**今晉祚雖衰㈣，天命未改，吾欲立功於河北，使卿延譽於江南，子其行乎？」温曰：「嶠雖不敏，才非昔人，明公以桓、文之姿，建匡立之功㈤，豈敢辭命！」**虞預晉書曰：「嶠字太真，太原祁人。少標俊清徹，英穎顯名。爲司空劉琨左司馬。是時，二都傾覆㈥，天下大亂。琨聞元皇受命中興，忼慨幽、朔，志存本朝。使嶠奉使，嶠喟然對曰：『嶠雖乏管、張之才，而明公有桓、文之志，敢辭不敏，以違高旨。』以左長史奉使勸進，累遷驃騎大將軍。」

㈠本朝——朝廷。孟子萬章：「立乎人之本朝而道不行，恥也。」宋翔鳳趙注補正：「朝廷者，一國之本，故曰本朝。」

㈡父璠——「璠」，晉書本傳作「蕃」。

㈢乃知帝王自有真也——「真」原誤作「貞」，據影宋本及沈校本改。

㈣今晉祚雖衰——「祚」原誤作「阼」，各本同，今改正。

㈤建匡立之功——「匡立」，晉書温嶠傳作「匡合」。

㈥二都傾覆——謂洛陽、長安先後陷於劉曜。

36 温嶠初爲劉琨使來過江。於時，江左營建始爾，綱紀未舉。温新至，深有諸慮。既詣王丞相，陳主上幽越、社稷焚滅、山陵夷毀之酷，有黍離之痛。温忠慨深烈，言與泗俱，丞相亦與之對泣。敍情既畢，便深自陳結，丞相亦厚相酬納。既出，懽然言曰：「江左自有管夷吾，此復何憂㈠！」史記曰：「管仲夷吾者，潁上人。相齊桓公，九合諸侯，一匡天下。」語林曰：「初，温奉使勸進，晉王大集賓客見之。温公始入，姿形甚陋，合坐盡驚。既坐，陳說九服分崩，皇室弛絕，晉王君臣莫不歔欷。及言天下不可以無主，聞者莫不踴躍，植髮穿冠。王丞相深相付託。温公既見丞相，便游樂不住，曰：『既見管仲，天下事無復憂。』」

㈠「既出」四句——晉書王導傳以此語屬桓彝，温嶠傳亦載此事。

37 王敦兄含，爲光禄勳。含別傳曰：「含字處弘，琅邪臨沂人。累遷徐州刺史、光禄勳。與弟敦作逆，伏誅。」敦既逆謀，屯據南州，含委職奔姑孰。鄧粲晉紀曰：「初，王導協贊中興，敦有方面之功。敦以劉隗爲間己，舉兵討之，故含南奔武昌，朝廷始警備也。」王丞相詣闕謝。中興書曰：「導從兄敦舉兵討劉隗，導率子弟二十餘人，旦旦到公車泥首謝罪。」司徒、丞相、揚州官僚問訊㈠，倉卒不知何辭。顧司空時爲揚州別駕㈡，援翰曰：「王光禄遠避流言，明公蒙塵路次，羣下不寧，不審尊體起居何如？」

㈠司徒丞相揚州官僚問訊——晉書王導傳：「俄拜右將軍、揚州刺史、監江南諸軍事。遷驃騎將軍，加散騎常侍，都督中外諸軍，領中書監，録尚書事，假節刺史如故。及明帝卽位，導受遺詔輔政，解揚州，遷司徒。」按王敦起兵討劉隗，在元帝永昌元年，時導未遷司徒也，安得有司徒官屬？疑誤。

㈡顧司空——顧和，見本篇三三。

38 郗太尉拜司空，語同坐曰：「平生意不在多，值世故紛紜，遂至台鼎。朱博翰音，實愧於懷。」漢書曰：「朱博字子元，杜陵人。爲丞相，臨拜，延登受策，有大聲如鍾鳴。上問揚雄、李尋，對曰㈠：『洪範所謂鼓妖者也。人君不聰，空名得進，則有無形之聲。』博後坐事自殺。」故序傳曰：「博之翰音，鼓妖先作。」易中孚曰：「上九，翰音登於天，貞凶。」王弼注曰：「翰，高飛也；飛者㈡，音飛而實不從也。」

㈠上問揚雄李尋，對曰——影宋本及沈校本並作「上問揚雄，雄對曰」，非是。案漢書五行志中之下作「上以問黃門侍郎揚雄、李尋，尋對曰」，則「對曰」上應據補「尋」字。

㈡飛者——影宋本作「音者」。案當作「飛音者」。易中孚：「上九，翰音登於天，貞凶。」王弼注：「翰，高飛也。飛音者，音飛而實不從之謂也。」

39 高坐道人不作漢語。或問此意，簡文曰：「以簡應對之煩。」高坐別傳曰：「和尚胡名尸黎密，西域人。傳云國王子，以國讓弟，遂爲沙門。永嘉中始到此土，止於大市中。和尚天姿高朗，風韻遒邁，丞相王公一見奇之，以爲吾之徒也㈠。周僕射領選，撫其背而歎曰：『若選得此賢，令人無恨！』俄而周侯遇害，和尚對其靈坐，作胡祝數千言，音聲高暢，既而揮涕收淚。其哀樂廢興皆此類。性高簡，不學晉語。諸公與之言，皆因傳譯，然神領意得，頓在言前。」塔寺記曰：「尸黎密冢曰高坐㈡，在石子岡㈢，常行頭陀，卒於梅岡㈣，卽葬焉。晉元帝於冢邊立寺，因名高坐㈤。」

㈠「永嘉中」六句——案高僧傳：「永嘉中，始到中國，值亂，仍過江，止建和寺。」又高僧傳十：「安慧則止洛陽大市寺。」洛陽有東西大市，見洛陽伽藍記。則止於大市，是過江前事；王導見而奇之，乃過江以後。注連類而言，殊不別白。

㈡尸黎密冢曰高坐——「冢」沈校本作「家」，影宋本作「宋」。案「冢曰高坐」，義不可通，作「家」亦非，當作「宋」字。「宋」以代中土，蓋謂尸黎密以漢語譯之，則爲「高坐」之義，「宋曰」猶云「秦言」。宋書鮮卑吐谷渾傳：「虜言『處可寒』，宋言爾官家也。」又曰：「『莫賀』，宋言父也。」宋王象之輿地紀勝建康府仙釋帛尸黎密條亦引塔寺記此文，正作「宋」字。塔寺記或出劉宋人之手，故云。又高僧傳曰：「帛尸黎密多羅，此云『吉友』，西域人。時人呼爲高座。」與塔寺記之說異。

㈢石子岡——景定建康志：「石子岡一名石子墩，在城南一十五里，長二十里，高一十八丈。吳志云：『諸葛恪爲孫峻所害，投之於此岡。俗說此岡多細花石，故名石子岡。』」通鑑七五魏紀注：「案今高座寺後卽石子岡，寺在建康城南門外。」

㈣梅岡——當卽梅嶺岡。景定建康志云：「在城南九里，長六里，高二丈。舊經云：『東豫章太守梅頤家於岡下，因名之。』」

㈤「晉元帝」二句——案高僧傳云：「後有關右沙門來遊京師，乃於冢處起寺，陳郡謝混贊成其事，追旋往事，仍曰高座寺也。」與塔寺記不同。

40 周僕射雍容好儀形。詣王公，初下車，隱數人，王公含笑看之。既坐，傲然嘯詠。王公曰：「卿欲希嵇、阮邪？」答曰：「何敢近舍明公，遠希嵇、阮！」鄧粲晉紀曰：「伯仁儀容弘偉，善於俛仰應答。精神足以蔭映數人。深自持，能致人而未嘗往焉。」

41 庾公嘗入佛圖，見臥佛，涅槃經云：「如來背痛，於雙樹間北首而臥。」故後之圖繪者爲此象。曰：「此子疲於津梁㈠。」於時以爲名言。

㈠津梁——喻濟度衆生。

42 摯瞻曾作四郡太守、大將軍户曹參軍，復出作内史。摯氏世本曰：「瞻字景游，京兆長安人，太常虞兄子也。父育，涼州刺史。瞻少善屬文，起家著作郎。中朝亂，依王敦爲户曹參軍，歷安豐、新蔡、西陽太守。見敦以故壞裘賜老病外部都督，瞻諫曰：『尊裘雖故，不宜與小吏。』敦曰：『何爲不可？』瞻時因醉曰：『若上服皆可用賜，貂蟬亦可賜下乎？』敦曰：『非喻所引，如此不堪二千石。』瞻曰：『瞻視去西陽如脱屣耳㈠！』敦反，乃左遷隨郡内史。」年始二十九。嘗別王敦，敦謂瞻曰：「卿年未三十，已爲萬石，亦太蚤。」瞻曰：「方於將軍少爲太蚤，比之甘羅已爲太老。」摯氏世本曰：「瞻高亮有氣節，故以此答敦。後知敦有異志，建興四年，與第五琦據荆州以距敦，竟爲所害㈡。」史記曰：「甘羅，秦相茂之孫也。年十二，而秦相呂不韋欲使張唐相燕，唐不肯行，甘羅説而行之。又請車五乘以使趙，還報秦。秦封甘羅爲上卿，賜以甘茂田宅。」

㈠如脱屣耳——「如」原誤作「始」，據影宋本及凌刻本改。

㈡「摯氏世本曰」七句——「第五琦」，影宋本作「第五猗」，是。晉書元帝紀及杜曾傳並同。案摯瞻晉書無傳。猗據荆州以拒敦，元帝紀在建武元年，此云建興四年，王敦之反，在永昌元年，去此尚五六年，何以預知敦之有異志，且與前注「敦反，乃左遷隨郡内史」相矛盾。

43 梁國楊氏子九歲，甚聰惠。孔君平王隱晉書曰：「孔坦字君平，會稽山陰人。善春秋，有文辯。歷太子舍人，累遷廷尉卿。」詣其父㈠，父不在，乃呼兒出。爲設果，果有楊梅。孔指以示兒曰：「此是君家果。」兒應聲答曰：「未聞孔雀是夫子家禽。」

㊀孔君平詣其父——「孔坦」，金樓子五以此事屬之孔永。

44 孔廷尉以裘與從弟沈，孔氏譜曰：「沈字德度，會稽山陰人。祖父奕，全椒令。父羣，鴻臚卿。沈至琅邪王文學㊀。」沈辭不受。廷尉曰：「晏平仲之儉，祠其先人，豚肩不掩豆，猶狐裘數十年，劉向別錄曰：「晏平仲，名嬰，東萊夷維人。事齊靈公、莊公，以節儉力行重於齊。」禮記曰：「晏平仲祀其先人，豚肩不掩豆，君子以爲儉也㊁。」又曰：「晏子一狐裘三十年，晏子焉知禮㊂。」注：「豚，俎實也。豆徑尺，言併豚之兩肩，不能掩豆，喻少也。」卿復何辭此！」於是受而服之。

㊀沈至琅邪王文學——晉書本傳：「辟丞相司徒掾，琅玡王文學，並不就。」

㊁「晏平仲祀其先人」三句——上二句見禮記禮器及雜記，第三句禮器作「君子以爲隘矣」，雜記作「賢大夫也，而難爲下也」。所引當是禮器文。注文則用雜記。

㊂「又曰」三句——見禮記檀弓，中有省文。

45 佛圖澄與諸石遊，澄別傳曰：「道人佛圖澄，不知何許人，出於燉煌，好佛道，出家爲沙門。永嘉中至洛陽，值京師有難，潛遁草澤。聞石勒雄異好殺害㊀，因勒大將軍郭默略見勒㊁，以麻油塗掌，占見吉凶數百里外；聽浮圖鈴聲，逆知禍福。勒甚敬信之。虎即位，亦師澄，號『大和尚』。自知終日。開棺無屍，唯袈裟法服在焉。」林公曰㊂：「澄以石虎爲海鷗鳥㊃。」趙書曰：「虎字季龍，勒從弟也㊄。征伐每斬將搴旗。勒死，誅勒諸兒襲位。」莊子曰：「海上之人好鷗者，每旦之海上從鷗游。鷗之至者數百而不止。其父曰：『吾聞鷗鳥從汝游，取來玩之。』明日之海上，鷗舞而不下㈥。」

㈠聞石勒雄異——「聞」原誤作「問」，據影宋本改。

㈡因勒大將郭默略見勒——「郭默略」，晉書藝術傳及慧皎高僧傳並作「郭黑略」。

㈢林公——謂支遁，遁字道林。

㈣澄以石虎爲海鷗鳥——劉辰翁曰：「謂玩虎於掌中耳。」案此語未允。蓋謂澄以無心應物，故物我相忘也。

㈤「虎字季龍」二句——案十六國春秋：「石虎，勒之從子，勒父朱幼而子之，故或謂之爲勒弟。」晉書載記同。

㈥莊子曰——莊子當作列子，事見黃帝篇。

46 謝仁祖年八歲，謝豫章鯤子，別見㈠。將送客㈡。爾時語已神悟，自參上流。諸人咸共歎之，曰：「年少，一坐之顏回。」仁祖曰：「坐無尼父，焉別顏回？」晉陽秋曰：「謝尚字仁祖，陳郡人，鯤之子也。齠齔喪兄，哀慟過人。及遭父喪，溫嶠唁之，尚號叫極哀，既而收涕告訴，有異常童。嶠奇之。由是知名。仕至鎮西將軍、豫州刺史。」

㈠鯤子別見——「子」字衍。謝鯤見文學二〇。

㈡將送客——將，挈也，謂挈以送客。

47 陶公疾篤，都無獻替之言，朝士以爲恨。陶氏敍曰：「侃字士衡㈠，其先鄱陽人，後徙尋陽。侃少有遠槩，綱維宇宙之志。察孝廉，入洛，司空張華見而謂曰：『後來匡主寧民，君其人也！』劉弘鎮沔南㈡，取爲長史。謂侃曰：『昔吾爲羊太傅參佐，見語云：「君後當居身處。」今相觀，亦復然矣。』累遷湘、廣、荊三州刺史，加羽葆鼓吹，封長沙郡公、大將軍，贊拜不名，劍履上殿。進太尉，贈大司馬，謚桓公。」按王隱晉書載侃臨終表曰：「臣少長孤寒，始願有限，過蒙先朝歷世異恩。臣年垂八十，位極人臣，啓手啓足，當復何恨？但以餘寇未誅，山陵未復，所以憤慨兼懷，唯此而已。猶冀犬馬之齒，尚可少延，欲爲陛下北吞石虎，西誅李雄。勢遂不振，良圖永息。臨書扼腕㊂，涕泗横流。伏願遴選代人，使必得良才，足以奉宣王猷，遵成志業。則雖死之日，猶生之年。」有表若此，非無獻替。仁祖聞之，曰：「時無豎刁，故不貽陶公話言。」吕氏春秋曰：「管仲病，桓公問曰：『子如不諱，誰代子相者？豎刁何如？』管仲曰：『自宫以事君，非人情，必不可用。』後果亂齊㊃。」時賢以爲德音。

㊀侃字士衡——「士衡」，晉書本傳作「士行」。

㊁劉弘鎮沔南——「沔南」，影宋本及沈校本並作「江南」，非。弘時爲荆州刺史，晉人稱沔、漢爲荆州。

㊂臨書扼腕——「扼」原誤作「振」，據影宋本及沈校本改。

㊃「吕氏春秋曰」十句——案吕氏春秋知接載此事，而文大異。

48 竺法深在簡文坐，劉尹問：「道人何以游朱門？」答曰：「君自見其朱門，貧道如游蓬户。」高逸沙門傳曰：「法師居會稽，皇帝重其風德，遣使迎焉。法師暫出應命。司徒會稽王天性虛澹㊀，與法師結殷勤之歡。師雖升履丹墀，出入朱邸，泯然曠達，不異蓬宇也。」或云卞令㊁。別見。

㊀司徒會稽王——即簡文帝。晉書本紀：「永和八年，進位司徒。」

㊁或云卞令——案卞壼死於蘇峻之亂，後四十餘年，簡文方即位，此語未然。壼見賞譽五〇、五四注。

49 孫盛爲庾公記室參軍，中興書曰：「盛字安國，太原中都人。博學強識，歷著作郎、瀏陽令。庾亮爲荆州，以爲征西主簿，累遷祕書監。」從獵，將其二兒俱行，庾公不知，忽於獵場見齊莊㊀，時年七八歲，庾謂曰：「君亦復來邪？」應聲答曰：「所謂『無小無大，從公於邁㊁』。」

㊀齊莊——盛次子放字齊莊，見下條注。

㊁「無小無大」二句——見詩魯頌泮水。

50 孫齊由、齊莊二人，小時詣庾公。公問齊由何字，答曰：「字齊由。」公曰：「欲何齊邪？」曰：「齊許由。」晉百官名曰：「孫潛字齊由，太原人。」中興書曰：「潛，盛長子也。豫章太守殷仲堪下討王國寶，潛時在郡，逼爲咨議參軍，固辭不就，遂以憂卒。」齊莊何字，答曰：「字齊莊。」公曰：「欲何齊？」曰：「齊莊周。」公曰：「何不慕仲尼而慕莊周？」對曰：「聖人生知，故難企慕。」庾公大喜小兒對。孫放別傳曰：「放字齊莊，監君次子也㊀。年八歲，太尉庾公召見之。放清秀，欲觀試，乃授紙筆令書，放便自疏名字。公題後問之曰：『爲欲慕莊周邪？』放書答曰：『意欲慕之。』公曰：『何故不慕仲尼，而慕莊周？』放曰：『仲尼生而知之，非希企所及；至於莊周，是其次者，故慕耳。』公謂賓客曰：『王輔嗣應答恐不能勝之。』卒長沙王相。」

㊀監君——孫盛官祕書監，故以監君稱之。

51 張玄之、顧敷是顧和中外孫㊀，皆少而聰惠，和並知之，而常謂顧勝。親重偏至，張頗不懕。敷別見㊁。續晉陽秋曰：「張玄之字祖希，吳郡太守澄之孫也。少以學顯，歷吏部尚書，出爲冠軍將軍、吳興太守、會稽內史。謝玄同時之郡，論者以爲『南北之望』。玄之名亞謝玄，時亦稱『南北二玄』。卒於郡。」於時，張年九歲，顧年七歲。和與俱至寺中，見佛般泥洹像，弟子有泣者，有不泣者。和以問二孫。玄謂：「被親故泣，不被親故不泣㊂。」敷曰：「不然。當由忘情故不泣，不能忘情故泣。」大智度論曰：「佛在陰菴羅雙樹間，入般涅槃，臥北首，大地震動。諸三學人僉然不樂㊃，郁伊交涕。諸無學人，但念諸法，一切無常。」

㊀張玄之、顧敷是顧和中外孫——丁國鈞晉書校文四：「謝安傳之張玄之，亦即謝道縕傳之張玄，晉人單名多加『之』字，錢竹汀養新録疑非一人，失之。」案顧悅亦作顧悅之，袁悅亦作袁悅之，此例頗多。中外孫，謂孫子與外孫，亦曰中外生。子所生爲中，女所生爲外，故中表亦稱中外。

㊁敷別見——見夙惠四。

㊂「玄謂」二句——影宋本及沈校本並作「玄謂彼親故泣，彼不親故不泣」。

㊃三學——佛家謂戒、定、慧爲三學。翻譯名義集有三學篇。

52 庾法暢造庾太尉㊀，握麈尾至佳。公曰：「此至佳，那得在？」法暢曰：「廉者不求，貪者不與，故得在耳。」法暢氏族所出未詳。法暢著人物論㊁，自敍其美云：「悟銳有神，才辭通辯。」

㊀庾法暢造庾太尉——「庾法暢」，高僧傳作「康法暢」，是。康僧淵傳：「晉成之世，與康法暢、支敏度等俱過江。暢亦有才忌(疑當作思)，善爲往復，著人物始義論。」

㊁人物論——即人物始義論。

53 庾穉恭爲荊州，庾翼別傳曰：「翼字穉恭，潁川鄢陵人也。少有大度，時論以經略許之。兄太尉亮薨，朝議推才，乃以翼都督七州，進征南將軍、荊州刺史。」以毛扇上武帝，武帝疑是故物。傅咸羽扇賦序曰：「昔吳人直截鳥翼而搖之，風不減方、圓二扇，而功無加。然中國莫有生意者。滅吳之後，翕然貴之，無人不用。」按庾懌以白羽扇獻武帝，帝嫌其非新，反之。不聞翼也㊀。侍中劉劭曰：文字志曰：「劭字彥祖，彭城叢亭人。祖訥，司隸校尉。父松，成皐令。劭博識好學，多藝能，善草隸。初仕領軍參軍。太傅出東，劭謂京洛必危，乃單馬奔揚州。歷侍中、豫章太守。」「栢梁雲構，工匠先居其下；管弦繁奏，鍾、夔先聽其音。鍾，鍾期也。夔，舜樂正。稺恭上扇，以好不以新。」庾後聞之，曰：「此人宜在帝左右！」

㊀不聞翼也——晉書庾懌傳作「懌嘗以白羽扇獻成帝」。案此事屬庾懌。「武帝」亦作「成帝」。御覽七〇二引語林作「成帝」，是。

54 何驃騎亡後，何充，別見㊀。徵褚公入。既至石頭㊁，王長史、劉尹同詣褚，褚曰：「真長，何以處我？」真長顧王曰：「此子能言。」褚因視王，王曰：「國自有周公。」晉陽秋曰：「充之卒，議者謂太后父裒宜秉朝政。裒自丹徒入朝，吏部尚書劉遐勸裒曰：『會稽王令德，國之周公也，足下宜以大政付之。』裒長史王胡之亦勸歸藩，於是固辭歸京㊂。」

㊀何充別見——見政事十七。

㊁石頭——景定建康志：「石頭山在城西二里。案輿地志，環七里一百步，緣大江南抵秦淮口，去臺城九里。自六朝以來，皆守石頭以爲固，以王公大臣領戍軍爲鎭，其形勝蓋必爭之地云。江乘地記云：『石城山嶺嶂千重（刻本誤作里），相重若一，游歷者以爲吳之石城，猶楚之九疑也。山上有城，因以爲名。後漢建安十六年，吳孫權乃加修理，改名石頭城，用貯軍糧器械，今清涼寺西是也。』丹楊記：『石頭城吳時悉土塢，義熙初，始加塼累甓，因山以爲城，因江

以爲池，地形險固，尤有奇勢。』六朝記云：『吳孫權沿淮立柵，又於江岸必爭之地，築城名曰石頭，常以腹心大臣鎮守之。』」

㊂於是固辭歸京——「歸京」，晉書本傳作「歸藩」。案時裒鎮京口，「京」下當脫「口」字。

55 桓公北征，經金城㊀，見前爲琅邪時種柳，皆已十圍，慨然曰：「木猶如此，人何以堪！」攀枝執條，泫然流淚。桓溫別傳曰：「溫字元子，譙國龍亢人，漢五更桓榮後也。父彝，有識鑒。溫少有豪邁風氣，爲溫嶠所知。累遷琅邪內史，進征西大將軍，鎮西夏㊁。時逆胡未誅，餘燼假息。溫親勒郡卒，建旗致討，清蕩伊、洛，展敬園陵。薨謚宣武侯。」

㊀「桓公北征」二句——案晉書桓溫傳作「自江陵北伐」，非是。錢大昕晉書考異云：「宋書州郡志：晉亂，琅玡國人隨元帝過江千餘戶，大興三年，立懷德縣。成帝咸康元年，桓溫領郡，鎮江乘之蒲洲上，求割丹陽之江乘縣立郡。則溫所治之琅邪，在江南之江乘，金城亦在江乘，今上元縣北境也。溫自江陵北伐，何容取道江南邪？推其致誤，乃因庾信枯樹賦有『昔年種柳，依依漢南』之語，遂疑金城爲漢南地耳。不知賦家寓言，多非其實。即以此賦言之，殷仲文爲東陽太守，在桓玄事敗之後，而篇末乃言『桓大司馬聞而歎曰』，豈非子虛亡是之談乎？此事出世說言語篇，但言北征，本無『江陵』字。」案通鑑九九晉紀注亦云：「金城在江乘之蒲州，琅玡僑郡以爲治所。」

㊁鎮西夏——通鑑一一四宋紀注：「江左六朝以荊楚爲西夏。」晉書桓溫傳：「振旅還江陵，進位征西大將軍。」時溫平蜀歸來，以都督荊梁四州諸軍事、荊州刺史鎮江陵。

56 簡文作撫軍時，嘗與桓宣武俱入朝，更相讓在前，宣武不得已而先之，因曰：「伯也執殳，爲王前驅㊀。」衛詩也。殳，長一丈二尺，無刃。簡文曰：「所謂『無小無大，從公於邁㊁。』」

㊀「伯也執殳」二句——見詩衛風伯兮。

㊁「無小無大」二句——見詩魯頌泮水。

57 顧悅與簡文同年，而髮蚤白。中興書曰：「悅字君叔，晉陵人。初爲殷浩揚州別駕。浩卒，上疏理浩。或諫以浩爲太宗所廢㊀，必不依許。悅固爭之，浩果得申。物論稱之。後至尚書左丞㊁。」簡文曰：「卿何以先白？」對曰：「蒲柳之姿，望秋而落；松柏之質，經霜彌茂㊂。」顧凱之爲父傳曰：「君以直道，陵遲於世。入見王，王髮無二毛，而君已斑白。問君年，乃曰：『卿何偏蚤白？』君曰：『松柏之姿，經霜猶茂㊃；臣蒲柳之質，望秋先零。受命之異也。』王稱善久之。」

㊀太宗——簡文帝廟號。

㊁後至尚書左丞——「左丞」，晉書本傳作「右丞」。

㊂經霜彌茂——影宋本及沈校本並作「凌霜猶茂」。

㊃經霜猶茂——「經霜」，影宋本及沈校本並作「凌霜」。

58 桓公入峽，絶壁天懸，騰波迅急，晉陽秋曰：「温以永和二年，率所領七千餘人伐蜀，拜表輒行。」迺歎曰：「既爲忠臣，不得爲孝子，如何？」漢書曰：「王陽爲益州刺史，行部至邛僰九折坂㊀，歎曰：『奉先人遺體，奈何數乘此險！』以病去官。後王尊爲刺史，至其坂，問吏曰：『非王陽所畏之道邪？』吏曰：『是。』叱其馭曰：『驅之！王陽爲孝子，王尊爲忠臣。』」

㊀行部至卭僰九折坂——「卭僰」，漢書王尊傳作「卭郲」。應劭曰：「在蜀郡嚴道縣。」臣瓚曰：「郲，山名也。」

59 初，熒惑入太微，尋廢海西，晉陽秋曰：「泰和六年閏十月，熒惑守太微端門；十一月，大司馬桓溫廢帝爲海西公。」晉安帝紀曰：「桓溫於枋頭奔敗，知民望之去也，乃屠袁真於壽陽㊀。既而謂郗超曰：『足以雪枋頭之耻乎？』超曰：『未厭有識之情也。公六十之年，敗於大舉；不建高世之勳，未足以鎮厭民望。』因說溫以廢立之事。時溫夙有此謀，深納超言，遂廢海西。」簡文登阼，復入太微，帝惡之。徐廣晉紀曰：「咸安元年十二月，熒惑逆行入太微，至二年七月猶在焉㊁。帝懲海西之事，心甚憂之。」時郗超爲中書㊂，在直。中興書曰：「超字景興，高平人，司空愔之子也。少而卓犖不羈，有曠世之度。累遷中書郎、司徒左長史。」引超入曰：「天命脩短，故非所計。政當無復近日事不？」超曰：「大司馬方將外固封疆，內鎮社稷，必無若此之慮。臣爲陛下以百口保之。」帝因誦庾仲初詩庾闡從征詩也。曰：「志士痛朝危，忠臣哀主辱。」聲甚悽厲。郗受假還東，帝曰：「致意尊公，家國之事，遂至於此。由是身不能以道匡衛，思患預防。愧歎之深，言何能喻！」因泣下流襟。續晉陽秋曰：「帝外壓彊臣㊃，憂憤不得志，在位二年而崩。」

㊀屠袁真於壽陽——案晉書桓溫傳：「袁真病死，其將朱輔立其子瑾以嗣。溫圍之，瑾衆潰，生擒之，並其宗族數十人及朱輔，送京師斬之。」據此則袁真已前死也。

㊁至二年七月猶在焉——晉書天文志作「二年三月猶不退」。案簡文帝以七月崩，似作三月爲是。

㊂時郗超爲中書——「中書」下御覽四六九引郭子有「郎」字，與注合。

㈣帝外壓彊臣——「彊」原誤作「疆」，各本同，今改正。

60 簡文在暗室中坐，召宣武㈠，宣武至，問上何在。簡文曰：「某在斯！」時人以爲能。論語曰：「師冕見，及階，子曰：『階也。』及席，子曰：『席也。』皆坐，子告之曰：『某在斯，某在斯。』」注：「歷告坐中人也。」

㈠宣武——桓温謚宣武。

61 簡文入華林園㈠，顧謂左右曰：「會心處不必在遠，翳然林水，便自有濠、濮閒想也，濠、濮，二水名也。莊子曰：「莊子與惠子游濠梁水上㈡。莊子曰：『儵魚出游從容，是魚樂也。』惠子曰：『子非魚，安知魚之樂邪？』莊子曰：『子非我，安知我之不知魚之樂也？』」「莊周釣在濮水㈢，楚王使二大夫造焉，曰：『願以境內累莊子㈣。』莊子持竿不顧，曰：『吾聞楚有神龜者，死已三千年矣，巾笥而藏於廟。此寧曳尾於塗中，寧留骨而貴乎？』二大夫曰：『寧曳尾於塗中。』莊子曰：『往矣！吾亦寧曳尾於塗中。』」覺鳥獸禽魚自來親人㈤。」

㈠華林園——六朝時華林園凡有三處。其在洛陽者，裴松之魏志注云：「本東漢之芳林園，魏明帝青龍三年，於其中起陂池，楫棹越歌。」及齊王芳卽位，以芳字犯諱，乃改爲華林。其在鄴都者，石虎使張羣運土築華林苑於鄴北，蓋仿洛陽之華林園而爲之，見晉書載記。在建業者，金陵新志云：「在臺城內，本吳舊宮苑也，晉南渡後，仿洛陽園名而葺之。」詳見趙翼陔餘叢考。此建業之華林園也。

㈡莊子與惠子遊濠梁水上——「遊濠梁水上」，莊子秋水篇作「遊於濠梁之上」。

㈢莊周釣在濮水——「在」，沈校本作「於」，與莊子秋水篇合。

㈣願以境內累莊子——「累莊子」，莊子秋水篇作「累矣」。

㊄覺鳥獸禽魚自來親人——「覺」上影宋本及沈校本並有「不」字。

62 謝太傅語王右軍曰：「中年傷於哀樂，與親友別，輒作數日惡。」王曰：文字志曰：「王羲之字逸少，琅邪臨沂人。父曠，淮南太守。羲之少朗拔，爲叔父廙所賞。善草隸。累遷江州刺史、右軍將軍、會稽內史。」「年在桑榆，自然至此，正賴絲竹陶寫，恒恐兒輩覺，損欣樂之趣。」

63 支道林常養數匹馬。或言：「道人畜馬不韻。」支曰：「貧道重其神駿。」高逸沙門傳曰：「支遁字道林，河內林慮人㊀。或曰陳留人，本姓關氏。少而任心獨往，風期高亮，家世奉法。嘗於餘杭山沈思道行㊁，泠然獨暢㊂。年二十五，始釋形入道。年五十三，終於洛陽。」

㊀河內林慮人——高僧傳作「河東林慮人」。按晉書地理志，林慮屬汲郡，後漢書郡國志汲與林慮並屬河內，此從舊稱也，作「河東」非。

㊁沈思道行——「道行」，影宋本及沈校本並作「道術」。案高僧傳云：「沈思道行之品，委曲慧印之經。」

㊂泠然獨暢——「泠然」，影宋本及沈校本並作「行吟」。

64 劉尹與桓宣武共聽講禮記。桓云：「時有入心處，便覺咫尺玄門。」劉曰：「此未關至極㊀，自是金華殿之語。」漢書敘傳曰：「班伯少受詩於師丹，大將軍王鳳薦伯於成帝，宜勸學，召見宴暱㊁，拜爲中常侍。時上方向學，鄭寬中、張禹朝夕入說尚書、論語於金華殿，詔伯受之。」

㊀此未關至極——劉應登曰：「言其講說可聽而未到至處耳。」

㊁召見宴暱——「宴暱」下漢書有「殿」字，當據補。張晏曰：「親戚宴飲會同之殿。」

65 羊秉爲撫軍參軍，少亡，有令譽，夏侯孝若爲之敘，極相讚悼。羊秉敘曰：「秉字長達，太山平陽人。漢南陽太守續曾孫。大父魏郡府君，即車騎掾元子也。府君夫人鄭氏無子，乃養秉㊀。齠齔而佳，小心敬慎。十歲而鄭夫人薨，秉思容盡哀。俄而公府掾及夫人並卒，秉羣從父率禮相承㊁，人不間其親，雍雍如也。仕參撫軍將軍事。將奮千里之足，揮沖天之翼，惜乎春秋三十有二而卒。昔罕虎死，子產以爲無與爲善。自夫子之沒，有子產之歎矣！亡後有子男，又不育。是何行善而禍繁也？豈非司馬生之所惑歟㊂？」羊權爲黃門侍郎，侍簡文坐。帝問曰：「夏侯湛別見。作羊秉敘，絕可想。是卿何物㊃？有後不？」羊氏譜曰：「權字道輿，徐州刺史悦之子也㊄。仕至尚書左丞。」權潸然對曰：「亡伯令問夙彰，而無有繼嗣；雖名播天聽，然胤絕聖世。」帝嗟慨久之。

㊀「羊秉敘曰」八句——案此文所敍羊氏世次多錯亂。既云南陽太守續曾孫，又言大父魏郡府君即車騎掾之元子也，則秉又爲車騎掾之曾孫，其不可通，一也。下文又言府君夫人鄭氏無子，乃養秉。按文理，此府君當即魏郡府君，則秉之嗣父也。按方正門「羊長和父繇與太傅祜同堂相善」條注引羊氏譜，世次甚明，續生祕，祕生繇，繇歷車騎掾，生五子：秉、洽、式、亮、忱。則秉乃繇之子，而言「大父魏郡府君，即車騎掾之元子也」，其不可通，二也。此云大父，疑即世父之義，古「大」與「世」通。則原文當作「漢南陽太守續曾孫，車騎掾之元子也。大父魏郡府君，府君夫人鄭氏無子，乃養秉。」案影宋本後所附泰山南城羊氏譜，繇兄祉，官魏郡太守，即敍所稱魏郡府君也。

㊁秉羣從父率禮相承——「父」字，影宋本及沈校本並無，是，當據刪。

㊂豈非司馬生之所惑歟——案司馬生謂司馬遷。史記伯夷列傳：「或曰：『天道無親，常與善人。』若至近世，操行不軌，專犯忌諱，而終身逸樂，富厚累世不絕。或擇地而蹈之，時然後出言，行不由徑，非公正不發憤，而遇禍災者，不可勝數也。余甚惑焉，儻所謂天道，是邪非邪？」

㊃何物——猶言何人，是爾時常語。

㊄徐州刺史悦之子也——「悦」，當從羊氏譜作「忱」。

66 王長史與劉真長別後相見，王長史別傳曰：「濛字仲祖，太原晉陽人。其先出自周室，經漢、魏，世爲大族，祖父佐，北軍中候。父訥，葉令㊀。濛神氣清韶，年十餘歲，放邁不羣。弱冠檢尚，風流雅正，外絕榮競，內寡私欲。辟司徒掾、中書郎，以后父贈光祿大夫。」王謂劉曰：「卿更長進。」答曰：「此若天之自高耳。」語林曰：「仲祖語真長曰：『卿近大進。』劉曰：『卿仰看邪？』王問何意，劉曰：『不爾，何由測天之高也？』」

㊀「祖父佐」四句——案晉書外戚傳作「祖佑，北軍中候；父訥，新淦令」。

67 劉尹云：「人想王荆產佳，此想長松下當有清風耳㊀！」荆產，王微小字也㊁。王氏譜曰：「微字幼仁，琅邪人。祖乂，平北將軍。父澄，荆州刺史。微歷尚書郎、右軍司馬。」

㊀此想長松下當有清風——劉辰翁曰：「以其名家，意想其佳耳。」又曰：「意似不滿。」

㊁王微小字也——「微」，沈校本作「徽」，下同，是。晉書王澄傳正作「徽」。

68 王仲祖聞蠻語不解，茫然曰：「若使介葛盧來朝，故當不昧此語。」春秋傳曰：「介葛盧來朝魯，聞牛鳴，曰：『是生三犧，皆用之矣。其音云。』問之而信。」杜預注曰：「介，東夷國；葛盧，其君名也。」

69 劉真長爲丹陽尹，許玄度出都，就劉宿，續晉陽秋曰：「許詢字玄度，高陽人，魏中領軍允玄孫。總角秀惠，衆稱神童。長而風情簡素，司徒掾辟，不就，蚤卒。」牀帷新麗，飲食豐甘。許曰：「若保全此處，殊勝東山。」劉曰：「卿若知吉凶由人，吾安得不保此！」春秋傳曰：「吉凶無門，唯人所召㊀。」王逸少在坐，曰：「令巢、許遇稷、契，當無此言。」二人並有愧色。

㊀「春秋傳曰」三句——案左傳襄公二十三年：「禍福無門，唯人所召。」注作「吉凶」，蓋誤記。

70 王右軍與謝太傅共登冶城㊀，揚州記曰：「冶城，吳時鼓鑄之所，吳平，猶不廢。王茂弘所治也。」謝悠然遠想，有高世之志。王謂謝曰：「夏禹勤王，手足胼胝；帝王世紀曰：「禹治洪水，手足胼胝。」世傳禹病偏枯，足不相過。今稱「禹步」是也。文王旰食，日不暇給。尚書曰：「文王自朝至于日昃，不遑暇食㊁。」今四郊多壘，禮記曰：「四郊多壘，卿大夫之辱也㊂。」宜人人自效；而虛談廢務，浮文妨要，恐非當今所宜。」謝答曰：「秦任商鞅，二世而亡，戰國策曰：「衛商鞅，諸庶孽子，名鞅，姓公孫氏。少好刑名學，爲秦孝公相，封於商㊃。」豈清言致患邪？」

㊀冶城——景定建康志：「金陵有古冶城，本吳冶鑄之地。世說敘錄云，丹楊冶城去宮三里，今天慶觀即其地。孝武帝太元十五年，於城中立寺，以冶城爲名。安帝元興三年，以寺爲苑，廣起樓榭，飛閣複道，延屬宮城。謝安每與王羲之登之，悠然遐想，有高世志。」

㊁尚書曰——見書無逸。

㊂禮記曰——見禮記曲禮。

㊃「戰國策曰」六句——「衞商鞅，諸庶孼子」，沈校本作「鞅，衞諸庶孼子也」。案戰國策無此文。史記商君列傳：「商君者，衞之諸庶孼子也，名鞅，姓公孫氏。鞅少好刑名之學。」與此注正同，疑孝標誤記。

71 謝太傅寒雪日內集，與兒女講論文義，俄而雪驟，公欣然曰：「白雪紛紛何所似？」兄子胡兒曰：胡兒，謝朗小字也。續晉陽秋曰：「朗字長度，安次兄據之長子。安蚤知之，文義豔發，名亞於玄。仕至東陽太守。」「撒鹽空中差可擬。」兄女曰：「未若柳絮因風起。」公大笑樂。即公大兄無奕女，左將軍王凝之妻也。王氏譜曰：「凝之字叔平，右將軍羲之第二子也。歷江州刺史、左將軍、會稽內史。」晉安帝紀曰：「凝之事五斗米道。孫恩之攻會稽，凝之謂民吏曰：『不須備防，吾已請大道，許遣鬼兵相助，賊自破矣。』既不設備，遂爲恩所害。」婦人集曰：「謝夫人名道蘊，有文才，所著詩、賦、誄、頌傳於世。」

72 王中郎令伏玄度、習鑿齒王中郎傳曰：「坦之字文度，太原晉陽人。祖東海太守丞㊀，清淡平遠。父述，貞貴簡正。坦之器度淳深，孝友天至，譽輯朝野，標的當時。累遷侍中、中書令，領北中郎將，徐、兗二州刺史。」中興書曰：「伏滔字玄度，平昌安丘人。少有才學，舉秀才，大司馬桓溫參軍，領大著作，掌國史，游擊將軍，卒。習鑿齒字彥威，襄陽人。少以文稱，善尺牘，桓溫在荊州，辟爲從事。歷治中、別駕，遷榮陽太守。」論青、楚人物，滔集載其論，略曰：「滔以春秋時鮑叔、管仲、隰朋、召忽、輪扁、甯戚、麥丘人、逢丑父、晏嬰、涓子㊁，戰國時公羊高、孟軻、鄒衍、田單、荀卿、鄒奭、莒大夫、田子方、檀子、魯連、淳于髡、盼子㊂、田光、顏歜、黔子、於陵仲子、王叔㊃、即墨大夫，前漢時伏徵君㊄、終軍、東郭先生、叔孫通、萬石君、東方朔、安期先生，後漢時大司徒㊅、伏三老㊆、江革、逢萌、禽慶、承幼子㊇、徐防、薛方、鄭鹿成、周孟玉㈨、劉祖榮(一〇)、臨孝存、侍其元矩、孫賓碩(一一)、劉仲謀、劉公山、王儀伯(一二)、郎宗、禰正平、劉成國(一三)，魏時管幼安、邴根矩、華子魚、徐偉長、任昭先、伏高陽，此皆青土有才德者也。」鑿齒以神農生於黔中；邵南詠其美化，春秋稱其多才，漢廣之風，不同雞鳴之篇；子文、叔敖，羞與管、晏比德；接輿之歌鳳兮，漁父之詠滄浪，漢陰丈人之折子貢，市南宜僚、屠羊說之不爲利回；魯仲連不及老萊夫妻，田光之於屈原(一四)，鄧禹、卓茂無敵於天下；管幼安不勝龐公(一五)，龐士元不推華子魚；何、鄧二尚書獨步於魏朝，樂令無對於晉世。昔伏羲葬南郡，少昊葬長沙，舜葬零陵。比其人則準的如此，論其土則羣聖之所葬，考其風則詩人之所歌，尋其事則未有赤眉、黃巾之賊。此何如青州邪？」滔與相往反，鑿齒無以對也。

臨成以示韓康伯，康伯都無言。王曰：「何故不言？」韓曰：「無可無不可。」馬融注論語曰：「唯義所在。」

㈠祖東海太守丞——「丞」，沈校本作「承」，是。案王承晉書有傳。

㈡涓子——見列仙傳。漢書藝文志有涓子十二篇，注曰：「名淵，楚人，老子弟子。」史記孟荀列傳有環淵，環、涓一音，即蜎子，嘗游稷下，故伏引以爲青士歟？

㈢盼子——戰國策齊策六：「濮上之事，贅子死，章子走。盼子謂齊王曰：『不如易餘糧於宋，宋王必說。』」注：「田盼也。」史記作「盼」。田敬仲完世家：「齊威王曰：『吾臣有盼子者，使守高唐，則趙人不敢東漁於河。』」索隱：「盼子，田盼也。」

㈣王叔——當作王斗，齊宣王時人，見國策齊策四。隸書叔作尗，與升斗字並相近。賞譽門「公孫度目邴原」條注引魏書：「度字叔濟。」誤升爲叔，與此同例。

⑤伏徵君——伏生，見漢書儒林傳。

⑥大司徒——伏湛。後漢書伏湛傳：「建武三年，遂代鄧禹爲大司徒。」

⑦伏三老——伏恭。後漢書儒林傳：「肅宗以伏恭爲三老。」

⑧承幼子——承宮。案後漢書本傳：「承宮字少子。」與此異。

⑨周孟玉——周璆。後漢書陳蕃傳：「璆字孟玉，臨濟人，有美名。」

⑩劉祖榮——劉寵。案後漢書本傳：「劉寵字祖榮。」

⑪孫寶碩——影宋本作「孫賓碩」，是。北海孫嵩字賓石，見後漢書趙岐傳。

⑫玉儀伯——影宋本、沈校本作「王儀伯」，是。後漢書黨錮傳：「王璋字儀伯，東萊曲城人。」

⑬劉成國——劉熙。直齋書錄解題：「釋名八卷，漢徵士劉熙成國撰。」

⑭田光之於屈原——諸宮舊事作「田光不及屈原」。

⑮龐公——諸宮舊事作「司馬德操」。

73 劉尹云：「清風朗月，輒思玄度。」晉中興士人書曰㈠：「許詢能清言㈡，于時士人皆欽慕仰愛之。」

㈠晉中興士人書——當卽晉中興書，「士人」二字疑衍。

㈡許珣能清言——「許珣」，影宋本作「許詢」，是，晉書孫綽、謝安等傳並同。

74 荀中郎在京口，晉陽秋曰：「荀羨字令則，潁川人，光祿大夫崧之子也。清和有識裁。少以主壻爲駙馬都尉。是時，殷浩參謀百揆，引羨爲援，頻蒞義興、吳郡。超授北中郎將、徐州刺史，以蕃屏焉。」中興書曰：「羨年二十八，出爲徐、兗二州，中興方伯之少，未有若羨者也。」登北固望海云：南徐州記曰：「城西北有別嶺入江，三面臨水，高數十丈，號曰北固。」〔一〕雖未睹三山，便自使人有凌雲意。若秦、漢之君，必當褰裳濡足。」史記封禪書曰：「蓬萊、方丈、瀛洲，此三山世傳在海中，去人不遠。嘗有至者，言諸仙人不死藥在焉。黃金白銀爲宮闕，草物禽獸盡白，望之如雲。及至，反居水下，欲到卽風引船而去，終莫能至。秦始皇登會稽，並海上，冀遇三神山之奇藥。漢武帝既封泰山〔一〕，無風雨變至〔二〕。方士更言蓬萊諸藥可得〔三〕，於是上欣然東至海，冀獲蓬萊者〔四〕。」

〔一〕漢武帝既封泰山——「漢武帝」，史記封禪書原作「天子」，蓋孝標易其文，使與文中「秦漢之君」語相符。

〔二〕無風雨變至——史記封禪書作「無風雨災」。

〔三〕方士更言蓬萊諸藥可得——「諸藥」，史記封禪書作「諸神」，「可得」上有「若將」二字。

〔四〕冀獲蓬萊者——史記封禪書作「冀遇蓬萊焉」。

75 謝公云：「賢聖去人，其間亦邇。」子姪未之許，公歎曰：「若郗超聞此語，必不至河漢。」超別傳曰：「超精於理義，沙門支道林以爲一時之俊。」莊子曰：「肩吾問於連叔曰：『吾聞言於接輿，大而無當，往而不反，怪怖其言〔一〕，猶河漢而無極也。』」

〔一〕怪怖其言——「怪」，沈校本作「驚」，與莊子逍遙遊篇合。

76 支公好鶴〔一〕，住剡東岇山。支公書曰：「山去會稽二百里。」有人遺其雙鶴，少時翅長欲飛，支意惜之，乃鎩其翮。鶴軒翥不復能飛，乃反顧翅垂頭，視之如有懊喪意。林曰〔二〕：「既有陵霄之姿，何肯爲人作耳目近玩！」養令翮成，置使飛去。

〔一〕支公——謂支遁。

㈠林曰——遁字道林。

77 謝中郎經曲阿後湖，問左右：「此是何水？」中興書曰：「謝萬字萬石，太傅安弟也。才氣高俊，蚤知名。歷吏部㈠、西中郎將、豫州刺史、散騎常侍。」答曰：「曲阿湖。」太康地記曰：「曲阿本名雲陽，秦始皇以有王氣，鑿北阬山以敗其勢㈡，截其直道，使其阿曲，故曰曲阿也。吳還爲雲陽，今復名曲阿。」謝曰：「故當淵注渟著，納而不流。」

㈠歷吏部——「部」下王刻本有「郎」字，是。

㈡鑿北阬山以敗其勢——「鑿北阬山」，沈校本作「鑿地阬山」。又「北阬山」，御覽一七〇引輿地志作「北崗山」。

78 晉武帝每餉山濤恒少，謝太傅安也。以問子弟，車騎玄也。答曰：「當由欲者不多，而使與者忘少。」謝車騎家傳曰：「玄字幼度，鎮西奕第三子也。神理明俊，善微言。叔父太傅嘗與子姪燕集，問：『武帝任山公以三事㈠，任以官人，至於賜予，不過斤合，當有旨不？』玄答有辭致也。」

㈠三事——詩小雅雨無正：「三事大夫。」三事，三公也。濤以尚書僕射，加侍中，領吏部，故曰：「任以三事，任以官人。」

79 謝胡兒語庾道季㈠：道季，庾龢小字。徐廣晉紀曰：「龢字道季，太尉亮子也。風情率悟，以文談致稱於時。歷仕至丹陽尹，兼中領軍。」「諸人莫當就卿談，可堅城壘。」庾曰：「若文度來，我以偏師待之；康伯來，濟河焚舟。」春秋傳曰：「秦伯伐晉，濟河焚舟。」杜預曰：「示必死。」

㊀謝胡兒——謝朗，小字胡兒，見本篇七一注。

80 李弘度常歎不被遇，中興書曰：「李充字弘度，江夏鄳人也。祖康，父矩，皆有美名。充初辟丞相掾、記室參軍，以貧求剡縣，遷大著作、中書郎。」殷揚州殷浩，別見。知其家貧㊀，問：「君能屈志百里不？」李答曰：「北門之歎，久已上聞；衛詩北門㊁，刺仕不得志也。窮猿奔林㊂，豈暇擇木？」遂授剡縣。

㊀殷揚州知其家貧——「殷揚州」，晉書李充傳作「褚裒」。殷浩見政事二二。

㊁衛詩北門——毛詩，北門在邶風，此云衛詩，蓋三家說。

㊂窮猿奔林——「奔」，晉書李充傳作「投」。

81 王司州至吳興印渚中看，王胡之別傳曰：「胡之字脩齡，琅邪臨沂人，王廙之子也。歷吳興太守，徵侍中、丹陽尹、秘書監，並不就。拜使持節、都督司州諸軍事、西中郎將、司州刺史。」吳興記曰：「於潛縣東七十里，有印渚，渚傍有白石山，峻壁四十丈，印渚蓋衆溪之下流也。印渚已上至縣，悉石瀨惡道，不可行船；印渚已下，水道無險，故行旅集焉。」歎曰：「非唯使人情開滌，亦覺日月清朗。」

82 謝萬作豫州都督，新拜，當西之都邑，相送累日㊀，謝疲頓。於是高侍中往，中興書曰：「高崧字茂琰，廣陵人。父悝，光祿大夫。崧少好學，善史傳。累遷吏部郎、侍中，以公累免官。」徑就謝坐，因問：「卿今仗節方州，當疆理西蕃㊁，何以爲政？」謝粗道其意。高便爲謝道形勢㊂，作數百語。謝遂起坐。高去後，謝追曰：「阿酃故麤有才具。」阿酃，崧小字也。謝因此得終坐。

㊀「當西」二句——「當西之都邑」，語頗費解，「之」字疑衍，當於「西」字斷句，豫州在西，故曰「當西」。「都邑相送累日」爲句，「都邑」猶下節之「都下諸人」也。

㊁西蕃——通鑑一〇〇晉紀注：「東晉豫州鎮江西，建康在江東，故以豫州爲西蕃。」「蕃」與「藩」同。案西藩、北藩之類，大略以地域方位爲言，不專指一鎮。晉書譙忠王尚之傳：「爲建威將軍、豫州刺史。元顯深銜之，後符下西府，令出勇力二千人，尚之不與，曰：『西藩濱接荒餘，寇虜無常，兵止數千，不足戍衛，無復可分徹者。』」桓豁傳：「時謝萬敗於梁濮，許昌、潁川相次陷敗，西藩騷動。」此並以西藩指豫州也。桓沖傳：「既而苻堅盡國內侵，沖深以根本爲慮，乃遣精銳三千來赴京都。謝安不聽，報云：『朝廷處分已定，兵革無闕，西藩宜以爲防。』」沖時爲荆州刺史，鎮上明，是荆州亦可稱西藩也。桓伊傳：「受任西藩。」伊先爲西中郎將、豫州刺史，遷江州刺史，將軍如故。是又以江州爲西藩也。

㊂高便爲謝道形勢——「形勢」，晉書高崧傳作「刑政之要」。據上文「何以爲政」之語，作「刑政之要」於義爲長。

83 袁彥伯爲謝安南司馬，安南謝奉，別見㊀。都下諸人送至瀨鄉㊁。將別，既自悽惘，歎曰：「江山遼落，居然有萬里之勢！」續晉陽秋曰：「袁宏字彥伯，陳郡人，魏郎中令煥六世孫也㊂。祖猷，侍中。父勗，臨汝令。宏起家建威參軍、安南司馬、記室。太傅謝安賞宏機捷辯速，自吏部郎出爲東陽郡，乃祖之於冶亭，時賢皆集。安欲卒迫試之，執手將別，顧左右取一扇而贈之。宏應聲答曰：『輒當奉揚仁風，慰彼黎庶。』合坐歎其要捷。性直亮，故位不顯也。在郡卒。」

㊀謝奉別見——見雅量三三。

㊁瀨鄉——案晉書武帝紀：「太康元年正月癸丑，王渾克吳尋陽賴鄉諸城。」王渾傳：「攻尋陽瀨鄉。」地當與尋陽相近，

恐非此瀨鄉。建康志：「溧水亦名瀨水，東流爲永陽江，江上有渚曰瀨渚，卽子胥乞食投金處。」此所云瀨鄉，或在其附近。

㊂魏郎中令焕六世孫也——「焕」，沈校本作「涣」。案袁涣魏志有傳，字曜卿，則字宜从火，注作「焕」，當是。文選王元長永明十一年策秀才文注引袁焕與曹植書，可證。

84 孫綽賦遂初，築室畎川㊀，自言見止足之分。中興書曰：「綽字興公，太原中都人。少以文稱。歷太學博士、大著作、散騎常侍。」遂初賦敍曰：「余少慕老、莊之道，仰其風流久矣。却感於陵賢妻之言，悵然悟之，乃經始東山，建五畝之宅，帶長阜，倚茂林，孰與坐華幕、擊鍾鼓者同年而語其樂哉！」齋前種一株松，恒自手壅治之。高世遠時亦鄰居，世遠，高柔字也，別見㊁。語孫曰：「松樹子非不楚楚可憐㊂，但永無棟梁用耳！」孫曰：「楓柳雖合抱，亦何所施？」

㊀畎川——未詳。

㊁高柔別見——見輕詆十三。

㊂楚楚可憐——憐，愛也，非憐憫之意，唐人猶然，元稹詩：「謝公最小偏憐女。」亦謂偏愛也。

85 桓征西治江陵城甚麗㊀，盛弘之荆州記曰：「荆州城臨漢江，臨江王所治，王被徵，出城北門而車軸折。父老泣曰：『吾王去，不還矣！』從此不開北門。」會賓僚出江津望之，云：「若能目此城者㊁，有賞。」顧長康時爲客在坐㊂，目曰：「遥望層城，丹樓如霞。」桓卽賞以二婢。

㊀桓征西——桓溫，官征西將軍。

㊁目——題品也，爾時常語。

㊂顧長康——顧愷之，字長康。見下八八條注。

86 王子敬語王孝伯曰㊀：「羊叔子自復佳耳，然亦何與人事，」晉諸公贊曰：「羊祜字叔子，太山平陽人也㊁。世長吏二千石，至祜九世，以清德稱。爲兒時，遊汶濱，有行父止而觀焉，歎息曰：「處士大好相，善爲之。未六十，當有重功於天下。卽富貴，無相忘！」遂去，莫知所在。累遷都督荊州諸軍事。自在南夏㊂，吳人說服，稱曰羊公，莫敢名者。南州人聞公喪，號哭罷市。」故不如銅雀臺上妓。」魏武遺令曰：「以吾妾與妓人皆著銅雀臺上，施六尺牀、繐帳，月朝十五日，輒使向帳作伎！」

㊀王孝伯——王恭字孝伯。

㊁太山平陽人也——晉書本傳作「泰山南城人」。南城卽晉志之南武城，平陽卽晉志之新泰，並漢縣名。案本書雅量門注引羊曼別傳曰：「曼，泰山南城人。」曼，祜兄孫，則作南城爲是。

㊂南夏——晉書羊祜傳：「帝將有滅吳之志，以祜爲都督荊州諸軍事，假節。祜率營兵出鎮南夏，開設庠序，綏懷遠近，甚得江漢之心。」又「前膺顯命，來撫南夏。」又「祜受任南夏，思静其難，外揚王化，內經廟略，著德推誠，江漢歸心。」劉弘傳：「南夏遂亂。」陶侃傳：「出佐南夏，輔翼劉征南。」南夏並指荊州，此注亦同。案南夏猶今言華南，初不專指某地，其言東夏、西夏、中夏亦然。晉書譙王承傳，爲監湘州諸軍事，南中郎將、湘州刺史，自稱「作鎮南夏」，是湘州亦稱南夏。郭璞傳論「襲文雅於西朝，振辭鋒於南夏」，又以南夏指江左。下文南州亦謂荊州。

87 林公見東陽長山曰：「何其坦迤？」會稽土地志曰：「山靡迤而長，縣因山得名。」

88 顧長康從會稽還，人問山川之美，顧云：「千巖競秀，萬壑争流，草木蒙籠其上，若雲興霞蔚。」丘淵之文章録曰：「顧愷之字長康，晉陵人。父悦㊀，尚書左丞。愷之，義熙初爲散騎常侍。」

㊀父悦——晉書本傳作「父悦之」。案本書顧悦與簡文同年條，亦作「悦」，晉人單名者或加「之」字，已見本篇五一箋。

89 簡文崩，孝武年十餘歲㊀，立，至暝不臨㊁。宋明帝文章志曰：「孝武皇帝諱昌明㊂，簡文第三子也。初，簡文觀讖書曰：『晉氏祚盡昌明。』及帝誕育，東方始明，故因生時以爲諱，而相與忘告簡文。問之，乃以諱對。簡文流涕曰：『不意我家昌明便出。』帝聰惠，推賢任才。年三十五崩。」左右啓：「依常應臨。」帝曰：「哀至則哭，何常之有？」

㊀孝武年十餘歲——「年十餘歲」，晉書孝武帝紀作「年十歲」。案帝以簡文帝崩之次年即位，在位二十四年，崩年三十五，則簡文崩時，帝年十一歲。

㊁臨——哭也。

㊂孝武皇帝諱昌明——案晉書本紀作「諱曜，字昌明」。

90 孝武將講孝經，謝公兄弟與諸人私庭講習。續晉陽秋曰：「寧康三年九月九日，帝講孝經，僕射謝安侍坐，吏部尚書陸納、兼侍中卞耽讀，黄門侍郎謝石、吏部袁宏兼執經，中書郎車胤、丹陽尹王混摘句㊀。」車武子難苦問謝，車胤，別見㊁。謂袁羊曰：「不問則德音有遺，多問則重勞二謝。」袁羊，喬小字也。袁氏家傳曰：「喬字彦升㊂，陳郡人。父瓌，光禄大夫。喬歷尚書郎、江夏相。從桓温平蜀，封湘西伯、益州刺史。」袁曰：「必無此嫌。」車曰：「何以知爾？」袁曰：「何嘗見明鏡疲於屢照，清流憚於惠風？」

㊀摘句——劉應登曰：「摘句者，摘其疑以問。」

㊁車胤別見——見識量二七。

㊂喬字彥升——「彥升」，晉書本傳作「彥叔」，當緣隸書字形相近而誤，當據此注正之。參本篇七十二箋四。

91 王子敬云：「從山陰道上行，會稽土地志曰：「邑在山陰，故以名焉。」山川自相映發，使人應接不暇。若秋冬之際，尤難爲懷。」會稽郡記曰：「會稽境特多名山水。峯崿隆峻，吐納雲霧。松栝楓柏，擢幹竦條。潭壑鏡徹，清流寫注。王子敬見之，曰：『山水之美，使人應接不暇。』」

92 謝太傅問諸子姪：「子弟亦何預人事，而正欲使其佳？」諸人莫有言者，車騎答曰：謝玄。「譬如芝蘭玉樹，欲使其生於階庭耳。」

93 道壹道人好整飾音辭，王珣遊嚴陵瀨詩敘曰：「道壹姓竺氏㊀。」名德沙門題目曰：「道壹文鋒富贍。」孫綽爲之贊曰：『馳騁遊說㊁，言固不虛㊂，唯茲壹公，綽然有餘。譬若春圃，載芬載敷㊃，條柯猗蔚㊄，枝幹扶疏㊅。」從都下還東山，經吳中。已而會雪下，未甚寒，諸道人問在道所經。壹公曰：「風霜固所不論，乃先集其慘澹；郊邑正自飄瞥，林岫便已皓然。」

㊀道壹姓竺氏——高僧傳：「竺道壹，姓陸氏，吳人也。」釋道安傳云：「初，魏晉沙門，依師爲姓。」道壹從竺法汰受學，故依師姓竺耳。

㊁馳騁遊說——「遊說」，高僧傳作「訖言」。

㊂言固不虛——「不虛」，高僧傳作「因緣」。
㊃載芬載敷——「敷」，高僧傳作「馨」。
㊄條柯猗蔚——「柯」，高僧傳作「被」。
㊅枝幹扶疏——「扶」，高僧傳作「森」。諸此異文，似以本注爲優。

94 張天錫爲涼州刺史，稱制西隅。既爲苻堅所禽，用爲侍中。後於壽陽俱敗，至都，張資涼州記曰：「天錫字公純嘏，安定烏氏人，張耳後也。曾祖軌，永嘉中爲涼州刺史，值京師大亂，遂據涼土。天錫纂位，自立爲涼州牧。苻堅使將姚萇攻没涼州，天錫歸長安，堅以爲侍中、比部尚書、歸義侯。從堅至壽陽。堅軍敗，遂南歸，拜散騎常侍、西平公。」中興書曰：「天錫後以貧拜廬江太守，薨贈侍中㊀。」爲孝武所器，每入言論，無不竟日。頗有嫉己者，於坐問張㊁：「北方何物可貴？」張曰：「桑椹甘香，鴟鴞革響，詩魯頌曰：「翩彼飛鴞，集于泮林。食我桑椹，懷我好音。」淳酪養性，人無嫉心。」西河舊事曰：「河西牛羊肥，酪過精好，但寫酪置革上，都不解散也。」

㊀薨贈侍中——晉書本傳謂「追贈金紫光祿大夫」，不言「侍中」。
㊁有嫉己者於坐問張——晉書本傳作「會稽王道子問其西土所出」。

95 顧長康拜桓宣武墓，作詩云：「山崩溟海竭，魚鳥將何依！」宋明帝文章志曰：「愷之爲桓温參軍，甚被親暱。」人問之曰：「卿憑重桓乃爾，哭之狀其可見乎？」顧曰：「鼻如廣莫長風，眼如懸河決溜。」春秋考異郵曰：「距不周風四十五日，廣莫風至，廣莫者，精大備也，蓋北風也。一曰寒風。」或曰：「聲如震雷破山，淚如傾河注海。」

96 毛伯成既負其才氣，常稱：「寧爲蘭摧玉折，不作蕭敷艾榮。」征西寮屬名曰：「毛玄字伯成，潁川人。仕至征西行軍參軍。」

97 范甯作豫章，中興書曰：「甯字武子，愼陽縣人，博學通覽，累遷中書郎、豫章太守。」八日請佛有板㊀，衆僧疑或欲作答。有小沙彌在坐末，曰：「世尊默然，則爲許可。」衆從其義。

㊀八日請佛有板——八日，謂佛誕日。長阿含經謂二月八日佛出生，瑞應經謂四月八日生。俗以夏曆四月八日爲佛生日，故此云八日。宋書隱逸沈道虔傳：「累世事佛，推父祖舊宅爲寺。至四月八日，每請像，請像之日，舉家感慟焉。」板，簡牘也。請佛有疏，書於板上，即謂之板。

98 司馬太傅齋中夜坐，孝文王傳曰㊀：「王諱道子，簡文皇帝第五子也，封會稽王，領司徒、揚州刺史，進太傅。爲桓玄所害。贈丞相。」于時天月明淨，都無纖翳，太傅歎以爲佳。謝景重在坐，續晉陽秋曰：「謝重字景重，陳郡人。父朗，東陽太守。重明秀有才會㊁，終驃騎長史。」答曰：「意謂乃不如微雲點綴。」太傅因戲謝曰：「卿居心不淨，乃復強欲滓穢太清邪！」

㊀孝文王傳曰——「孝文王」，晉書本傳作「會稽文孝王」。

㊁重明秀有才會——「才會」，沈校本作「才名」，晉書本傳同。案會者領會之會，有會，謂多會心處。

99 王中郎甚愛張天錫㈠，問之曰：「卿觀過江諸人，經緯江左軌轍，有何偉異？後來之彥，復何如中原？」張曰：「研求幽邃，自王、何以還；因時脩制，荀、樂之風。」荀顗、荀勗，脩定法制㈡。樂則未聞。王曰：「卿知見有餘，何故爲苻堅所制？」張資涼州記曰：「天錫明鑒穎發，英聲少著。」答曰：「陽消陰息，故天步屯蹇，否剝成象，豈足多譏？」

㈠王中郎——王坦之爲北中郎將。

㈡荀顗、荀勗脩定法制——晉書裴秀傳：「魏咸熙初，釐革憲司，荀顗定禮儀，賈充制法律，而秀改官制焉。」荀顗傳：「及蜀平，興復五等，命顗定禮樂。顗上請羊祜、任愷、庾峻、應貞、孔顥共刪改舊文，撰定晉禮。」荀勗傳：「與賈充共定律令。」

100 謝景重女適王孝伯兒，二門公甚相愛美㈠。謝氏譜曰㈡：「重女月鏡，適王恭子愔之。」謝爲太傅長史，被彈，王卽取作長史，帶晉陵郡。太傅已構嫌孝伯㈢，不欲使其得謝，還取作咨議，外示縶維，而實以乖閒之。及孝伯敗後，太傅繞東府城行散，丹陽記曰：「東府城西有簡文爲會稽王時第，東則孝文王道子府。道子領揚州，乃住先舍，故俗稱東府㈣。」僚屬悉在南門，要望候拜。時謂謝曰：「王甯異謀，阿甯，王恭小字也。云是卿爲其計。」謝曾無懼色，斂笏對曰：「樂彥輔有言：『豈以五男易一女。』」太傅善其對，因舉酒勸之曰：「故自佳，故自佳。」

㈠二門公——門公猶言家公，謂父也。晉書山簡傳：「簡性温雅有父風，年二十餘，濤不知也。簡歎曰：『吾年幾三十，而不爲家公所知。」古者家稱門，逸周書皇門解：「會羣門。」又曰：「大門宗子。」顏氏家訓風操：「言及先人，理當感慕。若没，言須及者，則斂容肅坐，稱大門中；世父叔父，則稱從兄弟門中；兄弟則稱亡者子某門中。」二門公謂兩家之父。

㊁謝氏譜曰——「謝氏譜」，原誤作「謝女譜」，據文學三九所引改。

㊂太傅——謂會稽王司馬道子。

㊃東府——案晉書桓宣傳：「東府赫然，更遣猛將。」晉書考異：「此在元帝未即位以前，帝以鎮東大將軍領揚州刺史，故稱東府也。其後以京都所在，刺史不加征東、鎮東之號，而東府之名猶存，故揚州治所稱東府也。」

101 桓玄義興還後，見司馬太傅，太傅已醉，坐上多客。問人云：「桓溫來欲作賊㊀，如何？」晉安帝紀曰㊁：「溫在姑孰，諷朝廷求九錫。謝安使吏部郎袁宏具其草以示僕射王彪之，彪之作色曰：『丈夫豈可以此事語人邪？』安徐問其計，彪之曰：『聞其疾已篤，且可緩其事。』安從之，故不行。」桓玄伏不得起。謝景重時爲長史，舉板答曰㊂：「故宣武公黜昏暗，登聖明，功超伊、霍，紛紜之議，裁之聖鑒。」太傅曰：「我知，我知。」卽舉酒云：「桓義興，勸卿酒！」桓出謝過。檀道鸞論之曰：「道子可謂易於由言，謝重能解紛紜矣㊃。」

㊀桓溫來欲作賊——「來」，晉書會稽王道子傳作「晚塗」。

㊁晉安帝紀——此書前已屢見引用，葉德輝以爲晉書中之一篇，撰人無考。案桓溫卒於寧康元年，前於安帝之立二十五年，豈追敍前事耶？考本書注引晉安帝紀者凡二十條，中如桓溫、王坦之、王羲之、謝安、王忱，皆卒於安帝卽位之

前。則「晉安」二字或是撰人名字，故隋唐類書所引，皆稱「晉安帝紀」，非如葉氏所云單行一篇也。著此存疑。

㊂板——謂手板。笏也。名義考引徐廣車服儀制曰：「笏即手板也，漢魏以來，皆執手板，有事則插於紳間，故曰搢紳。」

㊃「道子可謂」二句——劉應登曰：「按此乃道子醉中易言耳，謝乃舉其廢立之事言之。蓋溫廢海西而立簡文，道子乃簡文第五子也，可謂善解紛矣。」詩小雅小弁：「君子無易由言。」易，輕也；由，用也。

102 宣武移鎮南州，制街衢平直。人謂王東亭曰：王司徒傳曰：「王珣字元琳，丞相導之孫，領軍洽之子也。少以清秀稱。大司馬桓溫辟為主簿，從討袁真，封交阯望海縣東亭侯，累遷尚書左僕射，領選，進尚書令。」「丞相初營建康，無所因承，而制置紆曲，方此為劣。」晉陽秋曰：「蘇峻既誅，大事克平之後，都邑殘荒。溫嶠議徙都豫章以即豐全。朝士及三吳豪傑謂可遷都會稽。王導獨謂：『不宜遷都。建業往之秣陵，古者既有帝王所治之表，又孫仲謀、劉玄德俱謂是王者之宅。今雖凋殘，宜修勞來旋定之道㊀，鎮靜羣情。且百堵皆作，何患不克復乎？』終至康寧，導之策也。」東亭曰：「此丞相乃所以為巧。江左地促，不如中國。若使阡陌條暢，則一覽而盡；故紆餘委曲，若不可測。」

㊀勞來旋定——「旋定」，同「還定」。詩小雅鴻雁序：「鴻雁，美宣王也。萬民離散，不安其居，而能勞來，還定安集之，至於矜寡，無不得其所焉。」嚴氏詩緝曰：「還音旋。王氏曰：『勞者勞之，來者來之，往者還之，擾者定之，危者安之，散者集之。』」按：往者謂離去其鄉里者，擾者謂不得安其居者。

103 桓玄詣殷荊州㊀，殷在妾房晝眠，左右辭不之通。桓後言及此事，殷云：「初不眠，縱有此，豈不以賢賢易色也㊁！」孔安國注論語曰：「言以好色之心好賢人則善。」

㊀殷荊州——殷仲堪，見德行四〇。

㊁賢賢易色——論語學而文。

104 桓玄問羊孚：羊氏譜曰：「孚字子道，泰山人。祖楷，尚書郎。父綏，中書郎。孚歷太學博士、州別駕、太尉參軍。年四十六卒。」「何以共重吳聲？」羊曰：「當以其妖而浮。」

105 謝混問羊孚：「何以器舉瑚璉？」晉安帝紀曰：「混字叔源，陳郡人，司空琰少子也。文學砥礪立名。累遷中書令、尚書左僕射。坐黨劉毅，伏誅。」論語：「子貢問曰：『賜也何如？』子曰：『汝器也。』曰：『何器也？』曰：『瑚璉也。』」鄭玄注曰：「黍稷器，夏曰瑚，殷曰璉。」羊曰：「故當以爲接神之器。」

106 桓玄既篡位後，御牀微陷，羣臣失色。侍中殷仲文進曰：續晉陽秋曰：「仲文字仲文，陳郡人。祖融，太常。父康，吳興太守。仲文聞玄平京邑，棄郡投焉，玄甚說之，引爲咨議參軍。時王謐見禮而不親，卞範之被親而少禮，其寵遇隆重，兼於王、卞矣。及玄篡位，以佐命親貴，厚自封崇，輿馬器服，窮極綺麗，後房妓妾數十，絲竹不絕音。性甚貪吝，多納賄賂，家累千金，常若不足。玄既敗，先投義軍。累遷侍中、尚書，以罪伏誅。」「當由聖德淵重，厚地所以不能載。」時人善之。

107 桓玄既篡位，將改置直館，問左右：「虎賁中郎省應在何處？」有人答曰：「無省。」當時殊忤旨。問：「何以知無？」答曰：「潘岳秋興賦敘曰：『余兼虎賁中郎將，寓直散騎之省。』」岳，別見。其賦敍曰：「晉十有四年，余年三十二，始見二毛。以太尉掾兼虎賁中郎將，寓直散騎之省。高閣連雲，陽景罕曜。僕野人也，猥廁朝列，譬猶池魚籠鳥，有江湖山藪之思。於是染翰操紙，慨然而賦。于時秋至㊀，故以秋興命篇。」玄咨嗟稱善。劉謙之晉紀曰：「玄欲復虎賁中郎將，疑應直與不。訪之僚佐，咸莫能定。參軍劉簡之對曰：『昔潘岳秋興賦敍云：「余兼虎賁中郎將，寓直于散騎之省。」以此言之，是應直也。』玄懽然從之。」此語微異，又答者未知姓名，故詳載之。

㊀于時秋至——文選潘岳秋興賦序作「于時秋也」。

108 謝靈運好戴曲柄笠，丘淵之新集錄曰：「靈運，陳郡陽夏人。祖玄，車騎將軍。父渙㊀，祕書郎。靈運歷祕書監、侍中、臨川內史，以罪伏誅。」孔隱士謂曰：「卿欲希心高遠，何不能遺曲蓋之貌？」宋書曰：「孔淳之字彥深，魯國人。少以辭榮就約，徵聘無所就。元嘉初，散騎郎徵，不到，隱上虞山。」謝答曰：「將不畏影者未能忘懷？」莊子云：「漁父謂孔子曰：『人有畏影惡跡而去之走者，舉足逾數而跡逾多，走逾疾而影不離㊁，自以尚遲，疾走不休，絕力而死。不知處陰以休影，處靜以息跡，愚亦甚矣。子脩心守真，還以物與人，則無異矣㊂。不脩身而求之人，不亦外事者乎㊃！』」

㊀父渙——「渙」，晉書謝玄傳及南史謝靈運傳並作「瑍」。
㊁走逾疾而影不離——「離」下莊子漁父篇有「身」字。
㊂則無異矣——莊子漁父篇作「則無所累矣」。
㊃不亦外事者乎——莊子漁父篇作「不亦外乎」。

政事第三

1 陳仲弓爲太丘長，時吏有詐稱母病求假，事覺，收之，令吏殺焉。主簿請付獄考衆姦㊀，仲弓曰：「欺君不忠，病母不孝，不忠不孝，其罪莫大。考求衆姦，豈復過此！」陳寔，已別見㊁。

㊀考——後漢書安帝紀注：「考，謂考問其狀。」

㊁陳寔已別見——見德行六。

2 陳仲弓爲太丘長，有劫賊殺財主㊀，主者捕之。未至發所，道聞民有在草不起子者㊁，回車往治之。主簿曰：「賊大，宜先按討。」仲弓曰：「盜殺財主，何如骨肉相殘？」按後漢時賈彪有此事㊂，不聞寔也。

㊀「有劫」一句——劫，今語曰盜。本書自新二陸機謂戴淵曰：「卿才如此，亦復作劫邪？」晉書陶侃傳：「時天下饑荒，山夷多斷江劫掠。侃令諸將詐作商船以誘之，劫果至，生獲數人。」與此並作名詞用。下「賊殺」二字連文。財主，物主也。唐律疏議十九：「即得闌遺之物，財主來認。」

㊁在草不起子——謂生子不舉，「在草」猶言坐蓐。高僧傳：「于法開嘗乞食投主人家，值婦人在草危急，開令先取少肉爲羹，進竟，因氣針之，須臾，羊膜裹兒而出。」

㊂按後漢時賈彪有此事——後漢書載此事於賈彪傳。

3 陳元方年十一時，陳紀，已見㊀。候袁公。袁公問曰：「賢家君在太丘，遠近稱之，何所履行？」元方曰：「老父在太丘，彊者綏之以德，弱者撫之以仁，恣其所安，久而益敬。」袁宏漢紀曰：「寔爲太丘，其政不嚴而治，百姓敬之。」袁公曰：「孤往者嘗爲鄴令，正行此事。不知卿家君法孤，孤法卿父？」檢衆漢書，袁氏諸公，未知誰爲鄴令，故闕其文，以待通識者。元方曰：「周公、孔子，異世而出，周旋動靜，萬里如一。周公不師孔子，孔子亦不師周公。」

㊀陳紀已見——見德行六。

4 賀太傅作吳郡，初不出門，吳中諸強族輕之，乃題府門云：「會稽雞，不能啼。」環濟吳紀曰：「賀邵字興伯，會稽山陰人。祖齊，父景，並歷美官。邵歷散騎常侍，出爲吳郡太守，後遷太子太傅。」賀聞，故出行，至門反顧，索筆足之曰：「不可啼，殺吳兒。」於是至諸屯邸㊀，檢校諸顧、陸役使官兵及藏逋亡，悉以事言上，罪者甚衆。陸抗時爲江陵都督，吳錄曰：「抗字幼節，吳郡人，丞相遜子，孫策外孫也。爲江陵都督，累遷大司馬、荆州牧。」故下請孫皓㊁，然後得釋。

㊀屯邸——演繁露：「爲邸爲閣，貯糧也。通典漕運門，後魏於水運處立邸閣八所，俗名爲倉也。」此云「屯邸」，亦倉庫之類，豪門富室於此屯聚物資，經營商業，與民爭利，至南北朝猶然。宋書沈懷文傳：「子尚諸皇子皆置邸舍，逐什一之利。」南齊書高帝紀下：「詔曰：『自廬井毀製，農桑易業，鹽鐵妨民，貨鬻傷治，歷代成俗，流蠹歲滋。援拯遺弊，革末反本，使公不專利，氓無失業，二宮諸王，悉不得營立屯邸，封略山湖。』」又豫章文獻王傳：「伏見以諸王舉貨，屢降嚴旨。少拙營生，已應上簡。州郡邸舍，非臣私有，今巨細所資，皆是公潤。臣私累不少，未知將來罷州之後，或當

不能不試學營覓以自贍。」可見一斑。

㈢故下請孫皓——故，特地。江陵地居上游，自江陵至建業曰下。

5 山公以器重朝望，年踰七十，猶知管時任。虞預晉書曰：「山濤字巨源，河內懷人。祖本，郡孝廉。父曜，宛句令。濤蚤孤而貧，少有器量，宿士猶不慢之。年十七，宗人謂宣帝曰：『濤當與景、文共綱紀天下者也㈠。』帝戲曰：『卿小族，那得此快人邪㈡？』好莊、老，與嵇康善。為河內從事，與石鑒共傳宿㈢，濤夜起蹋鑒曰：『今何等時而眠也，知太傅臥何意㈣？』鑒曰：『宰相三日不朝，與尺一令歸第㈤，君何慮焉！』濤曰：『咄！石生，無事馬蹄間也！』投傳而去㈥。果有曹爽事，遂隱身不交世務。累遷吏部尚書、僕射、太子少傅、司徒。年七十九薨，謚康侯。」貴勝年少若和、裴、王之徒，並共宗詠㈦。有署閣柱曰：「閣東有大牛，和嶠鞅，裴楷鞦，王濟剔嬲不得休㈧。」王隱晉書曰：「初，濤領吏部，潘岳內非之，密為作謠曰：『閣東有大牛，王濟鞅，裴楷鞦，和嶠刺促不得休。』」竹林七賢論曰：「濤之處選，非望路絕。故貽是言。」或云潘尼作之。文士傳曰：「尼字正叔，滎陽人。祖勗，尚書左丞。父滿，平原太守。並以文學稱。尼少有清才，文詞溫雅。初應州辟，終太常卿。」

㈠景文——指司馬師、司馬昭兄弟，晉書義陽成王望傳：「時景文相繼輔政。」此雖出於史家行文避諱，然對父而謚其子，未免不辭。

㈡快人——快，快心、快意之義，快人乃令人快意之人。後漢書蓋勳傳：「欲得快司隸校尉。」

㈢傳——傳舍也，古時驛站供過客止宿之所。漢書酈食其傳：「沛公至高陽傳舍。」注：「傳舍者，人所止息，前人已去，後人復來，轉相傳也。」與下「投傳而去」之「傳」異。

㈣知太傅卧何意——太傅，謂司馬懿。時曹爽秉政，用丁謐策，以懿爲太傅，外以名號尊之，內欲令尚書奏事先來由己，得制其輕重也。朝廷諸事，希復由懿。懿遂稱疾避爽，正始九年稱疾篤。翌年遂誅爽。見魏志九曹爽傳。

㈤與尺一令歸第——尺一，詔版之稱。後漢書陳蕃傳：「尺一選舉。」注：「尺一，謂板長尺一以寫詔書也。」王先謙集解引摯虞決疑要注曰：「尚書召王公及位班王公者皆用尺一。」又光武帝紀注：「三公以罪免，亦賜策，而以隸書，用尺一木，兩行。」

㈥傳——符信也。漢書文帝紀：「十二年春三月，除關，無用傳。」張晏曰：「傳，信也，若今過所也。」如淳曰：「兩行書繒帛，分持其一，出入關，合之乃得過，謂之傳也。」師古曰：「張説是也。古者或用棨，或用繒帛；棨者，刻木爲合符也。傳音張戀反。」張晏所云「過所」，見劉熙釋名。「過所，至關津，以示之也。」容齋四筆卷十：「過所二字，讀者多不曉，蓋若今時公憑、引據之類。」案猶今之通行證。

㈦宗詠——宗，尊仰；詠，詠歎。

㈧剔嬲——剔與踶字聲近，莊子馬蹄：「怒則分背相踶。」釋文引李注：「踶，蹋也。」即今之踢字，剔亦踢也。文選嵇康與山巨源絶交書：「足下若嬲之不置。」李善注：「嬲，擿嬈也，音義與嬈同。」淮南子原道訓注：「煩嬈也。」剔嬲二字連文，蓋煩擾不安之意。晉書作刺促，義並相近。

6 賈充初定律令，晉諸公贊曰：「充字公閭，襄陵人。父逵，魏豫州刺史。充起家爲尚書㈠，遷廷尉，聽訟稱平。晉受禪，封魯郡公。充有才識，明達治體，加善刑法，由此與散騎常侍裴楷共定科令，蠲除密網，以爲晉律。薨贈太宰。」與羊祜共咨太傅鄭沖，王隱晉書曰：「沖字文和，滎陽開封人。有核練才，清虛寡欲，喜論經史，草衣縕袍，不以爲憂。累遷司徒太保。晉受禪，進太傅。」沖曰：「皋陶嚴明之旨，非僕闇懦所探。」羊曰：「上意欲令小加弘潤。」沖乃粗下意。續晉陽秋曰：「初，文帝命荀勗、賈充、裴秀等分定禮儀律令，皆先咨鄭沖，然後施行也。」

㈠充起家爲尚書——「充」下沈校本有「早知名」三字，「尚書」下有「郎」字，皆當補。

7　山司徒前後選，殆周遍百官，舉無失才，凡所題目㈠，皆如其言；唯用陸亮，是詔所用，與公意異，爭之，不從。亮亦尋爲賄敗。晉諸公贊曰：「亮字長興，河內野王人，太常陸乂兄也。性高明而率至，爲賈充所親待。山濤爲左僕射，領選。濤行業既與充異，自以爲世祖所敬，選用之事，與充咨論，充每不得其所欲。好事者說充宜授心腹人爲吏部尚書，參同選舉；若意不齊，事不得諧，可不召公與選，而實得敘所懷。充以爲然，乃啓亮公忠無私。濤以亮將與己異，又恐其協情不允。累啓亮可爲左丞，初非選官才㈡。世祖不許，濤乃辭疾還家。亮在職，果不能允，坐事免官。」

㈠題目——品評。

㈡初非選官才——「初」原誤作「相」，據沈校本改。

8　嵇康被誅後，山公舉康子紹爲秘書丞。山公啓事曰：「詔選秘書丞，濤薦曰：『紹平簡溫敏，有文思，又曉音，當成濟也。猶宜先作秘書郎。』詔曰：『紹如此，便可爲丞，不足復爲郎也㈠。』」晉諸公贊曰：「康遇事後二十年，紹乃爲濤所拔。」王隱晉書曰：「時以紹父康被法，選官不敢舉。年二十八，山濤啓用之，世祖發詔以爲秘書丞。」紹咨公出處，竹林七賢論曰：「紹懼不自容，將解褐，故咨之於濤。」公曰：「爲君思之久矣。天地四時，猶有消息，而況人乎！」王隱晉書曰：「紹字延祖，雅有文才。山濤啓武帝云云。」

㊀不足復爲郎也——不足，不必也。見附録詞語淺釋。

9 王安期爲東海郡。名士傳曰：「王承字安期，太原晉陽人。父湛，汝南太守。承冲淡寡欲，無所循尚。累遷東海內史，爲政清靜，吏民懷之。避亂渡江，是時道路寇盜，人懷憂懼，承每遇艱險，處之怡然。元皇爲鎮東，引爲從事中郎。」小吏盜池中魚，綱紀推之㊀。王曰：「文王之囿，與衆共之。孟子曰：「齊宣王問：『文王之囿方七十里，有諸？』『若是其大乎？』對曰：『民猶以爲小也。』王曰：『寡人之囿方四十里，民猶以爲大，何邪？』孟子曰：『文王之囿，芻蕘者往焉，與民同之。民以爲小，不亦宜乎？今王之囿，殺麋鹿者如殺人罪，是以四十里爲穽於國中也。民以爲大，不亦宜乎？』」池魚復何足惜！」

㊀綱紀推之——文選傅季友爲宋公修張良廟教注：「綱紀，主簿之司也。」通鑑九三晉紀注：「綱紀，綜理府事者也。」推，推究，查究。

10 王安期作東海郡，吏録一犯夜人來。王問：「何處來？」云：「從師家受書還，不覺日晚。」王曰：「鞭撻甯越以立威名，恐非致理之本㊀！」呂氏春秋曰：「甯越者，中牟鄙人也。苦耕稼之勞，謂其友曰：『何爲可以免此苦也？』其友曰：『莫如學也。學，三十歲則可以達矣！』甯越曰：『請以十五歲。人將休，吾不敢休；人將臥，吾不敢臥㊀。』學十五歲，而爲周威公之師也。」使吏送令歸家。

㊀恐非致理之本——「理」當作「治」，乃唐人所改，以避高宗諱。

〔一〕「人將休」四句——「吾不敢休」、「吾不敢臥」，呂氏春秋博志作「吾將不敢休，吾將不敢臥」，畢沅校：「二『將』字疑衍。」此注可爲確證。

11 成帝在石頭，晉世譜曰：「帝諱衍，字世根，明帝太子，年二十二崩。」任讓在帝前戮侍中鍾雅、晉陽秋曰：「讓，樂安人，諸任之後。隨蘇峻作亂。」雅別傳曰：「雅字彥冑，潁川長社人。魏太傅鍾繇弟仲常曾孫也。少有才志，累遷至侍中。」右衞將軍劉超。晉陽秋曰：「超字世踰〔一〕，琅邪人。漢成陽景王六世孫〔二〕，封臨沂慈鄉侯〔三〕，遂家焉。父徵〔四〕，爲琅邪國上將軍。超爲縣小吏，稍遷記室掾、安東舍人。忠清慎密，爲中宗所拔。自以職在中書，絕不與人交關書疏〔五〕，閉門不通賓客，家無儋石之儲。討王敦有功，封零陽伯，爲義興太守，而受拜及往還朝，莫有知者。其慎默如此。遷右衞大將軍〔六〕。」帝泣曰：「還我侍中。」讓不奉詔，遂斬超、雅。雅別傳曰：「蘇峻逼主上幸石頭，雅與劉超並侍帝側匡衞，與石頭中人密期拔至尊出，事覺，被害〔七〕。」事平之後，陶公與讓有舊，欲宥之。許柳許氏譜曰：「柳字季祖，高陽人。祖允，魏中領軍。父猛，吏部郎。」劉謙之晉紀曰：「柳妻，祖逖子渙女〔八〕。蘇峻招祖約爲逆，約遣柳以衆會。峻既克京師，拜丹陽尹，後以罪誅。」兒思妣者至佳，許氏譜曰：「永字思妣。」若全思妣，則不得不爲陶全讓。於是欲并宥之。事奏，帝曰：「讓是殺我侍中者，不可宥！」諸公以少主不可違，并斬二人。

〔一〕超字世踰——「世踰」，晉書本傳作「世瑜」。案「踰」與「超」義相扶，似當作「踰」。

〔二〕漢成陽景王六世孫——「成陽」，晉書本傳作「城陽」，是。「六世孫」本傳作「七世孫」。案漢書王子侯年表有茲鄉孝侯弘，爲城陽荒王子，荒王爲景王六世孫，則作「七世」爲是。

㈢封臨沂慈鄉侯——「慈鄉」，漢書王子侯年表作「茲鄉」。

㈣父徵——晉書本傳作「父和」。

㈤交關——猶交通，乃爾時常語。

㈥遷右衛大將軍——晉書本傳無「大」字。案晉書職官志，左右衛無大將軍，「大」字衍。

㈦「蘇峻」五句——讀史舉正曰：「案此事在咸和四年正月，時蘇峻已死，當云蘇逸。」案通鑑九四晉紀成帝咸和四年正月：「右衛將軍劉超、侍中鍾雅與建康令管旆等謀奉帝出赴西軍；事泄，蘇逸使其將平原任讓將兵入宮收超、雅。帝抱持悲泣曰：『還我侍中、右衛！』讓奪而殺之。」

㈧柳妻，祖逖子渙女——據晉紀，則柳爲祖逖孫婿。而通鑑九三云：「約遣兄子沛內史渙、女壻淮南太守許柳以兵會峻。逖妻，柳之姊也。」則柳乃祖約之婿，又爲逖之妻弟，顛倒錯亂，莫可究詰。

12 王丞相拜揚州，賓客數百人並加霑接㈠，人人有說色。唯有臨海一客姓任語林曰：「任名顒，時官在都，預王公坐。」及數胡人爲未洽。公因便還到過任邊，云：「君出，臨海便無復人。」任大喜說。因過胡人前，彈指云：「蘭闍！蘭闍㈡！」羣胡同笑，四坐並懽。晉陽秋曰：「王導接誘應會，少有悟者。雖疏交常賓，一見多輸寫款誠，自謂爲導所遇，同之舊暱。」

㈠霑接——恩意所及曰霑；接，款接也。

㈡蘭闍——困學紀聞：「世說：王丞相拜揚州，因過胡人前，彈指云：『蘭闍蘭闍。』」下注：「原注：此卽蘭若也。」所云原注，不知何所指。集證引釋氏分律云：「空淨處。」卽寺院之義。不識何以羣胡聞之歡笑。原注之言，恐非確解。王氏摘此數句，不加按語，殊不識其意之所在。

13 陸太尉詣王丞相咨事，過後輒翻異，王公怪其如此。後以問陸，陸玩別傳曰：「玩字士瑶，吳郡吳人。祖瑁，父英，仕郡有譽。玩器量淹雅，累遷侍中、尚書左僕射、尚書令，贈太尉。」陸曰：「公長民短㊀，臨時不知所言，既後覺其不可耳。」

㊀公長民短——長短指名位言，猶尊卑。玩，吳人，導領揚州刺史，玩乃其部民，故稱民。

14 丞相嘗夏月至石頭看庾公，庾公正料事。丞相云：「暑，可小簡之。」庾公曰：「公之遺事，天下亦未以爲允。」殷羨言行曰：「王公薨後，庾冰代相，網密刑峻。羨時行，遇收捕者於途，慨然歎曰：『丙吉問牛喘㊀，似不爾。』嘗從容謂冰曰：『卿輩自是網目不失，皆是小道小善耳。至如王公，故能行無理事。』謝安石每歎詠此唱㊁。庾赤玉曾問羨：『王公治何似？詎是所長？』羨曰：『其餘令績不復稱論。然三捉三治，三休三敗㊂。』」

㊀丙吉問牛喘——漢書丙吉傳：「出逢羣鬥者死傷橫道，吉不問。逢人逐牛，牛喘吐舌，使騎吏問逐牛行幾里矣。或以譏吉，吉曰：『民鬥相殺傷，長安令、京兆尹職所當禁備。方春，少陽用事，未可大熱，恐牛近行，用暑故喘，此時氣失節，恐有所傷害也。三公典調和陰陽，職所當憂，是以問之。』」

㊁謝安石每歎詠此唱——晉人以發言爲唱，此唱猶此言。

㊂三捉三治三休三敗——未詳。

15 丞相末年，略不復省事，正封籙諸之㊀。自歎曰：「人言我憒憒，後人當思此憒憒。」徐廣歷紀曰：「導阿衡三世，經綸夷險，政務寬恕，事從簡易，故垂遺愛之譽也。」

㈠正封録諸之——正，止也。録，簿也，此謂文書。諸，書諸也。

16 陶公性檢厲，勤於事。晉陽秋曰：「侃練核庶事，勤務稼穡，雖戎陳武士，皆勸厲之。有奉饋者，皆問其所由。若力役所致，懽喜慰賜；若他所得，則呵辱還之。是以軍民勤於農稼，家給人足。性纖密好問，頗類趙廣漢。嘗課營種柳，都尉夏施盜拔武昌郡西門所種。侃後自出，駐車施門，問：『此是武昌西門柳，何以盜之？』施惶怖首伏。三軍稱其明察。侃勤而整，自強不息，又好督勸於人。常云：『民生在勤。大禹聖人，猶惜寸陰；至於凡俗，當惜分陰。豈可遊逸！生無益於時，死無聞於後，是自棄也。』又：『老、莊浮華，非先王之法，言而不敢行。君子當正其衣冠，攝以威儀，何有亂頭養望，自謂宏達邪？』」中興書曰：「侃嘗檢校佐吏，若得樗蒲博奕之具，投之曰：『樗蒲，老子入胡所作，外國戲耳。圍棋，堯、舜以教愚子。博奕，紂所造。諸君國器，何以爲此？若王事之暇，患邑邑者，文士何不讀書？武士何不射弓？』談者無以易也。」作荊州時，敕船官悉録鋸木屑㈠，不限多少㈡。咸不解此意。後正會㈢，值積雪始晴，聽事前除雪後猶濕，於是悉用木屑覆之，都無所妨。官用竹，皆令録厚頭，積之如山。後桓宣武伐蜀，裝船，悉以作釘。又云，嘗發所在竹篙，有一官長連根取之，仍當足㈣。乃超兩階用之。

㈠録——收藏也。

㈡不限多少——此句下御覽二九有「悉藏之」三字。案「録」與「藏」同義，疑後人注語，誤入正文。

㈢正會——謂正旦大會僚屬。

㊃「有一官長」二句——劉應登曰：「謂就連竹根用爲篙，以代鐵足。」

17 何驃騎作會稽，晉陽秋曰：「何充字次道，廬江人。思韻淹通，有文義才情。累遷會稽內史、侍中、驃騎將軍、揚州刺史，贈司徒㊀。」虞存弟謇作郡主簿，孫統存誄敘曰：「存字道長，會稽山陰人也。祖陽，散騎常侍。父偉，州西曹。存幼而卓拔，風情高逸。歷衛軍長史、尚書吏部郎。」范汪棋品曰：「謇字道真㊁，仕至郡功曹。」以何見客勞損，欲白斷常客㊂，使家人節量擇可通者。作白事成，以見存，存時爲何上佐，正與謇共食，語云：「白事甚好，待我食畢作教。」食竟，取筆題白事後云：「若得門庭長如郭林宗者㊃，當如所白。泰別傳曰：「泰字林宗，有人倫鑒識，題品海內之士，或在幼童，或在里肆，後皆成英彥，六十餘人。自著書一卷，論取士之本，未行，遭亂亡失。」汝何處得此人？」謇於是止。

㊀贈司徒——晉書本傳作「贈司空」。

㊁謇字道真——「道真」，影宋本及沈校本並作「道直」，是。

㊂欲白斷常客——影宋本及沈校本無「白」字。

㊃若得門庭長如郭林宗者——「門庭長」，影宋本及沈校本並作「門亭長」，是。晉書職官志，光祿大夫下置主簿、功曹史、門亭長、門下書佐各一人。太子太傅、少傅下有門下亭長，州刺史亦皆置門亭長。嬾真子：「唐祕書省吏凡六十七人，亭長六人。尚書省志云：『以亭長啟閉，傳禁約。』」門亭長亦猶後世司閽之類。

18 王、劉與林公共看何驃騎㊀，驃騎看文書，不顧之。晉陽秋曰：「何充與王濛、劉惔好尚不同，由此見譏於當世。」王謂何曰：「我今故與林公來相看，望卿擺撥常務，應對玄言，那得方低頭看此邪？」何曰：「我不看此，卿等何以得存？」諸人以爲佳。

㊀林公——謂支道林。

19 桓公在荆州，全欲以德被江、漢，耻以威刑肅物，温別傳曰：「温以永和元年自徐州遷荆州刺史，在州寬和，百姓安之。」令史受杖，正從朱衣上過。桓式年少，從外來，式，桓歆小字也。桓氏譜曰：「歆字叔道㊀，温第三子。仕至尚書。」云：「向從閣下過，見令史受杖，上捎雲根，下拂地足。」意譏不著。桓公云：「我猶患其重。」

㊀歆字叔道——「歆」，晉書桓温傳作「韵」，是形近之訛，通鑑作「歆」。

20 簡文爲相，事動經年，然後得過。桓公甚患其遲，常加勸勉。太宗曰：「一日萬機，那得速！」尚書皋陶謨：「一日萬機。」孔安國曰：「幾，微也。言當戒懼萬事之微。」

21 山遐去東陽，王長史就簡文索東陽，云：「承藉猛政，故可以和靜致治。」東陽記云：「遐字彥林，河內人。祖濤，司徒。父簡，儀同三司。遐歷武陵王友、東陽太守。」江惇傳曰：「山遐爲東陽，風政嚴苛，多任刑殺，郡內苦之。惇隱東陽，以仁恕懷物，遐感其德，爲微損威猛。」

22 殷浩始作揚州，浩別傳曰：「浩字淵源，陳郡長平人。祖識，濮陽相。父羨，光祿勳。浩少有重名，仕至揚州刺史、中軍將軍。」中興書曰：「建元初，庾亮兄弟、何充等相尋薨㊀，太宗以撫軍輔政，徵浩爲揚州，從民譽也。」劉尹行，日小欲晚，便使左右取襆。人問其故，答曰：「刺史嚴，不敢夜行。」

㊀「建元初」二句——「庾亮」，晉書殷浩傳作「庾冰」。按建元二年九月，穆帝卽位，十一月，庾冰卒。明年，改元永和，七月，庾翼卒。二年正月，何充卒。而庾亮先卒於成帝咸康六年。據此，「庾亮」當作「庾冰」，「建元」當作「永和」。

23 謝公時，兵厮逋亡，多近竄南塘下諸舫中㊀。或欲求一時搜索，謝公不許，云：「若不容置此輩，何以爲京都？」續晉陽秋曰：「自中原喪亂，民離本域。江左造創，豪族并兼；或客寓流離，名籍不立。太元中，外禦強氐，蒐簡民實。三吳頗加澄檢，正其里伍。其中時有山湖遁逸，往來都邑者。後將軍安方接客，時人有於坐言宜糾舍藏之失者。安每以厚德化物，去其煩細。又以強寇入境，不宜加動人情。乃答之云：『卿所憂在於客耳，然不爾，何以爲京都？』言者有慚色。」

㊀南塘——通鑑九三晉紀注：「晉都建康，自江口沿淮築堤。南塘，秦淮之南塘岸也。」

24 王大爲吏部郎，王忱已見㊀。嘗作選草，臨當奏，王僧彌來，聊出示之。僧彌，王珉小字也。珉別傳曰：「珉字季琰，琅邪人，丞相導孫，中領軍洽少子。有才藝，善行書，名出兄珣右。累遷侍中、中書令，贈太常。」僧彌得，便以己意改易所選者近半，王大甚以爲佳㊁，更寫卽奏。

㊀王忱已見——見德行四四。

㊁王大甚以爲佳——「王大」，影宋本及沈校本並作「主人」。

25 王東亭與張冠軍善㊀。張玄，已見㊀。王既作吳郡，人問小令曰：續晉陽秋曰：「王獻之爲中書令，王珉代之，時人曰『大、小王令』。」「東亭作郡，風政何似？」答曰：「不知治化何如，唯與張祖希情好日隆耳。」

㈠王東亭——王珣，珉之兄，封東亭侯。

㈡張玄——張玄字祖希，見言語五一。

26 殷仲堪當之荆州，王東亭問曰：「德以居全爲稱，仁以不害物爲名。方今宰牧華夏，處殺戮之職，與本操將不乖乎？」殷答曰：「皐陶造刑辟之制，不爲不賢；古史考曰：「庭堅號曰皐陶，舜謀臣也。舜舉之於堯，堯令作士，主刑。」孔丘居司寇之任，未爲不仁。」家語曰：「孔子自魯司空爲大司寇，七日而誅亂法大夫少正卯。」

文學第四

1 鄭玄在馬融門下，融自敍曰：「融字季長，右扶風茂陵人。少而好問，學無常師。大將軍鄧隲召爲舍人，棄遊武都。會羗虜起，自關以西道斷。融以謂『古人有言：「左手據天下之圖，而右手刎其喉，愚夫不爲。」何則？生貴於天下也。豈以曲俗咫尺爲羞，滅無限之身哉？』因往應之，爲校書郎，出爲南郡太守。」三年不得相見，高足弟子傳授而已。嘗算渾天不合，諸弟子莫能解；或言玄能者，融召令算，一轉便決，衆咸駭服。及玄業成辭歸，既而融有「禮樂皆東」之歎，高士傳曰：「玄字康成，北海高密人。八世祖崇，漢尚書。」玄別傳曰：「玄少好學書數，十三誦五經，好天文、占候、風角、隱術。年十七，見大風起，詣縣曰：『某時當有火災。』至時果然，智者異之。年二十一，博極羣書，精歷數圖緯之言，兼精算術。遂去吏，師故兗州刺史第五元。先就東郡張恭祖受周禮、禮記、春秋傳。周流博觀，每經歷山川，及接顏一見，皆終身不忘。扶風馬季長以英儒著名，玄往從之，參考同異。季長后戚，嫚於待士，玄不得見，住左右，自起精廬。既因紹介得通。時涿郡盧子幹爲門人冠首，季長又不解剖裂七事㈠，玄思得五，子幹得三。季長謂子幹曰：『吾與汝皆弗如也。』季長臨別執玄手曰：『大道東矣，子勉之！』後遇黨錮，隱居著述，凡百餘萬言。大將軍何進辟玄，乃縫掖相見㈡。玄長八尺餘，須眉美秀，姿容甚偉。進待以賓禮，授以几杖。玄多所匡正，不用而退。袁紹辟玄，及去，餞之城東，欲玄必醉。會者三百餘人，皆離席奉觴，自旦及暮，度玄飲三百餘杯，而溫克之容，終日無怠。獻帝在許都，徵爲大司農，行至元城，卒㈢。」恐玄擅名而心忌焉。玄亦疑有追，乃坐橋下，在水上據屐。融果轉式逐之㈣，告左右曰：「玄在土下水上而據木，此必死矣。」遂罷追。玄竟以得免。馬融海內大儒，被服仁義；鄭玄名列門人，親傳其業，何猜忌而行鴆毒乎？委巷之言，賊夫人之子。

㈠季長又不解剖裂七事——「又不解剖裂」，太平廣記一六九作「嘗不解剖裂書」。剖裂七事及割裂書事並未詳。

㈡縫掖——即逢掖。禮記儒行：「丘少居魯，衣逢掖之衣。」鄭注：「逢，猶大也。大掖之衣，大袂襌衣也，此君子有道藝者所衣也。」

㈢「徵爲大司農」二句——後漢書本傳：「時袁紹總兵冀州，遣使邀玄，大會賓客，玄最後至，乃延升上坐。」下云：「紹乃舉玄茂才，表爲左中郎將，公車徵爲大司農。玄乃以病自免還家。袁紹與曹公相距於官渡，令其子譚遣使逼玄隨軍。不得已，載病到元城，疾篤不進，其年六月卒。」與玄別傳不同。

㈣融果轉式逐之——李詳曰：「郝懿行晉宋書故：古來占易有轉式之法。式卽栻也，古者所用之盤。史記日者傳：『旋式正棋。』索隱曰：『式即栻也，旋轉也。栻之形，上圓象天，下方法地。用之則轉天綱加地之辰，故云旋栻。』觀索隱所言，世說馬季長轉式逐康成，即用此法。」

2 鄭玄欲注春秋傳，尚未成，時行與服子慎遇，宿客舍。先未相識，服在外車上與人說己注傳意，漢南紀曰：「服虔字子慎，河南滎陽人。少行清苦，爲諸生，尤明春秋左氏傳，爲作訓解。舉孝廉，爲尚書郎、九江太守。」玄聽之良久，多與己同。玄就車與語曰：「吾久欲注，尚未了。聽君向言，多與吾同，今當盡以所注與君。」遂爲服氏注。

3 鄭玄家奴婢皆讀書。嘗使一婢，不稱旨，將撻之，方自陳說，玄怒，使人曳著泥中。須臾，復有一婢來，問曰：「胡爲乎泥中？」衛式微詩也㊀。毛公曰：「泥中，衛邑名也。」答曰：「薄言往愬，逢彼之怒。」衛邶柏舟之詩。

㊀衛式微詩也——案式微與下柏舟，毛詩皆在邶風，而注並目爲衛詩，猶是三家舊說。

4 服虔既善春秋，將爲注，欲參考同異。聞崔烈集門生講傳，摯虞文章志曰：「烈字威考，高陽安平人㊀，駰之孫，瑗之兄子也。靈帝時，官至司徒、太尉，封陽平亭侯㊁。」遂匿姓名，爲烈門人賃作食。每當至講時，輒竊聽戶壁間。既知不能踰己，稍共諸生敍其短長。烈聞，不測何人。然素聞虔名，意疑之。明蚤往，及未寤，便呼：「子慎！子慎！」虔不覺驚應，遂相與友善。

㊀高陽安平人——後漢書作「涿郡安平人」。按後漢書郡國志，冀州安平國，安平故屬涿，又河間郡高陽故屬涿。是

高陽、安平故皆涿郡屬縣，不得云高陽安平也。

㊁封陽平亭侯——後漢書失載。

5 鍾會撰四本論始畢，甚欲使嵇公一見，置懷中，既定㊀，畏其難，懷不敢出，於户外遥擲，便回急走。 魏志曰：「會論才性同異，傳於世。」四本者，言才性同，才性異，才性合，才性離也。 尚書傅嘏論同，中書令李豐論異，侍郎鍾會論合，屯騎校尉王廣論離。 文多不載。

㊀既定——沈校本作「既見」。 續談助四引小説作「詣宅」，注云「出世説」。案「定」字無義。作「見」亦非，下云：「於户外遥擲」，則未見嵇也。 疑此文本作「既詣宅」，脱去「詣」字，又誤「宅」爲「定」耳。

6 何晏爲吏部尚書，有位望，時談客盈坐。 文章敍録曰：「晏能清言，而當時權勢，天下談士多宗尚之。」魏氏春秋曰：「晏少有異才，善談易、老。」 王弼未弱冠，往見之。 晏聞弼名，弼別傳曰：「弼字輔嗣，山陽高平人。少而察惠，十餘歲，便好莊老，通辯能言，爲傅嘏所知。 吏部尚書何晏甚奇之，題之曰：『後生可畏。 若斯人者，可與言天人之際矣。』以弼補臺郎。 弼事功雅非所長，益不留意， 頗以所長笑人， 故爲時士所嫉。 又爲人淺而不識物情。 初與王黎、荀融善，黎奪其黄門郎，於是恨黎；與融亦不終好。 正始中，以公事免㊀。 其秋，遇厲疾亡㊁，時年二十四。 弼之卒也，晉景帝嗟歎之累日㊂，曰：『天喪予！』其爲高識悼惜如此。」 因條向者勝理語弼曰：「此理僕以爲極，可得復難不？」弼便作難，一坐人便以爲屈。 於是弼自爲客主數番㊃，皆一坐所不及。

㊀「正始中」二句——魏志鍾會傳注作「正始十年，曹爽廢，以公事免」。

㊁遇厲疾亡——「厲」，影宋本作「癘」，二字古通。

㊂晉景帝嗟嘆之累日——「晉景帝」影宋本作「晉景王」，謂司馬師。

㊃客主——猶言辯難，東方朔答客難，揚雄解嘲、長楊賦，班固答賓戲、兩都賦皆設爲客主之辭以申其意，其他如司馬相如之子虛賦、上林賦，張衡之兩京賦，王褒之四子講德論，雖不立客主之名，意亦猶是。自爲客主，謂自難自答。

7 何平叔注老子始成，詣王輔嗣，見王注精奇，迺神伏，曰：「若斯人，可與論天人之際矣！」因以所注爲道、德二論。魏氏春秋曰：「弼論道約美不如晏，自然出拔過之。」

8 王輔嗣弱冠詣裴徽，永嘉流人名曰：「徽字文季，河東聞喜人，太常潛少弟也。仕至冀州刺史。」徽問曰：「夫無者，誠萬物之所資，聖人莫肯致言，而老子申之無已，何邪？」弼別傳曰：「弼父爲尚書郎㊀，裴徽爲吏部郎，徽見異之，故問。」弼曰：「聖人體無，無又不可以訓，故言必及有；老、莊未免於有，恒訓其所不足。」

㊀弼父爲尚書郎——魏志本傳注：「父業，爲尚書郎。」

9 傅嘏善言虛勝，魏志曰：「嘏字蘭碩㊀，北地泥陽人，傅介子之後也。累遷河南尹、尚書。嘏嘗論才性同異，鍾會集而論之。」傅子曰：「嘏既達治好正，而有清理識要，如論才性㊁，原本精微，鮮能及之。司隸鍾會年甚少，嘏以明知交會㊂。」荀粲談尚玄遠，粲別傳曰：「粲字奉倩，潁川潁陰人，太尉彧少子也。粲諸兄儒術論議各知名。粲能言玄遠，常以子貢稱『夫子之言性與天道，不可得而聞也』，然則六籍雖存，固聖人之糠秕。能言者不能屈。」每至共語，有爭而不相喻。裴冀州釋二家之義，通彼我之懷，常使兩情皆得，彼此俱暢。粲別傳曰：「粲太和初到京邑，與傅嘏談，善名理，而粲尚玄遠，宗致雖同，倉卒時或格而不相得意。裴徽通彼我之懷，爲二家釋㈣。頃之，粲與嘏善。」管輅傳曰：「裴使君有高才逸度，善言玄妙也。」

㈠嘏字蘭碩——「蘭碩」，今本魏志本傳作「蘭石」。

㈡如論才性——「如」，魏志本傳作「好」。

㈢嘏以明知交會——「明知」，影宋本作「朋知」，疑是。朋，朋輩；知，相知也。

㈣爲二家釋——魏志荀彧傳注引作「爲二家驛騎」。驛騎者，傳遞之意。

10 何晏注老子未畢，見王弼自說注老子旨，何意多所短㈠，不復得作聲，但應諾諾，遂不復注，因作道德論。文章敍錄曰：「自儒者論以老子非聖人，絕禮棄學。晏說『與聖人同』，著論行於世也。」

㈠何意多所短——謂多所不如也。

11 中朝時有懷道之流，有詣王夷甫咨疑者，值王昨已語多，小極，不復相酬答，乃謂客曰：「身今少惡㈠，裴逸民亦近在此，君可往問。」晉諸公贊曰：「裴頠談理，與王夷甫不相推下。」

㈠身今少惡——身，通鑑八五晉紀注：「晉人多自謂爲身。」惡，謂體中不適也。梁書昭明太子傳：「及稍篤，左右欲啟聞，猶不許，曰：『云何令至尊知我如此惡！』因便嗚咽。」

12 裴成公作崇有論㈠，時人攻難之，莫能折，唯王夷甫來，如小屈。時人卽以王理難裴，理還復申。晉諸公贊曰：「自魏太常夏侯玄、步兵校尉阮籍等皆著道德論，于時，侍中樂廣、吏部郎劉漢亦體道而言約㈡。

尚書令王夷甫講理而才虛，散騎常侍戴奧以學道爲業，後進庾敳之徒，皆希慕簡曠。頠疾世俗尚虛無之理，故著崇有二論以折之㊂，才博喻廣，學者不能究。後樂廣與頠清閒，欲說理㊃，而頠辭喻豐博，廣自以體虛無，笑而不復言。」惠帝起居注曰：「頠著二論，以規虛誕之弊，文詞精富，爲世名論。」

㊀裴成公——晉書裴頠傳：「惠帝反正，追復頠本官，改葬以卿禮，謚曰成。」

㊁侍中樂廣吏部郎劉漢亦體道而言約——劉漢當作劉漠。本書賞譽：「洛中雅雅有三嘏：劉粹字純嘏，宏字終嘏，漠字沖嘏。」又「林下諸賢各有儁才子」條注引虞預晉書曰：「簡字季倫，平雅有父風，與嵇紹、劉漠等齊名。」「漠」乃「漢」形近之訛。

㊂著崇有二論——魏志裴潛傳注：「頠理具淵博，贍於論難，著崇有、貴無二論。」案崇有論載晉書本傳。「崇有」下當脫「貴無」二字。

㊃後樂廣與頠清閒——「清閒」，晉書裴頠傳作「清言」。案南史齊始安王遙光傳：「每與明帝久清閒。」「清閒」二字常見，當是爾時常語。

13 諸葛厷年少不肯學問㊀，始與王夷甫談，便已超詣。王歎曰：「卿天才卓出，若復小加研尋，一無所愧。」厷後看莊、老，更與王語，便足相抗衡。王隱晉書曰：「厷字茂遠，琅邪人，魏雍州刺史緒之子。有逸才，仕至司空主簿。」

㊀諸葛厷——晉書無傳，倭名類聚抄卷一作諸葛宏。

14 衞玠總角時，問樂令夢，樂云：「是想。」衞曰：「形神所不接而夢，豈是想邪？」樂云：「因也。未嘗夢乘車入鼠穴、擣虀噉鐵杵，皆無想無因故也。」周禮有六夢：一曰正夢，謂無所感動，平安而夢也；二曰噩夢，謂驚愕而夢也；三曰思夢，謂覺時所思念也；四曰寤夢，謂覺時道之而夢也；五曰喜夢，謂喜說而夢也；六曰懼夢，謂恐懼而夢也。按樂所言「想」者，蓋思夢也；「因」者，蓋正夢也。衞思因經日不得㊀，遂成病。樂聞，故命駕爲剖析之，衞卽小差㊁。樂歎曰：「此兒胸中當必無膏肓之疾㊂。」春秋傳曰：「晉景公有疾，求醫於秦，秦伯使醫緩爲之。未至，公夢疾爲二豎子，曰：『彼良醫也，懼傷我焉。』其一曰：『居肓之上，膏之下，若我何？』醫至，曰：『疾不可爲也。在肓之上，膏之下，攻之不可達，刺之不可及，藥不至焉。』公曰：『良醫也！』」注：「肓，鬲也，心下爲膏。」

㊀衞思因經日不得——晉書樂廣傳作「玠思之經月不得」。案「因」卽上文「因也」之「因」，故晉書以「之」字代之。

㊁差——通鑑七五魏紀注：「差，楚懈翻，病瘳也。」

㊂此兒胸中當必無膏肓之疾——劉辰翁曰：「言其有疑必求剖釋，不留以成疾。」

15 庾子嵩讀莊子，開卷一尺許便放去，曰：「了不異人意。」晉陽秋曰：「庾敳字子嵩，潁川人，侍中峻第三子㊀。恢廓有度量，自謂是老莊之徒。曰：『昔未讀此書，意嘗謂至理如此；今見之，正與人意暗同。』仕至豫州長史。」

㊀侍中峻第三子——案晉書庾峻傳：「二子珉、敳。」蓋失載第二子琮。案庾氏譜，琮字子躬，太尉掾。

16 客問樂令旨不至者㊀，樂亦不復剖析文句，直以麈尾柄确几曰㊁：「至不？」客曰：「至。」

樂因又舉麈尾曰：「若至者那得去？」夫藏舟潛往，交臂恒謝。一息不留，忽焉生滅。故飛鳥之影莫見其移，馳車之輪曾不掩地。是以去不去矣，庸有至乎？至不至矣，庸有去乎？然則前至不異後至，至名所以生；前去不異後去，去名所以立。今天下無去矣，而去者非假哉！既爲假矣，而至者豈實哉？於是客乃悟服。樂辭約而旨達，皆此類。

㈠客問樂令旨不至者——「旨不至」，莊子天下作「指不至」。

㈡直以麈尾柄确几曰——「确」，御覽七〇三作「敲」。說文：「搉，敲擊也。」疑借「确」爲「搉」。書鈔一三四引郭子：「何次道嘗詣王丞相。以麈尾礭牀，呼何共坐，曰：『來！來！此是君坐。』」「礭」乃「確」之俗字，與「确」同爲「搉」之借字。

17 初，注莊子者數十家，莫能究其旨要。向秀於舊注外爲解義，妙析奇致，大暢玄風，秀別傳曰：「秀與嵇康、呂安爲友，趣舍不同。嵇康傲世不羈，安放逸邁俗，而秀雅好讀書，二子頗以此嗤之。後秀將注莊子，先以告康、安，康、安咸曰：『此書詎復須注，徒棄人作樂事耳。』及成，以示二子，康曰：『爾故復勝不？』安乃驚曰：『莊周不死矣！』後注周易，大義可觀，而與漢世諸儒互有彼此，未若隱莊之絕倫也。」秀本傳或言：「秀遊託數賢，蕭屑卒歲，都無注述，唯好莊子，聊應崔譔所注，以備遺忘」云。竹林七賢論云：「秀爲此義，讀之者無不超然，若已出塵埃而窺絕冥，始了視聽之表，有神德玄哲，能遺天下，外萬物。雖復使動競之人顧觀所徇，皆悵然自有振拔之情矣。」唯秋水、至樂二篇未竟，而秀卒。秀子幼，義遂零落，然猶有別本。郭象者，爲人薄行，有儁才，文士傳曰：「象字子玄，河南人。少有才理，慕道好學，託志老莊㊀，時人咸以爲王弼之亞。辟司空掾、太傅主簿㊁。」見秀義不傳於世，遂竊以爲己注，乃自注秋水、至樂二篇，又易馬蹄一篇，其餘衆篇，或定點文句而已㊂。文士傳曰：「象作莊子注，最有清辭遒旨。」後秀義別本出，故今有向、郭二莊，其義一也。

㊀託志老莊——「託」原誤作「記」，據影宋本改。

㊁辟司空掾太傅主簿——「司空掾」，晉書郭象傳作「司徒掾」。

㊂或定點文句而已——「定點」，晉書郭象傳作「點定」。

18 阮宣子有令聞㊀。太尉王夷甫見而問曰：「老莊與聖教同異？」對曰：「將無同㊁？」太尉善其言，辟之爲掾。世謂「三語掾。」衛玠嘲之曰：「一言可辟，何假於三！」宣子曰：「苟是天下人望，亦可無言而辟，復何假一！」遂相與爲友。名士傳曰：「阮脩字宣子，陳留尉氏人。好老、易，能言理，不喜見俗人，時誤相逢，卽舍去。傲然無營，家無擔石之儲，晏如也。琅邪王處仲爲鴻臚卿，謂曰：『鴻臚丞差有祿，卿常無食，能作不？』脩曰：『爲復可耳。』遂爲鴻臚丞、太子洗馬。」

㊀此條晉書以爲阮瞻王戎事，載阮瞻傳。

㊁將無同——李詳曰：「資治通鑑八二胡注：『程大昌曰：不直曰同，而云將無同者，晉人語度自謂也。』庾亮辟孟嘉爲從事，正旦大會，褚裒問嘉何在。亮曰：但自覓之。裒歷覿，指嘉曰：將無是乎？將無者，猶言殆是此人也。意以爲是而不敢自主。阮瞻指孔老爲同，亦此意。」案將無與得無同，卽今語之「莫非」，乃商榷之辭。

19 裴散騎娶王太尉女，婚後三日，諸壻大會，晉諸公贊曰：「裴遐字叔道，河東人。父綽㊀，長水校尉。遐少有理稱，辟司空掾、散騎郎。永嘉流人名：「衍字夷甫，第四女適遐也。」當時名士、王裴子弟悉集。郭子玄在坐，挑與裴談。子玄才甚豐贍，始數交，未快；郭陳張甚盛，裴徐理前語，理致甚微，四坐咨嗟稱快，鄧粲晉紀曰：「遐以辯論爲業，善敍名理，辭氣清暢，泠然若琴瑟。聞其言者，知與不知無不歎服。」王亦以爲奇，謂諸人曰：「君輩勿爲爾，將受困寡人女壻㈡。」

㈠父緯——案魏志裴潛傳注，潛少弟徽，徽長子黎，次康，次楷，次綽，字季舒，黃門侍郎，早卒，追贈長水校尉。綽子遐，太傅主簿。則「緯」當作「綽」。品藻六正作「綽」。

㈡寡人——晉人好自稱寡人，書譜序王羲之亦云：「假令寡人耽之若此，未必謝之。」晉書本傳作「人」，蓋唐人刪去「寡」字。

20 衞玠始度江，見王大將軍，敦別傳曰：「敦字處仲，琅邪臨沂人。少有名理㈠，累遷青州刺史。避地江左，歷侍中、丞相、大將軍、揚州牧，以罪伏誅㈡。」因夜坐，大將軍命謝幼輿㈢。晉陽秋曰：「謝鯤字幼輿，陳郡人。父衡，晉碩儒。鯤性通簡，好老、易，善音樂，以琴書爲業。避亂江東，爲豫章太守，王敦引爲長史㈣。」鯤別傳曰：「鯤四十三卒，贈太常。」玠見謝，甚說之，都不復顧王，遂達旦微言，王永夕不得豫。玠體素羸，恒爲母所禁，爾夕忽極㈤，於此病篤，遂不起。玠別傳曰：「玠少有名理，善易、老。自抱羸疾，初不於外擅相酬對，時友歎曰：『衞君不言，言必入真㈥。』武昌見大將軍王敦㈦，敦與談論，咨嗟不能自已。」

㈠少有名理——「理」原作「聖」，據影宋本改。名理，謂辨名析理，魏志鍾會傳：「而博學精練名理。」晉書范汪傳：「善談名理。」

㈡以罪伏誅——案晉書本傳：「以病歿，後剖棺戮尸。」

㈢大將軍命謝幼輿——命，召也。文選謝靈運雪賦：「梁王不悅，游於兔園，迺置旨酒，命賓友，召鄒生，延枚叟。」命與召、延義並相近。

㈣「避亂江東」三句——案晉書謝鯤傳：「避地於豫章，左將軍王敦引爲長史。敦將除劉隗，鯤諫，敦怒，出爲豫章太守，又留不遣，藉其才望，逼與俱下。鯤時進正言，敦不能用，內亦不悅。軍還，使之郡，尋卒官。」此云先爲豫章太守，非是。

㈤爾夕忽極——極，疲極也，詳言語三三箋。

㈥言必入真——「真」，影宋本及沈校本並作「冥」，疑是。案「冥」者，窮深極遠之意，與「玄」字義相近，李德林霸府雜集序：「運籌建策，通幽達冥。」「入冥」猶「入玄」也。

㈦武昌見大將軍王敦——「見」原誤作「是」，據影宋本改。

21 舊云，王丞相過江左，止道聲無哀樂、嵇康聲無哀樂論略曰：「夫殊方異俗，歌笑不同㈠，使錯而用之，或聞哭而懽，或聽歌而感，然哀樂之情均也。今用均同之情，發萬殊之聲，斯非音聲之無常乎？」養生、嵇叔夜養生論曰：「夫蝨著頭而黑，麝食柏而香，頸處險而癭，齒居晉而黃。豈唯蒸之使重無使輕，芬之使香勿使延哉㈡？誠能蒸以靈芝，潤以醴泉，無爲自得，體妙心玄，庶與羨門比壽，王喬爭年，何爲不可養生哉㈢？」言盡意歐陽堅石言盡意論略曰：「夫理得於心，非言不暢；物定於彼，非名不辨。名逐物而遷，言因理而變，不得相與爲二矣。苟無其二，言無不盡矣。」三理而已，然宛轉關生，無所不入。

㈠歌笑不同——「笑」，嵇康集作「哭」。案下文云：「或聞哭而懽，或聽歌而戚。」亦以「歌哭」對擧，則作「哭」是也。

㈡芬之使香勿使延哉——「勿」，文選作「無」。

㈢何爲不可養生哉——文選作「何爲其無有哉」。

22 殷中軍爲庾公長史，按庾亮僚屬名及中興書，浩爲亮司馬，非爲長史也㈠。下都，王丞相爲之集，桓公、王長史、王藍田、王述別傳曰：「述字懷祖，太原晉陽人。祖湛，父承，並有高名。述蚤孤，事親孝謹。簞瓢陋巷，宴安永日。由是爲有識所知，襲爵藍田侯。」謝鎭西並在。丞相自起解帳帶麈尾，語殷曰：「身今日當與君共談析理。」既共清言，遂達三更。丞相與殷共相往反㈡，其餘諸賢略無所關。既彼我相盡，丞相乃歎曰：「向來語乃竟未知理源所歸。至於辭喻不相負，正始之音，正當爾耳㈢。」明旦，桓宣武語人曰：「昨夜聽殷、王清言，甚佳，仁祖亦不寂寞，我亦時復造心；顧看兩王掾，王濛、王述，並爲王導所辟。輒翣如生母狗馨㈣。」

㈠「按庾亮僚屬名」三句——案晉書殷浩傳：「征西將軍庾亮引爲記室參軍，累遷司徒左長史。」不言司馬，與世說同。庾亮傳云：「王導薨，徵亮爲司徒揚州刺史，錄尚書事，又固辭，帝許之。」是庾亮未嘗爲司徒，安得有司徒官屬？浩傳所言，疑非其實，當以此注爲正。

㈡共相往反——謂往復辨難。

㈢「正始之音」二句——謂正始間王何諸人談理，當亦不過如此。正始，三國魏齊王芳年號，其時王弼何晏之流，高談老莊，辨言析理，大暢玄風。晉書衛玠傳：「昔王輔嗣吐金聲於中朝，此子復玉振於江表，微言之緒，絕而復續，不意永嘉之末，復聞正始之音。與此語意同。

㈣馨——猶今語之「般」，乃爾時常語，「寧馨」、「爾馨」、「如馨」、「冷如鬼手馨」，書中屢見。

23 殷中軍見佛經，云：「理亦應阿堵上㈠。」佛經之行中國尚矣，莫詳其始。牟子曰：「漢明帝夜夢神人，身有日光。明日，博問羣臣通人。傅毅對曰：『臣聞天竺有道者號曰佛，輕舉能飛，身有日光。殆將其神也。』於是遣羽林將軍秦景、博士弟子王遵等十二人之大月氏國㈡，寫取佛經四十二部，在蘭臺石室。」劉子政列仙傳曰：「歷觀百家之中，以相檢驗，得仙者百四十六人，其七十四人已在佛經，故撰得七十，可以多聞博識者遐觀焉。」如此卽漢成、哀之間已有經矣，與牟子傳記便爲不同。魏略西戎傳曰：「天竺城中有臨兒國。浮屠經云：其國王生浮圖。浮圖者，太子也。父曰屑頭邪，母曰莫邪。浮圖者㈢，身服色黃，髮如青絲，爪如銅。其母夢白象而孕，及生，從右脅出而有髻，墜地能行七步。天竺又有神人曰沙律。昔漢哀帝元壽元年，博士弟子景盧受大月氏王使伊存口傳浮屠經，曰復豆者，其人也。」漢武故事曰：「昆邪王殺休屠王，以其衆來降，得其金人之神，置之甘泉宮。金人皆長丈餘，其祭不用牛羊，唯燒香禮拜。上使依其國俗祀之。」此神全類於佛，豈當漢武之時，其經未行於中土，而但神明事之邪？故驗劉向、魚豢之說，佛至自哀、成之世明矣。然則牟傳所言四十二者，其文今存非妄。蓋明帝遣使廣求異聞，非是時無經也。

㈠阿堵——李詳曰：「郝懿行晉宋書故：『阿堵卽今人言者箇。阿，發語辭；堵從者聲，義得通假。說文云：者，別事辭也。故指其物而別之曰者箇，方俗之言，有符訓詁。淺人不曉，書作這箇。不知這音彥，以這爲者，其謬甚矣。凡言者箇，隨其所指，理俱可通。今人讀堵爲睹者，則失之矣。』」莊季裕雞肋編：「前世謂阿堵，猶今諺云兀底。」案口語變化，多從聲轉，「阿堵」變爲「兀底」，卽其例也。則讀堵爲睹，未爲失也。

㈡羽林將軍秦景、博士弟子王遵——高僧傳作「郎中蔡愔、博士弟子秦景等」。

㈢浮圖者——「圖」原作「屠」，據影宋本及沈校本改。

24 謝安年少時，請阮光祿道白馬論，孔叢子曰：「趙人公孫龍云：『白馬非馬。馬者所以命形，白者所以命色。夫命色者，非命形。故曰白馬非馬也。』」為論以示謝。于時謝不卽解阮語，重相咨盡㈠。阮乃歎曰：「非但能言人不可得，正索解人亦不可得！」中興書曰：「裕甚精論難。」

㈠重相咨盡——咨，詢問也。謂重加詢問以期盡其義理。

25 褚季野語孫安國褚裒、孫盛，並已見㈠。云：「北人學問淵綜廣博。」孫答曰：「南人學問清通簡要。」支道林聞之，曰：「聖賢固所忘言，自中人以還，北人看書如顯處視月，南人學問如牖中窺日。」支所言但譬成孫、褚之理也。然則學廣則難周，難周則識闇，故如顯處視月；學寡則易覈，易覈則智明，故如牖中窺日也。

㈠褚裒孫盛並已見——褚見德行三四。孫見言語四九。

26 劉真長與殷淵源談，劉理如小屈，殷曰：「惡卿不欲作將善雲梯仰攻㈠。」墨子曰：「公輸般為高雲梯，欲以攻宋。墨子聞之，自魯往，裂裳裹足，日夜不休，十日十夜而至於郢。見楚王曰：『聞大王將攻宋，有之乎？』王曰：『然。』墨子曰：『請令公輸般設攻宋之具，臣請試守之。』於是公輸般設攻宋之計，墨子縈帶守之。輸九攻之，而墨子九却之，不能入，遂輟兵。」

㈠惡卿不欲作將善雲梯仰攻——此語不詳其義。

27 殷中軍云：「康伯未得我牙後慧㊀。」浩別傳曰：「浩善老、易，能清言。康伯，浩甥也，甚愛之。」

㊀康伯未得我牙後慧——韓伯字康伯，見德行三八。牙後慧以喻緒言餘論，猶言唾餘。

28 謝鎮西少時，聞殷浩能清言，故往造之。殷未過有所通㊀，爲謝標榜諸義，作數百語，既有佳致，兼辭條豐蔚，甚足以動心駭聽。謝注神傾意，不覺流汗交面。殷徐語左右：「取手巾與謝郎拭面。」按殷浩大謝尚三歲，便是時流，或當貴其勝致，故爲之揮汗。

㊀殷未過有所通——通，闡發也。

29 宣武集諸名勝講易㊀，易乾鑿度曰：「孔子曰：易者，易也，變易也，不易也。三成德㊁，爲道包籥者，易也。其德也，光明四通，日月星辰布，八卦序，四時和也。變也者，天地不變，不能成朝；夫婦不變，不能成家。不易者，其位也。天在上，地在下；君南面，臣北面；父坐子伏，此其不易也。故易者，天地人道也。」鄭玄序易曰：「易之爲名也，一言而函三義，簡易一也，變易二也，不易三也。」繫辭曰：「乾坤，易之蘊也，易之門户也。」又曰：「乾，確然示人易矣；坤，隤然示人簡矣。易則易知，簡則易從。」此言其簡易法則也。又曰：「其爲道也屢遷，變動不居，周流六虛，上下無常，剛柔相易。不可以爲典要，唯變所適。」此則言其從時出入移動也。又曰：「天尊地卑，乾坤定矣。卑高以陳，貴賤位矣。動靜有常，剛柔斷矣。」此則言其張設布列不易也。據此三義，而說易之道，廣矣，大矣。日說一卦。簡文欲聽，聞此便還，曰：「義自當有難易，其以一卦爲限邪！」

㊀名勝——通鑑一一二晉紀注：「江東人士，其名位通顯於時者，率謂之『佳勝』、『名勝』。」蓋合名流、勝流爲一詞。

㊁三成德——「三」上御覽卷六〇九引易乾鑿度有「管」字。鄭玄注：「管猶兼也。」謂易兼簡易、不易、變易三義以成其德。應補「管」字。

30 有北來道人好才理，與林公相遇於瓦官寺，講小品。于時竺法深、孫興公悉共聽。此道人語，屢設疑難，林公辯答清析，辭氣俱爽。此道人每輒摧屈。孫問深公：「上人當是逆風家，向來何以都不言？」庾法暢人物論曰㊀：「法深學義淵博，名聲蚤著，弘道法師也。」深公笑而不答。林公曰：「白旃檀非不馥，焉能逆風㊁？」成實論曰：「波利質多天樹，其香則逆風而聞。」深公得此義，夷然不屑。

㊀庾法暢人物論曰——「庾」當作「康」。高僧傳：「康法暢著人物始義論。」詳言語五二校記。

㊁「林公曰」三句——王世懋曰：「林公意謂波黎質多天樹纔能逆風聞香，白旃檀雖香，非天樹比，焉能逆風！以天樹自許，而以白旃檀比深公。」

31 孫安國往殷中軍許共論，往反精苦，客主無間。左右進食，冷而復煗者數四。彼我奮擲麈尾㊀，悉脫落滿餐飯中，賓主遂至莫忘食。殷乃語孫曰：「卿莫作強口馬，我當穿卿鼻！」孫曰：「卿不見決鼻牛，人當穿卿頰！」續晉陽秋曰：「孫盛善理義。時中軍將軍殷浩擅名一時，能與劇談相抗者，唯盛而已。」

㊀奮擲——廣雅：「擲，振也。」振，揮動也。

32 莊子逍遙篇，舊是難處，諸名賢所可鑽味，而不能拔理於郭、向之外。支道林在白馬寺中，將馮太常共語，馮氏譜曰：「馮懷字祖思，長樂人。歷太常、護國將軍㊀。」因及逍遙。支卓然標新理於二家之表，立異義於衆賢之外，皆是諸名賢尋味之所不得。後遂用支理。向子期、郭子玄逍遙義曰：「夫大鵬之上九萬，尺鷃之起榆枋，小大雖差，各任其性，苟當其分，逍遙一也。然物之芸芸，同資有待，得其所待，然後逍遙耳。唯聖人與物冥而循大變，爲能無待而常通。豈獨自通而已。又從有待者不失其所待，不失則同於大通矣。」支氏逍遙論曰：「夫逍遙者，明至人之心也。莊生建言大道，而寄指鵬鷃。鵬以營生之路曠，故失適於體外；鷃以在近而笑遠，有矜伐於心內。至人乘天正而高興，遊無窮於放浪。物物而不物於物，則遙然不我得；玄感不爲，不疾而速，則逍然靡不適。此所以爲逍遙也。若夫有欲，當其所足，足於所足，快然有似天真，猶饑者一飽，渴者一盈，豈忘烝嘗於糗糧，絕觴爵於醪醴哉？苟非至足，豈所以逍遙乎？」此向、郭之注所未盡。

㊀歷太常、護國將軍——「護國」，影宋本及沈校本並作「護軍」。

33 殷中軍浩也。嘗至劉尹所，清言良久，殷理小屈，遊辭不已，劉亦不復答。殷去後，乃云：「田舍兒強學人作爾馨語㊀！」劉惔已見㊁。

㊀爾馨——猶今語「這般」。

㊁劉惔已見——見德行三五。

34 殷中軍雖思慮通長，然於才性偏精，忽言及四本㊀，便若湯池鐵城㊁，無可攻之勢。神農書曰：「夫有石城七仞㊂，湯池百步，帶甲百萬而無粟者，不能自固也。」

㈠四本——見本篇五注。

㈡便若湯池鐵城——「若」原誤作「苦」，據影宋本改，晉書本傳正作「若」。

㈢夫有石城七仞——「七仞」，漢書食貨志晁錯疏引神農之教作「十仞」。

35 支道林造即色論，支道林集妙觀章云：「夫色之性也，不自有色，色不自有，雖色而空。故曰：『色即爲空，色復異空。』」論成，示王中郎，王坦之，已見㈠。中郎都無言。支曰：「默而識之乎？」論語曰：「默而識之，誨人不倦，何有於我哉？」王曰：「既無文殊，誰能見賞？」維摩詰經曰：「文殊師利問維摩詰云：『何者是菩薩入不二法門？』時維摩詰默然無言，文殊師利歎曰：『是真人不二法門也。』」

㈠王坦之已見——見言語七二。

36 王逸少作會稽，初至，支道林在焉。孫興公謂王曰：「支道林拔新領異，胸懷所及乃自佳，卿欲見不？」王本自有一往儁氣，殊自輕之。後孫與支共載往王許，王都領域㈠，不與交言。須臾支退。後正值王當行，車已在門，支語王曰：「君未可去，貧道與君小語。」因論莊子逍遥遊。支作數千言，才藻新奇，花爛映發。王遂披襟解帶，留連不能已。支法師傳曰：「法師研十地，則知頓悟於七住；尋莊周，則辯聖人之逍遥。當時名勝，咸味其音旨。道賢論以七沙門比竹林七賢㈡，遁比向秀，雅尚莊、老，二子異時，風尚玄同也。」

㈠領域——似是深閉固拒之意，待考。

㈡道賢論以七沙門比竹林七賢——案道賢論孫綽著。七沙門者，以法祖匹嵇康，以道潛匹劉伶，以法護匹山濤，以法乘匹王戎，以支遁匹向秀，以法蘭匹阮籍，以于道邃匹阮咸也。見高僧傳。

37 三乘佛家滯義，支道林分判，使三乘炳然。諸人在下坐聽，皆云可通。支下坐，自共說，正當得兩㊀，入三便亂。今義弟子雖傳，猶不盡得。法華經曰：「三乘者，一曰聲聞乘，二曰緣覺乘，三曰菩薩乘。聲聞者，悟四諦而得道也。緣覺者，悟因緣而得道也。菩薩者，行六度而得道也。然則羅漢得道，全由佛教，故以聲聞爲名也。辟支佛得道，或聞因緣而解，或聽環珮而得悟，神能獨達，故以緣覺爲名也。菩薩者，大道之人也。方便則止行六度，眞教則通脩萬善，功不爲己，志存廣濟，故以大道爲名也。」

㊀正——止也。晉人常語。

38 許掾詢也。年少時，人以比王苟子㊀，苟子，王脩小字也。文字志曰：「脩字敬仁，太原晉陽人。父濛，司徒左長史。脩明秀有美稱，善隸行書，號曰流奕清舉。起家著作佐郎、琅邪王文學，轉中軍司馬，未拜而卒，時年二十四。昔王弼之沒，與脩同年，故脩弟熙乃歎曰：『無愧於古人，而年與之齊也。』」許大不平。時諸人士及於法師並在會稽西寺講㊁，王亦在焉。許意甚忿，便往西寺與王論理，共決優劣，苦相折挫，王遂大屈。許復執王理，王執許理，更相覆疏，王復屈。許謂支法師曰：「弟子向語何似？」支從容曰：「君語佳則佳矣，何至相苦邪？豈是求理中之談哉㊂？」

㊀人以比王苟子——案「苟子」卽「狗子」。顏氏家訓風操篇：「王修字狗子。」又南齊書張敬兒傳：「本名苟兒，宋明帝以其名鄙，改焉。」亦以「苟」爲「狗」也。

㈡時諸人士及於法師並在會稽西寺講——「於法師」，影宋本及沈校本並作「支法師」，是也，與下文支法師並指道林。

㈢理中——賞譽一三三注引王濛別傳云：「能清言，談道貴理中，簡而有會。」「理中」二字似是爾時常語，得理之中，故曰理中，中者折衷至當。南史顧歡傳：「會稽孔珪嘗登嶺尋歡，共談四本。歡曰：『蘭石危而密，宣國安而疏，士季似而非，公深謬而是。總而言之，其失則同；曲而辨之，其塗則異。何者？同昧其本而競談其末，猶未識辰緯而意斷南北。羣迷暗爭，失得無準，情長則申，意短則屈，所以四本並通，莫能相塞。夫中理惟一，豈容有二？四本無正，失中故也。』」中理猶理中也，觀此可悟「理中」之義。參德行一九注。

39 林道人詣謝公㈠，東陽時始總角，新病起，體未堪勞，與林公講論，遂至相苦。東陽，謝朗也，已見㈡。中興書曰：「朗博涉有逸才，善言玄理。」母王夫人在壁後聽之，再遣信令還㈢，而太傅留之。王夫人因自出，云：「新婦少遭家難㈣，一生所寄，唯在此兒。」因流涕抱兒以歸。謝公語同坐曰：「家嫂辭情忼慨，致可傳述，恨不使朝士見！」謝氏譜曰：「朗父據，取太康王韜女，名綏。」

㈠林道人——支遁。下林公同。

㈡已見——見言語七一。

㈢信——通鑑一二四晉紀注：「信，使也。」

㈣新婦少遭家難——晉書謝朗傳：「父據早卒。」少遭家難，當即指早寡而言。

40 支道林、許掾諸人共在會稽王齋頭㈠，簡文。支爲法師，許爲都講㈡。高逸沙門傳曰：「道林時講維摩詰經。」支通一義，四坐莫不厭心；許送一難，衆人莫不抃舞。但共嗟詠二家之美，不辯其理之所在。

㊀許掾——許詢，見言語六九注。

㊁支爲法師許爲都講——魏晉以後，凡和尚開講佛經，一人唱經，一人講解，主講者爲法師，唱經者爲都講。

41 謝車騎在安西艱中，安西，謝奕，已見㊀。林道人往就語，將夕乃退。有人道上見者，問云：「公何處來？」答云：「今日與謝孝劇談一出來㊁。」玄別傳曰：「玄能清言，善名理。」

㊀謝奕已見——見德行三三。

㊁一出——通俗編：「俚俗謂一番爲一出。傳燈錄：『藥山問雲巖：「聞汝能弄師子，弄得幾出？」曰：「弄得六出。」藥山曰：「我也弄得。」雲巖曰：「和尚弄得幾出？」曰：「我弄得一出。」』」

42 支道林初從東出，住東安寺中。高逸沙門傳曰：「遁居會稽，晉哀帝欽其風味，遣中使至東迎之。遁遂辭丘壑，高步天邑。」王長史宿構精理㊀，并撰其才藻，往與支語，不大當對。王敍致作數百語，自謂是名理奇藻。支徐徐謂曰：「身與君別多年，君義言了不長進。」王大慚而退。

㊀王長史——王濛，見言語六六。

43 殷中軍讀小品，釋氏辨空經有詳者焉，有略者焉。詳者爲大品，略者爲小品。下二百籤㊀，皆是精微，世之幽滯。嘗欲與支道林辯之，竟不得。今小品猶存。高逸沙門傳曰：「殷浩能言名理，自以有所不達，欲訪之於遁，遂邂逅不遇，深以爲恨。其爲名識賞重，如此之至焉。」語林曰：「浩於佛經有所不了，故遣人迎林公。林乃虛懷欲往，王右軍駐之曰㈡：「淵源思致淵富，既未易爲敵，且己所不解，上人未必能通。縱復服從，亦名不益高；若佻脫不合㈢，便喪十年所保。可不須往。」林公亦以爲然，遂止。」

㈠籤——謂書籤，有疑難處，加籤以誌之。本篇五九「問所籤」，亦即此意。

㈡駐——一切經音義引倉頡篇曰：「駐，止也。」

㈢佻脫——「脫」有「偶」義。晉書張天錫傳：「遣從事中郎韓博奉表并送盟書。博有口才，桓溫使司馬刁彝謂博曰：『君是韓盧後耶？』博曰：『君是韓盧後。』溫笑曰：『刁以君姓韓，故相問焉；他自姓刁，那得韓盧後耶？』博曰：『明公脫未之思，短尾者則爲刁也。』」「佻脫」雙聲，疑是「脫」之重言，猶言「偶或」「設或」。

44 佛經以爲祛練神明，則聖人可致。釋氏經曰：「一切衆生，皆有佛性，但能脩智慧，斷煩惱，萬行具足，便成佛也。」簡文云：「不知便可登峰造極不？然陶練之功，尚不可誣。」

45 于法開始與支公爭名，後情漸歸支，意甚不分㈠，遂遁跡剡下。遣弟子出都，語使過會稽。于時支公正講小品。開戒弟子：「道林講，比汝至，當在某品中㈡。」因示語攻難數十番，云：「舊此中不可復通。」弟子如言詣支公。正值講，因謹述開意，往反多時，林公遂屈，厲聲曰：「君何足復受人寄載來！」名德沙門題目曰：「于法開，才辯從橫，以數術弘教。」高逸沙門傳曰：「法開初以義學著名，後與支遁有競，故遁居剡縣，更學醫術。」

㈠意甚不分——不分，不平不服之意。白居易元和十三年淮寇未平詔停歲仗憤然有感詩：「不分氣從歌裏發，无明心向酒中生。」「不分氣」，猶言不服之氣也。

㊀「開戒弟子」四句——高僧傳：「弟子法威，清悟有樞辨，開嘗使威出都，經過山陰，支遁正講小品，開語威云云。」

46 殷中軍問：「自然無心於禀受，何以正善人少，惡人多？」諸人莫有言者。劉尹答曰：「譬如寫水著地㊀，正自縱橫流漫，略無正方圓者。」一時絕歎，以爲名通。莊子曰：「天籟者，吹萬不同，而使其自已也。」郭子玄注曰：「無既無矣，則不能生有；有之未生，又不能爲生。然則生生者誰哉？塊然而自生耳，非我生也。我不生物，物不生我，則自然而已，然謂之天然；天然非爲也。故以天言之，所以明其自然故也。」

㊀寫——瀉之本字，周禮地官稻人：「以澮寫水。」

47 康僧淵初過江，未有知者，恒周旋市肆，乞索以自營。忽往殷淵源許，值盛有賓客，殷使坐，粗與寒温，遂及義理，語言辭旨，曾無愧色，領略粗舉，一往參詣，由是知之。僧淵氏族所出未詳㊀，疑是胡人。尚書令沈約撰晉書，亦稱其有義學。

㊀僧淵氏族所出未詳——案高僧傳，康僧淵本西域人，生於長安，貌雖胡人，語實中國，晉成之世過江。

48 殷、謝諸人共集。殷浩，謝安。謝因問殷：「眼往屬萬形，萬形來入眼不？」成實論曰：「眼識不待到而知，虛塵假空與明，故得見色。若眼到色到，色間則無空明，如眼觸目則不能見彼，當知眼識不到而知。」依如此説，則眼不往，形不入，遥屬而見也。謝有問，殷無答，疑闕文。

49 人有問殷中軍：「何以將得位而夢棺器，將得財而夢矢穢？」殷曰：「官本是臭腐，所以將得而夢棺屍；財本是糞土，所以將得而夢穢汙。」時人以爲名通。

50 殷中軍被廢東陽，浩黜廢事別見㊀。始看佛經。初視維摩詰，僧肇注維摩經曰：「維摩詰者，秦言淨名。蓋法身之大士，見居此土以弘道也。」疑「般若波羅密」太多；後見小品，恨此語少。波羅密，此言到彼岸也。經云：「到者有六焉：一曰檀，檀者，施也；二曰毗黎，毗黎者，持戒也；三曰羼提，羼提者，忍辱也；四曰尸羅，尸羅者，精進也；五曰禪，禪者，定也；六曰般若，般若者，智慧也。然則五者爲舟，般若爲導。導則俱絕有相之流，升無相之彼岸也。故曰波羅密也。」淵源未暢其致，少而疑其多；已而究其宗，多而患其少也。

㊀浩黜廢事別見——見黜免三注。

51 支道林、殷淵源俱在相王許㊀，簡文。相王謂二人㊁：「可試一交言。而才性殆是淵源崤函之固㊂，崤謂二陵之地；函，函谷關也。並秦之險塞，王者之居。左思魏都賦曰：「崤、函，帝王之宅。」君其愼焉！」支初作，改轍遠之㊃；數四交，不覺入其玄中。相王撫肩笑曰：「此自是其勝場，安可爭鋒！」

㊀相王——時簡文帝以會稽王居相位，故以相王稱之。王祥傳：「及武帝爲晉王，與荀顗往謁。顗謂祥曰：『相王尊重，何侯既已盡敬，今便當拜也。』祥曰：『相國誠爲尊貴，然是魏之宰相。吾等魏之三公，公王相去，一階而已。』」司馬炎在魏時，人亦以相王相稱，與此同例。

㊁相王謂二人——案下文有「君其愼焉」之語，「二人」疑是「支」字之誤，此語蓋專對支遁言之。

㊂而才性殆是淵源崤函之固——本篇五注云：「魏志曰：會論才性同異，傳於世。四本者，才性同，才性異，才性合，才性離也。」此處「才性」即指此。本篇三四云：「殷中軍雖思慮通長，然於才性偏精，忽言及四本，便若湯池鐵城，無可

攻之勢。」正是此語注脚。

㈣改轍遠之——之指才性，論難時避不觸及之。

52 謝公因子弟集聚，問：「毛詩何句最佳？」遏稱曰：謝玄小字，已見㈠。「昔我往矣，楊柳依依；今我來思，雨雪霏霏㈡。」公曰：「『訏謨定命，遠猷辰告㈢。』大雅詩也。毛萇注曰：「訏，大也；謨，謀也；辰，時也。」鄭玄注曰：「猷，圖也。大謀定命，謂正月始和，布政於邦國都鄙。」謂此句偏有雅人深致㈣。」

㈠謝玄小字已見——見言語七八、七九。

㈡「昔我往矣」四句——見小雅采薇。

㈢「訏謨定命」二句——見大雅抑。孝標注「大雅詩也」，指此二句。

㈣此句偏有雅人深致——晉書列女傳：「叔父安嘗問毛詩何句最佳，道韞稱『吉甫作頌，穆如清風，仲山甫永懷，以慰其心。』安謂有雅人深致。」與世說異。「吉甫作頌」四句見大雅生民。

53 張憑舉孝廉，出都，負其才氣，謂必參時彥。欲詣劉尹，鄉里及同舉者共笑之。張遂詣劉，劉洗濯料事，處之下坐，唯通寒暑，神意不接。張欲自發無端。頃之，長史諸賢來清言，客主有不通處，張乃遥於末坐判之，言約旨遠，足暢彼我之懷，一坐皆驚。真長延之上坐，清言彌日，因留宿至曉。張退，劉曰：「卿且去，正當取卿共詣撫軍㈠。」張還船，同侶問何處宿，張笑而不答。須臾，真長遣傳教覓張孝廉船㈡，同侶惋愕。卽同載詣撫軍，至門，劉前進謂撫軍曰：「下官今日爲公得一太常博士妙選。」既前，撫軍與之話言，咨嗟稱善，曰：

「張憑勃窣爲理窟㊂。」卽用爲太常博士。宋明帝文章志曰：「憑字長宗，吳郡人。有意氣，爲鄉閭所稱。學尚所得，敏而有文。太守以才選舉孝廉，試策高第，爲惔所舉，補太常博士，累遷吏部郎、御史中丞。」

㊀撫軍——謂簡文帝。永和元年，崇德太后臨朝，進位撫軍大將軍，錄尚書六條事。故書中稱爲撫軍。

㊁傳教——通鑑八九晉紀注：「傳教，郡吏也，宣傳教令者也。」

㊂張憑勃窣爲理窟——勃窣，漢書補注引沈欽韓曰：「楚辭『蔓母勃屑而日侍』注：『勃屑猶蹩跚，膝行貌。』世說『張憑勃窣於理窟』，勃窣亦蹩躠之狀也。」「勃窣」卽婆娑之聲轉，唯沈氏引「爲」作「於」，不知何據。又御覽六一七引郭子作「張憑勁粹，爲理之窟」。

54 汰法師云：「六通三明同歸，正異名耳。」安法師傳曰：「竺法汰者，體器弘簡，道情冥到，法師友而善焉。」一說法汰卽安公弟子也㊀。經云：「六通者，三乘之功德也。一曰天眼通，見遠方之色；二曰天耳通，聞障外之聲；三曰身通，飛行隱顯；四曰它心通，水鏡萬慮；五曰宿命通，神知已往；六曰漏盡通，慧解累世。三明者，解脫在心，朗照三世者也。」然則天眼、天耳、身通、它心、漏盡，此五者，皆見在心之明也。宿命，則過去心之明也。因天眼發未來之智，則未來心之明也。同歸異名，義在斯矣。

㊀一說法汰卽安公弟子也——高僧傳：「竺法汰，東莞人，少與道安同學，或有言法汰是安公弟子者，非也。」

55 支道林、許、謝盛德共集王家，許詢、謝安、王濛。謝顧謂諸人：「今日可謂彥會。時既不可留，此集固亦難常，當共言詠，以寫其懷。」許便問主人：「有莊子不？」正得漁父一篇。莊子曰：「孔子遊乎緇帷之林，休坐乎杏壇之上。孔子弦歌鼓琴，奏曲未半，有漁者下船而來，鬚眉交白，被髮揄袂，行原以上，距陸而止。左手據膝，右手持頤以聽。曲終，而招子貢、子路語曰：『彼何爲者也？』曰：『孔氏。』曰：『孔氏何治？』子貢曰：『服忠信，行仁義，飾禮樂，選人倫，孔氏之所治也。』曰：『有土之君歟？』曰：『非也。』漁父曰：『仁則仁矣，恐不免其身。』孔子聞而求問之，遂言八疵、四病，以誡孔子。」謝看題，便各使四坐通。支道林先通，作七百許語，敍致精麗，才藻奇拔，衆咸稱善。於是四坐各言懷畢，謝問曰：「卿等盡不？」皆曰：「今日之言，少不自竭。」謝後粗難，因自敍其意，作萬餘語，才峰秀逸，文字志曰：「安神情秀悟，善談玄遠㊀。」既自難干，加意氣擬託，蕭然自得，四坐莫不厭心。支謂謝曰：「君一往奔詣，故復自佳耳。」

㊀善談玄遠——「遠」原誤作「速」，據影宋本及沈校本改。

56 殷中軍、孫安國、王、謝能言諸賢，悉在會稽王許㊀，殷與孫共論易象，妙於見形，其論略曰：「聖人知觀器不足以達變，故表圓應於蓍龜；圓應不可爲典要，故寄妙迹於六爻。六爻周流，唯化所適。故雖一畫而吉凶並彰，微一則失之矣。擬器託象而慶咎交著，槩器則失之矣。故設八卦者，蓋緣化之影迹也。天下者，寄見之一形也。圓影備未備之象，一形兼未形之形。故盡二儀之道，不與乾坤齊妙；風雨之變，不與巽坎同體矣。」孫語道合，意氣干雲，一坐咸不安孫理，而辭不能屈㊁。會稽王慨然歎曰：「使真長來，故應有以制彼。」即迎真長，孫意己不如。真長既至，先令孫自敍本理，孫粗說己語，亦覺殊不及向。劉便作二百許語，辭難簡切，孫理遂屈。一坐同時拊掌而笑，稱美良久。

㊀會稽王——指簡文帝。帝爲元帝少子，初封琅邪王，咸和元年，徙封會稽王。

㊁「一坐」二句——晉書：「帝使殷浩難之，不能屈。」

57 僧意在瓦官寺中，未詳僧意氏族所出。王苟子來，苟子，王脩小字。與共語，便使其唱理。意謂王曰：「聖人有情不？」王曰：「無。」重問曰：「聖人如柱邪？」王曰：「如籌算。雖無情，運之者有情。」僧意云：「誰運聖人邪？」苟子不得答而去。諸本無僧意最後一句，意疑其闕。慶校衆本皆然，唯一書有之，故取以成其義㊀。然王脩善言理，如此論特不近人情，猶疑斯文爲謬也。

㊀「慶校」三句——李慈銘桃花聖解盦日記：「注者劉孝標本名峻，梁書南史皆同。義慶乃臨川王之名，不得自注其書。蓋本作『峻』，傳寫者因孝標止以字行，故此書卷首但題『劉孝標注』，不知其本名峻，遂妄改爲『慶』，以爲臨川王自注語耳。各本皆誤。」按臨川王此書，本由衆書輯錄而成，其一事分見於數書而互有出入者不一，唐宋諸類書所收，猶可覆按。注云諸本，猶言各書，故下云「唯一書有之」，義慶當時參校衆書而附以此注，亦非絕不可能之事，李氏以爲傳寫者不知孝標本名峻，因而妄改，傳寫者似不應如此之陋。姑著此存疑。

58 司馬太傅問謝車騎：「惠子其書五車，何以無一言入玄？」謝曰：「故當是其妙處不傳。」

莊子曰：「惠施多方，其書五車，其道舛駁，其言不中。謂卵有毛，雞三足，馬有卵，犬可爲羊，火不熱，目不見，龜長於蛇，丁子有尾，白狗黑，連環可解。能勝人之口，不能服人之心，蓋辯者之囿也。」

59 殷中軍被廢，徙東陽，大讀佛經，皆精解，唯至事數處不解。事數，謂若五陰、十二入、四諦、十二因緣、五根、五力、七覺之屬㊀。遇見一道人，問所籤，便釋然。

㈠五力七覺之屬——「屬」原誤作「聲」，據影宋本及沈校本改。

60 殷仲堪精覈玄論，人謂莫不研究。殷乃歎曰：「使我解四本，談不翅爾㈠。」周祇隆安記曰：「仲堪好學而有理思也。」

㈠不翅——同「不啻」，與「不止」同義，乃爾時常語，書中屢見。

61 殷荊州曾問遠公：張野遠法師銘曰：「沙門釋惠遠，鴈門樓煩人。本姓賈氏，世爲冠族。年十二㈠，隨舅令狐氏遊學許、洛。年二十一，欲南渡就范宣子學㈡，道阻不通，遇釋道安，以爲師，抽簪落髮，研求法藏。釋曇翼每資以燈燭之費。誦鑒淹遠㈢，高悟冥賾。安常歎曰：『道流東國，其在遠乎？』襄陽既没，振錫南遊，結宇靈嶽。自年六十，不復出山。名被流沙，彼國僧衆皆稱漢地有大乘沙門，每至，然香禮拜，輒東向致敬。年八十三而終。」「易以何爲體？」答曰：「易以感爲體。」殷曰：「銅山西崩，靈鍾東應，便是易耶？」東方朔傳曰：「孝武皇帝時，未央宮前殿鍾無故自鳴，三日三夜不止。詔問太史待詔王朔，朔言：『恐有兵氣。』更問東方朔，朔曰：『臣聞銅者，山之子；山者，銅之母。以陰陽氣類言之，子母相感，山恐有崩弛者，故鍾先鳴。易曰：「鳴鶴在陰，其子和之。」精之至也，其應在後五日內。』居三日，南郡太守上書言山崩，延袤二十餘里。」樊英別傳曰：「漢順帝時，殿下鍾鳴。問英，對曰：『蜀岷山崩，山於銅爲母，母崩子鳴，非聖朝災。』後蜀果上山崩，日月相應。」二說微異，故並載之。遠公笑而不答㈣。

㈠年十二——高僧傳作「年十三」。

㈡范宣子——范宣字宣子，見德行三八注。

〔三〕誦鑒淹遠——「誦」，影宋本及沈校本並作「識」。

〔四〕遠公笑而不答——程刻本批云：「案易理精微廣大，謂此非易不可，執此言易又不可，遠公所以不答。」

62 羊孚弟娶王永言女，孚弟，輔也。羊氏譜曰：「輔字幼仁，泰山人。祖楷，尚書郎。父綏，中書郎。輔仕至衛軍功曹，娶琅邪王訥之女，字僧首。」及王家見壻，孚送弟俱往。時永言父東陽尚在，王氏譜曰：「訥之字永言，琅邪人。祖彪之，光祿大夫。父臨之，東陽太守。訥之歷尚書左丞、御史中丞。」殷仲堪是東陽女壻，亦在坐。殷氏譜曰：「仲堪娶琅邪王臨之女，字英彥。」孚雅善理義，乃與仲堪道齊物，莊子篇也。殷難之。羊云：「君四番後當得見同。」殷笑曰：「乃可得盡，何必相同。」乃至四番後一通。殷咨嗟曰：「僕便無以相異！」歎爲新拔者久之。

63 殷仲堪云：「三日不讀道德經〔一〕，便覺舌本閒強。」晉安帝紀曰：「仲堪有思理，能清言。」

〔一〕三日不讀道德經——「道德經」，晉書本傳作「道德論」。案道德二論何晏所撰，見文學七。御覽三六七引郭子與此同，然「經」作「論」。

64 提婆初至，爲東亭第講阿毗曇〔一〕。出經敍曰：「僧伽提婆，罽賓人，姓瞿曇氏，儁朗有深鑒。符堅至長安〔二〕，出諸經。後渡江，遠法師請譯阿毗曇。」遠法師阿毗曇敍曰：「阿毗曇心者，三藏之要領，詠歌之微言。源流廣大，管綜衆經，領其宗會，故作者以心爲名焉。有出家開士字法勝，以阿毗曇源流廣大，卒難尋究，別撰斯部，凡二百五十偈，以爲要解，號之曰『心』。罽賓沙門僧伽提婆少玩斯文，因請令譯焉。」阿毗曇者，晉言大法也。道標法師曰：「阿毗曇者，秦言無比法也。」始發講，坐裁半，僧彌便云：「都已曉。」卽於坐分數四有意道人，更就餘屋自講。提婆講竟，東亭問法岡道人曰㊂：法岡未詳氏族。「弟子都未解，阿彌那得已解？所得云何？」曰：「大略全是，故當小未精覈耳。」出經敍曰：「提婆以隆安初遊京師，東亭侯王珣迎至舍，講阿毗曇。提婆宗致既明，振發義奧，王僧彌一聽，便自講，其明義易啓人心如此。未詳年卒。」

㊀爲東亭第講阿毗曇——東亭，王珣。「第」沈校本作「弟」。晉書王珉傳：「時有外國沙門名提婆，妙解法理，爲珣兄弟講毗曇經。」則「第」當據改爲「兄弟」。王珉，王珣弟，小字僧彌，見言語一〇二及政事二四。

㊁符堅至長安——高僧傳：「符氏建元中來長安。」此注「堅」下疑有脫字。

㊂東亭問法岡道人曰——「法岡」，高僧傳及晉書王珉傳作「法綱」。

65 桓南郡與殷荊州共談㊀，每相攻難，年餘後但一兩番，桓自歎才思轉退，殷云：「此乃是君轉解。」周祗隆安記曰：「玄善言理，棄郡還國，常與殷荊州仲堪終日談論不輟。」

㊀桓南郡與殷荊州共談——王世懋曰：「以上以玄理論文學，文章另出一條，從魏始。蓋一目中復分兩目也。」

66 文帝嘗令東阿王七步中作詩，不成者行大法。應聲便爲詩曰：「煮豆持作羹，漉菽以爲汁㊀。其在釜下燃，豆在釜中泣；本自同根生，相煎何太急！」帝深有慚色。魏志曰：「陳思王植，字子建，文帝同母弟也。年十餘歲，誦詩論及辭賦數萬言。善屬文，太祖嘗視其文曰：『汝倩人邪？』植跪曰：『出言爲論，下筆成章，顧當面試，奈何倩人？』時鄴銅雀臺新成，太祖悉將諸子登之，使各爲賦。植援筆立成，可觀。性簡易，不治威儀。輿馬服飾，不尚華麗。每見難問，應聲而答。太祖寵愛之，幾爲太子者數矣。文帝卽位，封鄄城侯，後徙雍丘，復封東阿。植每求試不得，而國亟遷易，汲汲無懽。年四十一薨。」

㊀漉菽以爲汁——「菽」，影宋本及沈校本並作「豉」。

67 魏朝封晉文王爲公，備禮九錫，文王固讓不受。公卿將校當詣府敦喻，司空鄭沖沖已見㊀。馳遣信就阮籍求文。籍時在袁孝尼家，袁氏世紀曰：「準字孝尼，陳郡陽夏人。父渙，魏郎中令。準忠信居正，不恥下問，唯恐人不勝己也。世事多險，故恬退不敢求進㊁。著書十萬餘言。」荀綽兗州記曰：「準有儁才，大始中㊂，位給事中。」宿醉扶起，書札爲之，無所點定，乃寫付使。時人以爲神筆。顧愷之晉文章記曰：「阮籍勸進，落落有宏致，至轉說徐而攝之也。」一本注：「阮籍勸進文略曰：「竊聞明公固讓，冲等眷眷，實懷愚心，以爲聖王作制，百代同風，褒德賞功，其來久矣。周公藉已成之業，據既安之勢，光宅曲阜，奄有龜、蒙。明公宜奉聖旨，受茲介福也。」

㊀沖已見——見政事六。

㊁恬退——原誤作「怡退」，據沈校本改。

㊂大始中——「大始」，沈校本作「太始」。案應據晉書武帝紀作「泰始」。

68 左太冲作三都賦初成，思別傳曰：「思字太冲，齊國臨淄人。父雍，起於筆札，多所掌練，爲殿中御史。思蚤喪母，雍憐之，不甚教其書學。及長，博覽名文，遍閱百家。司空張華辟爲祭酒，賈謐舉爲祕書郎。謐誅，歸鄉里，專思著述。齊王冏請爲記室參軍，不起。時爲三都賦未成也。後數年，疾終。其三都賦改定，至終乃止㊀。初作蜀都賦云：『金馬電發於高岡，碧雞振翼而雲披。鬼彈飛丸以礌礉，火井騰光以赫曦。』今無『鬼彈』，故其賦往往不同。思爲人無吏幹，而有文才，又頗以椒房自矜，故齊人不重也。』時人互有譏訾，思意不愜。後示張公，張華，已見。張曰：「此二京可三。然君文未重於世，宜以經高名之士。」思乃詢求於皇甫謐，王隱晉書曰：「謐字士安，安定朝那人，漢太尉嵩曾孫也。祖叔獻，灞陵令。父叔侯，舉孝廉。謐族從皆累世富貴，獨守寒素。所養叔母歎曰：『昔孟母以三徙成子，曾父以烹豕存教。豈我居不卜鄰，何爾魯之甚乎？脩身篤學，自汝得之，於我何有？』因對之流涕，謐乃感激。年二十餘，就鄉里席坦受書，遭人而問，少有寧日。武帝借其書二車，遂博覽。太子中庶子、議郎徵，並不就，終于家。」謐見之嗟歎，遂爲作敍。於是先相非貳者，莫不歛衽讚述焉。思別傳曰：「思造張載，問岷、蜀事。交接亦疏。」皇甫謐西州高士，摯仲治宿儒知名，非思倫匹。劉淵林、衛伯輿並蚤終，皆不爲思賦序注也。凡諸注解，皆思自爲，欲重其文，故假時人名姓也㊁。

㊀至終乃止——「止」原誤作「上」，據影宋本改。

㊁「皇甫謐西州高士」九句——案晉書左思傳：「陸機入洛，欲爲此賦，聞思作之，撫掌而笑。與弟雲書曰：『此間有傖父，欲作三都賦，須其成，當以覆酒甕耳。』」二陸入洛，在太康之末，齊王冏誅趙王倫入洛，更在其後，其時賦尚未成，皇甫士安卒於太康二年，安能爲之作序？孝標之言，蓋得其實。

69 劉伶著酒德頌，意氣所寄。名士傳曰：「伶字伯倫，沛郡人。肆意放蕩，以宇宙爲狹。常乘鹿車，攜一壺酒，使人荷鍤隨之，云：『死便掘地以埋。』土木形骸，遨遊一世。」竹林七賢論曰：「伶處天地間，悠悠蕩蕩，無所用心。嘗與俗士相牾，其人攘袂而起，欲必築之㊀。伶和其色曰：『雞肋豈足以當尊拳！』其人不覺廢然而返。未嘗措意文章，終其世，凡著酒德頌一篇而已。其辭曰：『有大人先生者，以天地爲一朝，萬朞爲須臾，日月爲扃牖，八荒爲庭衢。行無轍迹，居無室廬，幕天席地，縱意所如。行則操巵執瓢㈡，動則挈榼提壺，唯酒是務，焉知其餘。有貴介公子、搢紳處士，聞吾風聲，議其所以。乃奮袂攘襟，怒目切齒，陳説禮法，是非鋒起。先生於是方捧罌承槽，銜杯漱醪，奮髯箕踞㈢，枕麴藉糟，無思無慮，其樂陶陶。兀然而醉，恍爾而醒㈣。靜聽不聞雷霆之聲，熟視不見太山之形。不覺寒暑之切肌，利欲之感情，俯觀萬物之擾擾㈤，如江漢之載浮萍。二豪侍側焉，如蜾蠃之與螟蛉。』」

㈠欲必築之——御覽七三一引竹林七賢論作「必欲毆之」，「欲必」應據改「必欲」。案左傳宣十一年「稱畚築」疏：「築者築土之杵。」杵曰築，以杵擣土亦曰築，故築有擣義。魏志夏侯玄傳注引魏氏春秋曰：「大將軍責豐，豐知禍及，遂正色曰：『卿父子懷姦，將傾社稷，惜我力劣，不能相禽滅耳。』大將軍怒，使力士以刀環築腰殺之。」築字與此同義。

㈡操巵執瓢——「瓢」，影宋本及沈校本並作「觚」，是，文選酒德頌同，「瓢」字失韻。

㈢奮髯箕踞——「箕」，影宋本及沈校本並作「踑」，文選同。

㈣恍爾而醒——「恍爾」，文選作「豁爾」。

㈤俯觀萬物之擾擾——文選無「之」字，「擾擾」下有「焉」字。

70 樂令善於清言，而不長於手筆。將讓河南尹，請潘岳爲表。晉陽秋曰：「岳字安仁，滎陽人。夙以才穎發名。善屬文，清綺絕世，蔡邕未能過也。仕至黃門侍郎，爲孫秀所害。」潘云：「可作耳，要當得君意。」樂爲述己所以爲讓，標位二百許語，潘直取錯綜，便成名筆。時人咸云：「若樂不假潘之文，潘不取樂之旨，則無以成斯矣㈠。」

㈠則無以成斯矣——晉書樂廣傳作「則無以成斯美」。此處「矣」字疑是「美」字之誤，或「矣」上脫「美」字。

71 夏侯湛作周詩成，文士傳曰：「湛字孝若，譙國人，魏征西將軍夏侯淵曾孫也。有盛才，文章巧思，善補雅詞，名亞潘岳。歷中書侍郎。」湛集載其敍曰：「周詩者，南陔、白華、華黍、由庚、崇丘、由儀六篇，有其義而亡其辭，湛續其亡，故云周詩也。」示潘安仁，安仁曰：「此非徒溫雅，乃別見孝悌之性。」其詩曰：「既殷斯虔，仰說洪恩。夕定辰省，奉朝侍昏。宵中告退，雞鳴在門。孳孳恭誨，夙夜是敦。」潘因此遂作家風詩。岳家風詩，載其宗祖之德，及自戒也。

72 孫子荊除婦服，作詩以示王武子㈠。孫楚集云：「婦，胡毋氏也。」其詩曰：「時邁不停，日月電流。神爽登遐，忽已一周。禮制有敍，告除靈丘㈡。臨祠感痛，中心若抽。」王曰：「未知文生於情，情生於文？一作「文於情生，情於文生」。覽之悽然，增伉儷之重。」

㈠王武子——王濟，見言語二四。

㈡靈丘——死者稱靈。對死者而言，故稱其墓曰靈丘。

73 太叔廣甚辯給，而摯仲治長於翰墨㈠，俱爲列卿。每至公坐，廣談，仲治不能對；退，著筆難廣㈡，廣又不能答。王隱晉書曰：「廣字季思，東平人。拜成都王爲太弟㈢，欲使詣洛。廣子孫多在洛，虞害，乃自殺。摯虞字仲治，京兆長安人，祖茂，秀才。父模，太僕卿㈣。虞少好學，師事皇甫謐，善校練文義，多所著述。歷秘書監、太常卿，從惠帝至長安，遂流離鄠、杜間。性好博古，而文籍蕩盡。永嘉五年，洛中大饑，遂餓而死。」虞與廣名位略同，廣長口才，虞長筆才，俱少政事。衆坐廣談，虞不能對；廣退，筆難廣，廣不能答。於是更相嗤笑，紛然於世。廣無可記，虞多所錄，於斯爲勝也。

㊀而摯仲治長於翰墨——「仲治」，晉書本傳作「仲洽」。

㊁筆——陔餘叢考：「陸游筆記，六朝人謂文爲筆，顧寧人亦引其說。不知六朝人之稱文與筆，又自有別。文心雕龍曰：『今俗常言，無韻者筆也，有韻者文也。』是六朝人以韻語爲文，散行爲筆耳。北史邢昕傳，雜筆三十餘篇。此專言筆也。而邢臧傳文筆九百餘篇，劉逖傳文筆三十餘篇，則又文與筆並言，可見文與筆自是二種。」

㊂拜成都王爲太弟——「拜」字疑當在「成都王」下。文選干寶晉紀總論：「以愍懷之正，淮南之壯，成都之功，長沙之權，皆卒於顛覆。」李善注引王隱晉書：「趙王倫纂位，穎謀舉義兵迎天子。倫死後，廢太子覃，立穎爲皇太弟。」注所引，事雖同，未必即此文。

㊃太僕卿——晉書考異曰：「案漢以太常、光祿勳、衞尉、宗正、廷尉、太僕、大鴻臚、大司農、少府爲九卿，而官名無卿字。魏、晉、宋、齊並因漢制。梁武帝增置十二卿，始於官名下綴以卿字。今晉史諸傳閒有稱某卿者，皆唐初史臣不諳官制，隨意所加，非當時本稱。」王隱晉人，亦用此稱，或係傳鈔之誤。

74 **江左殷太常父子並能言理㊀，亦有辯訥之異。揚州口談至劇，太常輒云：「汝更思吾論。」**中興書曰：「殷融字洪遠，陳郡人。桓彝有人倫鑒，見融，甚歎美之。著象不盡意、大賢須易論，理義精微，談者稱焉。兄子浩，亦能清言，每與浩談，有時而屈。退而著論，融更居長。爲司徒左西屬。飲酒善舞，終日嘯詠，未嘗以世務自嬰。累遷吏部尚書、太常卿，卒。」

㊀江左殷太常父子——案殷融與殷浩爲叔姪而稱父子者，通鑑一一三宋紀注：「江南人士，呼叔父伯父爲阿父，亦爲伯父叔父者以自呼。」案叔姪稱父子，已見漢書疏廣傳。

75 庾子嵩作意賦成㊀。晉陽秋曰：「敳，永嘉中爲石勒所害。先是，敳見王室多難，知終嬰其禍，乃作意賦以寄懷。」從子文康見㊁，問曰：「若有意邪，非賦之所盡；若無意邪，復何所賦？」答曰：「正在有意無意之間。」

㊀庾子嵩作意賦成——文載晉書本傳。

㊁文康——庾亮，諡文康。

76 郭景純詩云：「林無靜樹，川無停流。」王隱晉書曰：「郭璞字景純，河東聞喜人。父瑗，建平太守。」璞別傳曰：「璞奇博多通，文藻粲麗，才學賞豫，足參上流。其詩賦誄頌，並傳於世。而訥於言，造次詠語，常人無異。又不持儀檢，形質穨索，縱情嫚惰，時有醉飽之失。友人干令升戒之曰：『此伐性之斧也。』璞曰：『吾所受有分，恒恐用之不盡，豈酒色之能害？』王敦取爲參軍。敦縱兵都輦，乃咨以大事，璞極言成敗，不爲回屈。敦忌而害之。」詩，璞幽思篇者。阮孚云：「泓崢蕭瑟，實不可言。每讀此文，輒覺神超形越。」阮孚，別見。

77 庾闡始作揚都賦，道溫、庾云：「溫挺義之標，庾作民之望。方響則金聲，比德則玉亮。」庾公聞賦成，求看，兼贈貺之。闡更改「望」爲「儁」，以「亮」爲「潤」云㊀。中興書曰：「闡字仲初，潁川人，太尉亮之族也。少孤，九歲便能屬文。遷散騎侍郎，領大著作，爲揚都賦，邈絕當時。五十四卒。」

㊀闡更改「望」爲「儁」以「亮」爲「潤」云——「亮」爲庾公之名，故避之。

78 孫興公作庾公誄，袁羊曰：「見此張緩。」于時以爲名賞。袁氏家傳曰：「喬有文才。」

79 庾仲初作揚都賦成㊀，以呈庾亮，亮以親族之懷，大爲其名價，云可三二京、四三都。於此人人競寫，都下紙爲之貴。謝太傅云：「不得爾，此是屋下架屋耳，事事擬學，而不免儉狹。」王隱論揚雄太玄經曰：「玄經雖妙，非益也，是以古人謂其屋下架屋。」

㊀庾仲初作揚都賦成——十駕齋養新錄：「庾闡字仲初，晉給事中，領大著作，作揚都賦，爲世所重，見晉書文苑傳。張守節史記正義說三江，引庾仲初揚都賦注，蓋賦成又自爲注。謝康樂山居賦有注，殆取仲初之例乎？」

80 習鑿齒史才不常，宣武甚器之，未三十，便用爲荊州治中。鑿齒謝牋亦云：「不遇明公，荊州老從事耳！」後至都見簡文，返命，宣武問：「見相王何如？」答云：「一生不曾見此人。」從此忤旨，出爲衡陽郡㊀，性理遂錯㊁。於病中猶作漢晉春秋，品評卓逸。續晉陽秋曰：「鑿齒少而博學，才情秀逸，温甚奇之。自州從事，歲中三轉，至治中。後以忤旨，左遷户曹參軍、衡陽太守。在郡著漢晉春秋，斥温覬覦之心也。」鑿齒集載其論，略曰：「靜漢末累世之交爭，廓九域之蒙晦，大定千載之盛功者，皆司馬氏也。若以魏有代王之德，則不足；有靜亂之功，則孫、劉鼎立。共王秦政猶不見敘於帝王㊂，況暫制數州之衆哉。且漢有係周之業，則晉無所承魏之迹矣。春秋之時，吳、楚稱王，若推有德，彼必自係於周，不推吳、楚也。況長轡廟堂，吳、蜀兩定，天下之功也。」

㊀出爲衡陽郡——晉書本傳「衡陽」作「滎陽」，沈校本作「滎陽」，言語「王中郎令伏玄度習鑿齒論青楚人物」條注引中興書亦同。按通鑑宋紀胡注：「豫州，後漢治譙；魏治汝南、安成；晉平吳，治陳國；江左治壽陽，蕪湖，邾城，牛渚，

歷陽，馬頭，壽春，姑熟，不常厥居。安帝之末，帝（謂劉裕）欲開拓河南，綏定豫土，割揚州大江以西，大雷以北，悉屬豫州，豫州基址，因此而立。帝平關洛，置司州刺史，治虎牢，領河南、滎陽、弘農實土三郡，河內、東京兆二僑郡。」據此，劉裕平關洛以前，滎陽初不在封域之內，亦無僑置郡。習鑿齒所涖之郡，當據世説新語注作衡陽爲是。

㈡性理——猶云神志。

㈢共王秦政猶不見叙於帝王——「共王」，當據晉書習鑿齒傳作「共工」。案晉書原文作「昔共工伯有九州，秦政奄平區夏，鞭撻華戎，專總六合，猶不見序於帝王」。

81 孫興公云：「三都、二京，五經鼓吹。」言此五賦，是經典之羽翼。

82 謝太傅問主簿陸退：陸氏譜曰：「退字黎民，吳郡人。高祖凱，吳丞相。祖仰，吏部郎。父伊，州主簿。退仕至光祿大夫。」「張憑何以作母誄，而不作父誄？」退答曰：「故當是丈夫之德，表於事行；婦人之美，非誄不顯。」陸氏譜曰：「退，憑壻也。」

83 王敬仁年十三作賢人論㈠，長史送示真長㈡，真長答云：「見敬仁所作論，便足參微言。」脩集載其論曰：「或問：易稱賢人黃裳元吉，苟未能闇與理會，何得不求通？求通則有損，有損則元吉之稱將虛設乎？答曰：賢人誠未能闇與理會，當居然人從，比之理盡，猶一豪之領一梁。一豪之領一梁，雖於理有損，不足以撓梁。賢有情之至寡，豪有形之至小，豪不至撓梁，於賢人何有損之者哉！」

㈠王敬仁——王修，字敬仁，王濛子。

㈡長史——王濛。

84 孫興公云：「潘文爛若披錦，無處不善；陸文若排沙簡金，往往見寶。」文章傳曰：「機善屬文，司空張華見其文章，篇篇稱善，猶譏其作文大治㊀。謂曰：『人之作文，患於不才；至子爲文，乃患太多也。』」

㊀張華猶譏其作文大治——李詳曰：「案大治謂推闡盡致。顏氏家訓名實篇：『治點文章，以爲聲價。』可證『治』字之義。晉書機傳無此句。別本世說或改『治』爲『冶』，亦非。」案沈校本作「冶」。

85 簡文稱許掾云：「玄度五言詩，可謂妙絶時人。」續晉陽秋曰：「詢有才藻，善屬文。自司馬相如、王褒、揚雄諸賢世尚賦頌，皆體則詩、騷，傍綜百家之言。及至建安，而詩章大盛。逮乎西朝之末㊀，潘、陸之徒雖時有質文，而宗歸不異也。正始中，王弼、何晏好莊、老玄勝之談，而世遂貴焉。至過江，佛理尤盛，故郭璞五言始會合道家之言而韻之，詢及太原孫綽轉相祖尚。又加以三世之辭㊁，而詩騷之體盡矣。詢、綽並爲一時文宗，自此作者悉體之。至義熙中，謝混始改。」

㊀西朝——西晉建都洛陽，南渡以後，徙都建康，洛陽在建康之西，故當時稱之爲西朝，又稱中朝，以其在中原也，文學九四注：「裴叔則、樂彥輔等爲中朝名士」，是也。西晉末年，又稱長安爲「西朝」。劉琨勸進表：「臣等奉表使還，仍承西朝以去年十一月不守。主上幽劫，復沈虜廷，神器流離，再辱荒逆。」李善注：「再謂懷愍二帝也。」洛陽陷後，南陽王保立秦王於長安，故云西朝。劉波傳亦云：「近覽西朝傾覆之際。」與此不同。

㊁又加以三世之辭——佛家以過去、現在、未來爲三世，言郭璞始以道家之言入詩，許詢、孫綽又雜以佛家語，故云「詩騷之體盡矣」。

86 孫興公作天台賦成，以示范榮期，中興書曰：「范啓字榮期，慎陽人。父堅，護軍。啓以才義顯於世，仕至黃門郎。」云：「卿試擲地，要作金石聲。」范曰：「恐子之金石，非宮商中聲。」然每至佳句，「赤城霞起而建標，瀑布飛流而界道。」此賦之佳處。輒云：「應是我輩語。」

87 桓公見謝安石作簡文謚議，看竟，擲與坐上諸客曰：「此是安石碎金。」劉謙之晉紀載安議曰：「謹按謚法，一德不懈曰簡，道德博聞曰文。易簡而天下之理得，觀乎人文，化成天下，儀之景行，猶有仿佛。宜尊號曰太宗，謚曰簡文。」

88 袁虎少貧，虎，袁宏小字也。嘗爲人傭載運租。謝鎭西經船行，其夜清風朗月，聞江渚間估客船上有詠詩聲，甚有情致；所誦五言，又其所未嘗聞，歎美不能已。卽遣委曲訊問，乃是袁自詠其所作詠史詩。因此相要，大相賞得。續晉陽秋曰：「虎少有逸才，文章絕麗。曾爲詠史詩，是其風情所寄。少孤而貧，以運租爲業。鎭西謝尚時鎭牛渚，乘秋佳風月，率爾與左右微服泛江。會虎在運租船中諷詠，聲既清會，辭又藻拔㈠，非尚所曾聞，遂住聽之。乃遣問訊，答曰：『是袁臨汝郎㈡，誦詩卽其詠史之作也。』尚佳其率有勝致，卽遣要迎，談話申旦。自此名譽日茂。」

㈠辭又藻拔——「又」原作「文」，據影宋本及沈校本改。晉書本傳作「又」。

㈡袁臨汝——宏父勖，官臨汝令。

89 孫興公云：「潘文淺而淨，陸文深而蕪。」

90 裴郎作語林，始出，大爲遠近所傳。時流年少，無不傳寫，各有一通。載王東亭作經王公酒壚下賦㊀，甚有才情。裴氏家傳曰：「裴榮字榮期，河東人。父稱，豐城令。榮期少有風姿才氣，好論古今人物，撰語林數卷，號曰裴子。檀道鸞謂裴松之以爲啓作語林㊁。榮儻別名啓乎？」

㊀載王東亭作經王公酒壚下賦——「王公」當作「黃公」。案輕詆二四注引續晉陽秋：「而有人於謝坐，叙其黃公酒壚，司徒王珣爲之賦。」即此事。傷逝二及晉書王戎傳亦均作「黃公酒壚」。

㊁啓作語林——隋書經籍志：「語林十卷，東晉處士裴啓撰，亡。」

91 謝萬作八賢論，與孫興公往反，小有利鈍。中興書曰：「萬善屬文，能談論。」萬集載其叙四隱四顯爲八賢之論，謂漁父、屈原、季主、賈誼、楚老、龔勝、孫登、嵇康也。其旨以處者爲優，出者爲劣。孫綽難之，以謂體玄識遠者，出處同歸。文多不載。謝後出以示顧君齊，顧氏譜曰：「夷字君齊，吳郡人。祖厥，孝廉。父霸，少府卿。夷辟州主簿，不就。」顧曰：「我亦作，知卿當無所名。」

92 桓宣武命袁彥伯作北征賦，續晉陽秋曰：「宏從温征鮮卑，故作北征賦，宏文之高者。」既成，公與時賢共看，咸嗟歎之。時王珣在坐，云：「恨少一句。得『寫』字足韻當佳。」袁卽於坐攬筆益云：「感不絕於余心，泝流風而獨寫。」公謂王曰：「當今不得不以此事推袁。」宏集載其賦云：「聞所聞於相傳，云獲麟於此野，誕靈物以瑞德；奚授體於虞者！悲尼父之慟泣，似實慟而非假，豈一物之足傷，實致傷於天下。感不絕於余心，遡流風而獨寫。」晉陽秋曰：「宏嘗與王珣、伏滔同侍温坐。温令滔讀其賦㊀，至『致傷於天下』，於此改韻，云：「此韻所詠，慨深千載。今於『天下』之後便移韻㈡，於寫送之致，如爲未盡。」滔乃云：「得益寫一句，『或當小勝。』」桓公語宏：「卿試思益之。」宏應聲而益，王、伏稱善。」

㈠令滔續其賦——「續」，晉書袁宏傳作「讀」，是。

㈡今於天下之後便移韻——李詳曰：「晉書九十二袁宏傳，『移韻』下有『徙事』二字，此言最佳。蓋『移韻』便別詠古人一事，故云『徙事』。班彪北征、潘岳西征皆如此。」

93 孫興公道曹輔佐才如白地明光錦㈠，中興書曰：「曹毗字輔佐，譙國人，魏大司馬休曾孫也㈡。好文籍，能屬詞。累遷太學博士、尚書郎、光祿勳。」裁爲負版絝，論語曰：「孔子式負版者。」鄭氏注曰：「版謂邦國籍也；負之者，賤隸人也。」非無文采，酷無裁製。

㈠白地明光錦——李詳曰：「錦皆有地，即俗所謂底子也。魏志倭國傳載魏賜倭有絳地交龍錦、紺地句文錦，陸翽鄴中記有黃地博山文錦，御覽八一五引異物志有丹地錦，與此俱以色名。裴松之魏志注謂『地應爲綈』，謂『此字不體，非魏朝之失，則傳寫者誤也』。此自裴誤，非魏失也。」

㈡魏大司馬休曾孫也——晉書本傳作「高祖休」。

94 袁伯彥作名士傳成㈠，宏以夏侯太初、何平叔、王輔嗣爲正始名士，阮嗣宗、嵇叔夜、山巨源、向子期、劉伯倫、阮仲容、王濬仲爲竹林名士，裴叔則、樂彥輔、王夷甫、庾子嵩、王安期、阮千里、衛叔寶、謝幼輿爲中朝名士㈡。見謝公，公笑曰：「我嘗與諸人道江北事㈢，特作狡獪耳㈣，彥伯遂以著書。」

㈠袁伯彥作名士傳成——「袁伯彥」是「袁彥伯」之誤。

㈡「宏以夏侯太初」三句——晉書本傳云撰竹林名士傳三卷。據此注，正始、竹林、中朝各爲一卷，本傳「竹林」二字疑衍。隋書經籍志又有正始名士傳三卷，袁敬仲撰。

㈢江北——謂南渡以前。

㈣狡獪——遊戲也，晉宋人常語。

95 王東亭到桓公吏，既伏閣下，桓令人竊取其白事，東亭卽於閣下更作，無復向一字。

96 桓宣武北征，温別傳曰：「温以太和四年，上疏自征鮮卑。」袁虎時從，被責免官。會須露布文，喚袁倚馬前令作。手不輟筆，俄得七紙，殊可觀。東亭在側，極歎其才。袁虎云：「當令齒舌間得利㈠。」

續晉陽秋曰：「珣學涉通敏，文高當世。」

㈠當令齒舌間得利——王世懋曰：「言袁有此才，而官不利，徒得東亭歎賞，齒舌間得利而已，何益於事！」

97 袁宏始作東征賦，都不道陶公。胡奴誘之狹室中，臨以白刃，胡奴，陶範，別見㈠。曰：「先公勳業如是，君作東征賦，云何相忽略？」宏窘蹙無計，便答：「我大道公，何以云無？」因誦曰：「精金百鍊㈡，在割能斷。功則治人㈢，職思靖亂。長沙之勳㈣，爲史所讚。」續晉陽秋曰：「宏爲大司馬記室參軍。後爲東征賦，悉稱過江諸名望。時桓温在南州，宏語衆云：『我決不及桓宣城㈤。』時伏滔在温府，與宏善，苦諫之。宏笑而不答。滔密以啓温，温甚忿。以宏一時文宗，又聞此賦有聲，不欲令人顯問之。後遊青山，飲酌既歸，公命宏同載，衆爲危懼。行數里，問宏曰：『聞君作東征賦，多稱先賢，何故不及家君？』宏答曰：『尊公稱謂，自非下官所敢專，故未呈啓，不敢顯之耳。』溫乃云：『君欲爲何辭？』宏卽答云：『風鑒散朗，或搜或引。身雖可亡，道不可隕。則宣城之節，信爲允也㈥。』溫泫然而止。」二說不同，故詳載焉。

㈠陶範別見——見方正五二。
㈡精金百煉——「百煉」晉書本傳作「百汰」。
㈢功則治人——晉書本傳作「功以濟時」。
㈣長沙——陶侃封長沙公。
㈤桓宣城——溫父彝，爲宣城內史。
㈥信爲允也——晉書本傳作「信義爲允」。李詳曰：「考宏此效左思魏都賦『軍容弗犯』以下四段句法。左賦每段末句『自解紛』，『若蘭芬』，『有令聞』，皆三字與上合韻，加『也』爲助詞。唐修晉書，不知其模擬所出，誤添『義』字，非是。」

98 或問顧長康：「君箏賦何如嵇康琴賦？」顧曰：「不賞者作後出相遺，深識者亦以高奇見貴。」中興書曰：「愷之博學有才氣，爲人遲鈍而自矜尚，爲時所笑。」宋明帝文章志曰：「桓溫云：『顧長康體中癡黠各半，合而論之，正平平耳！』世云有三絕：畫絕，文絕，癡絕㈠。」續晉陽秋曰：「愷之矜伐過實，諸年少因相稱譽以爲戲弄。爲散騎常侍，與謝瞻連省，夜於月下長詠，自云得先賢風制。瞻每遙贊之，愷之得此，彌自力忘倦。瞻將眠，語槌脚人令代，愷之不覺有異，遂幾申旦而後止。」

㈠畫絕、文絕、癡絕——晉書本傳作「才絕、畫絕、癡絕」。

99 殷仲文天才宏贍，續晉陽秋曰：「仲文雅有才藻，著文數十篇。」而讀書不甚廣博，亮歎曰㈠：亮，別見。「若使殷仲文讀書半袁豹，丘淵之文章敘曰：「豹字士蔚，陳郡人。祖耽，歷陽太守。父質，琅邪內史。豹隆安中著作佐郎，累遷太尉長史、丹陽尹。義熙九年卒。」才不減班固。」續漢書曰：「固字孟堅，右扶風人。幼有儁才，學無常師。善屬文，經傳無不究覽。」

㊀「亮歎曰」三句——亮，不知何人。下二句晉書殷仲文傳作謝靈運嘗云：「若殷仲文讀書半袁豹，則文才不減班固。」一說，「博」乃「傅」字之誤，當於「廣」下句斷。傅亮見識鑒二五注，故下云「亮，別見」。

100 羊孚作雪贊云：「資清以化，乘氣以霏，遇象能鮮，即潔成輝。」桓胤遂以書扇。中興書曰：「胤字茂祖，譙國人。祖沖，太尉。父嗣，江州刺史。胤少有清操，以恬退見稱。仕至中書令。玄敗，徙安成郡，後見誅。」

101 王孝伯在京，行散至其弟王睹戶前㊀，睹，王爽小字也。中興書曰：「爽字季明，恭第四弟也。仕至侍中。恭事敗，贈太常。」問：「古詩中何句為最？」睹思未答。孝伯詠「所遇無故物，焉得不速老㊁」：「此句為佳。」

㊀「至其弟王睹戶前」——「王睹」，沈校本云：『暏』作『睹』，下同。」則袁刻本原作「暏」，不作「睹」，此出影印時描改，注作「睹」，可證。

㊁「所遇無故物」二句——乃文選古詩十九首「驅車駕言邁」一詩中句。

102 桓玄嘗登江陵城南樓云：「我今欲為王孝伯作誄。」因吟嘯良久，隨而下筆，一坐之間，誄以之成。晉安帝紀曰：「玄文翰之美，高於一世，玄集載其誄敘曰：「隆安二年九月十七日，前將軍青、兗二州刺史太原王孝伯薨。川岳降神，哲人是育。既爽其靈，不貽其福。天道茫昧，孰測倚伏？犬馬反噬，豺狼翹陸。嶺摧高梧，林殘故竹。人之云亡，邦國喪牧。于以誄之，爰旌芳郁。」文多，不盡載。

103 桓玄初并西夏㈠，領荆、江二州、二府、一國㈡。玄別傳曰：「玄既克殷仲堪後，楊佺期遣使諷朝廷，朝廷以玄都督八州，領江州、荆州二刺史。」于時始雪，五處俱賀，五版並入㈢。玄在聽事上，版至，卽答版後，皆粲然成章，不相揉雜。

㈠西夏——通鑑一二四宋紀注：「江左六朝以荆楚爲西夏。」晉書溫嶠傳：「陶侃有威名於荆楚，又以西夏爲虞，故使嶠爲上流形援。」何充傳：「西夏之任，無出溫者。」並指荆州。但此類稱謂，本屬泛指，故隨時而異，束皙傳：「秦昭王以三日置酒河曲，見金人奉水心之劍曰：『今君封有西夏，乃霸諸侯。』」則亦可用以稱雍梁。姚興載記「西夏有焚如之禍」，又以稱涼州。

㈡領荆江二州二府一國——晉書桓玄傳：「詔以玄都督荆司雍秦梁益寧七州、後將軍、荆州刺史、假節。玄上疏固爭江州，於是進督八州及揚豫八郡，復領江州刺史。」二府謂八州都督及後將軍。一國者，溫終，以玄爲嗣，襲爵南郡公也。

㈢五版——版，簡牘也。五板謂二州二府一國五處賀牋。

104 桓玄下都，羊孚時爲兗州別駕，從京來詣門，牋云：「自頃世故睽離，心事淪蘊。明公啓晨光於積晦，澄百流以一源。」桓見牋，馳喚前云：「子道，子道㈠，來何遲！」卽用爲記室參軍。孟昶別見㈡。爲劉牢之主簿，續晉陽秋曰：「牢之字道堅，彭城人，世以將顯。父遁，征虜將軍。牢之沈毅多計，數爲謝玄參軍。符堅之役，以驍猛成功。及平王恭，轉徐州刺史。桓玄下都，以牢之爲前鋒，行征西將軍。玄至，歸降，用爲會稽內史。欲解其兵，奔而縊死。」詣門謝，見云：「羊侯，羊侯，百口賴卿。」

㈠子道——羊孚字子道。

㈡孟昶別見——見企羨六。

世說新語卷中

方正第五

1 陳太丘與友期行，期日中，過中不至，太丘舍去，去後乃至。元方時年七歲，門外戲。陳寔及紀，並已見㊀。客問元方：「尊君在不㊁？」答曰：「待君久不至，已去。」友人便怒，曰：「非人哉！與人期行，相委而去。」元方曰：「君與家君期日中。日中不至，則是無信；對子罵父，則是無禮。」友人慚，下車引之，元方入門不顧。

㊀陳寔及紀并已見——見德行六。

㊁尊君在不——稱父曰君，稱人之父曰尊君，自稱其父曰家君。魏志衞臻傳：「父茲，有大節，不應三公之辟。太祖之初至陳留，數詣茲議大事，從討董卓，戰於滎陽而卒。（臻）後爲漢黃門侍郎，東郡朱越謀反，引臻。太祖令曰：『孤與卿君同共舉事，加欽令問。始聞越言，固自不信。及得荀令君書，具亮忠誠。』」卿君猶言卿父。通鑑一〇二晉紀注：「晉人於人子之前，稱其父爲尊君、尊公。」

2 南陽宗世林，魏武同時，而甚薄其爲人，不與之交。及魏武作司空，總朝政，從容問宗曰：「可以交未？」答曰：「松栢之志猶存。」世林既以忤旨見疏，位不配德。文帝兄弟每造其門，皆獨拜牀下㊀。其見禮如此。楚國先賢傳曰：「宗承字世林，南陽安衆人。父資，有美譽。承少而脩德雅正，确然不羣，徵聘不就，闡德而至者如林。魏武弱冠，屢造其門，值賓客猥積㊀，不能得言；乃伺承起，往要之，捉手請交，承拒而不納。帝後爲司空，輔漢朝，乃謂承曰：「卿昔不顧吾，今可爲交未？」承曰：「松柏之志猶存。」帝不說，以其名賢，猶敬禮之。勑文帝脩子弟禮，就家拜漢中太守。武帝平冀州，從至鄴，陳羣等皆爲之拜。帝猶以舊情介意，薄其位而優其禮，就家訪以朝政，居賓客之右。文帝徵爲直諫大夫。明帝欲引以爲相，以老固辭㊂。」

㊀皆獨拜牀下——牀，坐具，今謂之榻。後漢書隱逸龐公傳注引襄陽記亦云：「諸葛孔明每至德公家，獨拜牀下。」

㊁猥積——漢書溝洫志：「以爲水猥盛則放溢。」注：「猥，多也。」

㊂「明帝」二句——李詳曰：「晉書七五王述傳稱其曾祖魏司空昶白牋於文帝曰：『昔與南陽宗世林共爲東宮官屬。世林少得好名，州里瞻敬，及其年老，汲汲自厲，時人咸共笑之。』此疑是昶愛憎之言。」

3 魏文帝受禪，陳羣有慼容。帝問曰：「朕應天受命，卿何以不樂？」羣曰：「臣與華歆服膺先朝，今雖欣聖化，猶義形於色。」華嶠譜敘曰：「魏受禪，朝臣三公以下並受爵位。華歆以形色忤時，徙爲司空，不進爵。文帝久不懌，以問尚書令陳羣曰：『我應天受命，百辟莫不說喜，形於聲色，而相國及公獨有不怡者，何邪？』羣起離席長跪曰：『臣與相國曾事漢朝，心雖說喜，義干其色㊀，亦懼陛下實應見憎。』帝大說，歎息良久，遂重異之。」

㊀義干其色——魏志華歆傳注引華嶠譜敘作「義形其色」，是。

4 郭淮作關中都督，甚得民情，亦屢有戰庸。魏志曰：「淮字伯濟，太原陽曲人。建安中，除平原府丞。黃初元年，奉使賀文帝踐阼，而稽留不及。羣臣歡會，帝正色責之曰：『昔禹會諸侯於塗山，防風氏後至，便行大戮。今溥天同慶，而卿最留遲，何也？」淮曰：「臣聞五帝先教，導民以德，夏后政衰，始用刑辟。今臣遭唐、虞之世，是以知免防風氏之誅。」帝說之，擢爲雍州刺史，遷征西將軍。淮在關中三十餘年，功績顯著，遷儀同三司，贈大將軍。」淮妻，太尉王淩之妹，坐淩事，當并誅，魏略曰：「淩字彥雲，太原祁人。歷司空、太尉、征東將軍。密欲立楚王彪，司馬宣王自討之，淩自縛歸罪，遙謂太傅曰：『卿直以折簡召我㊀，我當不至邪㊁！』太傅曰：『以卿非肯逐折簡者也㊂。』遂使人送至西。淩自知罪重，試索棺釘以觀太傅意，太傅給之㊃。淩行至項城，夜呼掾屬與決曰：『行年八十，身名俱滅，命邪？』遂自殺。」使者徵攝甚急。淮使戒裝，克日當發。州府文武及百姓勸淮舉兵，淮不許。至期遣妻，百姓號泣追呼者數萬人。行數十里，淮乃命左右追夫人還，於是文武奔馳，如徇身首之急。既至，淮與宣帝書曰：「五子哀戀，思念其母。其母既亡，則無五子；五子若殞，亦復無淮。」宣帝乃表特原淮妻。世語曰：「淮妻當從坐，侍御史往收，督將及羌、胡渠帥數千人，叩頭請淮上表留妻，淮不從。妻上道，莫不流涕，人人扼腕，欲劫留之。淮五子叩頭流血請淮㊄，淮不忍視，乃命追之。於是，數千騎往追還。淮以書白司馬宣王曰：『五子哀母，不惜其身。若無其母，是無五子；五子若亡，亦無淮也。今輒追還，若於法未通，當受罪於主者。』書至，宣王乃表原之。」

㊀折簡——通鑑七五魏紀注：「古者簡長二尺四寸，短者半之。漢制，簡長二尺，短者半之。蓋單執一札謂之簡，折簡者，折半之簡，言其禮輕也。」此謂以一紙書相召。

㊁我當不至邪——魏志王淩傳注引魏略「當」下有「敢」字。

㊂以卿非肯逐折簡者也——逐，隨也。

㊃「試索棺釘」二句——通鑑七五魏紀注：「給棺釘者，示之以必死。」

㊄叩頭流血請淮——「請」原作「謂」，據影宋本改。

5 諸葛亮之次渭濱，關中震動。蜀志曰：「亮字孔明，琅邪陽都人。客于荆州，躬耕隴畝，好爲梁甫吟。長八尺，每自比管仲、樂毅，時人莫之許也，唯博陵崔州平、潁川徐元直謂爲信然。先主屯新野，徐庶見先主曰：『諸葛孔明，臥龍也。將軍豈願見之乎？』先主曰：『君與俱來。』庶曰：『此人可就見，不可屈致也。』先主遂詣亮，謂關羽、張飛曰：『孤之有孔明，猶魚之有水也。』累遷丞相、益州牧。率衆北征，卒於渭南。」魏明帝深懼晉宣王戰，乃遣辛毗爲軍司馬㊀。魏志曰：「毗字佐治，潁川陽翟人。累遷衛尉。」宣王既與亮對渭而陳，亮設誘譎萬方，宣王果大忿，將欲應之以重兵。亮遣間諜覘之，還曰：「有一老夫，毅然仗黃鉞，當軍門立，軍不得出。」亮曰：「此必辛佐治也。」晉陽秋曰：「諸葛亮寇于郿，據渭水南原，詔使高祖拒之㊁。亮善撫御，又戎政嚴明，且僑軍遠征，糧運艱澀，利在野戰。朝廷每聞其出，欲以不戰屈之，高祖亦以爲然。而擁大軍禦侮於外，不宜遠露怯弱之形，以虧大勢，故秣馬坐甲，每見吞併之威。亮雖挑戰，或遺高祖巾幗，巾幗，婦女之飾，欲以激怒，冀獲曹咎之利㊂。朝廷慮高祖不勝忿憤，而衛尉辛毗骨鯁之臣，帝乃使毗仗節爲高祖軍司馬。亮果復挑戰，高祖乃奮怒，將出應之。毗仗節中門而立，高祖乃止。將士聞見者，益加勇鋭。識者以人臣雖擁衆千萬，而屈於王人㊃。大略深長，皆如此之類也。」

㊀乃遣辛毗爲軍司馬——魏志本傳：「先是大將軍司馬宣王數請與亮戰，明帝終不聽。是歲，恐不能禁，乃以毗爲大將

軍軍師、使持節，六軍皆肅，準毗節度，莫敢犯違。」「軍司馬」當作「軍司」，蓋晉人諱「師」，改軍師爲軍司，「馬」字衍。

(二)詔使高祖拒之——高祖，謂司馬懿。晉書宣帝紀：「武帝受禪，上尊號曰宣皇帝，陵曰高原，廟號高祖。」

(三)冀獲曹咎之利——史記項羽本紀：「是時，彭越數反梁地，絕楚糧。項王乃謂海春侯大司馬曹咎等曰：『謹守成皐，則漢欲挑戰，愼勿與戰，毋令得東而已。』漢果數挑楚軍戰，楚軍不出。使人辱之，五六日，大司馬怒，渡兵汜水。士卒半渡，漢擊之，大破楚軍，盡得楚國貨賂。大司馬咎、長史翳、塞王欣皆自剄汜水上。」此以曹咎比司馬懿，欲激使出戰，因而敗之也。

(四)而屈於王人——「王人」原作「主人」，據影宋本改。王人，謂天子之使，左傳僖公八年：「冬，王人來告喪。」此處指辛毗。

6 **夏侯玄既被桎梏，**魏氏春秋曰：「玄字太初，譙國人，夏侯尚之子，大將軍前妻兄也(一)。風格高朗，弘辯博暢。正始中，護軍曹爽誅，徵爲太常。內知不免，不交人事，不畜筆研。及太傅薨，許允謂玄曰：『子無復憂矣！』玄歎曰：『士宗，卿何不見事乎(二)？此人尤能以通家年少遇我(三)，子元、子上不吾容也(四)。』後中書令李豐惡大將軍執政，遂謀以玄代之。大將軍聞其謀，誅豐，收玄送廷尉。」干寶晉紀曰：「初，豐之謀也，使告玄，玄答曰：『宜詳之爾！』不以聞也，故及於難。」**時鍾毓爲廷尉，鍾會先不與玄相知，因便狎之。玄曰：「雖復刑餘之人，未敢聞命。」**世語曰：「玄至廷尉，不肯下辭。廷尉鍾毓自臨履玄(五)，玄正色曰：『吾當何辭，爲令史責人邪(六)？卿便爲吾作。』毓以玄名士，節高不可屈，而獄當竟，夜爲作辭，令與事相附，流涕以示玄，玄視之曰：『不當若是邪！』鍾會年少於玄，玄不與交。是日，於毓坐狎玄，玄正色曰：『鍾君何得如是！』」名士傳曰：「初，玄以鍾毓志趣不同，不與之交。玄被收時，毓爲廷尉，執玄手曰：「『太初何至於此？』玄正色曰：『雖復刑餘之人，不可得交。』」按郭頒，西晉人，時世相近，爲晉魏世語，事多詳覈。孫盛之徒，皆采以著書，並云玄距鍾會。而袁宏名士傳最後出，不依前史，以爲鍾毓，可謂謬矣！考掠初無一言，臨刑東市，顏色不異。魏志曰：「玄格量弘濟，臨斬，顏色不異，舉止自若。」

㈠大將軍——謂司馬師。前妻，景懷夏侯皇后。晉書后妃傳：「景懷夏侯皇后，父尚。」

㈡不見事——猶言不曉事。

㈢此人尤能以通家年少遇我——此人，謂司馬懿。「尤」，影宋本作「猶」，古通。

㈣子元、子上——司馬師字子元，司馬昭字子上。

㈤廷尉鍾毓自臨履玄——「臨履」，魏志夏侯玄傳注引世語作「臨治」，義同。

㈥爲令史責人邪——「爲」上魏志夏侯玄傳注引世語有「卿」字，當據補。通鑑七六魏紀注：「自漢以來，公府有令史，廷尉則有獄史耳。玄蓋責毓以身爲九卿，乃承公府指，自臨治我，是爲公府令史而責人也。」

7 夏侯泰初與廣陵陳本善，本與玄在本母前宴飲，世語曰：「本字休元，臨淮東陽人。」魏志曰：「本，廣陵東陽人㈠。父矯，司徒。本歷郡守、廷尉，所在操綱領，舉大體，能使羣下自盡，有率御之才；不親小事，不讀法律，而得廷尉之稱。遷鎮北將軍。」本弟騫晉陽秋曰：「騫字休淵，司徒第二子。無謇諤風，滑稽而多智謀。仕至大司馬。」行還，徑入至堂戶。泰初因起曰：「可得同，不可得而雜。」名士傳曰：「玄以鄉黨貴齒，本不論德位，年長者必爲拜。與陳本母前飲，騫來而出，其可得同不可得而雜者也。」

〔一〕「世語曰」六句——案世語與魏志所載異。據後漢書郡國志：廣陵郡東陽，故屬臨淮。晉志：太康元年，復分下邳屬縣在淮南者置臨淮郡，東陽復屬臨淮。魏志據漢末疆域言之，世語及晉書則從晉制也。

8 **高貴鄉公薨，內外諠譁。** 魏志曰：「高貴鄉公諱髦，字彥士，文帝孫，東海定王霖之子也。初封郯縣高貴鄉公。好學夙成。齊王廢，羣臣迎之卽皇帝位。」漢晉春秋曰：「自曹芳事後，魏人省徹宿衞，無復鎧甲，諸門戎兵，老弱而已。曹髦見威權日去〔一〕，不勝其忿。召侍中王沈、尚書王經、散騎常侍王業，謂曰：『司馬昭之心，路人所知也。吾不能坐受廢辱，今日當與卿自出討之。』王經諫，不聽，乃出懷中板令投地，曰：『行之決矣。正使死，何所恨！況不必死邪！』於是入白太后。沈、業奔走告昭〔二〕，昭爲之備。髦遂率僮僕數百，鼓譟而出。昭弟屯騎校尉伷入，遇髦於東止車門；左右訶之，伷衆奔走。中護軍賈充又逆髦戰於南闕下，髦自用劍。衆欲退，太子舍人成濟問充曰：『事急矣，當云何？』充曰：『公畜汝等，正爲今日。今日之事，無所問也。』濟卽前刺髦，刃出於背。」魏氏春秋曰：「帝將誅大將軍，詔有司復進位相國，加九錫。帝夜自將兄從僕射李昭、黃門從官焦伯等下陵雲臺，鎧仗授兵，欲因際會〔三〕，遣使自出致討。會雨而却。明日，遂見王經等出黃素詔於懷曰：『是可忍也，孰不可忍！今當決行此事。』帝遂拔劍升輦，率殿中宿衞倉頭官僮擊戰鼓〔四〕，出雲龍門。賈充自外而入，帝師潰散，帝猶稱天子，手劍奮擊，衆莫敢逼。充率厲將士，騎督成倅弟濟以矛進，帝崩于師。時暴雨，雷電晦冥。」**司馬文王問侍中陳泰曰：** 魏志曰：「泰字玄伯，司空羣之子也。」**「何以靜之？」泰云：「唯殺賈充以謝天下。」文王曰：「可復下此不？」對曰：「但見其上，未見其下。」** 干寶晉紀曰：「高貴鄉公之殺，司馬文王召朝臣謀其故。太常陳泰不至〔五〕，使其舅荀顗召之，告以可不。泰曰：『世之論者，以泰方於舅；今舅不如泰也。』子弟內外咸共逼之，垂涕而入。文王待之曲室，謂曰：『玄伯，卿何以處我？』對曰：『可誅賈充以謝天下。』文王曰：『爲吾更思其次。』泰曰：『唯有進於此，不知其次。』文王乃止。」漢晉春秋曰：「曹髦之薨，司馬昭聞之，自投於地曰：『天下謂我何？』於是召百官議其事，昭垂涕問陳泰曰：『何以居我？』泰曰：『公光輔數世，功蓋天下，謂當並迹古人，垂美於後。一旦有殺君之事，不亦惜乎！速斬賈充，猶可以自明也。』昭曰：『公閭不可得殺也。卿更思餘計。』泰厲聲曰：『意唯有進於此耳，餘無足委者也！』歸而自殺。」魏氏春秋曰：「泰勸大將軍誅賈充，大將軍曰：『卿更思其他。』泰曰：『豈可使泰復發後言！』遂嘔血死。」

㊀曹髦見威權日去——「曹髦」及下文諸「髦」字，魏志注引漢晉春秋皆作「帝」。

㊁沈業奔走告昭——「昭」，魏志注引漢晉春秋作「文王」，下同。

㊂際會——猶云機會。江統徙戎論：「自此之後，餘燼不盡，小有際會，輒復侵叛。」見晉書本傳。

㊃率殿中宿衞倉頭官僮擊戰鼓——「倉頭」，魏志注引魏氏春秋作「蒼頭」。

㊄太常陳泰不至——「太常陳泰」，晉書文帝紀作「僕射陳泰」。魏志陳泰傳注亦引晉紀，裴松之曰：「按本傳，泰不爲太常，未詳干寶所由知之。」

9 和嶠爲武帝所親重，語嶠曰：「東宮頃似更成進，卿試往看。」還，問何如。答云：「皇太子聖質如初。」晉諸公贊曰：「嶠字長輿，汝南西平人。父逌，太常㊀，知名。嶠少以雅量稱，深爲賈充所知，每向世祖稱之。歷尚書、太子少傅㊁。」干寶晉紀曰：「皇太子有醇古之風，美於信受。侍中和嶠數言於上曰：『季世多僞，而太子尚信，非四海之主。憂太子不了陛下家事，願追思文、武之祚㊂。』上既重長適，又懷齊王朋黨之論，弗入也。後上謂嶠曰：

「太子近入朝，吾謂差進，卿可與荀侍中共往言。」及顗奉詔還，對上曰：「太子明識弘新㈣，有如明詔。」問嶠，嶠對曰：「聖質如初。」上默然。」晉陽秋曰：「世祖疑惠帝不可承繼大業，遣和嶠、荀勗往觀察之㈤，既見，勗稱歎曰：『太子德更進茂，不同於故。』嶠曰：『皇太子聖質如初。』此陛下家事，非臣所盡。』天下聞之，莫不稱嶠爲忠，而欲灰滅勗也。」按荀顗清雅，性不阿諛。校之二說，則孫盛爲得也。

㈠父逌太常——晉書本傳作「父逌，魏吏部尚書」。

㈡歷尚書太子少傅——「太子少傅」，御覽二四四引作「太子少保」，晉書和嶠傳作「太子太傅」。

㈢追思文武之祚——「祚」原作「阼」，據影宋本及沈校本改。對武帝言，不應稱文武，「武」疑「景」之誤，指司馬師。

㈣明識弘新——「弘新」，晉書和嶠傳作「弘雅」。

㈤「世祖」二句——案晉書和嶠傳：「復與荀顗、荀勗同侍，顗、勗並稱云云。」荀勗傳又專屬之勗，顗傳不載此事，蓋亦依違不能遽定。三國志荀彧傳裴松之注：「和嶠爲侍中，荀顗沒久矣，荀勗位亞台司，不與嶠同班，無緣方稱侍中，二書所云，皆爲非也。考其時位，愷實當之。」案荀愷，荀彧曾孫。魏志荀彧傳注引荀氏家傳：「愷，晉武帝時爲侍中。」

10 諸葛靚後入晉，除大司馬，召不起，以與晉室有讎，常背洛水而坐。與武帝有舊，帝欲見之而無由，乃請諸葛妃呼靚。既來，帝就太妃閒相見。禮畢，酒酣，帝曰：「卿故復憶竹馬之好不？」靚曰：「臣不能吞炭漆身㈠，今日復睹聖顏。」因涕泗百行。帝於是慚悔而出。晉諸公贊曰：「吳亡，靚入洛㈡，以父誕爲太祖所殺，誓不見世祖。世祖叔母琅邪王妃，靚之姊也。帝後因靚在姊間，往就見焉，靚逃於厠中。於是以至孝發名。時嵇康亦被法，而康子紹死蕩陰之役。談者咸曰：『觀紹、靚二人，然後知忠孝之道區以别矣。』」

㈠呑炭漆身——晉知伯爲趙襄子所殺，其客豫讓漆身爲厲，呑炭爲啞，使形狀不可知，欲爲知伯報仇。見史記刺客列傳。靚父爲司馬懿所殺，故引此語以自喻不能爲父報仇。

㈡吴亡靚入洛——魏志諸葛誕傳：「甘露二年，徵爲司空。誕被詔書，愈恐，遂反。遣長史吴綱將小子靚至吴求救。」故吴亡始入洛。

11 武帝語和嶠曰：「我欲先痛罵王武子，然後爵之。」嶠曰：「武子儁爽，恐不可屈。」帝遂召武子苦責之，因曰：「知愧不？」晉諸公贊曰：「齊王當出藩，而王濟諫請無數。又累遣常山王與婦長廣公主共入㈠，稽顙陳乞留之。世祖甚恚，謂王戎曰：『我兄弟至親，今出齊王，自朕家計。而甄德、王濟連遣婦入來生哭人邪㈡，濟等尚爾，況餘者乎！』濟自此被責，左遷國子祭酒。」武子曰：「尺布斗粟之謡，常爲陛下耻之。漢書曰：「淮南厲王長，高祖少子也。有罪，文帝徙之於蜀，不食而死。民作歌曰：『一尺布，尚可縫；一斗粟，尚可舂，兄弟二人，不能相容。』」瓚注曰：「言一尺布帛，可縫而共衣；一斗米粟，可舂而共食。況以天下之廣，而不相容也。」它人能令疏親，臣不能使親疏㈢。以此愧陛下！」

㈠累遣常山王與婦長廣公主共入——「常山王」沈校本作「常山主」。案王濟尚常山公主，當作「常山主」。晉書王濟傳：「濟既陳請，又累使公主與甄德妻長廣公主俱入。」則「婦」上當據晉書補「甄德」二字，蓋傳寫脱誤耳。魏志甄皇后傳注引晉諸公贊：「司馬景王輔政，以女妻德。妻早亡，文王復以女繼室，卽京兆長公主。」則「長廣公主」之「廣」字疑亦衍文，晉書又以世説而誤。

㈠來生哭人——爾時習用語，通鑑八八晉紀：「太后張氏以聽刑罰過差，三日不食。太弟乂、單于粲輿櫬切諫。聽怒曰：『吾豈桀紂，而汝輩生來哭人！』」又八九晉紀：「大將軍敷數涕泣切諫，聽怒曰：『汝欲乃公速死耶，何以朝夕生來哭人！』」並用此語。

㈢「它人」二句——晉書王濟傳作「他人能令親疏，臣不能使親親」，於義爲長，通鑑從之。案齊王攸爲武帝同母弟，亦猶漢文之於淮南王，故濟引尺布斗粟之謠以譏之。

12 杜預之荆州，頓七里橋㈠，朝士悉祖。王隱晉書曰：「預字元凱，京兆杜陵人，漢御史大夫延年十一世孫。祖畿，魏太保。父恕，幽州、荆州刺史㈡。預智謀淵博，明於治亂，常稱：『立德者非所企及，立功、立言，所庶幾也。』累遷河南尹，爲鎮南將軍，都督荆州諸軍事，鎮襄陽。以平吳勳，封當陽侯。預無伎藝之能，身不跨馬，射不穿札，而每有大事，輒在將帥之限㈢。贈征南將軍、儀同三司。」預少賤，好豪俠，不爲物所許。楊濟既名氏雄俊，不堪，不坐而去。八王故事曰：「濟字文通，弘農人，楊駿弟也。有才識，累遷太子太保㈣。與駿同誅。」須臾，和長輿來，問：「楊右衛何在？」客曰：「向來不坐而去。」長輿曰：「必大夏門下盤馬㈤。」往大夏門，果大閱騎，長輿抱內車，共載歸，坐如初。

㈠七里橋——洛陽伽藍記卷二城東：「崇義里東有七里橋，以石爲之，中朝杜預之荆州，出頓之所也。七里橋東一里，郭門開三道，時人號爲三門。離別者多云：『相送三門外。』京師士子，送去迎歸，常在此處。」

㈡「祖畿」四句——晉書本傳：「祖畿，魏尚書僕射，父恕，幽州刺史。」案魏志，畿卒于尚書僕射，贈太僕。恕亦未嘗爲荆州。晉職官志，魏初唯置太傅，以鍾繇爲之，末年又置太保，以鄭冲爲之，畿卒文帝時，時未有太保官，太保疑是太僕之誤。「荊州」二字亦疑衍文。

㊂輒在將帥之限——「限」，晉書杜預傳作「列」。

㊃累遷太子太保——「太子太保」，晉書本傳作「太子太傅」。

㊄大夏門——洛陽城門。晉書劉元海載記：「遣聰、彌與劉曜、劉景等率精騎五萬寇洛陽，敗王師於河南，聰進屯於西明門。護軍賈胤夜薄之，戰於大夏門，斬聰將呼延顥，其衆遂潰。」是其地也。洛陽伽藍記序：「北面有門，西頭曰大夏門，漢曰夏門，魏、晉曰大夏門，去地二十丈。洛陽城門樓皆兩重，去地百尺，惟大夏門甍棟干雲。」又卷五城北：「禪虛寺在大夏門御道西。寺前有閱武場，歲終農隙，甲士習戰，千乘萬騎，常在於此。」楊衒之所言雖魏事，然其地必曠闊，故濟於此大閱騎也。

13 杜預拜鎮南將軍，朝士悉至，皆在連榻坐，語林曰：「中朝方鎮還，不與元凱共坐；預征吳還，獨榻不與賓客共也。」時亦有裴叔則㊀。羊穉舒後至，曰：「杜元凱乃復連榻坐客？」不坐便去。晉諸公贊曰：「羊琇字穉舒，泰山人。通濟有才幹。與世祖同年相善，謂世祖曰：『後富貴時，見用作領、護軍各十年。』世祖卽位，累遷左將軍、特進。」杜請裴追之，羊去數里住馬，既而俱還杜許。

㊀裴叔則——裴楷字叔則，見德行一八。

14 晉武帝時，荀勗爲中書監，虞預晉書曰：「勗字公曾，潁川潁陰人，漢司空爽曾孫也。十餘歲能屬文，外祖鍾繇曰㊀：『此兒當及其曾祖。』爲安陽令，民生爲立祠。累遷侍中、中書監。」和嶠爲令。故事：監、令由來共車。嶠性雅正，常疾勗諂諛。王隱晉書曰：「勗性佞媚，譽太子，出齊王。當時私議：損國害民，孫、劉之匹也㊁，後世若有良史，當著佞倖傳。」後公車來㊂，嶠便登，正向前坐，不復容勗。勗方更覓車，然後得去㊃。監、令各給車，自此始。曹嘉之晉紀曰：「中書監、令常同車入朝，至和嶠爲令，而荀勗爲監，嶠意强抗，專車而坐。乃使監、令異車，自此始也。」

㊀外祖鍾繇曰——「外祖」，晉書本傳作「從外祖」。

㊁孫劉之匹也——魏志劉放傳：「魏國既建，與太原孫資俱爲秘書郎。文帝卽位，放資轉爲左右丞。黃初初，改秘書爲中書，以放爲監，資爲令，各加給事中，遂掌機密。明帝卽位，尤見寵任。放資既善承順主上，又未嘗顯言得失，抑辛毗而助王思，以是獲譏於世。」又蔣濟傳曰：「時中書監、令號爲專任，濟上疏曰：『陛下既已察之於大臣，願無忘於左右。左右忠正遠慮，未必賢於大臣，至於便辟取合，或能工之。今外所言，輒云中書，雖使恭慎不敢外交，但有此名，猶惑世俗，況實握事要，日在目前。』」卽指孫劉二人。

㊂公車——官車也。

㊃然後得去——「後」字原脱，據影宋本及沈校本補。

15 山公大兒著短帢㊀，車中倚。武帝欲見之，山公不敢辭，問兒，兒不肯行。時論乃云勝山公。晉諸公贊曰：「山該字伯倫㊁，司徒濤長子也。雅有器識㊂，仕至左衛將軍。」山濤兒不肯著以見武帝，故時論嘉之。

㊀帢——魏志太祖紀注：「魏太祖擬古皮弁，裁縑帛以爲帢，合乎簡易隨時之義，以色别其貴賤，可謂軍容，非國容也。」

㊁山該字伯倫——「山該」，晉書以爲山允。允字叔真，濤第三子。按晉書山濤傳：「子玄不仕，允字叔真，奉車都尉，並少尫病，形甚短小，而聰敏過人。武帝聞而欲見之，濤不敢辭，以問於允。允自以尫陋，不肯行。濤以爲勝己，乃表

曰：『臣二子佂病，宜絶人事，不敢受詔。』」與世說所記不同。

㊂雅有器識——「雅」原作「雄」，據影宋本及沈校本改。

16 向雄爲河內主簿，有公事不及雄，而太守劉淮橫怒㊀，遂與杖遣之。雄後爲黃門郎，劉爲侍中，初不交言。武帝聞之，敕雄復君臣之好。雄不得已，詣劉再拜曰：「向受詔而來，而君臣之義絶，何如？」於是卽去。武帝聞尚不和，乃怒問雄曰：「我令卿復君臣之好，何以猶絶？」漢晉春秋曰：「雄字茂伯，河內人。」世語曰：「雄有節槩，仕至黃門郎、護軍將軍。」按王隱孫盛不與故君相聞議曰：「昔在晉初，河內溫縣領校向雄送御犧牛，不充呈郡㊁，輒隨比送洛，直天大熱，郡送牛多暍死。臺法甚重，太守吳奮召雄與杖，雄不受杖，曰：『郡牛者亦死也，呈牛者亦死也。』奮大怒，下雄獄，將大治之。會司隸辟雄都官從事。數年，爲黃門侍郎，奮爲侍中，同省，相避不相見。武帝聞之，給雄酒禮，使詣奮解。雄乃奉詔。」此則非劉淮也。晉諸公贊曰：「淮字君平，沛國杼秋人。少以清正稱，累遷河內太守、侍中、尚書僕射、司徒。」雄曰：「古之君子，進人以禮，退人以禮。今之君子，進人若將加諸膝，退人若將墜諸淵。臣於劉河內不爲戎首，亦已幸甚，安復爲君臣之好？」武帝從之。禮記曰：「穆公問於子思曰：『爲舊君反服，古邪？』子思曰：『古之君子，進人以禮，退人以禮，故有舊君反服之禮。今之君子，進人若將加諸膝，退人若將墜諸淵，無爲戎首，不亦善乎？又何反服之有？』」鄭玄曰：「爲兵主來攻伐㊂，故曰戎首也。」

㊀而太守劉淮橫怒——「劉淮」，晉書向雄傳作「劉毅」。丁國鈞晉書校文曰：「考仲雄（毅字）傳，既未爲河內太守，亦未

遷侍中，則此文劉毅當爲劉準之誤。」此作劉淮，「淮」亦是準之壞字。準字君平，義正相扶。準，晉書無傳，見於惠帝紀及周玘傳等。

㊁不充呈郡——「充」，凌刻本作「先」，是。

㊂爲兵主來攻伐——「來攻伐」原作「求攻伐」，據影宋本及沈校本改。

17 齊王冏爲大司馬，輔政，虞預晉書曰：「冏字景治，齊王攸子也。少聰惠，及長，謙約好施。趙王倫篡位，冏起義兵誅倫，拜大司馬，加九錫，政皆決之；而恣用羣小，不復朝覲，遂爲長沙王所誅。」嵇紹爲侍中，詣冏咨事。冏設宰會，召葛旟、齊王官屬名曰：「旟字虛旟，齊王從事中郎。」晉陽秋曰：「齊王起義，轉長史。既克趙王倫，與董艾等專執威權。冏敗見誅。」董艾等八王故事曰：「艾字叔智，弘農人。祖遇，魏侍中。父綏，秘書監。艾少好功名，不脩士檢。齊王起義，艾爲新汲令，赴軍，用艾領右將軍。王敗見誅。」共論時宜。旟等白冏：「嵇侍中善於絲竹，公可令操之。」遂送樂器。紹推却不受，冏曰：「今日共爲歡，卿何却邪？」紹曰：「公協輔皇室，令作事可法。紹雖官卑，職備常伯㊀，操絲比竹蓋樂官之事，不可以先王法服爲伶人之業。今逼高命，不敢苟辭，當釋冠冕，襲私服。此紹之心也。」旟等不自得而退。

㊀職備常伯——書立政：「王左右，常伯、常任。」疏：「王之親近左右，常所長事，謂三公也；常所委任，謂六卿也。」後世因稱給事天子左右之官如侍中、散騎常侍爲常伯。紹官侍中，故云。

18 盧志於衆坐世語曰：「志字子通㊀，范陽人，尚書珽少子。少知名，起家鄴令，歷成都王長史、衛尉卿、尚書郎。」

問陸士衡：「陸遜、陸抗是君何物㈡？」抗，已見㈢。吳書曰：「遜字伯言，吳郡人，世爲冠族。初領海昌令，號『神君』，累遷丞相。」答曰：「如卿於盧毓、盧珽。」魏志曰：「毓字子家，涿人。父植，有名於世。累遷吏部郎，尚書選舉，先性行而後言才。進司空。珽，咸熙中爲泰山太守，字子笏，位至尚書。」士龍失色，雲，別見。既出戶，謂兄曰：「何至如此？彼容不相知也。」士衡正色曰：「我父、祖名播海內，寧有不知，鬼子敢爾！」

孔氏志怪曰：「盧充者，范陽人。家西三十里有崔少府墓。充先冬至一日出家西獵，見一麞，舉弓而射，即中之。麞倒而復起，充逐之，不覺遠。忽見一里門如府舍㈣，門中一鈴下㈤，有唱家前㈥。充問：『此何府也？』答曰：『少府府也。』充曰：『我衣惡，那得見貴人？』即有人提襆新衣迎之。充著，盡可體。便進見少府，展姓名。酒炙數行，崔曰：『近得尊府君書，爲君索小女婚，故相延耳。』即舉書示充。充父亡時雖小，然已見父手迹，便歔欷無辭㈦。崔即敕內，令女郎莊嚴㈧，使充就東廊㈨。充至，婦已下車，立席頭共拜。爲三日畢㈩，還見崔。崔曰：『君可歸矣！女有娠相，生男當以相還，生女當留自養。』敕外嚴車送客⑪。崔送至門，執手零涕，離別之感，無異生人。復致衣一襲，被褥一副。充便上車，去如電逝，須臾至家。家人相見，悲喜推問，知崔是亡人，而入其墓，追以懊惋。居四年，三月三日臨水戲。忽見一犢車⑫，乍浮乍沒。既上岸，充往開車後戶，見崔氏女與三歲男兒共載。充見之，忻然欲捉其手。女舉手指後車曰：『府君見人⑬。』即見少府。充往問訊，女抱兒還充，又與金盌，別，并贈詩曰：『煌煌靈芝質，光麗何猗猗！華豔當時顯，嘉異表神奇。含英未及秀，中夏罹霜萎。榮曜長幽滅，世路永無施。不悟陰陽運，哲人忽來儀。會淺離別速，皆由靈與祇。何以贈余親？金盌可顧兒。愛恩從此別，斷絕傷肝脾！』充取兒、盌及詩，忽不見二車處。將兒還，四坐謂是鬼魅，僉遙唾之，形如故。問兒：『誰是汝父？』兒逕就充懷。衆初怪惡，傳省其詩，慨然歎死生之玄通也。充詣市賣盌，高舉其價，不欲速售，冀有識者。欻有一老婢問充得盌之由，還報其大家㈣，卽女姨也。遣視之，果是。謂充曰：『我姨姊崔少府女，未嫁而亡；家親痛之，贈一金盌著棺中。今視卿盌甚似。得盌本末可得聞不？』充以事對。卽詣充家迎兒。兒有崔氏狀，又似充貌。姨曰：『我甥三月末間產㈤。父曰：「春煖溫也，願休强也。」卽字溫休，「溫休」，蓋幽婚也㈥。其兆先彰矣！』兒遂成爲令器，歷數郡二千石，皆著績。其後生植，爲漢尚書。植子毓，爲魏司空。冠蓋相承至今也。」議者疑二陸優劣，謝公以此定之。

㈠志字子通——「子通」，晉書本傳作「子道」。

㈡何物——猶言「何人」，卽今語之「什麽」，故亦言「何物人」，宋書五〇張興世傳：「張興世何物人，欲輕據我上！」

㈢抗已見——見政事四。

㈣忽見一里門——「里門」，御覽三〇引續搜神記作「黑門」。

㈤鈴下——官府隨從護衞之卒。漢官儀：「太常駕四馬，主簿前車八乘，有鈴下、侍閤、辟車、騎吏、五百等員。」後漢書周紆傳注：「鈴下、侍閤、辟車，此皆以名自定者也。」按「鈴閣」乃將帥治事之所，官府亦稱之，因稱其侍衞役使之人爲「鈴下」。通鑑七九晉紀注：「鈴下者，有使令則掣鈴以呼之，因以爲名。」

㈥有唱家前——太平廣記三一六引作「唱客前」，是。「家」乃「客」之誤，「有」字衍文。唱，高呼也。

㈦便欻欷無辭——「便」原作「使」，據影宋本及沈校本改。「欷」原作「歎」，據沈校本改。

㈧莊嚴——裝飾也。

㈨使充就東廊——「東廊」，草堂詩箋二七引作「東廂」，當是。

㈩爲三日畢——「爲」，影宋本及沈校本並無。三日，婚後三日，設宴會親屬，後世猶有「做三朝」之禮。

(一一)嚴——裝辦也。

(一二)忽見一犢車——太平廣記引作「忽見傍有犢車」，無「一」字。他書引此，有作「二犢車」者，或據下文「女舉手指後車」及「忽不見二車處」之語，以爲「一」當作「二」。案作「一」似不誤。初時但見一車，乍沉乍沒，初不注意其後尚有一車，及女舉手指示方知。鬼神之事，倏忽隱現，情事逼真。若先已見二車，則充往開車後户，爲前車耶，後車耶，不能無所說明，似無如此鶻突文字。不得據後之「二」字以疑前之「一」字也。他書作「二」者，疑出後人臆改。

(一三)府君見人——「人」，沈校本作「之」，是。

(一四)大家——對婦女之尊稱。家音姑。後漢書曹世叔妻傳：「帝數召入宮，令皇后諸貴人師事焉，號曰大家。」此指其主婦。

(一五)我舅甥三月末間産——「甥」，影宋本及沈校本作「生」。按「舅甥」、「舅生」皆不可通。此文疑原作「我甥」，傳鈔時誤離「甥」字爲「男生」二字，「男」又誤爲「舅」，後人又改「生」爲「甥」，輾轉沿訛，愈不可解。

(一六)「温休」蓋幽婚也——此以反切爲隱語也。蓋以「温」爲反切上語（即聲母）「休」爲反切下語（即韻母）即成「幽」字。再以「休」爲反切上語，「温」爲反切下語成「婚」字。故曰：「温休蓋幽婚也。」此類隱語，南北朝書中常見。如晉孝武帝作清暑殿，識者以爲「楚聲」。蓋清暑反爲「楚」，暑清反爲「聲」也。

19 羊忱性甚貞烈，趙王倫爲相國，忱爲太傅長史，乃版以參相國軍事㈠。使者卒至，忱深懼豫禍，不暇被馬㈡，於是帖騎而避㈢。使者追之，忱善射，矢左右發，使者不敢進，遂得免。文字志曰：「忱字長和，一名陶，泰山平陽人㈣。世爲冠族。父繇，車騎掾。忱歷太傅長史、揚州刺史，遷侍中。永嘉五年，遭亂被害，年五十餘。」

㈠乃版以參相國軍事——文選陸機謝平原內史表：「魏郡太守遣兼丞張含賚板詔書印綬，假臣爲平原內史。」李善注：「凡王封拜，謂之板官。時成都攝政，故稱板詔。」版與板同。

㈡不暇被馬——謂不暇施鞍勒。說文有「犕」字，平祕切，引易「犕牛乘馬」。玉篇云：「犕，服也，以鞍裝馬也。」被馬卽犕馬，漢書韓王信傳注引李奇曰：「音如被馬之被。」則漢人已有此語。

㈢帖騎——謂跨不施鞍勒之馬。南史齊武帝諸子傳：「帝於園池中帖騎走竹樹下，身無虧傷。」當是爾時習語。

㈣泰山平陽人——案忱爲羊祜族子，晉書羊祜傳：「泰山南城人。」晉志泰山郡有南武城，無平陽。南武城東漢曰南城，傳從其舊稱也。此平陽亦當作南城。

20 王太尉不與庾子嵩交，王夷甫、庾敳㈠。庾卿之不置。王曰：「君不得爲爾。」庾曰：「卿自君我，我自卿卿；我自用我法，卿自用卿法。」

㈠王夷甫庾敳——見言語二三及文學一五。

21 阮宣子伐社樹，阮修，已見㈠。春秋傳曰：「共工氏有子曰勾龍，爲后土，后土爲社。」風俗通曰：「孝經稱社者土也㈡，廣博不可備敬，故風土以爲社而祀之，報功也。」然則社自祀勾龍，非土之祭也。有人止之，宣子曰：「社而爲樹，伐樹則社亡；樹而爲社，伐樹則社移矣。」

㈠阮修已見——見文學一八。

〔一〕孝經稱社者土也——風俗通作「孝經說，社者土地之主也。」當據改。下文云：「社自祀句龍，非土之祭也。」足證「社者土地之主也」句「土」下三字原不缺。語出孝經緯援神契，見後漢書祭祀志引。

22 阮宣子論鬼神有無者。或以人死有鬼，宣子獨以爲無，曰：「今見鬼者云，著生時衣服，若人死有鬼，衣服復有鬼邪？」論衡曰：「世謂人死爲鬼，非也。人死不爲鬼，無知，不能害人。如審鬼者死人精神，人見之，宜從裸袒之形，無爲見衣帶被服也。何則？衣無精神也。由此言之，見衣服象人，則形體亦象人，象人，知非死人之精神也。凡天地之間有鬼，非人死之精神也。」

23 元皇帝既登阼，以鄭后之寵，欲舍明帝而立簡文。時議者咸謂舍長立少，既於理非倫，且明帝以聰亮英斷，益宜爲儲副。周、王諸公並苦爭懇切，中興書曰：「鄭太后字阿春〔一〕，滎陽人。少孤，先嫁田氏，夫亡，依舅吳氏。時中宗敬后虞氏先崩，將納吳氏〔二〕。后與吳氏女遊後園，有言之於中宗者，納爲夫人，甚寵，生簡文帝。即位，尊之曰文宣太后〔三〕。」唯刁玄亮獨欲奉少主以阿帝旨。元帝便欲施行，慮諸公不奉詔，於是先喚周侯、丞相入，然後欲出詔付刁。刁協。周、王既入，始至階頭，帝逆遣傳詔遏使就東廂。周侯未悟，卽却略下階〔四〕；丞相披撥傳詔，徑至御牀前，曰：「不審陛下何以見臣？」帝默然無言，乃探懷中黃紙詔裂擲之。由此皇儲始定。周侯方慨然愧歎曰：「我常自言勝茂弘，今始知不如也！」中興書曰：「元皇以明帝及琅邪王裒並非敬后所生〔五〕，而謂裒有大成之度，勝於明帝。因從容問王導曰：『立子以德不以年。今二子孰賢？』導曰：『世子、宣城俱有爽明之德〔六〕，莫能優劣，如此，故當以年。』於是更封哀爲琅邪王。」而此與世說互異。然法盛采撫典故，以何爲實。且從容諷諫，理或可安，豈有登階一言，曾無奇說，便爲之改計乎？

㈠鄭太后字阿春——「字」，御覽一三八引作「諱」。

㈡將納吳氏——「吳氏」下御覽一三八所引有「女」字。

㈢「即位」二句——案晉書孝武帝紀：「太元十九年夏六月壬子，追尊會稽王太妃爲簡文宣太后。」事在孝武帝時，與中興書不同。

㈣却略——却行也。樂府隴西行：「却略再拜跪，然後持一杯。」

㈤元皇以明帝及琅邪王哀並非敬后所生——晉書后妃傳：「元敬虞皇后，諱孟母，父豫，見外戚傳，帝爲琅邪王，納后爲妃，無子，永嘉六年薨，永興三年，册贈皇后。」又：「豫章君荀氏，元帝宮人也，生明帝及琅邪王哀。」案晉書琅邪孝王哀傳所載立儲之事，全與中興書同。

㈥世子宣城——世子謂明帝，元帝爲晉王，立爲晉王太子，故稱世子。哀初繼叔父長樂亭侯渾後，徙封宣城郡公。

24 王丞相初在江左，欲結援吳人，請婚陸太尉。對曰：「培塿無松栢，薰蕕不同器。杜預左傳注曰：「培塿，小阜；松栢，大木也。薰，香草；蕕，臭草。」玩雖不才，義不爲亂倫之始。」玩，已見㈠。

㈠玩已見——陸玩見政事一三。

25 諸葛恢大女適太尉庾亮兒，恢別傳曰：「恢字道明，琅邪陽都人。祖誕，司空。父靚，亦知名，恢少有令問，稱爲明賢。避難江左，中宗召補主簿，累遷尚書令。」庾氏譜曰：「庾亮子會，娶恢女，名文彪。」庾會別見㈠。次女適徐州刺史羊忱兒。羊氏譜曰：「羊楷字道茂。祖繇，車騎掾。父忱，侍中。楷仕至尚書郎，娶諸葛恢次女。」亮子被蘇峻害，改適江虨。虨，別見㊁。恢兒娶鄧攸女。諸葛氏譜曰：「恢子衡，字峻文。仕至滎陽太守。娶河南鄧攸女。」于時謝尚書求其小女婚，恢乃云：「羊、鄧是世婚，江家我顧伊，庾家伊顧我，不能復與謝裒兒婚。」永嘉流人名曰：「裒字幼儒，陳郡人。父衡，博士。裒歷侍中、吏部尚書、吳國內史。」及恢亡，遂婚。謝氏譜曰：「裒子石，娶恢小女，名文熊。」中興書曰：「石字石奴，歷尚書令。聚斂無厭，取譏當世。」於是王右軍往謝家看新婦，猶有恢之遺法：威儀端詳，容服光整。王歎曰：「我在遺女，裁得爾耳！」

㊀庾會別見——見雅量一七。

㊁虨別見——見本篇四二。

26 周叔治作晉陵太守，周侯、仲智往別，叔治以將別，涕泗不止。仲智恚之曰：「斯人乃婦女，與人別，唯啼泣。」便舍去。鄧粲晉紀曰：「周謨字叔治，顗次弟也，仕至中護軍。嵩字仲智，謨兄也，性狡直果俠㊀，每以才氣陵物。顗被害，王敦使人弔焉。嵩曰：『亡兄天下有義人，爲天下無義人所殺，復何所弔？』敦甚銜之，猶取爲從事中郎。因事誅嵩。」晉陽秋曰：「嵩事佛，臨刑猶誦經。」周侯獨留與飲酒言話，臨別流涕，撫其背曰：「奴好自愛㊁。」阿奴，謨小字㊂。

㊀性狡直果俠——「狡直」，晉書周嵩傳作「狷直」。案作「狡直」是也。詩鄭風狡童：「彼狡童兮，不與我言兮。」毛傳：「昭公有壯狡之志。」陳奐傳疏：「壯狡謂剛愎。」此「狡直」亦剛愎之義。狡與絞通。論語泰伯：「直而無禮則絞。」鄭

注：「絞，急也。」又陽貨：「好直不好學，其蔽也絞。」義並相通。後漢書杜根傳：「好絞直。」狡直，即絞直也。晉書作「狷」，狷，偏急也，義亦相近。

㊁奴好自愛——「奴」上影宋本有「阿」字。御覽四八九引郭子作「阿拏」。

㊂阿奴謨小字——案雅量二一，伯仁亦呼仲智爲阿奴，不應兄弟二人同以阿奴爲小字，足證此注之非。德行三三，謝奕亦呼謝安爲「阿奴」，二字似是爾時長兄對幼弟親暱之稱。有時亦施之於夫婦之間，南史鬱林王何妃傳：「帝謂皇后曰：『阿奴暫去。』」

27 周伯仁爲吏部尚書，在省內，夜疾危急。時刁玄亮爲尚書令，營救備親好之至，良久小損㊀。虞預晉書曰：「刁協字玄亮，勃海饒安人。少好學，雖不研精，而多所博涉。中興制度，皆稟於協。累遷尚書令。中宗信重之。爲王敦所忌，舉兵討之。奔至江南，敗死㊁。」明旦，報仲智，仲智狼狽來。始入户，刁下牀對之大泣，說伯仁昨危急之狀。仲智手批之，刁爲辟易於户側。既前，都不問病，直云：「君在中朝，與和長輿齊名，那與佞人刁協有情！」逕便出。

㊀小損——稍減。

㊁奔至江南敗死——影宋本作「奔至江南，爲人所殺」，沈校本作「敗至江南，爲人殺死」，晉書本傳作「至江乘，爲人所殺」。

28 王含作廬江郡，貪濁狼籍。王敦護其兄，故於衆坐稱：「家兄在郡定佳，廬江人士咸稱之。」時何充爲敦主簿，在坐，正色曰：「充卽廬江人，所聞異於此。」敦默然。旁人爲之反側，充晏然神意自若。中興書曰：「王敦以震主之威，收羅賢儁，辟充爲主簿。充知敦有異志，逡巡疏外。及敦稱含有惠政，一坐畏敦，擊節而已，充獨抗之。其時，衆人爲之失色。由是忤敦㊀，出爲東海王文學。」

㊀由是忤敦——「敦」原作「東」，據影宋本改。

29 顧孟著嘗以酒勸周伯仁，伯仁不受，顧因移勸柱，而語柱曰：「詎可便作棟梁自遇㊀！」周得之欣然，遂爲衿契。徐廣晉紀曰：「顧顯字孟著㊁，吳郡人，驃騎榮兄子。少有重名。泰興中，爲騎郎。蚤卒，時爲悼惜之。」

㊀詎可便作棟梁自遇——劉辰翁曰：「言周伯仁以棟梁自居而絕之也。」

㊁顧顯字孟著——案吳志顧雍傳注：「榮兄子禺，字孟著，少有名望，爲散騎侍郎，早卒。」孟著之名，兩書不同，未知孰是。

30 明帝在西堂會諸公飲酒㊀，未大醉，帝問：「今名臣共集，何如堯、舜時？」周伯仁爲僕射，因厲聲曰：「今雖同人主，復那得等於聖治！」帝大怒，還內，作手詔滿一黃紙，遂付廷尉令收，因欲殺之。按明帝未即位，顗已爲王敦所殺。此說非也。後數日，詔出周，羣臣往省之，周曰：「近知當不死，罪不足至此。」

㊀明帝在西堂會諸公飲酒——案晉書周顗傳但言帝讌羣公於西堂，不言何帝。據上文言太興初，則是元帝，非明帝也。故孝標注以世說所記爲非。

31 王大將軍當下，時咸謂無緣爾。伯仁曰：「今主非堯、舜，何能無過？且人臣安得稱兵以向朝廷？處仲狼抗剛愎㈠，王平子何在？」顗別傳曰：「王敦討劉隗，時溫太真爲東宮庶子，在承華門外，與顗相見曰：『大將軍此舉有在，義無有濫？』顗曰：『君年少，希更事。未有人臣若此而不作亂，共相推戴數年而爲此者乎！處仲狼抗而强忌，平子何在？』」晉陽秋曰：「王澄爲荊州，羣賊並起，乃奔豫章，而恃其宿名，猶陵侮敦。敦伏勇士路戎等搤而殺之㈡。」裴子曰：「平子從荊州下，大將軍因欲殺之㈢。而平子左右有二十人，甚健，皆持鐵楯、馬鞭。平子恒持玉枕。大將軍乃犒荊州文武，二十人積飲食，皆不能動。乃借平子玉枕，便持下牀。平子手引大將軍帶絕，與力士鬬甚苦，乃得上屋上，久許而死。」

㈠狼抗——通鑑九二晉紀注：「狼似犬，銳頭白頰，高前廣後，貪而敢抗人，故以爲喻。」按胡注望文生訓，殊不足信。翟灝通俗編：「今以狼抗爲難容之貌，而出處乃是言性（晉書周顗傳、世說）。玉篇有云：『躴躿，身長貌，讀若郎康。』或今語別本於彼，亦未可知。」按此說近之。狼抗一詞本有聲無字，晉書、世說作「狼抗」，玉篇作「躴躿」，後世如今古奇觀倒運漢巧遇洞庭紅之「若不是海船大，也著不得這樣狼抗東西。」，西遊記孫悟空每斥猪八戒爲「囊糠貨」，皆同此一詞也。躴躿，訓身長貌，是其本義，故字從身。從而凡物之長大者，皆可謂之躴躿，今古奇觀之例是也，物大則難容，故通俗編以難容之貌訓之。又大則轉動不易，不靈便，西遊記之「囊糠貨」，猶言笨貨也。以之言性，則此處狼抗，乃狂妄自大之意，即從初義引申而得。而識鑒一四周嵩自言「嵩性狼抗，』亦不容於世」，則從第二義引申出來，言性不圓融，不善處世，動輒得罪於人，晉紀稱其「狡直果俠」，狼抗與狡直義近，本篇二十七面斥刁協一事即其證。

㈡敦伏勇士路戎等搤而殺之——「伏」原作「仗」，據影宋本及沈校本改。

㈢大將軍因欲殺之——「因」，影宋本及沈校本並作「伺」。

32 王敦既下，住船石頭，欲有廢明帝意。賓客盈坐，敦知帝聰明，欲以不孝廢之。每言帝不孝之狀，而皆云：「溫太真所說。溫嘗爲東宮率，後爲吾司馬，甚悉之。」須臾，溫來，敦便奮其威容，問溫曰：「皇太子作人何似？」溫曰：「小人無以測君子。」敦聲色並厲，欲以威力使從己，乃重問溫：「太子何以稱佳？」溫曰：「鉤深致遠，蓋非淺識所測。然以禮侍親，可稱爲孝。」劉謙之晉紀曰：「敦欲廢明帝，言於衆曰：『太子子道有虧，溫司馬昔在東宮，悉其事。』嶠既正言，敦忿而愧焉。」

33 王大將軍既反，至石頭，周伯仁往見之。謂周曰：「卿何以相負㈠？」對曰：「公戎車犯正，下官忝率六軍，而王師不振，以此負公。」晉陽秋曰：「王敦既下，六軍敗績。顗長史郝嘏及左右文武勸顗避難。顗曰：『吾備位大臣，朝廷傾撓，豈可草間求活㈡，投身胡虜邪？』乃與朝士詣敦。敦曰：『近日戰有餘力不？』對曰：『恨力不足，豈有餘邪？』」

㈠卿何以相負——通鑑九二晉紀注：「愍帝建興元年，顗爲杜弢所困，投敦於豫章，故敦以爲德」。

㈡草間求活——謂忍辱偷生。宋書武帝紀：「若其克濟，則臣主同休；苟厄運必至，我當以死衞社稷，橫尸廟門，遂其由來以身許國之志，不能遠竄於草間求活也。」草間謂藏身草澤之中。

34 蘇峻既至石頭，百僚奔散，王隱晉書曰：「峻字子高，長廣掖人。少有才學，仕郡主簿，舉孝廉。值中原亂，招合流舊三千餘家㈠，結壘本縣，宣示王化，收葬枯骨，遠近感其恩義，咸共宗焉。討王敦有功，封公，遷歷陽太守，峻外營將表曰：『鼓自鳴。』峻自斫鼓曰：『我鄉里時，有此則空城。』有頃，詔書徵峻。峻曰：『臺下云我反㊁，反豈得活邪？我寧山頭望廷尉，不能廷尉望山頭。』乃作亂。」晉陽秋曰：「峻率衆二萬，濟自橫江，至於蔣山，王師敗績。」唯侍中鍾雅獨在帝側。或謂鍾曰：「見可而進，知難而退，古之道也。君性亮直，必不容於寇讎。何不用隨時之宜，而坐待其弊邪㊂？」鍾曰：「國亂不能匡，君危不能濟，而各遜遁以求免，吾懼董狐將執簡而進矣㊃。」

㊀招合流舊三千餘家——「三千」，影宋本及沈校本作「六千」。流，謂流寓之人；舊，世居其地者。

㊁臺下——「臺」字義見德行二九箋，「臺下」猶言朝廷。

㊂而坐待其弊邪——「弊」，晉書鍾雅傳作「斃」。

㊃董狐——春秋晉史官。左傳宣公二年：「趙穿攻靈公於桃園，宣子未出山而復。太史書曰：『趙盾弒其君，』以示於朝。孔子曰：『董狐，古之良史也，書法不隱。』」

35 庾公臨去，顧語鍾後事㊀，深以相委。鍾曰：「棟折榱崩，誰之責邪？」庾曰：「今日之事，不容復言，卿當期克復之效耳。」鍾曰：「想足下不愧荀林父耳。」春秋傳曰：「楚莊王圍鄭，晉使荀林父率師救鄭，與楚戰於邲，晉師敗績。桓子歸，請死，晉平公將許之，士貞子諫而止。後林父敗赤狄於曲梁，賞桓子狄臣子室㊁，亦賞士伯以瓜衍之田㊂，曰：『吾獲狄田㊃，子之功也。微子，吾喪伯氏矣。』」

㊀顧語鍾後事——鍾謂鍾雅，承上條來，故僅舉其姓。

㊁賞桓子狄臣子室——「子室」，影宋本作「千室」，是，左氏宣十五年傳同。

㊂亦賞士伯以瓜衍之田——「田」，沈校本「縣」，是，左氏宣十五年傳同。

㊃吾獲狄田——「田」，沈校本作「土」，是，左氏宣十五年傳同。

36 蘇峻時，孔羣在橫塘㊀，爲匡術所逼。王丞相保存術，會稽後賢記曰：「羣字敬休㊁，會稽山陰人。祖竺，吳豫章太守。父弈，全椒令。羣有智局，仕至御史中丞。」晉陽秋曰：「匡術爲阜陵令，逃亡無行。庾亮徵蘇峻，術勸峻誅亮㊂，遂與峻同反，後以宛城降㊃。」因衆坐戲語，令術勸羣酒，以釋橫塘之憾。羣答曰：「德非孔子，厄同匡人。家語曰：「孔子之宋，匡簡子以甲士圍之。子路怒，奮戟將戰，孔子止之，曰：『夫詩、書之不講，禮樂之不習，是丘之過也。若述先王之道，而爲咎者，非丘罪也，命也夫！歌，予和汝。』子路彈劍，孔子和之。曲三終，匡人解甲罷。」雖陽和布氣，鷹化爲鳩，至於識者，猶憎其眼。」禮記月令曰：「仲春之月，鷹化爲鳩。」鄭玄曰：「鳩，播穀也。」夏小正曰：「鷹則爲鳩。鷹也者，其殺之時也；鳩也者，非殺之時也。善變而之仁，故具之。」

㊀橫塘——景定建康志：「橫塘，案實錄注，在淮水南，近陶家渚，緣江築長堤，謂之橫塘。宮苑記：『吳大帝時，自江口沿淮築堤，謂之橫塘。北接柵塘，在今秦淮逕口。』吳都賦曰：『橫塘查下，邑屋隆夸。』樓臺之盛，天下莫比。」

㊁羣字敬休——「敬休」，晉書本傳作「敬林」。案「休」與「羣」義不相蒙，疑以作「林」爲是。

㊂術勸峻誅亮——案晉書蘇峻傳，勸峻抗命者爲任讓，非匡術。

㊃後以宛城降——「宛城」當作「苑城」。案晉書蘇峻傳：「峻遂遷天子於石頭，逼迫居人，盡聚之後苑，使懷德令匡術守苑城。」又曰：「韓晃聞峻死，引兵赴石頭，管商及弘徽進攻庱亭壘，督護李閎及輕車長史滕含擊破之，斬首數千級。商詣庾亮降，匡術舉苑城降。」又晉書成帝紀：「咸和四年春正月，帝在石頭，賊將匡術以苑城歸順。」毛寶傳、陸曄傳

並同。温嶠傳云：「賊將匡術以臺城來降。時共推(陸)曄督宮城軍事。」通鑑九三晉紀注：「苑城，蓋孫氏都秣陵所築。晉置建康於秣陵水中，南渡建都，依苑城以爲守。」景定建康志：「臺城一曰苑城，晉成帝咸和中，新宮成，名建康宮，卽今所謂臺城也。在上元縣東北五里，周八里，濠闊五丈，深七尺。」又引建康實録注：「苑城卽建康宮城，吴之後苑地。」又引宮苑記云：「古臺城卽建康宮城，本吴後苑城，晉咸和中修繕爲宮。」

37 蘇子高事平，靈鬼志謠徵曰：「明帝初，有謠曰：『高山崩，石自破。』高山，峻也；碩，峻弟也㊀。後諸公誅峻，碩猶據石頭，潰散而逃，追斬之。」王、庾諸公欲用孔廷尉爲丹陽。孔坦。亂離之後，百姓彫弊。孔慨然曰：「昔肅祖臨崩㊁，諸君親升御牀，並蒙眷識，共奉遺詔。孔坦疏賤，不在顧命之列。既有艱難，則以微臣爲先，今猶俎上腐肉，任人膾截耳！」於是拂衣而去，諸公亦止。按王隱晉書：「蘇峻事平，陶侃欲將坦上，用爲豫章大守，坦辭母老不行。臺以爲吴郡，吴郡多名族，而坦年少，乃授吴興內史。」不聞尹京。

㊀「碩，峻弟也」——案晉書本傳，碩乃峻之子，峻弟名逸。五行志與此注同，惟「碩」作「石」。

㊁「昔肅祖臨崩」六句——晉明帝廟號肅宗。晉書明帝紀：「壬午，帝不悆，召太宰、西陽王羕、司徒王導、尚書令卞壼、車騎將軍郗鑒、護軍將軍庾亮、領軍將軍陸曄、丹陽尹温嶠並受遺詔，輔太子。」

38 孔車騎與中丞共行，孔愉別傳曰：「愉字敬康，會稽山陰人。初辟中宗參軍，討華軼有功，封餘不亭侯。愉少時，嘗得一龜，放於餘不溪中，龜中路左顧者數過。及後鑄印，而龜左顧，更鑄，猶如此。印師以聞，愉悟，取而佩焉。累遷尚書左僕射，贈車騎將軍。」中丞，孔羣也。在御道，逢匡術賓從甚盛。因往與車騎共語㊀。中丞初不視，直云：「鷹化爲鳩，衆鳥猶惡其眼㊁。」術大怒，便欲刃之。車騎下車抱術曰：「族弟發狂，卿爲我宥之！」始得全首領。

㊀「在御道」三句——晉書孔羣傳作「蘇峻入石頭時，匡術有寵於峻，賓從甚盛。羣與從兄愉同行，於橫塘遇之，愉止與語，而羣初不視術。」不言御道，與此異。上三六云：「孔羣在橫塘，爲匡術所逼。」則作「橫塘」爲是。「因往與車騎共語」之「往」疑當作「住」，與晉書「止與語」之「止」字同義。

㊁「鷹化爲鳩」二句——禮記月令：「始雨水，桃始華，鷹化爲鳩。」孔羣蓋借以譏術。晉書孔羣傳載羣此語乃於王導座上所言，與本篇三六同。

39 梅頤嘗有惠於陶公，後爲豫章太守，有事，王丞相遣收之。侃曰：「天子富於春秋，萬機自諸侯出，王公既得錄，陶公何爲不可放！」乃遣人於江口奪之。晉諸公贊曰：「頤字仲真，汝南西平人。少好學隱退，而求實進止㊀。」永嘉流人名曰：「頤，領軍司馬。頤弟陶，字叔真。」鄧粲晉紀曰：「初有譖侃於王敦者㊁，乃以從弟廙代侃爲荊州，左遷侃廣州。侃文武距廙而求侃，敦聞，大怒。及侃將莅廣州，過敦，敦陳兵欲害侃，敦咨議參軍梅陶諫敦，乃止，厚禮而遣之。」王隱晉書亦同。按二書所敍，則有惠於陶是梅陶㊂，非頤也。頤見陶公拜，陶公止之。頤曰：「梅仲真膝，明日豈可復屈邪！」

㊀而求實進止——「求」，影宋本及沈校本並作「才」。

㊁初有譖侃於王敦者——「譖」原作「讚」，據影宋本改。

㊂則有惠於陶是梅陶——案晉書陶侃傳正作「梅陶」。

40 王丞相作女伎，施設牀席。蔡公先在坐，不說而去，王亦不留。蔡司徒別傳曰：「謨字道明，濟陽考城人㊀。博學有識，避地江左。歷左光祿，錄尚書事，揚州刺史。薨贈司空。」

㊀濟陽考城人——晉書蔡謨傳作「陳留考城人」。輕詆六注引晉諸公贊曰：「充字子尼，陳留雍丘人。」充（晉書作克），謨之父。案晉書地理志，齊陽、陳留均無考城，有雍丘，屬陳留國。晉書考異曰：「惠帝分陳留爲濟陽國，領濟陽、考城諸縣，晉志亦失書。」則作「濟陽考城人」是也。

41 何次道、庾季堅二人並爲元輔。晉陽秋曰：「庾冰字季堅，太尉亮之弟也。少有檢操，兄亮常器之曰：『吾家晏平仲。』累遷車騎將軍、江州刺史。」成帝初崩，于時嗣君未定。何欲立嗣子，庾及朝議以外寇方強，嗣子沖幼，乃立康帝。中興書曰：「帝諱岳，字世同，成帝同母弟也。成帝崩，卽位，年二十二㊀。」康帝登阼，會羣臣，謂何曰：「朕今所以承大業，爲誰之議？」何答曰：「陛下龍飛，此是庾冰之功，非臣之力。于時用微臣之議，今不睹盛明之世。」晉陽秋曰：「初，顯宗臨崩，庾冰議立長君，何充謂宜奉皇子。爭之不得，充不自安，求處外任。及冰出鎮武昌，充自京馳還，言於帝曰：『冰不宜出。昔年陛下龍飛，使晉德再隆者，冰之勳也，臣無與焉。』」帝有慚色。

㊀卽位年二十二——案晉書本紀，康帝以咸康八年六月卽位，明年改元建元元年，二年，崩，年二十三。則卽位時，才二十一耳。

42 江僕射年少，王丞相呼與共棋。王手嘗不如兩道許㊀，而欲敵道戲㊁，試以觀之。江不卽下。王曰：「君何以不行？」江曰：「恐不得爾。」徐廣晉紀曰：「江虨字思玄，陳留人。博學知名，兼善弈，爲中興之冠。累遷尚書左僕射、護軍將軍。」傍有客曰：「此年少戲迺不惡。」王徐舉首曰：「此年少，非唯圍棋見勝。」范汪棋品曰：「彪與王恬等棋第一品，導第五品。」

㈠手——猶今語手段，言弈棋之技能。

㈡敵道戲——謂不求饒讓，敵道猶對等也。

43 孔君平疾篤，庾司空爲會稽，省之，庾冰。相問訊甚至，爲之流涕。庾既下牀，孔慨然曰：「大丈夫將終，不問安國寧家之術，迺作兒女子相問！」庾聞，回謝之，請其話言㈠。王隱晉書曰：「坦方直而有雅望。」

㈠話言——善言也。詩大雅抑：「慎爾出話。」傳：「善言也。」言語四七「不貽陶公話言」及本篇四八「永戢話言」，義並同，皆謂「遺言」。

44 桓大司馬詣劉尹，卧不起。桓彎彈彈劉枕，丸迸碎牀褥間。劉作色而起曰：「使君，如馨地寧可鬭戰求勝！」中興書曰：「温曾爲徐州刺史，沛國屬徐州，故呼温使君㈠，鬭戰者，以温爲將也。」桓甚有恨容。劉尹，真長，已見㈡。

㈠故呼温使君——惔，沛國相人，屬徐州，故以部民自居，稱温爲使君。

㈡劉尹真長已見——劉惔見德行三五。

45 後來年少多有道深公者，深公謂曰：「黃吻年少，勿爲評論宿士。昔嘗與元明二帝、王庾二公周旋。」高逸沙門傳曰：「晉元、明二帝，游心玄虛，託情道味，以賓友禮待法師；王公、庾公傾心側席，好同臭味也。」

46 王中郎年少時，坦之，已見㊀。江彪爲僕射，領選，欲擬之爲尚書郎。有語王者，王曰：「自過江來，尚書郎正用第二人㊁，何得擬我！」江聞而止。按王彪之別傳曰：「彪之從伯導謂彪之曰：『選曹舉汝爲尚書郎，幸可作諸王佐邪！』」此知郎官寒素之品也。

㊀坦之已見——見言語七二。

㊁正用第二人——謂止用第二流人。晉人重門第，故以第二流目寒素。

47 王述轉尚書令，事行便拜。文度曰：「故應讓杜、許㊀。」藍田云：「汝謂我堪此不？」文度曰：「何爲不堪，但克讓自是美事，恐不可闕。」藍田慨然曰：「既云堪，何爲復讓？人言汝勝我，定不如我。」述別傳曰：「述常以謂人之處世，當先量己而後動，義無虛讓。是以應辭便當固執。其貞正不踰，皆此類。」

㊀故應讓杜許——杜許，孝標無注，不詳何人。晉書王述傳但言坦之諫以爲故事應讓，不言讓何人。

48 孫興公作庾公誄，文多託寄之辭。綽集載誄文曰：「咨予與公，風流同歸。擬量託情，視公猶師。君子之交，相與無私。虛中納是，吐誠誨非。雖實不敏，敬佩弦韋。永戢話言，口誦心悲。」既成，示庾道恩，庾見，慨然送還之，曰：「先君與君自不至於此。」道恩，庾羲小字。徐廣晉紀曰：「羲字叔和，太尉亮第三子㊀。拔尚率到，位建威將軍、吳國內史。」

㊀太尉亮第三子——「太尉」原作「太和」，據影宋本及沈校本改。

49 王長史求東陽，撫軍不用。簡文。後疾篤，臨終，撫軍哀歎曰：「吾將負仲祖。」於此命用之㊀。長史曰：「人言會稽王癡，真癡。」王濛已見㊁。

㊀於此命用之——劉應登曰：「此謂撫軍於其臨終方以此命之。」劉氏此語，不甚了了。案「於此」猶「於是」，爾時常語。文學二〇「衞玠始度江」條亦云：「爾夕忽極，於此病篤，遂不起。」義並同。

㊁王濛已見——見言語六六。

50 劉簡作桓宣武別駕，後爲東曹參軍㊀，劉氏譜曰：「簡字仲約，南陽人。祖喬，豫州刺史。父挺㊁，潁川太守。簡仕至大司馬參軍。」頗以剛直見疏。嘗聽記㊂，簡都無言。宣武問：「劉東曹何以不下意？」答曰：「會不能用。」宣武亦無怪色。

㊀東曹參軍——晉書百官志：「諸公及開府位從公者，下有東西曹掾。」後漢書百官志：「太尉，公一人，署諸曹掾史屬二十四人，東西曹比四百石，餘掾比三百石。西曹主府史署用，東曹主二千石長吏遷除及軍吏。」魏志毛玠傳：「玠常爲東曹掾，與崔琰並典選舉。」

㊁父挺——「挺」，影宋本及沈校本並作「挻」，晉書劉喬傳同。

㊂嘗聽記——「記」，影宋本及沈校本並作「訊」。按作「記」似不誤。漢書何武傳：「出記問墾田頃畝，五穀美惡。」師古曰：「記謂教命之書。」後漢書法雄傳：「乃移書屬縣曰：『凡虎狼之在山林，猶人之居城市。古者至化之世，猛獸不擾，皆由恩信寬澤，仁及飛走。太守雖不德，敢忘斯義。記到，其毀壞檻穽，不得妄捕山林。』」

51 劉真長、王仲祖共行，日旰未食。有相識小人貽其餐㊀，肴案甚盛，真長辭焉。仲祖曰：「聊以充虛，何苦辭？」真長曰：「小人都不可與作緣。」孔子稱：「唯女子與小人爲難養，近之則不遜，遠之則怨。」劉尹之意，蓋從此言也。

㈠小人——晉人每以門第自驕，士族階級對普通百姓，皆目之爲小人，不與交接。詳附錄詞語簡釋。下文「作緣」猶言來往，即今語之「打交道」。

52 王脩齡嘗在東山，甚貧乏。司州，已見㈠。陶胡奴爲烏程令，胡奴，陶範小字也。陶侃別傳曰：「範字道則，侃第十子也，侃諸子中最知名。歷尚書秘書監。」何法盛以爲第九子。送一船米遺之。却不肯取，直答語：「王脩齡若飢，自當就謝仁祖索食㈡，不須陶胡奴米。」

㈠司州已見——王胡之，見言語八一。

㈡謝仁祖——謝尚，字仁祖。

53 阮光祿阮裕，已見㈠。赴山陵，至都，不往殷、劉許㈡，過事便還。諸人相與追之。既亦知時流必當逐己㈢，乃遄疾而去，至方山不相及㈣。中興書曰：「裕終日頹然，無所錯綜㈤，而物自宗之。」劉尹時爲會稽㈥，乃歎曰：「我入，當泊安石渚下耳，不敢復近思曠傍。伊便能捉杖打人，不易。」

㈠阮裕已見——見德行三二。晉書本傳：「成帝崩，裕赴山陵。」

㈡不往殷劉許——殷，殷浩；劉，劉惔。

㈢既亦知時流必當逐己——「既」，沈校本作「阮」，是，晉書本傳作「裕」。

㊃方山——文選謝靈運鄰里相送方山詩李善注：「丹陽郡圖經曰：方山在江寧縣東五十里，下有湖水。舊揚州有四津，方山爲東，石頭爲西。」

㊄無所錯綜——晉書阮裕傳作「無所修綜」。

㊅劉尹時爲會稽——「爲」，沈校本作「索」，是。惔傳不言嘗爲會稽。下文「我入」下晉書有「東」字，當據補。東指會稽。時阮裕居剡山，謝安方隱居東山，並在會稽，故云：「我入東，當泊安石渚下耳，不敢復近思曠傍。」「東」字疑傳刻誤脫。

54 王、劉與桓公共至覆舟山看㊀，酒酣後，劉牽脚加桓公頸，桓公甚不堪，舉手撥去。既還，王長史語劉曰：「伊詎可以形色加人不？」温別傳曰：「温有豪邁風氣也。」

㊀覆舟山——元和郡縣志：「覆舟山，鍾山西足也，形如覆舟，故名。」方輿勝覽：「覆舟山東連鍾山，北臨玄武湖，宋元嘉中，嘗改名玄武山。」

55 桓公問桓子野：「謝安石料萬石必敗，何以不諫？」子野，桓伊小字也。續晉陽秋曰：「伊字叔夏，譙國銍人。父景，護軍將軍。伊少有才藝，又善聲律，加以標悟省率，爲王濛、劉惔所知。累遷豫州刺史，贈右將軍㊀。」子野答曰：「故當出於難犯耳。」桓作色曰：「萬石撓弱凡才，有何嚴顏難犯！」

㊀累遷豫州二句——案晉書本傳，自江州刺史徵拜護軍將軍，卒，贈右將軍。其爲豫州，在江州前。

56 羅君章曾在人家，主人令與坐上客共語，答曰：「相識已多，不煩復爾。」羅府君別傳曰：「含字君章，桂陽耒陽人㊀。蓋楚熊姓之後，啓土羅國，遂氏族焉，後寓湘境，故爲桂陽人。含，臨海太守彥曾孫，滎陽太守綏少子也。桓宣武辟爲別駕。以官廨諠擾，於城西池小洲上立茅茨，伐木爲牀，織葦爲席，布衣蔬食，晏若有餘。桓公嘗謂衆坐曰：『此自江左之清秀，豈唯荊楚而已。』累遷散騎常侍、廷尉、長沙相，致仕中散大夫，門施行馬㊁。含自在官舍，有一白雀棲集堂宇；及致仕還家，階庭忽蘭菊挺生。豈非至行之徵邪？」

㊀桂陽棗陽人——「棗陽」，沈校本作「耒陽」，是，晉書本傳同。晉書地理志桂陽郡有耒陽，無棗陽。

㊁行馬——演繁露：「魏晉以後，官至貴品，其門得施行馬。行馬者，一木橫中，兩木互穿以成四角，施之於門以爲禁約也。」

57 韓康伯病，拄杖前庭消搖，韓伯，已見㊀。見諸謝皆富貴，轟隱交路㊁，歎曰：「此復何異王莽時！」漢書曰：「王莽宗族，凡十侯、五大司馬㊂。」

㊀韓伯已見——見德行三八。

㊁轟隱交路——李詳曰：「張衡西京賦：『商旅聯槅，隱隱展展。』薛綜注：『隱隱展展，重車聲。』此言諸謝車聲屬路也。」

㊂凡十侯五大司馬——此句下影宋本及沈校本並有「外戚莫盛焉」五字。

58 王文度爲桓公長史時，桓爲兒求王女，王許咨藍田。王坦之、王述，並已見㊀。既還，藍田愛念文度，雖長大，猶抱著膝上。文度因言桓求己女婚。藍田大怒，排文度下膝，曰：「惡見文度已復癡，畏桓溫面㊁，兵，那可嫁女與之！」文度還報云：「下官家中先得婚處。」桓公曰：「吾知矣，此尊府君不肯耳。」後桓女遂嫁文度兒。王氏譜曰：「坦之子愷，娶桓溫第二女，字伯子㊂。」中興書曰：「愷字茂仁，歷吳國內史、丹陽尹，贈太常。」

㈠王坦之王述並已見——見言語七二及文學二二。

㈡「惡見」二句——沈校謂宋本無此十一字。

㈢「坦之子愷」二句——案晉書王愷傳云：「愉既桓氏壻。」則是愉，非愷也。愉，愷之弟，坦之第二子。

59 王子敬數歲時，嘗看諸門生樗蒱㈠，見有勝負，因曰：「南風不競。」春秋傳曰：「楚伐鄭。師曠曰：『不害，吾驟歌南風，南風不競，多死聲，楚必無功。』」杜預曰：「歌者吹律以詠人風，南風音微，故曰不競也。」門生輩輕其小兒，迺曰：「此郎亦管中窺豹，時見一斑。」子敬瞋目曰：「遠慚荀奉倩，近愧劉真長。」遂拂衣而去。荀、劉，已見㈡。

㈠嘗看諸門生樗蒱——通鑑九三晉記注：「晉人多好樗蒱，以五木擲之，其采有黑犢，有雉，有盧，得盧者勝。」

㈡荀劉已見——荀粲見文學九，劉惔見德行三五。

60 謝公聞羊綏佳，致意令來，終不肯詣。羊氏譜曰：「綏字仲彥，太山人。父楷，尚書郎。綏仕至中書侍郎。」後綏爲太學博士，因事見謝公，公即取以爲主簿。

61 王右軍與謝公詣阮公，阮思曠也。至門，語謝：「故當共推主人。」謝曰：「推人正自難。」

62 太極殿始成，徐廣晉紀曰：「孝武寧康二年，尚書令王彪之等啓改作新宮。太元三年二月，內外軍六千人始營築，至七月而成㈠。太極殿高八丈，長二十七丈，廣十丈。尚書謝萬監視，賜爵關內侯；大匠毛安之關中侯。」王子敬時爲謝公長史，謝送版使王題之，王有不平色，語信云：「可擲著門外。」謝後見王，曰：「題之上殿何若？昔魏朝韋誕諸人亦自爲也。」王曰：「魏祚所以不長㊁。」謝以爲名言。宋明帝文章志曰：「太元中，新宮成，議者欲屈王獻之題榜，以爲萬代寶。謝安與王語次，因及魏時起陵雲閣，忘題榜，乃使韋仲將縣橙上題之㊂，比下，須髮盡白，裁餘氣息。還語子弟云：『宜絕楷法！』安欲以此風動其意，王解其旨，正色曰：『此奇事。韋仲將魏朝大臣，寧可使其若此，有以知魏德之不長。』安知其心，迺不復逼之。」

㊀「太元三年二月」三句——晉書孝武紀：「太元三年二月乙巳，作新宮，帝移居會稽王邸。七月辛巳，帝入新宮。」與晉紀合。

㊁魏祚所以不長——「祚」原作「阼」，據沈校本改。

㊂乃使韋仲將縣橙上題之——「橙」作「梯」，非是。案晉書王獻之傳作「橙」。通鑑一一三晉紀注：「橙，都鄧翻，床屬。」橙卽凳字，古人謂榻爲床，故曰「床屬」。若梯者不當言縣。

63 王恭欲請江盧奴爲長史，晨往詣江，江猶在帳中。王坐，不敢卽言，良久乃得及。江不應，盧奴，江敳小字也。晉安帝紀曰：「敳字仲凱，濟陽人。祖正㊀，散騎常侍。父彪，僕射。並以義正器素，知名當世。敳歷位內外，簡稱。歷黃門侍郎、驃騎咨議。」直喚人取酒，自飲一盌，又不與王。王且笑且言：「那得獨飲？」江云：「卿亦復須邪？」更使酌與王。王飲酒畢，因得自解去。未出戶，江歎曰：「人自量，固爲難！」宋書曰：「敳，卽湘州江夷之父也。夷字茂遠，湘州刺史。」

㊀祖正——案數乃江統之孫，此作「正」者，殆孝標避昭明太子諱耶，日知錄二三：「唐王方慶上言：『晉尚書僕射山濤啓事，稱皇太子而不名。朝臣猶尚如此，宮臣諱則不疑。』」殆爾時風氣如此。識鑒二二注引車頻晉書：「石虎司隸徐正，」晉書苻堅載記作「徐統」，與此同例。

64 孝武問王爽：「卿何如卿兄㊀？」王答曰：「風流秀出，臣不如恭，忠孝亦何可以假人！」中興書曰：「爽忠孝正直。烈宗崩㊁，王國寶夜開門入，為遺詔。爽為黃門郎，距之曰：『大行晏駕，太子未立㊂，敢有先入者斬！』國寶懼，乃止。」

㊀卿何如卿兄——爽為王恭第四弟，見文學一〇一注。

㊁烈宗崩——烈宗，孝武帝廟號。

㊂太子未立——晉書王蘊傳作「太子未至」。案安帝紀，太元十二年立為皇太子，二十一年，孝武崩，不得云「太子未立」，作「至」為是。

65 王爽與司馬太傅飲酒㊀，太傅醉，呼王為「小子」。王曰：「亡祖長史，與簡文皇帝為布衣之交，亡姑、亡姊，伉儷二宮。何小子之有？」中興書曰：「王濛女諱穆之，為哀帝皇后。王蘊女諱法惠，為孝武皇后。」

㊀司馬太傅——謂會稽王道子。

66 張玄與王建武先不相識，張玄，已見㊀。建武，王忱也。晉安帝紀曰：「忱初作荊州刺史，後為建武將軍。」後遇於范豫章許，范令二人共語。范甯，已見㊁。張因正坐斂衽，王孰視良久㊂，不對。張大失望，便去，范苦譬留之，遂不肯住。范是王之舅，王氏譜曰：「王坦之娶順陽郡范汪女，名蓋，即甯妹也，生忱。」乃讓王曰：「張玄，吳士之秀，亦見遇於時，而使至於此，深不可解。」王笑曰：「張祖希若欲相識，自應見詣。」范馳報張，張便束帶造之。遂舉觴對語，賓主無愧色。

㊀張玄已見──見言語五一。

㊁范甯已見──見言語九七。

㊂王孰視良久──「孰」，影宋本及沈校本並作「熟」。案「孰」與「熟」通。

雅量第六

1 豫章太守顧劭，環濟吳紀曰：「劭字孝則，吳郡人。年二十七，起家爲豫章太守，舉善以教民㊀，風化大行。」是雍之子。劭在郡卒。雍盛集僚屬自圍棋㊁，江表傳曰：「雍字元歎，曾就蔡伯喈，伯喈賞異之，以其名與之。」吳志曰：「雍累遷尚書令，封陽遂鄉侯，拜侯還第，家人不知。爲人不飲酒，寡言語。孫權嘗曰：『顧侯在坐，令人不樂。』位至丞相。」外啓信至，而無兒書，雖神氣不變，而心了其故㊂，以爪掐掌，血流沾褥。賓客既散，方歎曰：「已無延陵之高，豈可有喪明之責！」禮記曰：「延陵季子適齊，及其反也㊃，其長子死，葬於嬴、博之間。孔子曰：『延陵季子，吳之習於禮者也。』往而觀其葬焉。其坎深不至於泉，其斂以時服。既葬而封，廣輪掩坎，其高可隱也。既封，左袒㊄，右還其封，且號者三，曰：『骨肉歸復于土，命也，若魂氣則無不之也。』而遂行。孔子曰：『延陵季子之於禮也，其合矣乎！』」：「子夏喪其子而喪其明，曾子弔之曰：『朋友喪明則哭之。』曾子哭，子夏亦哭，曰：『天乎，予之無罪也！』曾子怒曰：『商，汝何無罪也？吾與汝事夫子於洙、泗之間，退而老於西河之上。使西河之民疑汝於夫子，爾罪一也；喪爾親，使民未有聞焉，爾罪二也；喪爾子，喪爾明，爾罪三也。』子夏投其杖而拜曰：『吾過矣，吾過矣！』」於是豁情散哀，顏色自若。

㈠舉善以教民——三國志考異：「案魏晉人引論語，多於『教』字斷句。如倉慈傳注：『舉善而教，恕以待人。』顧邵傳：『舉善而教，風化大行。』陸續傳注：『臣聞唐虞之政，舉善而教。』晉書衞瓘傳：『聖王崇賢，舉善而教。』皆是也。劉馥傳『舉善而教，不能則勸』，雖引成文，亦似以四字為句。考應劭風俗通載汝南太守歐陽歙下教云：『蓋舉善以教，則不能者勸。』則漢時經師句讀已然矣。」案論語為政：「舉善而教不能則勸。」今讀以「舉善而教不能」為一頓。

㈡雍盛集僚屬自圍棋——御覽七五三引裴子語林作「時雍方盛集僚屬圍棋」，「自」字疑衍。弈棋其源甚古。尹文子：「以智力求者，喻如弈棋。」孟子有弈秋。但不詳其制。文選博弈論注引桓譚新論曰：「俗有圍棋，或言是兵法之類也。及為之，上者張置疏遠，多得道而為勝；中者務相絕遮要，以爭便利；下者守邊作罫，自生於小地。猶薛公之言黥布反也：上計取吳楚，廣道者也；中計塞成皐，絕遮要爭利者也；下計據長沙以臨越，此守邊隅趨作罫者也。」所論與今之圍棋不異。邯鄲淳藝經曰：「棋局縱橫各十七道，合二百八十九道，白黑棋子各一百五十枚。」與今小異。

㈢而心了其故——「其」，御覽七五三引作「有」。

㈣及其反也——「及」，禮記檀弓作「於」。

㈤左袒——「袒」原誤作「祖」，今據王校本、禮記檀弓改。

2 嵇中散臨刑東市，神氣不變，索琴彈之，奏廣陵散。曲終，曰：「袁孝尼嘗請學此散，吾靳固不與，廣陵散於今絶矣！」晉陽秋曰：「初，康與東平呂安親善。安嫡兄遜淫安妻徐氏，安欲告遜遣妻，以咨於康，康喻而抑之。遜内不自安，陰告安撾母，表求徙邊。安當徙，訴自理，辭引康。」文士傳曰：「呂安罹事，康詣獄以明之。鍾會庭論康曰：『今皇道開明，四海風靡，邊鄙無詭隨之民，街巷無異口之議。而康上不臣天子，下不事王侯，輕時傲世，不爲物用，無益於今，有敗於俗。昔太公誅華士，孔子戮少正卯，以其負才亂羣惑衆也。今不誅康，無以清潔王道。』於是録康閉獄。臨死，而兄弟親族咸與共別。康顔色不變，問其兄曰：『向以琴來不邪？』兄曰：『以來。』康取調之，爲太平引。曲成，歎曰：『太平引於今絶也！』」太學生三千人上書，請以爲師，不許。文王亦尋悔焉㊀。王隱晉書曰：「康之下獄，太學生數千人請之。于時豪俊皆隨康入獄，悉解喻，一時散遣。康竟與安同誅。」

㊀文王——司馬昭。

3 夏侯太初嘗倚柱作書㊀，時大雨，霹靂破所倚柱，衣服焦然，神色無變，書亦如故㊁。賓客左右皆跌蕩不得住。見顧愷之書贊。語林曰：「太初從魏帝拜陵，陪列於松栢下。時暴雨，霹靂正中所立之樹，冠冕焦壞。左右睹之皆伏，太初顔色不改。」臧榮緒又以爲諸葛誕也㊂。

㊀夏侯太初嘗倚柱作書——「作書」，御覽一三引曹嘉之晉紀作「讀書」。

㊁書亦如故——「書」，御覽一三引曹嘉之晉紀作「讀」。

㊂臧榮緒又以爲諸葛誕也——御覽一三引曹嘉之晉紀，亦以爲諸葛誕。

4 王戎七歲，嘗與諸小兒遊。看道邊李樹多子折枝，諸兒競走取之，唯戎不動。人問之，答曰：「樹在道邊而多子，此必苦李。」取之信然。名士傳曰：「戎由是幼有神理之稱也。」

5 魏明帝於宣武場上斷虎爪牙㊀，縱百姓觀之。王戎七歲，亦往看。虎承間攀欄而吼，其聲震地，觀者無不辟易顛仆，戎湛然不動，了無恐色。竹林七賢論曰：「明帝自閣上望見，使人問戎姓名，而異之。」

㊀宣武場——水經穀水注：「其一水自大夏門東逕宣武觀，憑城結構，不更增墉，左右夾列步廊，參差翼跂，南望天淵池，北矚宣武場。竹林七賢論曰：『王戎幼而清秀。魏明帝於宣武場上爲欄，苞虎牙，使力士袒裼，迭與之搏，縱百姓觀之。戎年七歲，亦往觀焉。』」

6 王戎爲侍中，南郡太守劉肇遺筒中箋布五端㊀，戎雖不受，厚報其書。晉陽秋曰：「司隸校尉劉毅奏：南郡太守劉肇以布五十疋、雜物遺前豫州刺史王戎，請檻車徵付廷尉治罪，除名終身。戎以書未達，不坐。」竹林七賢論曰：「戎報肇書，議者僉以爲譏。世祖患之，乃發口詔曰：『以戎之爲士㊁，義豈懷私？』議者乃息。戎亦不謝。」

㊀南郡太守劉肇遺筒中箋布五端——「筒中箋布五端」，晉書本傳作「筒中細布五十端」。李詳曰：「文選蜀都賦劉逵注：『黃潤，筒中細布也。』揚雄蜀都賦：『筒中黃潤，一端數金。』左傳昭二十六年杜注：『二丈爲一端。』」

㊁以戎之爲士——晉書本傳作「戎之爲行」。

7 裴叔則被收，神氣無變，舉止自若。求紙筆作書，書成，救者多，乃得免。後位儀同三司。晉諸公贊曰：「楷息瓚，取楊駿女，駿誅，以楷婚黨，收付廷尉。侍中傅祗證楷素意，由此得免。」名士傳曰：「楚王之難，李肇惡楷名重，收將害之㊀。楷神色不變，舉動自若。諸人請救得免。晉陽秋曰：「楷與王戎俱加儀同三司」。

㊀「楚王之難」三句——晉書傅祗傳：「尚書左僕射荀愷與楷不平，因奏楷是駿親，收付廷尉。」不言李肇。又晉書亦謂以楊駿之役，收付廷尉，與晉諸公贊同，與名士傳異。

8 王夷甫嘗屬族人事，經時未行。遇於一處飲燕，因語之曰：「近屬尊事，那得不行？」族人大怒，便舉樏擲其面㊀。夷甫都無言，盥洗畢，牽王丞相臂，與共載去。在車中照鏡，語丞相曰：「汝看我眼光，迺出牛背上。」王夷甫蓋自謂風神英俊，不至與人校。

㊀樏——食盒也。玉篇：「扁榼謂之樏。」廣韻：「樏，盤中有隔也。」每具有底有蓋，謂之一沓。太平御覽引東宮舊事曰：「漆三十五子方樏二沓，蓋二枚。」任誕四一「二百五十沓烏樏」，即此物也。

9 裴遐在周馥所，馥設主人。鄧粲晉紀曰：「馥字祖宣，汝南人。代劉淮爲鎮東將軍㊀，鎮壽陽。移檄四方，欲奉迎天子。元皇使甘卓攻之，馥出奔，道卒。」遐與人圍棊。馥司馬行酒，遐正戲，不時爲飲，司馬恚，因曳遐墜地。遐還坐，舉止如常，顏色不變，復戲如故。王夷甫問遐：「當時何得顏色不異？」答曰：「直是闇當故耳！」一作「闇故當耳」，一作「真是鬬將故耳」。

㊀代劉淮爲鎮東將軍——晉書周馥傳作「代劉準爲鎮東將軍。」周家祿云：「諸傳皆言準爲征東將軍。『鎮東』當作『征東』。」「淮」乃「準」之壞字。晉書劉喬、劉輿等傳均作「準」。

10 劉慶孫在太傅府，于時人士多爲所構，唯庾子嵩縱心事外，無迹可間。後以其性儉家富，說太傅令換千萬，冀其有吝，於此可乘。晉陽秋曰：「劉輿字慶孫，中山人。有豪俠才算，善交結，爲范陽王虓所暱。虓薨，太傅召之，大相委仗，用爲長史。」八王故事曰：「司馬越字元超，高密王泰長子㊀。少尚布衣之操，爲中外所歸。累遷司空、太傅。」太傅於衆坐中問庾，庾時頹然已醉，幘墮几上，以頭就穿取。徐答云：「下官家故可有兩娑千萬㊁，隨公所取。」於是乃服。後有人向庾道此，庾曰：「可謂以小人之慮，度君子之心㊂。」

㊀高密王泰長子——「長子」，晉書本傳作「次子」。

㊁兩娑千萬——「娑」字義未詳，疑約舉其數之詞，猶今言兩三千萬。劉淇助字辨略云：「娑，語聲，猶言兩箇千萬也。」亦揣測之辭。

㊂「可謂」二句——晉書庾敳傳以爲東海王越語。

11 王夷甫與裴景聲志好不同，景聲惡欲取之，卒不能回。乃故詣王肆言極罵，要王答己，欲以分謗。王不爲動色，徐曰：「白眼兒遂作。」晉諸公贊曰：「邈字景聲，河東聞喜人。少有通才，從兄頠器賞之。每與清言，終日達曙。自謂理構多如㊀，輒每謝之，然未能出也。歷太傅從事中郎、左司馬，監東海王軍事。少爲文士而經事，爲將雖非其才，而以罕重稱也。」

㊀自謂理構多如——「如」，影宋本及沈校本並作「知」。

12 王夷甫長裴成公四歲，不與相知。時共集一處，皆當時名士，謂王曰：「裴令令望何足計？」王便卿裴，裴曰：「自可全君雅志。」裴頠，已見㊀。

㊀裴頠已見——見言語二三。

13 有往來者云：「庾公有東下意。」或謂王公：「可潛稍嚴，以備不虞。」王公曰：「我與元規雖俱王臣，本懷布衣之好。若其欲來，吾角巾徑還烏衣㈠，丹陽記曰：「烏衣之起，吳時烏衣營處所也。江左初立，琅邪諸王所居。」何所稍嚴！」中興書曰：「於是風塵自消㈡，內外緝穆。」

㈠角巾——閑居之服，非居官所用。晉書儒林杜夷傳：「臨終遺命子晏曰：『吾少不出身，頃雖見羈錄，冠舄之飾，未嘗加體，其角巾素衣，斂以時服。』」故羊祜言：「既定邊事，當角巾東路歸故里。」王濬傳亦云：「旋旆之日，角巾私第，口不言平吳之事。」王導此言，亦謂當棄官歸里居。

㈡風塵——晉書桓溫傳：「風塵紛紜，妄生疑惑，辭旨危急，憂及社稷。」劉聰載記：「風塵之言，謂大將軍、衛將軍及左右輔皆謀奉太弟，尅季春構變。」皆指道路流言。

14 王丞相主簿欲檢校帳下，公語主簿：「欲與主簿周旋，無爲知人几案間事㈠。」

㈠几案間事——指案牘之類。「几案」，北史中屢見，卷三六薛慶之傳：「頗有學業，閑解几案。」卷三九羊深傳：「學涉經史，兼長几案，於時沙汰郎官，務精才實，深以才堪見留。」卷四三邢昕傳：「既有才藻，兼長几案。」

15 祖士少好財，阮遙集好屐，並恒自經營。同是一累，而未判其得失。祖約別傳曰：「約字士少，范陽遒人。累遷平西將軍、豫州刺史，鎮壽陽。與蘇峻反，峻敗，約投石勒。約本幽州冠族，賓客填門。勒登高望見車騎，大驚。又使占奪鄉里先人田地，地主多恨。勒惡之，遂誅約。」晉陽秋曰：「阮孚字遙集，陳留人，咸第二子也。少有智調，而無儁異。累遷侍中、吏部尚書、廣州刺史。」人有詣祖，見料視財物，客至，屏當未盡，餘兩小簏，著背後，傾身障之，意未能平。或有詣阮，見自吹火蠟屐，因歎曰：「未知一生當著幾量屐㈠！」神色閑暢。於是勝負始分。孚別傳曰：「孚風韻疏誕，少有門風。」

㈠量——與「兩」通。詩齊風南山：「葛屨五兩。」孔疏：「屨必兩隻相配，故以一兩爲一物。」亦作「緉」。說文：「緉，履兩枚也。」

16 許侍中、顧司空俱作丞相從事，爾時已被遇，遊宴集聚，略無不同。晉百官名曰：「許璪字思文，義興陽羨人。」許氏譜曰：「璪祖豔，字子良，永興長。父裴，字季顯，烏程令。璪仕至吏部侍郎。」嘗夜至丞相許戲，二人歡極。丞相便命使入己帳眠。顧至曉回轉，不得快孰㈠。許上牀便咍臺大鼾㈡。丞相顧諸客曰：「此中亦難得眠處㈢。」顧和字君孝，少知名。族人顧榮曰：「此吾家騏驥也，必興吾宗！」仕至尚書令。五子：治、隗、淳、履之㈣。

㈠不得快孰——「孰」，影宋本作「熟」。「孰」與「熟」通。

㈡咍臺——睡息聲。

㈢此中亦難得眠處——御覽六九九及七九三引郭子無「得」字。

㈣五子治隗淳履之——案吳郡顧氏譜，尚有第五子臺民，注闕。

17 庾太尉風儀偉長，不輕舉止，時人皆以爲假。亮有大兒數歲，雅重之質，便自如此，人知是天性。溫太真嘗隱幔怛之，此兒神色恬然，乃徐跪曰：「君侯何以爲此？」論者謂不減亮。蘇峻時遇害。庾氏譜曰：「會字會宗，太尉亮長子㈠，年十九，咸和六年遇害。」或云：「見阿恭，知元規非假。」阿恭，會小字也。

〔二〕「會字會宗」二句——案晉書庾亮傳，亮三子：彬、羲、龢。據晉書謂「溫嶠嘗隱暗怛之，彬神色恬如也」云云，則會卽彬也。

18 褚公於章安令遷太尉記室參軍，按庾亮啓參佐名，裒時直爲參軍，不掌記室也。名字已顯而位微，人未多識。公東出，乘估客船，送故吏數人，投錢唐亭住。錢唐縣記曰：「縣近海，爲潮漂沒。縣諸豪姓歛錢雇人，輦土爲塘，因以爲名也。」爾時，吳興沈充爲縣令〔一〕，未詳。當送客過浙江，客出，亭吏驅公移牛屋下。潮水至，沈令起彷徨，問：「牛屋下是何物人？」吏云：「昨有一傖父來寄亭中，晉陽秋曰：「吳人以中州人爲傖。」有尊貴客，權移之。」令有酒色，因遙問：「傖父欲食䴵不？姓何等？可共語。」褚因舉手答曰：「河南褚季野。」遠近久承公名，令於是大遽，不敢移公，便於牛屋下脩刺詣公，更宰殺爲饌具，於公前鞭撻亭吏，欲以謝慚。公與之酌宴，言色無異，狀如不覺。令送公至界。

〔一〕吳興沈充爲縣令——或疑卽王敦之謀主沈充。充傳不言其何地人，但末言：「兵敗，歸吳興，亡失道，誤入其故將吳儒家，儒遂殺之。」則充故吳興人也。但王敦之死在明帝太寧二年（公元三二四），沈充旋卽敗死。而褚裒傳云：「蘇峻之構逆（公元三二七）也，車騎將軍郗鑒以裒爲參軍。」其爲庾亮太尉參軍，不知在何年，似與彼沈充不相及，且充傳亦不言其嘗爲錢唐令，當別是一人，故孝標云未詳也。

19 郗太傅在京口〔一〕，遣門生與王丞相書〔二〕，求女壻。丞相語郗信〔三〕：「君往東廂，任意選之。」門生歸白郗曰：「王家諸郎亦皆可嘉，聞來覓壻，咸自矜持，唯有一郎在東牀上坦腹臥，如不聞。」郗公云：「正此好！」訪之，乃是逸少，因嫁女與焉。王氏譜曰：「逸少，羲之小字㈣。羲之妻太傅郗鑒女㈤，名璿，字子房。」

㈠郗太傅在京口——「太傅」，御覽三七一、四四四並作「太尉」，是，晉書郗鑒傳及王羲之傳並同。

㈡門生——投靠世族之門客。顏氏家訓曰：「失教之家，閽寺無禮。或以主人寢食嗔怒，拒客未通，江南深以爲恥。黃門侍郎裴之禮號善爲士大夫，其門生僮僕接於他人，折旋俯仰，辭色應對，莫不肅敬，與主無別也。」南史徐湛之傳：「門生千餘，皆三吳富人子，姿質端美，衣服鮮麗，每出入行游，塗巷盈滿。」常爲主人傳遞使命，應接賓客，有時亦供雜猥之役。宋書陶潛傳：「潛有脚疾，使一門生二兒轝籃輿。」又謝靈運傳：「童奴既衆，義故門生數百，鑿山浚湖，功役無已。」其地位與性質，可以概見。賢媛八「許允爲晉景王所誅，門生走入告其婦」，及賞譽一〇二「謝公作宣武司馬，屬門生數十人於田曹中郎趙悅子」，皆是。

㈢信——使者，屢見。

㈣逸少羲之小字——案逸少乃羲之之字，「小」字衍。羲之小字阿菟，見琅邪王氏譜。

㈤羲之之妻太傅郗鑒女——「太傅」當作「太尉」。「郗」原作「郄」，據影宋本改。

20 過江初，拜官輿飾供饌㈠。羊曼拜丹陽尹，客來蚤者，並得佳設㈡，日晏漸罄，不復及精，隨客早晚，不問貴賤。曼別傳曰：「曼字延祖，泰山南城人。父暨，陽平太守。曼頹縱宏任，飲酒誕節，與陳留阮放等號『兗州八達㈢。』累遷丹陽尹，爲蘇峻所害。」羊固拜臨海，竟日皆美供，雖晚至，亦獲盛饌。時論以固之豐華，不如曼之真率。明帝東宮僚屬名曰：「固字道安，太山人。」文字志曰：「固父坦，車騎長史。固善草行，著名一時。避亂渡江，累遷黃門侍郎，褒其清儉，贈大鴻臚。」

㈠拜官輿飾供饌──「輿」，晉書本傳作「相」。

㈡佳設──設謂飲饌。設者陳飲食，因謂飲饌為設。南齊書王僧虔傳：「猶客至之有設也。」

㈢與陳留阮放等號兗州八達──「兗州八達」晉書本傳作「兗州八伯」。案本傳云：「州里稱陳留阮放為『宏伯』，高平郗鑒為『方伯』，泰山胡毋輔之為『達伯』，濟陰卞壼為『裁伯』，陳留蔡謨為『朗伯』，阮孚為『誕伯』，高平劉綏為『委伯』，而曼為『䵫伯』，號為『兗州八伯』。」案：「䵫伯」之義，見顏氏家訓書證云：「太山羊曼常頹縱任俠，飲酒誕節，兗州號為『䵫伯』。此字皆無音訓，梁孝元帝嘗謂吾曰：『由來不識，惟張簡憲見教，呼為『嚃羹』之嚃（音他合切，見曲禮上）。自爾便遵承之，亦不知所出。俗間又有『䵫䵫』之語，蓋無所不施、無所不容之意也。」

21 周仲智飲酒醉，瞋目還面，謂伯仁曰：「君才不如弟，而橫得重名！」須臾，舉蠟燭火擲伯仁，伯仁笑曰：「阿奴火攻，固出下策耳！」孫子兵法曰：「火攻有五：一曰火人，二曰火積，三曰火車，四曰火軍㈠，五曰火隊。凡軍必知五火之變，故以火攻者，明也。」

㈠「三曰火車」二句──孫子火攻篇作「三曰火輜，四曰火庫」。

22 顧和始為揚州從事，月旦當朝，未入，頃停車州門外。周侯詣丞相，歷和車邊，語林曰：「周侯飲酒已醉，著白袷憑兩人，來詣丞相。」和覓蝨，夷然不動。周既過，反還，指顧心曰：「此中何所有？」顧搏蝨如故，徐應曰：「此中最是難測地。」周侯既入，語丞相曰：「卿州吏中有一令僕才。」中興書曰：「和有操量，弱冠知名。」

23 庾太尉與蘇峻戰，敗，率左右十餘人乘小船西奔，晉陽秋曰：「蘇峻作逆，詔亮都督征討。戰于建陽門外，王師敗績。亮於陳攜三弟奔溫嶠。」亂兵相剝掠，射，誤中舵工，應弦而倒，舉船上咸失色分散㊀。亮不動容，徐曰：「此手那可使著賊㊁！」衆迺安。

㊀失色分散——晉書庾亮傳作「失色欲散」，義長。

㊁此手那可使著賊——通鑑九四晉紀注：「言射不能殺賊，而反射殺舵工，自恨之辭也。」案此注非也。見不能殺賊而中舵工，乃姑爲解嘲之語，言賊不足污我手也。衆見其危難之際從容談笑，故羣心稍安也。

24 庾小征西嘗出未還㊀，婦母阮，是劉萬安妻，劉氏譜曰：「劉綏妻，陳留阮蕃女，字幼娥。」綏，別見㊁。與女上安陵城樓上。俄頃，翼歸，策良馬，盛輿衞。阮語女：「聞庾郎能騎，我何由得見？」婦告翼，庾氏譜曰：「翼娶高平劉綏女，字女靜。」翼便爲於道開鹵簿盤馬，始兩轉，墜馬墮地，意色自若。

㊀庾小征西——庾翼官征西將軍，其兄亮亦官征西將軍，故加「小」字以別之。

㊁綏別見——見賞譽六四。

25 宣武桓溫。與簡文、太宰武陵王晞。共載，密令人在輿前後鳴鼓大叫，鹵簿中驚擾。太宰惶怖，求下輿；顧看簡文，穆然清恬。宣武語人曰：「朝廷間故復有此賢。」續晉陽秋曰：「帝性溫深㊀，雅有局鎮。嘗與桓溫、太宰武陵王晞同乘，至板橋㊁，溫密勑令無因鳴角鼓譟，部伍並驚馳。溫陽駭異，晞大震，帝舉止自若，音顏無變。溫每以此稱其德量。故論者謂溫服憚也。」

㈠帝性温深——御覽九九引作「帝性韻深沉」。

㈡板橋——文選謝玄暉之宣城出新林浦向版橋詩李善注：「酈善長水經注曰：江水經三山，又湘浦出焉。水上南北結浮橋渡水，故曰版橋。」

26 王劭、王薈共詣宣武，劭薈別傳曰：「劭字敬倫，丞相導第五子。清貴簡素，研味玄賾，大司馬桓温稱爲『鳳雛』。累遷尚書僕射、吳國內史。薈字敬文，丞相最小子。有清譽，夷泰無競。仕至鎮軍將軍。」正值收庾希家。中興書曰：「希字始彥，司空冰長子。累遷徐、兗二州刺史。希兄弟貴盛，桓温忌之，諷免希官。遂奔于暨陽。初，郭璞筮冰子孫必有大禍，唯固三陽可以有後。故希求鎮山陽，弟友爲東陽，希自家暨陽。及温誅希弟柔、倩，聞希難㈠，逃於海陵，後還京口聚衆，事敗，爲温所誅。」薈不自安，逡巡欲去；劭堅坐不動，待收信還，得不定，迺出。論者以劭爲優。

㈠聞希難——晉書庾冰傳作「希聞難」，是。晉書庾冰傳：「桓温陷倩及柔以武陵王黨，殺之。希聞難，便與弟邈及子攸之逃於海陵陂澤中。後聚海濱，畧漁人船，夜入京口城，稱海西公密旨誅除凶逆。温遣東海太守周少孫討之，城陷，被擒，斬於建康市。」

27 桓宣武與郗超議芟夷朝臣，條牒既定，其夜同宿。續晉陽秋曰：「超謂温雄武，當樂推之運，遂深自委結，温亦深相器重，故潛謀密計，莫不預焉。」明晨起，呼謝安、王坦之入，擲疏示之，郗猶在帳內。謝都無言，王直擲還，云：「多。」宣武取筆欲除，郗不覺，竊從帳中與宣武言。謝含笑曰：「郗生可謂入幕賓也。」「帳」，一作「帷」。

28 謝太傅盤桓東山時，與孫興公諸人汎海戲。中興書曰：「安元居會稽，與支道林、王羲之、許詢共游處，出則漁弋山水，入則談說屬文，未嘗有處世意也。」風起浪涌，孫、王諸人色並遽，便唱使還㊀。太傅神情方王，吟嘯不言。舟人以公貌閑意說，猶去不止。既風轉急，浪猛，諸人皆諠動不坐。公徐云：「如此將無歸㊁？」衆人卽承響而回。於是審其量，足以鎮安朝野。

㊀便唱使還——唱，高呼也。

㊁將無——卽「得無」，猶今語「莫非」，商略之辭，見文學一八箋。

29 桓公伏甲設饌，廣延朝士，因此欲誅謝安、王坦之。晉安帝紀曰：「簡文晏駕，遺詔桓溫依諸葛亮、王導故事。溫大怒，以爲黜其權，謝安、王坦之所建也㊀。入赴山陵，百官拜于道側，在位望者，戰慄失色。」或云自此欲殺王、謝。王甚遽，問謝曰：「當作何計？」謝神意不變，謂文度曰：「晉祚存亡㊁，在此一行。」相與俱前。王之恐狀，轉見於色。謝之寬容，愈表於貌，望階趨席，方作洛生詠㊂，諷「浩浩洪流㊃。」桓憚其曠遠，乃趣解兵。按宋明帝文章志曰：「安能作洛下書生詠，而少有鼻疾，語音濁。後名流多斆其詠，弗能及，手掩鼻而吟焉。桓溫止新亭，大陳兵衞，呼安及坦之，欲於坐害之。王入失厝，倒執手版㊄，汗流霑衣。安神姿舉動不異於常，舉目偏歷溫左右衞士，謂溫曰：『安聞諸侯有道，守在四鄰，明公何有壁間著阿堵輩㊅？』溫笑曰：『正自不能不爾。』於是矜莊之心頓盡，命却左右㊆，促燕行觴，笑語移日。」王、謝舊齊名，於此始判優劣。

㊀「簡文晏駕」五句——案晉書王坦之傳：「簡文帝臨崩，詔大司馬溫依周公居攝故事。坦之自持詔入，於帝前毀之，

曰：『天下，宣、元之天下，陛下何得專之！』帝乃使坦之改詔焉。」

㈡晉祚存亡——「祚」原作「阼」，據沈校本改。

㈢洛生詠——輕詆二六：「人問顧長康：『何以不作洛生詠？』答曰：『何至作老婢聲。』」注：「洛下書生詠，音重濁，故云老婢聲。」可與此注所引文章志相印證。

㈣浩浩洪流——乃嵇康贈秀才入軍詩中句。

㈤手版——笏也。名義考引徐廣車服儀制曰：「笏即手板也。漢魏以來，皆執手板，有事則插於紳間，故曰搢紳。」

㈥明公何有壁間著阿堵輩——「何有」，影宋本及沈校本並作「何須」。何有是爾時常語，本書中屢見。

㈦命却左右——「却」原作「部」，據影宋本及沈校本改。

30 謝太傅與王文度共詣郗超，日旰未得前。王便欲去，謝曰：「不能爲性命忍俄頃？」超得寵桓溫，專殺生之威。

31 支道林還東，高逸沙門傳曰：「遁爲哀帝所迎，游京邑久，心在故山，乃拂衣王都，還就巖穴。」時賢並送於征虜亭㈠。丹陽記曰：「太安中，征虜將軍謝安立此亭，因以爲名。」蔡子叔前至，坐近林公；中興書曰：「蔡系字子叔㈡，濟陽人，司徒謨第二子。有文理，仕至撫軍長史。」謝萬石後來，坐小遠。蔡暫起，謝移就其處。蔡還，見謝在焉，因合褥舉謝擲地，自復坐。謝冠幘傾脫，乃徐起，振衣就席，神意甚平，不覺瞋沮。坐定，謂蔡曰：「卿奇人，殆壞我面。」蔡答曰：「我本不爲卿面作計㈢。」其後二人俱不介意。

㊀征虜亭——景定建康志：「征虜亭在石頭塢，東晉太元中創。徐鉉集送謝仲宣員外使北蕃序云：『征虜亭下，南朝送別之場。』」

㊁蔡系——隋書經籍志：「梁有撫軍長史蔡系集三卷，亡。」

㊂作計——猶今語「打算」。

32 郗嘉賓欽崇釋道安德問，安和上傳曰：「釋道安者，常山薄柳人㊀。本姓衞，年十二作沙門。神性聰敏，而貌至陋，佛圖澄甚重之。值石氏亂，於陸渾山木食修學，爲慕容俊所逼，乃住襄陽。以佛法東流，經籍錯謬，更爲條章，標序篇目，爲之注解。自支道林等皆宗其理。無疾卒。」餉米千斛，修書累紙，意寄殷勤。道安答直云：「損米㊁，愈覺有待之爲煩㊂。」

㊀常山薄柳人——「薄柳」，高僧傳作「扶柳」。案扶、薄音近。晉志扶柳屬安平，不屬常山。後漢志同。

㊁損——損者損己以利人，省己所需以與人亦曰損。

㊂愈覺有待之爲煩——莊子消遙遊：「夫列子御風而行，泠然善也，旬有五日而後反。彼於致福者，未數數然也。此雖免乎行，猶有所待者也。若夫乘天地之正，而御六氣之辯，以遊無窮者，彼且惡乎待哉！」郭象注：「非風則不得行，斯必有待也。唯無所不乘者無待耳。」

33 謝安南免吏部尚書，還東。晉百官名曰：「謝奉字弘道，會稽山陰人。」謝氏譜曰：「奉祖端，散騎常侍。父鳳，丞相主簿。奉歷安南將軍、廣州刺史、吏部尚書。」謝太傅赴桓公司馬，出西相遇破岡㊀，既當遠別，遂停三日共語。太傅欲慰其失官，安南輒引以它端。雖信宿中塗，竟不言及此事。太傅深恨在心未盡，謂同舟曰：「謝奉故是奇士。」

㊀破岡——景定建康志破岡瀆：「按建康實錄，吳大帝赤烏八年，使校尉陳勳作屯田，發兵三萬，鑿句容中道至雲陽，以通吳會船艦，號破岡瀆，上下一十四埭，上七埭入延陵界，下七埭入江寧界。」注：「雲陽，今丹陽縣。」

34 戴公從東出，謝太傅往看之。謝本輕戴，見，但與論琴書，戴既無吝色，而談琴書愈妙。謝悠然知其量。晉安帝紀曰：「戴逵字安道，譙國人。少有清操，恬和通任，爲劉真長所知。性甚快暢，泰於娛生。好鼓琴，善屬文，尤樂遊燕，多與高門風流者遊。談者許其通隱。屢辭徵命，遂著高尚之稱。」

35 謝公與人圍棋，俄而謝玄淮上信至㊀，看書竟，默然無言，徐向局㊁。客問淮上利害，答曰：「小兒輩大破賊。」意色舉止，不異於常。續晉陽秋曰：「初，苻堅南寇，京師大震。謝安無懼色，方命駕出墅，與兄子玄圍棋。夜還乃處分，少日皆辦。破賊又無喜容。其高量如此。」謝車騎傳曰：「氐賊苻堅傾國大出，衆號百萬。朝廷遣諸軍距之，凡八萬。堅進屯壽陽。玄爲前鋒都督，與從弟琰等選精銳決戰，射傷堅，俘獲數萬計，得僞輦及雲母車，寶器山積，錦罽萬端，牛、馬、驢、騾、駝十萬頭匹㊂。」

㊀信——使者，屢見。

㊁向局——局，棋局。向局，謂轉向棋局。

㊂牛馬驢騾駝十萬頭匹——「匹」字影宋本及沈校本無。

36 王子猷、子敬曾俱坐一室，上忽發火，子猷遽走避，不惶取屐；晉百官名曰：「王徽之字子猷。」中興書曰：「徽之，羲之第五子，卓犖不羈，欲爲傲達。仕至黃門侍郎。」子敬神色恬然，徐喚左右扶憑而出，不異平常。續晉陽秋曰：「獻之雖不脩常貫㈠，而容止不妄。」世以此定二王神宇㈡。

㈠獻之雖不修常貫——「常貫」原作「賞貫」，據影宋本改。常貫，謂常事。論語先進：「仍舊貫。」集解引鄭注：「貫，事也。」

㈡神宇——謂神情氣宇。

37 苻堅遊魂近境，堅，別見㈠。謝太傅謂子敬曰：「可將當軸了其此處。」

㈠堅別見——見識鑒二二。

38 王僧彌、謝車騎共王小奴許集，王珉、謝玄，並已見㈠。小奴，王薈小字也。僧彌舉酒勸謝云：「奉使君一觴。」謝曰：「可爾。」謝玄曾爲徐州，故云使君。僧彌勃然起，作色曰：「汝故是吳興溪中釣碣耳，何敢譸張㈡！」玄叔父安，曾爲吳興，玄少時從之遊，故珉云然。謝徐撫掌而笑曰：「衞軍㈢，僧彌殊不肅省，乃侵陵上國也。」

㈠王珉謝玄並已見——王見政事二四，謝見言語七二。

㈡譸張——書無逸：「民無或胥譸張爲幻。」疏：「無有相誑欺爲幻惑者。」爾雅釋訓注引書作「侜張」。新方言以爲「侜」即俗語之「謅」。「何敢譸張」猶言「何敢妄語」。

㈢衞軍——稱王薈，見任誕四八注。

39 王東亭爲桓宣武主簿，既承藉有美譽，公甚敬其人地㈠，爲一府之望。初見謝失儀，而神色自若。坐上賓客卽相貶笑，公曰：「不然。觀其情貌，必自不凡，吾當試之。」後因月朝閣下伏，公於內走馬直出突之，左右皆宕仆，而王不動。名價於是大重，咸云：「是公輔器也。」續晉陽秋曰：「珣初辟大司馬掾，桓溫至重之，常稱：『王掾必爲黑頭公，未易才也。』」

㈠公甚敬其人地——「敬」原作「欲」，據沈校本改。

40 太元末，長星見，孝武心甚惡之。徐廣晉紀曰：「太元二十年九月㈠，有蓬星如粉絮，東南行，歷須、女至央星㈡。」按太元末，唯有此妖，不聞長星也。且漢文八年，有長星出東方。文穎注曰：「長星有光芒，或竟天，或長十丈，或二三丈，無常也。」此星見，多爲兵革事。此後十六年，文帝乃崩。蓋知長星非關天子，世說虛也。夜，華林園中飲酒，舉杯屬星云：「長星，勸爾一杯酒，自古何時有萬歲天子！」

㈠太元二十年九月——「太元」原誤作「泰元」，今改正。下同。

㈡歷須女至央星——「央星」，沈校本作「哭星」，是，晉書天文志正作「哭星」。案晉志，虛南二星曰哭。

41 殷荊州有所識作賦，是束晳慢戲之流，文士傳曰：「晳字廣微，陽平元城人，漢太子太傅疏廣後也。王莽末，廣曾孫孟達自東海避難元城，改姓，去『疎』之『足』以爲束氏㈠。晳博學多識，問無不對。元康中，有人自嵩高山下得竹簡一枚，上兩行科斗書。司空張華以問晳，晳曰：『此明帝顯節陵中策文也。』檢校果然。曾爲䴵賦諸文，文甚俳諧。三十九歲卒，元城爲之廢市。」殷甚以爲有才，語王恭：「適見新文，甚可觀。」便於手巾函中出之。王讀，殷笑之不自勝；王看竟，既不笑，亦不言好惡，但以如意帖之而已㈠。殷悵然自失。

㈠去疏之足以爲束氏——晉書考異：「說文，疏，從㐬從疋，以疋得聲。隸變『疏』爲『疎』，與束縛之『束』本不相涉。疋，古胥字，古人胥疏同聲，故從疋聲也。疏之改束，自取聲相轉，如耿之爲簡，奚之爲嵇耳。唐人不通六書，乃有去疋之說。」錢氏此言，蓋斥晉書之妄，然文士傳見於隋志，云張隱撰，孝標注已引之，則其說亦不始於唐人也。

㈡以如意帖之——帖借作妥貼熨貼之貼，謂以如意壓之使平。

42 羊綏第二子孚，少有儁才，與謝益壽相好。益壽，謝混小字也。嘗蚤往謝許，未食。俄而王齊、王睹來，王睹已見㈠。齊，王熙小字也。中興書曰：「熙字叔和，恭次弟，尚鄱陽公主，太子洗馬，早卒。」既先不相識，王向席有不說色，欲使羊去。羊了不眄，唯脚委几上，詠矚自若。謝與王叙寒温數語畢，還與羊談賞，王方悟其奇，乃合共語。須臾食下㈡，二王都不得餐，唯屬羊不暇。羊不大應對之，而盛進食，食畢便退。遂苦相留，羊義不住，直云：「向者不得從命，中國尚虛。」二王是孝伯兩弟。

㈠王睹已見——見文學一〇一。

㈡食下——謂設飲饌，今謂之「上菜」，德行六「餘六龍下食」是也。

識鑒第七

1 曹公少時見喬玄，玄謂曰：「天下方亂，羣雄虎争，撥而理之，非君乎？然君實是亂世之英雄，治世之姦賊。恨吾老矣，不見君富貴，當以子孫相累。」續漢書曰：「玄字公祖，梁國睢陽人。少治禮及嚴氏春秋，累遷尚書令。玄嚴明有才略，長於知人。初，魏武帝爲諸生，未知名也，玄甚異之。」魏書曰：「玄見太祖曰：『吾見士多矣，未有若君者。天下將亂，非命世之才不能濟也。能安之者，其在君乎？』」按世語曰：「玄謂太祖：『君未有名，可交許子將。』太祖乃造子將，子將納焉。」孫盛雜語曰：「太祖嘗問許子將：『我何如人㈠？』固問，然後子將答曰：『治世之能臣，亂世之姦雄。』太祖大笑。」世說所言謬矣。

㈠我何如人——此下魏志武帝紀注引孫盛異同雜語有「子將不答」四字。

2 曹公問裴潛曰：「卿昔與劉備共在荆州，卿以備才如何？」潛曰：「使居中國，能亂人，不能爲治；若乘邊守險，足爲一方之主。」魏志曰：「潛字文行，河東人。避亂荆州，劉表待之賓客禮。潛私謂王粲、司馬芝曰：『劉牧非霸王之才，而欲以西伯自處，其敗無日矣。』遂南渡，適長沙。」

3 何晏、鄧颺、夏侯玄並求傅嘏交，而嘏終不許。魏略曰：「鄧颺字玄茂，南陽宛人，鄧禹之後也。少得士名。明帝時，爲中書郎，以與李勝等爲浮華，被斥。正始中，遷侍中、尚書。爲人好貨，臧艾以父妾與颺，得顯官。京師爲之語曰：『以官易富鄧玄茂㈠。』何晏選不得人，頗由颺。以黨曹爽誅。」諸人乃因荀粲說合之，謂嘏曰：「夏侯太初一時之傑士，虛心於子，而卿意懷不可交。合則好成，不合則致隙。二賢若穆，則國之休。此藺相如所以下廉頗也。」史記曰：「相如以功大拜上卿，位在廉頗右。頗怒，欲辱之。相如每稱疾，望見，引車避匿。其舍人欲去之，相如曰：『夫以秦王之威，而吾廷叱之。何畏廉將軍哉？顧秦彊趙弱，秦以吾二人，故不敢加兵於趙。今兩虎鬭，勢不俱生。吾以公家急而後私讎也㈡。』頗聞謝罪。」傅曰：「夏侯太初志大心勞，能合虛譽，誠所謂利口覆國之人㈢。何晏、鄧颺有爲而躁，博而寡要，外好利而內無關籥，貴同惡異，多言而妬前，多言多釁，妬前無親。以吾觀之，此三賢者皆敗德之人爾，遠之猶恐罹禍，況可親之邪？」後皆如其言。傅子曰：「是時，何晏以才辯顯於貴戚之間；鄧颺好交通，合徒黨，鬻聲名於閭閻；夏侯玄以貴臣子，少有重名。皆求交於嘏，嘏不納也。嘏友人荀粲有清識遠志，然猶勸嘏結交云。」

㈠以官易富鄧玄茂——「富」，魏志曹真傳注引作「婦」，謂取臧艾父妾，是。

㈡吾以公家急而後私讎也——史記廉頗藺相如列傳作「吾所以爲此者，以先國家之急而後私讎也。」

㈢誠所謂利口覆國之人——魏志傅嘏傳注引傅子作「所謂利口覆邦國之人也」，此句在何晏下，不指夏侯玄。論語陽虎：「孔子曰：『惡利口之覆邦家者。』」

4 晉武帝講武於宣武場㈠，帝欲偃武修文，親自臨幸，悉召羣臣。山公謂不宜爾。因與諸尚書言孫、吳用兵本意，遂究論。舉坐無不咨嗟，皆曰：「山少傅乃天下名言。」史記曰：「孫武，齊人；吳起，衞人，並善兵法。」竹林七賢論曰：「咸寧中，吳既平，上將爲桃林華山之事，息役弭兵，示天下以大安。於是州郡悉去兵，大郡置武吏百人，小郡五十人。時京師猶講武，山濤因論孫、吳用兵本意。濤爲人常簡默，蓋以爲國者不可以忘戰，故及之。」名士傳曰：「濤居魏、晉之間，無所標明㈡。嘗與尚書盧欽言及用兵本意，武帝聞之，曰：『山少傅名言也。』」後諸王驕汰，輕遘禍難。於是寇盜處處蟻合，郡國多以無備不能制服，遂漸熾盛。皆如公言。時人以謂「山濤不學孫、吳，而闇與之理會㈢」。王夷甫亦歎云：「公闇與道合。」竹林七賢論曰：「永寧之後諸王構禍，狡虜㳄起，皆如濤言。」名士傳曰：「王夷甫推歎濤『晦晦爲與道合，其深不可測』。」皆此類也。」

㈠晉武帝講武於宣武場——晉書武帝紀：「泰始十年十一月庚午，帝臨宣武觀，大閱諸軍。咸寧三年十一月丙戌，帝臨宣武觀大閱，至於壬辰。四年三月辛酉，以尚書右僕射山濤爲尚書左僕射。」此書所記，疑卽咸寧時事。宣武場見雅量五箋。

㈡無所標明——「明」，影宋本及沈校本作「名」。

㈢而闇與之理會——續談助四引小說作「而闇與會」，此文「之」「理」二字，疑有一衍。

5 王夷甫父乂，爲平北將軍，有公事，使行人論，不得。時夷甫在京師，命駕見僕射羊祜、尚書山濤。夷甫時總角，姿才秀異，敍致既快，事加有理，濤甚奇之。既退，看之不輟，乃歎曰：「生兒不當如王夷甫邪？」羊祜曰：「亂天下者，必此子也。」晉陽秋曰：「夷甫父乂，有簡書㈠，將免官。夷甫年十七，見所繼從舅羊祜，申陳事狀，辭甚俊偉。祜不然之，夷甫拂衣而起。祜顧謂賓客曰：『此人必將以盛名處當世大位，然敗俗傷化者，必此人也。』」漢晉春秋曰：「初，羊祜以軍法欲斬王戎㈡，夷甫又忿祜，言其必敗，不相貴重。天下爲之語曰：『二王當朝，世人莫敢稱羊公之有德。』」

㈠有簡書——詩小雅出車：「豈不懷歸，畏此簡書。」疏：「古者無紙，有事則書之於簡，謂之簡書。」此指言官彈章。

㈡羊祜以軍法欲斬王戎——晉書羊祜傳作「步闡之役，祜以軍法將斬王戎」。

6 潘陽仲見王敦小時，謂曰：「君蜂目已露，但豺聲未振耳。必能食人，亦當爲人所食㈠。」

晉陽秋曰：「潘滔字陽仲，滎陽人，太常尼從子也。有文學才識。永嘉末，爲河南尹，遇害。」漢晉春秋曰：「初，王夷甫言東海王越，轉王敦爲揚州。潘滔初爲太傅長史㊁，言於太傅曰：『王處仲蜂目已露，豺聲未發。今樹之江外，肆其豪強之心，是賊之也。』」晉陽秋曰：「敦爲太子舍人，與滔同僚，故有此言。」習、孫二說，便小遷異。春秋傳曰：「楚令尹子上謂世子商臣『蜂目而豺聲，忍人也』。」

㊀「必能食人」二句——李詳曰：漢書王莽傳：「有用方術待詔黃門者，或問以莽形貌。待詔曰：『莽所謂鴟目虎吻，豺狼之聲者也，故能食人，亦當爲人所食。』」陽仲之言本此。

㊁潘滔初爲太傅長史——晉書王敦傳作「洗馬潘滔」。太傅，謂東海王越。光熙元年八月，越爲太傅，錄尚書事。

7 石勒不知書，石勒傳曰：「勒字世龍，上黨武鄉人，匈奴之苗裔也。雄勇好騎射。晉元康中，流宕山東，與平原茌平人師懽家傭，耳恒聞鼓角鞞鐸之音，勒私異之㊀。初，勒鄉里原上地中生石，日長，類鐵騎之象；國中生人參㊁，葩葉甚盛。于時父老相者皆云：『此胡體貌奇異，有不可知。』勸邑人厚遇之，人多哂而不信。永嘉初，豪傑並起，與胡王陽等十八騎詣汲桑爲左前督。桑敗，共推勒爲主，攻下州縣，都於襄國。後僭正號，死，謚明皇帝。」使人讀漢書。聞酈食其勸立六國後，刻印將授之，大驚曰：「此法當失，云何得遂有天下！」至留侯諫，迺曰：「賴有此耳！」鄧粲晉紀曰：「勒手不能書，目不識字，每於軍中令人誦讀，聽之皆解其意。」漢書曰：「項羽急圍漢王於滎陽，漢王與酈食其謀撓楚權。食其勸立六國後，王令趣刻印。張良入諫，以爲不可。輟食吐哺㊂，罵酈生曰：『豎儒，幾敗乃公事！』趣令銷印。」

㈠「晉元康中」五句——晉書載記：「并州刺史東瀛公騰使將軍郭陽、張隆虜羣胡，將詣冀州，勒亦在其中。既而賣與茌平人師懽爲奴。每耕作於野，常聞鼓角之聲，勒以告諸奴，諸奴亦以告懽，懽亦奇其狀貌而免之。」較詳。

㈡國中生人參——「國中」，晉書載記作「園中」，是。

㈢輟食吐哺——漢書高帝紀此上有「漢王」二字，文義乃足，當補。

8 衞玠年五歲，神衿可愛。祖太保曰：「此兒有異，顧吾老，不見其大耳！」晉諸公贊曰：「瓘字伯玉，河東安邑人。少以明識清允稱，傳嘏極貴重之，謂之甯武子。仕至太保，爲楚王瑋所害。」玠別傳曰：「玠有虛令之秀，清勝之氣，在羣伍之中，有異人之望。祖太保見玠五歲，曰：『此兒神爽聰令，與衆大異，恐吾年老，不及見爾！』」

9 劉越石云：「華彥夏識能不足，彊果有餘。」虞預晉書曰：「華軼字彥夏，平原人，魏太尉歆曾孫也㈠。累遷江州刺史，傾心下士，甚得士歡心。以不從元皇命見誅。」漢晉春秋曰：「劉琨知軼必敗，謂其自取之也。」

㈠魏太尉歆曾孫也——魏志華歆傳及注：歆長子表。表有三子：廙、嶠、澹，澹生軼。

10 張季鷹辟齊王東曹掾，在洛，見秋風起，因思吳中菰菜羹、鱸魚膾㈠，曰：「人生貴得適意爾，何能羈宦數千里以要名爵？」遂命駕便歸。俄而齊王敗，時人皆謂爲見機。文士傳曰：「張翰字季鷹。父儼，吳大鴻臚。翰有清才美望，博學善屬文，造次立成，辭義清新。大司馬齊王冏辟爲東曹掾。翰謂同郡顧榮曰：『天下紛紛未已，夫有四海之名者，求退良難。吾本山林閒人，無望於時久矣。子善以明防前，以智慮後。』榮捉其手，愴然曰：『吾亦與子採南山蕨，飲三江水爾。』翰以疾歸，府以輒去除吏名。性至孝，遭母艱，哀毀過禮。自以年宿，不營當世，以疾終于家。」

㊀因思吳中菰菜羹、鱸魚膾——「菰」，御覽二二五作「蓴」。晉書文苑傳作「乃思吳中菰菜、蓴羹、鱸魚膾」。

11 諸葛道明初過江左，自名道明，名亞王、庾之下。中興書曰：「恢避難過江，與潁川荀道明、陳留蔡道明俱有名譽㊀。號曰『中興三明』，時人爲之語曰：『京都三明各有名，蔡氏儒雅荀葛清。』」先爲臨沂令，丞相謂曰：「明府當爲黑頭公。」語林曰：「丞相拜司空，諸葛道明在公坐，指冠冕曰：『君當復著此。』」

㊀與潁川荀道明陳留蔡道明俱有名譽——案荀闓、蔡謨並字道明。

12 王平子素不知眉子，曰：「志大其量㊀，終當死塢壁間㊁。」晉諸公贊曰：「王玄字眉子，夷甫子也。東海王越辟爲掾，後行陳留太守，大行威罰，爲塢人所害㊂。」

㊀志大其量——影宋本及沈校本作「志大無量」。按魏志傅嘏傳嘏戒鍾會曰：「子志大其量而勳業難爲也。」又注引傅子曰：「泰初志大其量。」則「其」字不誤，謂志大而量不足也。

㊁塢——通鑑八七晉紀：「河內督將郭默收整餘衆，自爲塢主。」注：「城之小者曰塢。天下兵爭，聚衆築塢以自守。」

㊂「後行」三句——晉書王衍傳：「爲陳留太守，屯尉氏。玄素名家，有豪氣，荒弊之時，人情不附。將赴祖逖，爲盜所害。」

13 王大將軍始下，楊朗苦諫不從，遂爲王致力。乘中鳴雲露車逕前，曰：「聽下官鼓音，一進而捷。」王先把其手曰：「事克，當相用爲荊州。」既而忘之，以爲南郡。晉百官名曰：「朗字世彥，弘農人。」楊氏譜曰：「朗祖囂，典軍校尉。父淮㊀，冀州刺史。」王隱晉書曰：「朗有器識才量，善能當世。仕至雍州刺史。」

王敗後，明帝收朗，欲殺之；帝尋崩，得免。後兼三公，署數十人爲官屬。此諸人當時並無名，後皆被知遇。于時稱其知人。

㈠父淮——「淮」當作「準」，詳後品藻七校記。

14 周伯仁母，冬至舉酒賜三子曰：「吾本謂度江託足無所，爾家有相，爾等並羅列吾前，復何憂！」周嵩起，長跪而泣曰：「不如阿母言。伯仁爲人志大而才短，名重而識闇，好乘人之弊，此非自全之道；嵩性狼抗㈠，亦不容於世；唯阿奴碌碌，當在阿母目下耳。」郭粲晉紀曰：「阿奴㈡，嵩之弟周謨也。」三周，並已見㈢。

㈠狼抗——見方正三一箋。

㈡阿奴——見方正二六箋。

㈢三周並已見——顗見言語三一，嵩與謨見方正二六。

15 王大將軍既亡，王應欲投世儒，世儒爲江州；王含欲投王舒，舒爲荊州。含語應曰：「大將軍平素與江州云何，而汝欲歸之？」應曰：「此迺所以宜往也。晉陽秋曰：「應字安期，含子也。敦無子，養爲嗣，以爲武衛將軍，用爲副貳，伏誅。」江州當人彊盛時，能抗同異，此非常人所行。及睹衰厄，必興愍惻。王彬別傳曰：「彬字世儒，琅邪人。祖覽，父正，並有名德。彬爽氣出儕類，有雅正之韻。與元帝姨兄弟，佐佑皇業，累遷侍中。從兄敦下石頭，害周伯仁。彬與顗素善，往哭其尸，甚慟。既而見敦，敦怪其有慘容而問之，答曰：『向哭周伯仁，情不能已。』敦曰：『伯仁自致刑戮，汝復何爲者哉！』彬曰：『伯仁清譽之士，有何罪？』因數敦曰：『抗旌犯上，殺戮忠良。』音辭忼慨，與淚俱下。敦怒甚，丞相在坐，代爲之懼，命彬曰：『拜謝。』彬曰：『有足疾。比來見天子，尚不能拜。何跪之有？』歆曰：『脚疾何如頸疾？』以親故，不害之。累遷江州刺史、左僕射㈠，贈衞將軍。」荆州守文㈡，豈能作意表行事！」含不從，遂共投舒，舒果沈含父子于江。王舒傳曰：「舒字處明，琅邪人。祖覽，知名。父會，御史。舒器業簡素，有文武幹。中宗用爲北中郎將、荆州刺史、尚書僕射，出爲會稽太守。以父名會，累表自陳。討蘇峻有功，封彭澤侯，贈車騎大將軍。」彬聞應當來，密具船以待之。竟不得來，深以爲恨。含之投舒，舒遣軍逆之，含父子赴水死。昔酈寄賣友見譏，況販兄弟以求安，舒非人矣。

㈠累遷江州刺史左僕射——「左僕射」，晉書本傳作「右僕射」。

㈡守文——漢書外戚傳：「繼體守文之君。」注：「守文謂遵守成法。」正與作意表行事相反。

16 武昌孟嘉作庾太尉州從事，已知名。褚太傅有知人鑒，罷豫章，還過武昌㈠，問庾曰：「聞孟從事佳，今在此不？」庾云：「試自求之。」褚眄睞良久，指嘉曰：「此君小異，得無是乎？」庾大笑曰：「然。」于時既歎褚之默識，又欣嘉之見賞。別嘉傳曰：「嘉字萬年，江夏鄳人。曾祖父宗，吳司空。祖父揖，晉廬陵太守。宗葬武昌陽新縣，子孫家焉。嘉少以清操知名。太尉庾亮領江州，辟嘉部廬陵從事。下都還，亮引問風俗得失，對曰：『待還當問從事吏。』亮擧麈尾，掩口而笑，語弟翼曰：『孟嘉故是盛德人。』轉勸學從事。太傅褚裒有器識，亮正旦大會，裒問亮：『聞江州有孟嘉，何在？』亮曰：『在坐，卿但自覓。』裒歷觀久之，指嘉曰：『將無是乎？』亮欣然而笑，喜裒得嘉，奇嘉爲裒所得，乃益器之。後爲征西桓溫參軍。九月九日，溫遊龍山，參僚畢集。時佐吏並著戎服，風吹嘉帽墮落，溫戒左右勿言，以觀其擧止。嘉初不覺，良久如廁。命取還之，令孫盛作文嘲之，成，著嘉坐。嘉還，即答，四坐嗟歎。嘉喜酣暢，愈多不亂。溫問：『酒有何好，而卿嗜之？』嘉曰：『明公未得酒中趣爾。』又問：『聽伎，絲不如竹，竹不如肉，何也？』答曰：『漸近自然。』轉從事中郎，遷長史。年五十三而卒㊁。」

㊀「褚太傅」三句——案晉書孟嘉傳：「裒時爲豫章太守，正旦朝亮。」與注引嘉别傳及陶潛孟府君傳合。

㊁年五十三而卒——「年五十三」，陶潛孟府君傳作「年五十一」。

17 戴安道年十餘歲，在瓦官寺畫。王長史見之㊀，曰：「此童非徒能畫，續晉陽秋曰：「逵善圖畫，窮巧丹青也。」亦終當致名。恨吾老㊁，不見其盛時耳！」

㊀王長史——王濛。

㊁恨吾老——李詳曰：「長史卒年僅三十九，猥云年老，亦晉人崇飾虚僞之一端。」

18 王仲祖、謝仁祖、劉真長俱至丹陽墓所省殷揚州，殊有确然之志㊀。中興書曰：「浩棲遲積年，累聘不至。」既反，王、謝相謂曰：「淵源不起，當如蒼生何？」深爲憂歎。劉曰：「卿諸人真憂淵源不起邪？」

㊀确然之志——「确」，影宋本及沈校本作「確」。易乾文言曰：「遯世无悶，確乎其不可拔者，潛龍也。」謂殷隱遯之志堅確不移，故下有「淵源不起，如蒼生何」之語。

19 小庾臨終，自表以子園客爲代。園客，爰之小字也。庾氏譜曰：「爰之字仲真，翼第二子。」中興書曰：「爰之有父翼風，桓溫徙于豫章，年三十六而卒。」朝廷慮其不從命，未知所遣，乃共議用桓溫。劉尹曰：「使伊去，必能克定西楚，然恐不可復制。」陶侃别傳曰：「庾翼薨，表其子爰之代爲荆州。何充曰：『陶公重勳也，臨終高讓。丞相未薨，敬豫爲四品將軍，于今不改㊀。親則道恩㊁，優游散騎，未有超卓若此之授。』乃以徐州刺史桓温爲安西將軍、荆州刺史。」宋明帝文章志曰：「翼表其子代任，朝廷畏憚之。議者欲以授桓温，時簡文輔政，然之。劉惔曰：『温去，必能定西楚，然恐不能復制。願大王自鎮上流，惔請爲從軍司馬。』簡文不許。温後果如惔所算也。」

㊀「丞相未薨」三句——丞相謂王導；敬豫，導次子恬。晉書王導傳云：「恬字敬豫。帝欲以爲中書令，導固讓，從之。除後將軍、魏郡太守，加給事中，領兵鎮石頭。導薨，去官。俄起爲後將軍，復鎮石頭。」何充之言蓋指此。

㊁親則道恩——庾亮次子羲，字羲叔，小字道恩。官吳國內史，未大用而卒。亮妹爲明帝皇后，故曰親。

20 桓公將伐蜀，在事諸賢，咸以李勢在蜀既久，承藉累葉，且形據上流，三峽未易可克。唯劉尹云：「伊必能克蜀。觀其蒲博，不必得則不爲。」華陽國志曰：「李勢字子仁，洛陽臨渭人㊀，本巴西宕渠賨人也。其先李特，因晉亂據蜀。特子雄，稱號成都。勢祖驤，特弟也。驤生壽，壽簒位自立。勢即壽子也。晉安西將軍伐蜀，勢歸降，遷之揚州。自起至亡，六世，三十七年㊁。」温別傳曰：「初，朝廷以蜀處險遠，而温衆寡少，懸軍深入，甚以憂懼。而温直指成都，李勢面縛。」語林曰：「劉尹見桓公每嬉戲必取勝，謂曰：『卿乃爾好利，何不焦頭？』及伐蜀，故有此言。」

㊀洛陽臨渭人——「洛陽」，華陽國志九作「略陽」，是。晉書李特載記云：「巴西宕渠人，其先廩君之苗裔也。魏武帝尅漢中，特祖將五百餘家歸之，魏武帝拜爲將軍，遷於略陽北土。」晉書地理志：「略陽郡統縣四，臨渭、平襄、略陽、清水。」

㊁「自起」三句——案晉書載記，李特以惠帝太安元年起兵，至此六世四十六年。十六國春秋，李特以永寧元年歲在辛

酉起兵，至李勢嘉寧二年，卽晉穆帝永和二年歲在丁未，降於晉，首尾四十七年。此作三十七年，誤。

21 謝公在東山畜妓，簡文曰：「安石必出，既與人同樂，亦不得不與人同憂。」宋明帝文章志曰：「安縱心事外，疏略常節，每畜女妓，攜持遊肆也。」

22 郗超與謝玄不善。苻堅將問晉鼎，既已狼噬梁、岐，又虎視淮陰矣。車頻秦書曰：「苻堅字永固，武都氐人也。本姓蒲，祖父洪，詐稱讖文，改曰苻。言己當王，應符命也。堅初生，有赤光流其室。及誕，背赤色，隱起若篆文。幼有美度。石虎司隸徐正名知人㊀，堅六歲時，嘗戲於路，正見而異焉，問曰：『苻郎，此官街，小兒行戲，不畏縛邪？』堅曰：『吏縛有罪，不縛小兒。』正謂左右曰：『此兒有王霸相。』石氏亂，伯父健及父雄西入關，健夢天神使者朱衣冠，拜肩頭爲龍驤將軍。肩頭，堅小字也。健卽拜爲龍驤，以應神命。後健僭帝號死，子生立，凶暴，羣臣殺之而立堅。堅立十五年㊁，遣長樂公丕攻沒襄陽。十九年，大興師伐晉，衆號百萬，水陸俱進，次于項城。自項城至長安，連旗千里，首尾不絕。乃遣告晉曰：『已爲晉君於長安城中建廣夏之室，今故大擧渡江相迎，克日入宅也。』」于時朝議遣玄北討，人間頗有異同之論。唯超曰：「是必濟事。吾昔嘗與共在桓宣武府，見使才皆盡，雖履屐之間，亦得其任。以此推之，容必能立勳。」元功既擧，時人咸歎超之先覺，又重其不以愛憎匿善。中興書曰：「于時氐賊彊盛，朝議求文武良將可鎭靖北方者。衛大將軍安曰㊂：『唯兄子玄可任此事。』中書郎郗超聞而歎曰：『安違衆擧親，明也。玄必不負其擧。』」

○石虎司隸徐正——「徐正」，晉書作「徐統」，說見方正六三校記。

〔二〕堅立十五年——案苻堅以晉穆帝升平元年僭號大秦天王，改元永興。升平三年，改元甘露，哀帝興寧三年，又改元建元。建元十五年，卽晉孝武帝太元四年，苻丕陷襄陽，時堅在位已二十三年。此云堅立十五年，蓋由建元十五年而誤，下十九年誤亦同。

〔三〕衞大將軍安曰——「衞大將軍」，晉書謝安傳作「衞將軍」，「大」字衍。

23 韓康伯與謝玄亦無深好，玄北征後，巷議疑其不振。康伯曰：「此人好名，必能戰。」續晉陽秋曰：「玄識局貞正，有經國之才略。」玄聞之，甚忿，常於衆中厲色曰：「丈夫提千兵入死地，以事君親故發，不得復云爲名！」

24 褚期生少時，謝公甚知之，恒云：「褚期生若不佳者，僕不復相士！」期生，褚爽小字也。續晉陽秋曰：「爽字茂弘，河南人，太傅裒之孫，祕書監韶之子〔一〕。太傅謝安見其少時，歎曰：『若期生不佳，我不復論士！』及長，果俊邁有風氣。好老莊之言，當世榮譽，弗之屑也，唯與殷仲堪善。累遷中書郎、義興太守。女爲恭帝皇后。」

〔一〕祕書監韶之子——案晉書本傳作「父歆」。褚裒傳亦曰：「子歆，字幼安，歷散騎常侍、祕書監。」

25 郗超與傅瑗周旋。瑗見其二子，並總髮，超觀之良久，謂瑗曰：「小者才名皆勝，然保卿家，終當在兄。」卽傅亮兄弟也。傅氏譜曰：「瑗字叔玉，北地靈州人，歷護軍長史，安城太守。」宋書曰：「迪字長猷，瑗長子也。位至五兵尚書，贈太常。」丘淵之文章錄曰：「亮字季友，迪弟也，歷尚書令，左光祿大夫〔一〕。元嘉三年，以罪伏誅。」

〔一〕左光祿大夫——「左」原作「任」，據影宋本及沈校本改。

26 王恭隨父在會稽，王大自都來拜墓，恭父蘊、王忱，並已見㈠。恭暫往墓下看之。二人素善，遂十餘日方還。父問恭：「何故多日？」對曰：「與阿大語，蟬連不得歸。」因語之曰：「恐阿大非爾之友，終乖愛好。」果如其言。 忱與恭爲王緒所間，終成怨隙。別見㈡。

㈠恭父蘊王忱並已見——忱見德行四四，蘊未見。「王忱」，晉書王蘊傳誤作「王悦」。案悦，王導子，史稱其先導而卒。導卒于咸和五年，是年王恭父蘊始生，恭安能與悦爲友？其誤可見。

㈡忱與恭爲王緒所間終成怨隙別見——見賞鑒一五三注。

27 車胤父作南平郡功曹㈠，太守王胡之避司馬無忌之難，置郡于澧陰。是時胤十餘歲，胡之每出，嘗於籬中見而異焉。謂胤父曰：「此兒當致高名。」後遊集，恒命之㈡。胤長，又爲桓宣武所知，清通於多士之世，官至選曹尚書。 續晉陽秋曰：「胤字武子，南平人。父育，爲郡主簿。太守王胡之有知人識裁，見，謂其父曰：『此兒當成卿門户，宜資令學問。』胤就業恭勤，博覽不倦。家貧，不常得油，夏月，則練囊盛數十螢火以繼日焉㈢。及長，風姿美劭，機悟敏率。桓温在荆州，取爲從事，一歲至治中。胤既博學多聞，又善於激賞。當時每有盛坐，胤必同之。皆云『無車公不樂』。太傅謝公遊集之日，開筵以待之。累遷丹陽尹、護軍將軍、吏部尚書。」

㈠車胤父作南平郡功曹——案晉書本傳作「父育，郡主簿」，與注引續晉陽秋同。

㈡命之——命，召也，見文學二〇箋。

㈢則練囊盛數十螢火——「練」，沈校本作「綀」，是。 花菴詞選所載周邦彦齊天樂：「尚有綀囊，露螢清夜照書卷。」即用此事。

28 王忱死，西鎮未定，朝貴人人有望。時殷仲堪在門下，雖居機要，資名輕小，人情未以方嶽相許。晉孝武欲拔親近腹心，遂以殷爲荆州。事定，詔未出，王珣問殷曰：「陝西何故未有處分㊀？」殷曰：「已有人。」王歷問公卿，咸云：「非。」王自計才地，必應任己。復問：「非我邪？」殷曰：「亦似非。」其夜，詔出用殷。王語所親曰：「豈有黃門郎而受如此任！仲堪此舉，迺是國之亡徵。」晉安帝紀曰：「孝武深爲晏駕後計，擢仲堪代王忱爲荆州。仲堪雖有美譽，議者未以方嶽相許也。既受腹心之任，居上流之重，議者謂其殆矣。終爲桓玄所敗。」

㊀陝西——謂荆州。通鑑一三〇宋紀：「袁顗說蔡興宗曰：『舅今出居陝西，爲八州從事。』」胡三省注：「蕭子顯曰：『江左大鎮，莫過荆、揚。弘農郡陝縣，周世二伯主諸侯，周公主陝東，召公主陝西，故稱荆州爲陝西。』」按二州左右皇都，居其地者，其事權位望，亦猶周召二公之夾輔王室，故以此稱之，猶後世以長安稱京師也。晉書愍帝紀：「建興元年五月壬辰，以鎮東大將軍琅邪王睿爲侍中、左丞相、大都督陝東諸軍事，大司馬南陽王保爲右丞相、大都督陝西諸軍事。」時睿以鎮東大將軍都督揚州諸軍事，鎮建鄴；保在上邽，全有秦州之地。亦以陝東西爲稱。蓋晉人尚文，好用周召分陝事。張寔據涼州，亦拜都督陝西諸軍事。賞譽九九注引續晉陽秋曰：「桓温有平蜀、洛之勳，擅强西陝。」時温鎮姑孰，弟豁爲荆州刺史，故云。則亦可稱西陝也。顏氏家訓勉學：「上荆州必稱『峽西』。」錢大昕補正云：「案荆州在巴峽之東，不當云峽西，蓋『陝』字之譌。南齊書州郡志云云(見上引通鑑胡注)，俗生耳受，便以陝西代江陵之稱，則昧於地理，故顏氏譏之。」

賞譽第八

1 陳仲舉嘗歎曰：「若周子居者，眞治國之器。」汝南先賢傳曰：「周乘字子居，汝南安城人。天資聰朗，高峙嶽立，非陳仲舉、黃叔度之儔則不交也。仲舉嘗歎曰：『周子居者，眞治國之器也。』爲太山太守，甚有惠政。」譬諸寶劍，則世之干將。」吳越春秋曰：「吳王闔閭請干將作劍。干將者，吳人，其妻曰莫邪。干將採五山之精，六金之英，候天地，伺陰陽，百神臨視，而金鐵之精未流，夫妻乃剪髮及爪而投之鑪中，金鐵乃濡，遂成二劍。陽曰『干將』，而作龜文；陰曰『莫邪』，而作漫理。干將匿其陽，出其陰以獻闔閭，闔閭甚寶重之。」

2 世目李元禮「謖謖如勁松下風」。李氏家傳曰：「膺嶽峙淵淸，峻貌貴重㊀，華夏稱曰：『潁川李府君，頵頵如玉山。汝南陳仲舉，軒軒如千里馬。南陽朱公叔，飂飂如行松柏之下㊁。』」

㊀峻貌貴重——「峻」字疑誤。

㊁「南陽朱公叔」二句——朱穆，字公叔，桓帝時爲尚書，惡宦官亂政，勸帝悉皆罷遣。中官惡之，數因事稱詔詆毀之。穆素剛，憤懣發疽卒。後漢書附其祖暉傳後。

3 謝子微見許子將兄弟，曰：「平輿之淵，有二龍焉。」見許子政弱冠之時，歎曰：「若許子政者，有幹國之器。正色忠謇，則陳仲舉之匹；汝南先賢傳曰：「謝甄字子微，汝南邵陵人。明識人倫，雖郭林宗不及甄之鑒也。見許子將兄弟弱冠時，則曰：『平輿之淵有二龍。』仕爲豫章從事。許虔字子政，平輿人。體尚高潔，雅正寬亮。謝子微見虔兄弟，歎曰：『若許子政者，幹國之器也。』虔弟劭，聲未發時，時人以謂不如虔，虔恒撫髀稱劭，自以爲不及也。釋褐，爲郡功曹，黜姦廢惡，一郡肅然。年三十五卒。」海內先賢傳曰：「許劭字子將，虔弟也。山峙淵停，行應規表。邵陵謝子微高才遠識，見劭十歲時，歎曰：『此乃希世之偉人也。』初，劭拔樊子昭於市肆，出虞承賢於客舍，召李叔才於無聞，擢郭子瑜於小吏。廣陵徐孟本來臨汝南㈠，聞劭高名，召功曹㈡。時袁紹以公族爲濮陽長，棄官還。副車從騎將入郡界，乃歎曰：『許子將秉持清格，豈可以吾輿服見之邪？』遂單馬而歸。辟公府掾，敦辟皆不就。避地江南，卒於豫章也。」伐惡退不肖，范孟博之風㈢。」張璠漢紀曰：「范滂字孟博，汝南伊陽人㈣。爲功曹，辟公府掾，升車攬轡，有澄清天下之志。百城聞滂高名，皆解印綬去。爲黨事見誅。」

㈠廣陵徐孟本來臨汝南——「徐孟本」，後漢書徐璆傳作「字孟玉」，魏志武帝紀注引先賢行狀作「孟平」，魏志和洽傳注引汝南先賢傳作「孟本」，未知孰是。

㈡召功曹——「召」，沈校本作「辟」，是。「召」蓋「辟」之壞字。

㈢「伐惡」二句——「肖」，影宋本作「有」。疑本作「伐惡退不肖，有范孟博之風」，二本各脫一字。

㈣汝南伊陽人——後漢書范滂傳云：「汝南征羌人。」李賢注引謝承書曰：「汝南細陽人也。」均與張璠漢紀異。案來歙傳注：「征羌故城，在今豫州郾城縣東南。」後漢書郡國志汝南郡下有征羌侯國，有細陽，無伊陽。伊陽始置於唐，此處伊陽恐是細陽之誤。

4 公孫度目邴原：「所謂雲中白鶴，非燕雀之網所能羅也。」魏書曰：「度字叔濟㈠，襄平人。累遷冀州刺史、遼東太守。」邴原別傳曰㈡：「原字根矩，東管朱虛人㈢。少孤，數歲時，過書舍而泣。師問曰：『童子何泣也？』原曰：『凡得學者，有親也。一則願其不孤，二則羨其得學，中心感傷，故泣耳。』師惻然曰：『苟欲學，不須資也。』於是就業。長則博覽洽聞，金玉其行。知世將亂，避地遼東，公孫度厚禮之。中國既寧，欲還鄉里，爲度禁絕。原密自治嚴，謂部落曰：『移北近郡㊃。』以覩其意。皆曰：『樂移。』原舊有捕魚大船，請村落皆令熟醉，因夜去之。數日，度乃覺。吏欲追之，度曰：『邴君所謂雲中白鶴，非鶉鷃之網所能羅也。』魏王辟祭酒，累遷五官中郎長史。」

㊀度字叔濟——後漢書王烈傳注引魏志同。案魏志本傳作「字升濟」。注引魏書曰：「度語毅、儀：『讖書云孫登當爲天子。太守姓公孫，字升濟，升卽登也。』」可知魏書本作「升」，不作「叔」。「叔」隸書作「村」，與「升」形近，故誤「升」爲「叔」。

㊁邴原別傳曰——案魏志本傳注引原別傳與此注大異。

㊂東管朱虛人——「管」疑是「莞」之誤。魏志邴原傳作「北海朱虛人」。後漢書郡國志：朱虛侯國故屬琅邪，永初元年屬北海國。晉志東莞郡統朱虛等八縣，別傳蓋據晉制言之。

㊃移北近郡——「北」王校本作「比」，疑是。案魏志本傳注引原別傳：「遂遁還，南行已數里，而度甫覺。」明非北移也。

5 鍾士季目王安豐：「阿戎了了解人意。」王隱晉書曰：「戎少清明曉悟。」謂裴公之談，經日不竭。裴頠已見㊀。吏部郎闕，文帝問其人於鍾會，會曰：「裴楷清通，王戎簡要，皆其選也。」於是用裴。

按諸書皆云鍾會薦裴楷、王戎於晉文王，文王辟以爲掾，不聞爲吏部郎㊁。

㊀裴頠已見——見言語二三。

㊁「文王」二句——案魏志裴潛傳注引諸公贊云：「卽辟爲掾。」與孝標注符。

6 王濬沖、裴叔則二人總角詣鍾士季，須臾去，後客問鍾曰：「向二童何如？」鍾曰：「裴楷清通，王戎簡要。後二十年，此二賢當爲吏部尚書，冀爾時天下無滯才。」晉陽秋曰：「戎爲兒童，鍾會異之。」

7 諺曰：「後來領袖有裴秀。」虞預晉書曰：「秀字季彥，河東聞喜人。父潛，魏太常。秀有風操，八歲能著文。叔父徽有聲名。秀年十餘歲，有賓客詣徽，出則過秀。時人爲之語曰：『後進領袖有裴秀。』大將軍辟爲掾㊀。父終，推財與兄。年二十五，遷黃門侍郎。晉受禪，封鉅鹿公，後累遷左光祿、司空。四十八薨，謚元公，配食宗廟。」

㊀大將軍——曹爽。魏志裴潛傳注引文章敍錄曰：「八歲能屬文，遂知名。大將軍曹爽辟。」

8 裴令公目夏侯太初：「肅肅如入廊廟中，不修敬而人自敬。」禮記曰：「周豐謂魯哀公曰：『宗廟社稷之中，未施敬而民自敬㊀。』」一曰：「如入宗廟，琅琅但見禮樂器。見鍾士季，如觀武庫，但睹矛戟。見傅蘭碩，汪廧靡所不有㊁。見山巨源，如登山臨下，幽然深遠。」玄、會、嘏、濤，並已見上㊂。

㊀未施敬而民自敬——禮記檀弓作「未施敬於民而民自敬」，此約舉其詞。

㊁汪廧靡所不有——「汪廧」，晉書裴楷傳作「汪翔」，疑皆與「汪洋」同義。

㊂玄會嘏濤並已見上——夏侯玄見方正六，傅嘏見文學九，鍾會見言語一一，山濤見政事五。

9 羊公還洛，郭弈爲野王令，晉諸公贊曰：「弈字泰業㊀，太原陽曲人。累世舊族。弈有才望，歷雍州刺史、尚書。」羊至界，遣人要之，郭便自往。既見，歎曰：「羊叔子何必減郭太業！」復往羊許，小悉還㊁，又歎曰：「羊叔子去人遠矣！」羊既去，郭送之彌日，一舉數百里，遂以出境免官。復歎曰：「羊叔子何必減顏子！」

㊀弈字泰業——案晉書本傳作「字大業」。此文云：「羊叔子何必減郭太業。」則「大」亦讀「太」也。

㊁小悉——與「少選」同，少頃也。晉書本傳云：「少選復往。」

10 王戎目山巨源：「如璞玉渾金，人皆欽其寶，莫知名其器。」顧愷之畫贊曰：「濤無所標明㊀，淳深淵默，人莫見其際，而其器亦入道㊁。故見者莫能稱謂，而服其偉量。」

㊀濤無所標明——「明」，影宋本及沈校本並作「名」，是。「無所標名」，即「莫知名其器」之義。

㊁而其器亦入道——「其器」，影宋本及沈校本並作「囂然」，是。「囂然」即孟子萬章章之「囂囂然」。趙岐注：「囂囂然，自得之志，無欲之貌也。」作「其器」者，疑涉正文而誤。

11 羊長和父繇與太傅祜同堂相善，仕至車騎掾，蚤卒。長和兄弟五人，幼孤。羊氏譜曰：「繇字堪甫，太山人。祖續，漢太尉，不拜。父祕，京兆太守。繇歷車騎掾，娶樂國禎女，生五子：秉、洽、式、亮、悦也㊀。」祜來哭，見長和哀容舉止，宛若成人，乃歎曰：「從兄不亡矣！」

㊀秉洽式亮悦也——「悦」，影宋本及沈校本並作「忱」，是。長和名忱，見方正一九注。

12 山公舉阮咸爲吏部郎，目曰：「清真寡欲，萬物不能移也。」名士傳曰：「咸字仲容，陳留人，籍兄子也。任達不拘，當世皆怪其所爲。及與之處，少嗜欲，哀樂至到，過絕於人，然後皆忘其向議。爲散騎侍郎，山濤舉爲吏部，武帝不用。太原郭弈見之心醉，不覺歎服。解音，好酒以卒。」山濤啓事曰：「吏部郎史曜出，處缺當選。濤薦咸曰：

『真素寡欲，深識清濁，萬物不能移也。若在官人之職，必妙絕於時。』詔用陸亮。」晉陽秋曰：「咸行已多違禮度，濤舉以為吏部郎，世祖不許。」竹林七賢論曰：「山濤之舉阮咸，固知上不能用，蓋惜曠世之儁，莫識其意故耳。夫以咸之所犯，方外之意；稱其清真寡欲，則迹外之意自見耳。」

13 王戎目阮文業：「清倫有鑒識，漢元以來未有此人(一)。」杜篤新書曰：「阮武字文業，陳留尉氏人。父諶，侍中。武闊達博通，淵雅之士。」陳留志曰：「武，魏末河清太守(二)。族子籍(三)，年總角，未知名。武見而偉之，以為勝己。知人多此類。著書十八篇，謂之阮子。終於家。」郭泰友人宋子俊稱泰：「自漢元以來，未有林宗之匹(四)。」

(一)漢元以來——後漢書律曆志：「太初曆不能下通於今，新曆不能上得漢元，一家曆法，必在三百年之間。」又云：「漢元年，歲在乙亥。」案漢自武帝始立年號，故漢書高帝紀但稱元年。漢元以來，猶云漢初以來。故通鑑四七漢紀注：「漢元，謂漢初也。」

(二)魏末河清太守——「河清」，沈校本作「清河」。

(三)族子籍——案晉書阮籍傳云「族兄文業」，則籍乃其族弟。

(四)「郭泰友人」三句——案通鑑四七：「泰嘗舉有道，不就，同郡宋沖素服其德，以為自漢元以來未見其匹，嘗勸之仕。泰曰：『吾夜觀乾象，晝察人事，天之所廢，不可支也。吾將優遊卒歲而已。』」子俊蓋宋沖之字。此事未詳所出。後漢書郭太傳但云：「或勸林宗仕進者，對曰云云。」

14 武元夏目裴、王曰：「戎尚約，楷清通。」虞預晉書曰：「武陔字元夏，沛國竹邑人。父周，魏光祿大夫(一)。陔及二弟歆、茂皆總角見稱(二)，並有器望，鄉人諸父未能覺其多少。時同郡劉公榮名知人，嘗造周，周見其三子。公榮曰：

『君二子皆國士，元夏器量最優，有輔佐之風，力仕官，可爲亞公。叔夏、季夏不減常伯、納言也。』陔至左僕射。」

㈠魏光禄大夫——晉書武陔傳作魏衛尉。

㈡陔及二子歆茂——「歆」晉書武陔傳作「韶」。

15 庾子嵩目和嶠：「森森如千丈松，雖磊砢有節目，施之大廈，有棟梁之用㈠。」晉諸公贊曰：「嶠常慕其舅夏侯玄爲人，故於朝士中峨然不羣，時類憚其風節。」

㈠庾子嵩目和嶠——晉書庾敳傳及温嶠傳並以此事屬之温嶠。案温嶠死於成帝咸和四年（三二九），年四十二。庾敳，傳言石勒之亂，與王衍俱被害，時年五十。則當在永嘉五年（三一一）。二人年輩相去殊遠，似以屬之和嶠爲是。

16 王戎云：「太尉神姿高徹，如瑶林瓊樹，自然是風塵外物。」名士傳曰：「夷甫天形奇特，明秀若神。」八王故事曰：「石勒見夷甫，謂長史孔萇曰：『吾行天下多矣，未嘗見如此人，當可活不？』萇曰：『彼晉三公，不爲我用。』勒曰：『雖然，要不可加以鋒刃也。』夜使推牆殺之㈠。」

㈠夜使推牆殺之——水經注渠水：「沙水自百尺溝東逕寧平縣之故城南。晉陽秋稱晉太傅東海王越之東奔也，石勒追之，殯尸于此，數十萬衆斂手受害。勒縱騎圍射，尸積如山，王夷甫死焉。」與晉書及八王故事異。本傳言衍以太尉爲太傅軍司，及越薨，衆共推爲元帥。軍敗在越死後，晉陽秋之言，疑非其實。

17 王汝南既除所生服，遂停墓所。兄子濟每來拜墓，略不過叔，叔亦不候。濟脱時過，止寒温而已。後聊試問近事，答對甚有音辭，出濟意外，濟極惋愕；仍與語，轉造精微。濟先略無子姪之敬，既聞其言，不覺懍然，心形俱肅。遂留共語，彌日累夜。濟雖儁爽，自視缺然，乃喟然歎曰：「家有名士三十年而不知！」濟去，叔送至門。濟從騎有一馬絕難乘，少能騎者。濟聊問叔：「好騎乘不？」曰：「亦好爾。」濟又使騎難乘馬，叔姿形既妙，回策如縈，名騎無以過之。濟益歎其難測，非復一事。鄧粲晉紀曰：「王湛字處沖，太原人。隱德，人莫之知，雖兄弟宗族亦以爲癡，唯父昶異焉。昶喪，居墓次。兄子濟往省湛，見牀頭有周易，謂湛曰：『叔父用此何爲？頗曾看不？』湛笑曰：『體中佳時㈠，脫復看耳。今日當與汝言。』因共談易，剖析入微，妙言奇趣，濟所未聞，歎不能測。濟性好馬，而所乘馬駿駛，意甚愛之。湛曰：『此雖小駛，然力薄不堪苦。近見督郵馬，當勝此，但養不至耳。』濟取督郵馬，穀食十數日，與湛試之。湛未嘗乘馬，卒然便馳騁，步驟不異於濟，而馬不相勝。湛曰：『今直行車路，何以別馬勝不，唯當就蟻封耳。』於是就蟻封盤馬，果倒踣㈡。其儁識天才乃爾。」既還，渾問濟：「何以暫行累日？」濟曰：「始得一叔。」渾問其故，濟具歎述如此。渾曰：「何如我？」濟曰：「濟以上人。」武帝每見濟，輒以湛調之，曰：「卿家癡叔死未？」濟常無以答。既而得叔後，武帝又問如前，濟曰：「臣叔不癡。」稱其實美。帝曰：「誰比？」濟曰：「山濤以下，魏舒以上。」晉陽秋曰：「濟有人倫鑒識，其雅俗是非，少所優潤㈢。見湛，歎服其德宇。時人謂湛上方山濤不足，下比魏舒有餘。湛聞之曰：『欲以我處季孟之間乎？』」王隱晉書曰：「魏舒字陽元，任城人。幼孤，爲外氏甯家所養。甯氏起宅，相者曰：『當出貴甥。』外祖母意以盛氏甥小而惠，謂應相也。舒曰：『當爲外氏成此宅相。』少名遲鈍，叔父衡使守水碓，每言：『舒堪八百户長，我願畢矣！』舒不以介意。身長八尺二寸，不修常人近事。少工射，着韋衣，入山澤，每獵大獲。爲後將軍鍾毓長史。毓與參佐射戲，舒常爲坐畫籌㈣。後值朋人少㈤，以舒充數。於是發無不中，加博措閑雅㈥，殆盡其妙。毓歎謝之曰：『吾之不足盡卿，如此射矣！』轉相國參軍。晉王每朝罷，目送之曰：『魏舒堂堂，人之領袖。』累遷侍中、司徒。」於是顯名，年二十八始宦。

㈠體中佳時——晉書本傳作「體中不佳時」，御覽五一二引臧榮緒晉書同。

㈡果倒踣——晉書本傳作「濟馬果躓，而督郵馬如常」，御覽五一二引臧榮緒晉書同，語意尤明。

㈢少所優潤——「優潤」，影宋本及沈校本並作「優調」。

㈣晝籌——通鑑七八魏紀注：「射之晝籌，猶投壺之釋算也。」

㈤朋人——通鑑七八魏紀注：「射以兩人爲朋。射之有朋，猶古射儀之有耦也。」

㈥加博措閑雅——「博措」，沈校本作「舉措」，是。

18 裴僕射，時人謂爲「言談之林藪」。惠帝起居注曰：「頠理甚淵博，贍於論難。」

19 張華見褚陶，語陸平原曰：「君兄弟龍躍雲津，顧彥先鳳鳴朝陽，謂東南之寶已盡，不意復見褚生。」陸曰：「公未睹不鳴不躍者耳！」褚氏家傳曰：「陶字季雅，吳郡錢塘人，褚先生後也。陶聰惠絶倫，年十三，作鷗鳥、水硾二賦㈠，宛陵嚴仲弼見而奇之，曰：『褚先生復出矣㈡。』弱不好弄，清淡閑默，以墳典自娛。語所親曰：『聖賢備在黃卷中，捨此何求？』州郡辟，不就。吳歸命，世祖補臺郎、建忠校尉㈢。司空張華與陶書曰：『二陸龍躍於江、漢，彥先鳳鳴於朝陽，自此以來，常恐南金已盡，而復得之於吾子。故知延州之德不孤，淵岱之寶不匱㈣。』仕至中尉。」

㈠作鷗鳥水硾二賦——「水硾」，影宋本及沈校本作「水碓」。晉書本傳作「水磑」，六書故云：「合兩石，琢其中爲齒，相切以磨物曰磑。」則是磨也。硾，擣也，見說文新附。

㈡褚先生復出矣——史記武帝本紀集解：「張晏曰：『武紀，褚先生補作也。褚先生名少孫，漢博士也。』」索隱：「張晏云：『褚先生，潁川人，仕元成間。』韋稜云：『褚顗家傳：褚少孫，梁相褚大弟之孫，宣帝代爲博士，寓居于沛，事大儒王式，號爲先生，續太史公書。』阮孝緒亦以爲然也。」

㈢「吳歸命」二句——晉書本傳：「吳平，召補尚書郎。」此處「吳」下亦當有「平」字，當作「吳平，歸命世祖。」

㈣「故知」二句——李詳曰：「晉書褚陶傳采此『延州』二語。傳作『延門之德不孤，川嶽之寶不匱。』『延門』自是晉書誤本。」按「淵岱」作「川嶽」，是唐人避高祖諱，與以謝淵爲謝川同。

20 有問秀才：「吳舊姓何如？」答曰：「吳府君，聖王之老成，明時之儁乂；朱永長，理物之至德，清選之高望；嚴仲弼，九皐之鳴鶴，空谷之白駒；顧彥先，八音之琴瑟，五色之龍章；張威伯，歲寒之茂松，幽夜之逸光；陸士衡、士龍㈠，鴻鵠之裴回，懸鼓之待槌。」秀才，蔡洪也。集載洪與刺史周俊書曰㈡：「一日侍坐，言及吳士，詢于芻蕘，遂見下問。造次承顏，載辭不舉，敕令條列名狀，退輒思之。今稱疏所知：吳展字士季，下邳人。忠足矯非，清足厲俗，信可結神，才堪幹世。仕吳爲廣州刺史、吳郡太守。吳平，還下邳，閉門自守，不交賓客。誠聖王之老成，明時之儁乂也。朱誕字永長㈢，吳郡人。體履清和，黃中通理。吳朝舉賢良，累遷議郎。今歸在家。誠理物之至德，清選之高望也。嚴隱字仲弼，吳郡人。稟氣清純，思度淵偉。吳朝舉賢良，宛陵令。吳平，去職。九皐之鳴鶴，空谷之白駒也。張暢字威伯，吳郡人。稟性堅明，志行清朗，居磨涅之中，無淄磷之損。歲寒之松栢，幽夜之逸光也。」陸雲別傳曰：「雲字士龍，吳大司馬抗之第五子，機同母之弟也。儒雅有俊才，容貌瓌偉，口敏能談，博聞彊記。善著述，六歲便能賦詩，時人以爲項託、楊烏之疇也。年十八，刺史周俊命爲主簿，俊常歎曰：『陸士龍，當今之顏淵也。」累遷太子舍人、清河內史。爲成都王所害。」凡此諸君，以洪筆爲鉏耒，以紙札爲良田，以玄默爲稼穡，以義理爲豐年，以談論爲英華，以忠恕爲珍寶，著文章爲錦繡，蘊五經爲繒帛，坐謙虛爲席薦，張義讓爲帷幙，行仁義爲室宇，修道德爲廣宅。」按蔡所論士十六人，無陸機兄弟。又無「凡此諸君」以下，疑益之。

㈠陸士衡士龍——影宋本及沈校本作「陸士龍」，無「士衡」二字。蘇易簡文房四譜引劉氏小說及語林作「陸士衡」，無「士龍」二字。

㈡集載洪與刺史周俊書曰——「周俊」，淩刻本作「周浚」，是，晉書正作「周浚」。下引陸雲別傳「刺史周俊」及「俊常歎曰」，並同。

㈢朱誕——晉書陸雲傳有淮南內史朱誕，疑即此人。

21 人問王夷甫：「山巨源義理何如？是誰輩？」王曰：「此人初不肯以談自居，然不讀老莊，時聞其詠，往往與其旨合。」顧愷之畫贊曰：「濤有而不恃，皆此類也。」

22 洛中雅雅有三嘏：劉粹字純嘏，宏字終嘏，漠字沖嘏㈠，是親兄弟，王安豐甥，並是王安豐女壻。宏，真長祖也。晉諸公贊曰：「粹，沛國人，歷侍中、南中郎將。宏歷秘書監，光祿大夫。」晉後略曰：「漠，少以清識爲名，與王夷甫友善，並好以人倫爲意。故世人許以才智之名。自相國右長史出爲襄州刺史㈡，以貴簡稱。」按劉氏譜，劉邠妻武周女，生粹、宏、漠，非王氏甥。洛中錚錚馮惠卿，名蓀，是播子。晉後略曰：「播字友聲，長樂人，位至大宗正。生蕤。」八王故事曰：「蕤少以才悟，識當世之宜，蚤歷清職，仕至侍中，爲長沙王所害。」蕤與邢喬俱司徒李胤外孫，及胤子順並知名。時稱「馮才清，李才明，純粹邢。」晉諸公贊曰：「喬字曾伯，河間人。有才學，仕至司隸校尉。順字曼長㊂，仕至太僕卿。」

㊀漠字沖嘏——「漠」，晉書劉惔傳作「潢」。案漠字沖嘏，則作「潢」非也。賞譽二九注引虞預晉書：「簡與嵇紹、劉漠等齊名。」晉書山簡傳作「劉謨」，字雖誤，其「莫」旁尚足證作「潢」之非。

㊁自相國右長史出爲襄州刺史——晉書劉惔傳：「潢，字沖嘏，吏部尚書。」不言襄州刺史。案北魏孝昌中置襄州，治北平（今方城東南），西魏恭帝亦置襄州，治襄陽，均遠在其後。晉世並無襄州之名。晉書地理志：「懷帝又分長沙、衡陽、湘東、零陵、邵陵、桂陽及廣州之始安、始興、臨賀九郡，置湘州。」此云襄州，或係湘州之誤。

㊂順字曼長——晉書李胤傳：「三子：固、真長、修。真長位至太僕卿。」此云「順字曼長」，殆卽真長，傳失載其名耳。「真」與「曼」必有一誤。

23 衞伯玉爲尚書令，見樂廣與中朝名士談議，奇之，曰：「自昔諸人没已來，常恐微言將絕，今乃復聞斯言於君矣！」命子弟造之，曰：「此人，人之水鏡也㊀，見之若披雲霧睹青天。」

晉陽秋曰：「尚書令衞瓘見廣曰：『昔何平叔諸人没，常謂清言盡矣。今復聞之於君。』」王隱晉書曰：「衞瓘有名理，及與何晏、鄧颺等數共談講，見廣，奇之，曰：『每見此人則瑩然，猶廓雲霧而睹青天。』」

㊀此人人之水鏡也——御覽一五引王隱晉書不重「人」字。

24 王太尉曰：「見裴令公精明朗然㊀，籠蓋人上，非凡識也。若死而可作，當與之同歸。」

或云王戎語。禮記曰：「趙文子與叔譽觀于九原，文子曰：『死者如可作也，吾誰與歸？』」鄭玄曰：「作，起也。」

㈠裴令公——裴楷，見德行一八。

25 王夷甫自歎：「我與樂令談，未嘗不覺我言爲煩。」晉陽秋曰：「樂廣善以約言厭人心，其所不知，默如也。太尉王夷甫、光祿大夫裴叔則能清言，常曰：『與樂君言，覺其簡至，吾等皆煩。』」

26 郭子玄有儁才，能言老莊，庾敳嘗稱之，每曰：「郭子玄何必減庾子嵩！」名士傳曰：「郭象字子玄，自黃門郎爲太傅主簿㈠，任事用勢，傾動一府。敳謂象曰：『卿自是當世大才，我疇昔之意都已盡矣！』其伏理推心，皆此類也。」

㈠自黃門郎爲太傅主簿——太傅謂東海王越。晉書本傳曰：「東海王越引爲太傅主簿，甚見親委，遂任職當權，熏灼內外，由是素論去之。」

27 王平子目太尉㈠：「阿兄形似道，而神鋒太儁。」太尉答曰：「誠不如卿落落穆穆。」王隱晉書曰：「澄通朗好人倫，情無所繫。」

㈠太尉——王衍。

28 太傅府有三才㈠：劉慶孫長才，晉陽秋曰：「太傅將召劉輿，或曰：『輿，猶膩也，近將汙人。』太傅疑而禦之㈡。輿乃密視天下兵簿，諸屯戍及倉庫處所，人穀多少，牛馬器械，水陸地形，皆默識之。是時軍國多事，每會議事，自潘滔以下皆不知所對，輿便屈指籌計所發兵仗處所、糧廩運轉，事無凝滯㈢。於是太傅遂委仗之。」潘陽仲大才，裴景聲清才。八王故事曰：「劉輿才長綜覈，潘滔以博學爲名，裴邈彊立方正。皆爲東海王所暱，俱顯一府。故時人稱曰，『興長才，滔大才，邈清才也。』」

㈠太傅——謂東海王越。

㈡太傅疑而禦之——禦，止也。見左傳昭公十六年杜注。

㈢事無凝滯——「凝」字各本皆同，恐爲「疑」字之誤。

29 林下諸賢，各有儁才子：籍子渾，器量弘曠；世語曰：「渾字長成，清虛寡欲，位至太子中庶子。」康子紹，清遠雅正；已見㈠。濤子簡，疏通高素；虞預晉書曰：「簡字季倫，平雅有父風，與嵇紹、劉漢等齊名，遷尚書，出爲征南將軍。」咸子瞻，虛夷有遠志，瞻弟孚，爽朗多所遺；名士傳曰：「瞻字千里，夷任而少嗜欲，不修名行，自得於懷，讀書不甚研求而識其要。仕至太子舍人，年三十卒。」中興書曰：「孚風韻疏誕，少有門風。初爲安東參軍，蓬髮飲酒，不以王務嬰心。」秀子純、悌，並令淑有清流；竹林七賢論曰：「純字長悌，位至侍中。悌字叔遜，位至御史中丞。」晉諸公贊曰：「洛陽敗，純、悌出奔，爲賊所害。」戎子萬子，有大成之風，苗而不秀㈡；晉諸公贊曰：「王綏字萬子，辟太尉掾，不就，年十九卒。」晉書曰：「戎子萬，有美號而太肥，戎令食穅，而肥愈甚也。」唯伶子無聞。凡此諸子，唯瞻爲冠，紹、簡亦見重當世。

㈠康子紹已見——見德行四三。

㈡苗而不秀——論語子罕：「子曰：『苗而不秀者有矣夫！秀而不實者有矣夫！』」邢疏：「此章亦以顏淵早卒，孔子痛惜之，爲之作譬。」

30 庾子躬有廢疾，甚知名，家在城西，號曰「城西公府。」虞預晉書曰：「琮字子躬，潁川人，太常峻第二子㊀，仕至太尉掾。」

㊀太常峻第二子——晉書庾峻傳：「子二：珉，敳。」不言官太常及有子名琮，蓋傳失載。潁川鄢陵庾氏譜敍峻官閥云：晉秘書監、御史中丞、侍中、諫議大夫、常侍。亦不言太常。

31 王夷甫語樂令：「名士無多人，故當容平子知。」王澄別傳曰：「澄風韻邁達，志氣不羣。從兄戎、兄夷甫名冠當年，四海人士一爲澄所題目，則二兄不復措意，云：『已經平子。』其見重如此，是以名聞益盛。天下知與不知，莫不傾注。澄後事迹不逮，朝野失望。及舊遊識見者，猶曰：『當今名士也！』」

32 王太尉云：「郭子玄語議如懸河寫水，注而不竭㊀。」名士傳曰：「子玄有儁才，能言莊、老。」

㊀「王太尉云」三句——北堂書鈔九八引語林曰：「王太尉問孫興公曰：『郭象何如人？』答曰：『其辭清雅，奕奕有餘，吐章陳文，如懸河瀉水，注而不竭。』」案「寫」與「瀉」通。

33 司馬太傅府多名士，一時儁異。庾文康云：「見子嵩在其中，常自神王。」晉陽秋曰：「敳爲太傅從事中郎㊀。」

㊀敳爲太傅從事中郎——晉書本傳：「參東海王越太傅軍事，轉軍事祭酒。」不言爲從事中郎。

34 太傅東海王鎮許昌，以王安期爲記室參軍，雅相知重。敕世子毗曰：「夫學之所益者淺，體之所安者深。閑習禮度，不如式瞻儀形；諷味遺言，不如親承音旨。王參軍人倫之表，汝其師之。」或曰：「王、趙、鄧三參軍人倫之表，汝其師之。」謂安期、鄧伯道、趙穆也㊀。

趙吳郡行狀曰：「穆字季子，汲郡人。貞淑平粹，才識清通，歷尚書郎、太傅參軍。後太傅越與穆及王承、阮瞻、鄧攸書曰㊁：『禮，八歲出就外傅，十年曰幼學，明可以漸先王之教也。然學之所受者淺，體之所安者深。是以閑習禮度，不如式瞻軌儀；諷味遺言，不如親承辭旨。小兒毗既無令淑之資，未聞道德之風，欲屈諸君時以閑豫，周旋燕誨也。』穆歷晉明帝師、冠軍將軍、吳郡太守，封南鄉侯。」袁宏作名士傳，直云王參軍。或云：「趙家先猶有此本。」

㊀謂安期鄧伯道趙穆也——案晉書阮瞻傳有謝鯤，無趙穆。

㊁後太傅越與穆及王承阮瞻鄧攸書曰——「後」，各本皆作「代」，獨凌刻本王刻本作「後」，是，據改，但不知所據。

35 庾太尉少爲王眉子所知，庾過江，歎王曰：「庇其宇下，使人忘寒暑。」晉諸公贊曰：「玄少希慕簡曠。」八王故事曰：「玄爲陳留太守，或勸玄過江投琅邪王，玄曰：『王處仲得志於彼，家叔猶不免害，豈能容我㊀？』謂其器宇不容於敦也。」

㊀「家叔」二句——家叔謂王澄，澄爲衍之弟，事見方正三一注。眉子不重其叔，見輕詆一，故云：「家叔猶不免害，豈能容我？」

36 謝幼輿曰：「友人王眉子清通簡暢，嵇延祖弘雅劭長，董仲道卓犖有致度。」王隱晉書曰：「董養字仲道。太始初到洛，不干祿求榮㊀。永嘉中，洛城東北角步廣里中地陷，中有二鵝，蒼者飛去，白者不能飛。問之博識者，不能知。養聞，歎曰：『昔周時所盟會狄泉㊁，此地也。卒有二鵝，蒼者胡象，後胡當入洛㊂；白者不能飛，此國諱也。』㊃」謝鯤元化論序曰：「陳留董仲道於元康中見惠帝廢楊悼后，升太學堂歎曰：『建此堂也，將何爲乎？每見國家赦書，謀反逆皆赦㊃，孫殺王父母，子殺父母，不赦，以爲王法所不容也。奈何公卿處議，文飾禮典，以至此乎！天人之理既滅，大亂斯起。』顧謂謝鯤、阮孚曰：『易稱知幾其神乎，君等可深藏矣。』乃與妻荷擔入蜀，莫知其所終。」

㊀不干祿求榮——「不」原作「下」，連上讀，據影宋本及沈校本改。案晉書本傳正作「不」。

㊁昔周時所盟會狄泉——「狄泉」原作「秋泉」，據影宋本及沈校本改。

㊂後胡當入洛——「胡」原作「明」，據影宋本及沈校本改。

㊃謀反逆皆赦——「逆」上晉書謝鯤傳有「大」字，是。

37 王公目太尉：「巖巖清峙，壁立千仞。」顧愷之夷甫畫贊曰：「夷甫天形瓌特，識者以爲巖巖秀峙㊀，壁立千仞。」

㊀巖巖秀峙——「秀峙」，晉書王衍傳作「清峙」，與正文合。

38 庾太尉在洛下，問訊中郎，庾敳。中郎留之云：「諸人當來。」尋温元甫、晉諸公贊曰：「温幾字元甫，太原人。才性清婉，歷司徒右長史、湘州刺史，卒官。」劉王喬、曹嘉之晉紀曰：「劉疇字王喬，彭城人。父訥，司隸校尉。疇善談名理，曾避亂塢壁，有胡數百欲害之，疇無懼色，援笳而吹之，爲出塞、入塞之聲，以動其遊客之思。於是羣胡皆泣而去之。位至司徒左長史。」裴叔則俱至，酬酢終日。庾公猶憶劉、裴之才儁，元甫之清中。「中」一作「平」。

39 蔡司徒在洛，見陸機兄弟住參佐廨中，三間瓦屋，士龍住東頭，士衡住西頭。士龍爲人文弱可愛，士衡長七尺餘，聲作鍾聲，言多忼慨。文士傳曰：「雲性弘静，怡怡然爲士友所宗。機清厲有風格，爲鄉黨所憚」。

40 王長史是庾子躬外孫，王氏譜曰：「濛父訥，娶潁川庾琮之女，字三壽也。」丞相目子躬云：「入理泓然，我已上人。」子躬，子嵩兄也。

41 庾太尉目庾中郎：「家從談談之許㊀。」名士傳曰：「敳不爲辨析之談，而舉其旨要，太尉王夷甫雅重之也。」一作「家從談之祖」，「從」一作「誦」，「許」一作「辭」。

㊀家從談談之許——李詳曰：「談談猶沈沈，謂言論深邃也。史記陳涉世家：『涉之爲王沈沈者。』索隱：應劭以爲沈沈宮室深邃貌，音長含反。劉伯莊以沈沈猶談談，猶俗云談談，深也。伯莊唐人，偶舉俗語，是晉人此稱，尚至唐代，要皆指爲深邃，或狀人物，或指言論，皆可通也。」但「之許」仍難通，恐有訛奪。

42 庾公目中郎：「神氣融散，差如得上。」晉陽秋曰：「敳穨然淵放，莫有動其聽者。」

43 劉琨稱祖車騎爲朗詣，曰：「少爲王敦所歎。」虞預晉書曰：「逖字士稚，范陽遒人。豁蕩不修儀檢，輕財好施。」晉陽秋曰：「逖與司空劉琨俱以雄豪著名。年二十四，與琨同辟司州主簿，情好綢繆，共被而寢。中夜聞雞鳴，俱起，曰：『此非惡聲也。』每語世事，則中宵起坐㊀，相謂曰：『若四海鼎沸，豪傑共起，吾與足下相避中原耳。』爲汝南太守㊁，值京師傾覆，率流民數百家南度㊂，行達泗口，安東板爲徐州刺史㊃。逖既有豪才，常慷慨以中原爲己任。乃說中宗雪復神州之計，拜爲豫州刺史，使自招募。逖遂率部曲百餘家北度江，誓曰：『祖逖若不清中原而復濟此者，有如大江！』攻城畧地，招懷義士。屢摧石虎，虎不敢復闚河南。石勒爲逖母墓置守吏。劉琨與親舊書曰：『吾枕戈待旦，志梟逆虜，常恐祖生先吾著鞭耳！』會其病卒，先有妖星見豫州分。逖曰：『此必爲我也，天未欲滅寇故耳。』贈車騎將軍。」

㊀則中宵起坐——「則」，影宋本及沈校本作「或」。

㊁爲汝南太守——晉書本傳失載。

㊂率流民數百家南度——水經淮水注曰：「淮水又東北，與大木水合，水出大木山。山卽晉車騎祖逖自陳留將家避難所居也。」

㊃安東板爲徐州刺史——晉書本傳：「元帝逆用爲徐州刺史。」案元帝時以安東將軍都督揚州諸軍事。文選陸機謝平原內史表：「今月九日，魏郡太守遣兼丞張含齎板詔書印綬假臣爲平原內史。」李善注：「凡王封拜，謂之板官。時成都攝政，故稱板詔。」此時劉曜陷長安，愍帝蒙塵，朝廷無主，琅琊王睿未卽位，故曰板。

44 時人目庾中郎：「善於託大㊀，長於自藏。」名士傳曰：「敳雖居職任，未嘗以事自嬰，從容博暢，寄通而已。是時天下多故，機事屢起，有爲者拔奇吐異，而禍福繼之。敳常默然，故憂喜不至也。」

㊀託大——謂襟懷恢廓，不以世事嬰心。注中引名士傳：「未嘗以事自嬰，從容博暢，寄通而已。」卽是「託大」二字注脚。

45 王平子邁世有儁才，少所推服。每聞衛玠言，輒歎息絕倒㊀。玠別傳曰：「玠少有名理，善通莊老。琅邪王平子高氣不羣，邁世獨傲。每聞玠之語議，至于理會之間、要妙之際，輒絕倒於坐；前後三聞，爲之三倒。時人遂曰：『衛君談道，平子三倒。』」

㊀絕倒——趙翼陔餘叢考：「今人遇事之可笑者，每云絕倒，其實此二字不僅形容可笑也。晉書衛玠傳：王澄每聞玠

言，輒歎息絕倒，時人爲之語曰：「衛玠談道，平子絕倒。」世說：「王敦見衛玠後，謂謝鯤曰：『不意永嘉之後，復聞正始之音，阿平若在，當復絕倒。』」魏書李苗傳：「苗覽周瑜傳，未嘗不咨嗟絕倒。」此皆言傾倒之意。北史崔瞻傳：「瞻使於陳，過彭城，讀道旁碑文，未畢而絕倒，從者遥見，以爲中惡。此碑乃瞻父徐州時所立，故哀感焉。」隋書陳孝意傳：「孝意居父喪，朝夕哀臨，每發一聲，未嘗不絕倒。」此又極形其悲愴之致也。惟五代史晉家人傳：「出帝居喪，納其叔母馮氏爲后，酣飲歌舞，過梓宮前，醊而告曰：『皇太后之命，與先帝不任大慶。』左右皆失笑，帝亦自絕倒。」此則與捧腹鼓掌等字意義相近耳。」案「崔贍」北史作「崔瞻」。

46 王大將軍與元皇表云：「舒風槩簡正，允作雅人，自多於邃㊀。王舒，已見。王邃別傳曰：「邃字處重，琅邪人，舒弟也。意局剛清，以政事稱。累遷中領軍、尚書左僕射。」舒、邃，並敦從弟。最是臣少所知拔。中間夷甫、澄見語㊁：『卿知處明、茂弘，茂弘已有令名，真副卿清論；處明親疏無知之者。吾常以卿言爲意，殊未有得，恐已悔之。』臣慨然曰：『君以此試。』頃來始乃有稱之者，言常人正自患知之使過，不知使負實。」「使」一作「便」。

㊀多——勝也，過也。

㊁中間夷甫澄見語——夷甫是王衍字，兄弟二人，一稱名，一稱字者，晉成帝名衍，故晉人於王衍皆字而不名。此上元帝表而稱夷甫者，蓋後人追改。

47 周侯於荊州敗績還，未得用。王丞相與人書曰：「雅流弘器，何可得遺！」鄧粲晉紀曰：「顗爲荊州，始至，而建平民傅密等叛，逆蜀賊，顗狼狽失據，陶侃救之，得免。顗至武昌投王敦，敦更還侃代顗㊀，顗還建康，未卽得用也。」

㊀「顗至武昌」二句——晉書本傳：「因奔王敦於豫章。」案王敦傳：「帝復以敦爲揚州刺史，加廣武將軍，尋進左將軍、都督征討諸軍事、假節。杜弢作亂，荆州刺史周顗退走，敦遣武昌太守陶侃、豫章太守周訪等討弢，而敦進駐豫章，爲諸軍繼援。」與鄧粲晉紀所言顗至武昌投敦不合。

48 時人欲題目高坐而未能，桓廷尉以問周侯，周侯曰：「可謂卓朗。」桓公曰：「精神淵著。」高坐傳曰：「庾亮、周顗、桓彝，一代名士，一見和尚，披衿致契。曾爲和尚作目，久之未得。有云：『尸利密可稱卓朗㊀。』於是桓始咨嗟，以爲標之極似。宣武嘗云：『少見和尚，稱其精神淵著，當年出倫。』其爲名士所歎如此。」

㊀尸利密——高坐胡名尸黎密，見言語三九注。

49 王大將軍稱其兒云：「其神候似欲可。」王應也。

50 卞令目叔向：「朗朗如百間屋㊀。」春秋左氏傳曰：「叔向，羊舌肸也㊁，晉大夫。」

㊀卞令目叔向——卞令謂卞壼。目叔向，文廷式曰：「世說皆當時語，若評論古人，不當收入，疑『叔向』二字有誤，注則明人妄增也。」案宋本已有此注，非明人所增。

㊁羊舌肸也——「肸」原作「盻」，據影宋本及沈校本改。

51 王敦爲大將軍，鎭豫章，衞玠避亂，從洛投敦，相見欣然，談話彌日。于時謝鯤爲長史，敦謂鯤曰：「不意永嘉之中，復聞正始之音。阿平若在㊀，當復絕倒。」玠別傳曰：「玠至武昌見王敦，敦與之談論，彌日信宿。敦顧謂僚屬曰：『昔王輔嗣吐金聲於中朝，此子今復玉振於江表，微言之緒，絕而復續。不悟

永嘉之中，復聞正始之音。阿平若在，當復絶倒。』㊀

㊀阿平——王澄字平子。

52 王平子與人書，稱其兒「風氣日上，足散人懷」。永嘉流人名曰：「澄第四子微㊀。」澄別傳曰：「微邁上有父風。」

㊀澄第四子微——「微」，沈校本作「徵」，是，下同。晉書本傳云：「次子徵，右軍司馬。」琅邪王氏譜：「澄子二：詹，蚤卒；次徵，字幼仁，小字荆產，晉右軍司馬。」

53 胡毋彥國吐佳言如屑，後進領袖。言談之流，靡靡如解木出屑也。

54 王丞相云：「刁玄亮之察察，戴若思之巖巖，虞預書曰：「戴儼字若思㊀，廣陵人。才義辯濟，有風標鋒穎。累遷征西將軍，爲王敦所害。贈左光祿大夫㊁，儀同三司。」卞望之之峯距㊂。卞壼別傳曰：「壼字望之，濟陰冤句人。父粹，太常卿㊃。壼少以貴正見稱，累遷御史中丞，權門屏迹。轉領軍、尚書令，蘇峻作亂，率衆距戰㊄，父子二人，俱死王難㊅。」鄧粲晉紀曰：「初，咸和中，貴遊子弟能談嘲者，慕王平子、謝幼輿等爲達。壼厲色於朝曰：『悖禮傷教，罪莫斯甚，中朝傾覆，實由於此。』欲奏治之，王導、庾亮不從，乃止。其後皆折節爲名士。」語林曰：「孔坦爲侍中，密啓成帝，不宜往拜曹夫人。丞相聞之，曰：『王茂弘駑痾耳，若卞望之之巖巖，刁玄亮之察察，戴若思之峯距，當敢爾不？』」此言殊有由緒，故聊載之耳。

㊀戴儼字若思——晉書戴若思傳：「戴若思，廣陵人也，名犯高祖廟諱。」按自新二注引虞預晉書曰：「機薦淵於趙王倫曰：『伏見處士戴淵。』」同引虞書，而若思之名作儼作淵不同，殊不可解。

㈡贈左光祿大夫——晉書本傳作「贈右光祿大夫」。

㈢卞望之之峯距——此句下御覽四四七引郭子有「並一見我而服也」一句，語意始備。疑義慶有意刪去，以就賞譽之目。

㈣父粹太常卿——晉書卞壼傳：「齊王冏輔政，粹爲侍中、中書令，及長沙王乂專權，忌而害之。」不言爲太常卿。

㈤率衆距戰——「距」，影宋本及沈校本並作「拒」，「距」與「拒」通。

㈥「父子二人」二句——案晉書本傳云：「二子眕、盱，同時見害。」則「二」當作「三」。

55 大將軍語右軍：「汝是我佳子弟，按王氏譜，羲之是敦從父兄子。當不減阮主簿。」中興書曰：「阮裕少有德行，王敦聞其名，召爲主簿。知敦有不臣之心，縱酒昏酣，不綜其事。」

56 世目周侯「嶷如斷山」。晉陽秋曰：「顗正情嶷然，雖一時儕類，皆無敢媟近。」

57 王丞相招祖約夜語，至曉不眠。明旦有客，公頭鬢未理，亦小倦㈠，客曰：「公昨如是，似失眠。」公曰：「昨與士少語，遂使人忘疲。」

㈠亦小倦——「亦」上沈校本有「體」字，是，當據補。

58 王大將軍與丞相書，稱楊朗曰：「世彥識器理致，才隱明斷。既爲國器，且是楊侯淮之子㈠，世語曰：「淮字始立，弘農華陰人。曾祖彪，祖修，有名前世。父囂，典軍校尉。淮，元康末爲冀州刺史。」荀綽冀州記曰：「淮見王綱不振，遂縱酒，不以官事規意，消搖卒歲而已。成都王知淮不治，猶以其名士，惜而不遣㈡，召爲軍咨議祭酒㈢。府散停家，關東諸侯欲以淮補三事，以示懷賢尚德之事㈣，未施行而卒，時年二十有七矣。」位望殊爲陵遲，卿亦足與之處。

㊀且是楊侯淮之子——「淮」當作「準」，詳後品藻七校記。魏志陳思王傳注引世語及冀州記並作「準」。

㊁惜而不遣——「遣」，魏志陳思王傳注引冀州記作「責」，疑此注本作「譴」。

㊂召爲軍咨議祭酒——魏志陳思王傳注引冀州記作「召以爲軍謀祭酒」。

㊃以示懷賢尚德之事——「之」下魏志陳思王傳注引冀州記有「舉」字，「事」字屬下句。

59 何次道往丞相許，丞相以麈尾指坐㊀，呼何共坐曰：「來，來，此是君坐。」何充，已見㊁。

㊀丞相以麈尾指坐——「指」，書鈔一三四、引郭子作「礭」，「礭」乃「確」之俗字，借作「搉」，與文學一六借「確」爲「搉」同例，詳彼箋。

㊁何充已見——見言語五四。

60 丞相治揚州廨舍，按行而言曰：「我正爲次道治此爾！」何少爲王公所重，故屢發此歎㊀。晉陽秋曰：「充，導妻姊之子，明穆皇后之妹夫也。思韻淹濟，有文義才情，導深器之，由是少有美譽，遂歷顯位。導有副貳已使繼相意，故屢顯此指於上下。」

㊀故屢發此歎——此承前條而言。

61 王丞相拜司徒而歎曰：「劉王喬若過江，我不獨拜公㊀。」曹嘉之晉紀曰：「疇有重名，永嘉中爲閻鼎所害。司徒蔡謨每歎曰：『若使劉王喬得南渡，司徒公之美選也。』」

㊀「王丞相」三句——事見晉書劉隗傳。裴秀傳亦云：「王導爲司空，既拜，歎曰：『裴道期、劉王喬在，吾不得獨登此

位。〔一〕

62 王藍田爲人晚成，時人乃謂之癡。晉陽秋曰：「述體道清粹，簡貴靜正，怡然自足，不交非類。雖羣英紛紛，俊乂交馳，述獨蔑然，曾不慕羨。由是名譽久蘊。」王丞相以其東海子㊀，辟爲掾。常集聚，王公每發言，衆人競贊之。述於末坐曰：「主非堯、舜，何得事事皆是！」丞相甚相歎賞。言非聖人，不能無過，意譏讚述之徒。

㊀東海——述父承，官東海太守。見政事九。

63 世目楊朗沈審經斷，蔡司徒云㊀：「若使中朝不亂，楊氏作公方未已。」謝公云：「朗是大才。」八王故事曰：「楊淮有六子㊁，曰喬、髦、朗、琳、俊、仲㊂，皆得美名，論者以謂悉有台輔之望。文康庾公每追歎曰：『中朝不亂，諸楊作公未已也！』」

㊀蔡司徒——蔡謨。

㊁楊淮有六子——「淮」，沈校本作「準」，是，魏志陳思王傳注引世語、冀州記並作「準」。

㊂喬髦朗琳俊仲——「喬」，魏志陳思王傳注引冀州記作「嶠」。「琳」，華陰楊氏譜作「林」。「仲」，影宋本及沈校本並作「伸」，華陰楊氏譜同。

64 劉萬安，卽道真從子，庾公琮字子䏲。所謂「灼然玉舉㊀」。又云：「千人亦見，百人亦見。」劉氏譜曰：「綏字萬安，高平人。祖奧，太祝令。父斌，著作郎。綏歷驃騎長史。」

㊀灼然玉舉——李詳曰：「郝懿行晉宋書故：『晉書鄧攸傳：灼然二品。不審灼然爲何語。讀阮瞻傳「舉止灼然」、溫嶠

傳「舉秀才灼然」，乃知灼然爲當時科目之名。』案此之『灼然玉舉』，亦似被舉灼然之後，庾公加以贊辭，故下云『千人亦見，百人亦見』也。」按鄧攸傳「舉灼然二品，爲吳王文學」，苻堅載記下「門在灼然者爲崇文義從」，其爲科目之名，尤爲顯然。但此處「灼然」恐僅作副詞用，玉舉，猶玉立也。

65 庾公爲護軍，屬桓廷尉覓一佳吏，乃經年。桓後遇見徐寧而知之，遂致於庾公，曰：「人所應有，其不必有，人所應無，已不必無，真海岱清士。」徐江州本事曰：「徐寧字安期，東海郯人。通朗有德素，少知名。初爲輿縣令㊀。譙國桓彝有人倫鑒識，嘗去職無事，至廣陵尋親舊，遇風，停浦中累日，在船憂邑，上岸消搖，見一空宇，有似廨署。彝訪之，云：『輿縣廨也，令姓徐名寧。』彝既獨行，思逢悟賞，聊造之。寧清惠博涉，相遇怡然。遂停宿，因留數夕，與寧結交而別。至都，謂庾亮曰：『吾爲卿得一佳吏部郎。』亮問所在，彝即敍之。累遷吏部郎、左將軍、江州刺史。」

㊀輿縣——李詳曰：「焦循邗記：『輿縣在廣陵之南，故彝從廣陵還都過此。在大浦之旁，室宇有似廨署，則輿縣似無城郭，浦所以控潮，則瀕於江矣。輿縣至宋并入江都，其地與江都皆臨江。大抵輿縣在江都之東，海陵之西。江都與今儀徵近，輿縣與瓜洲近。宋書州郡志注，前漢屬臨淮，後漢省臨淮，屬廣陵。又案宋書符瑞志，文帝元嘉二十五年，廣陵太守范邈上言：『所領輿縣，前有大浦，控引潮流。』此浦即本事停浦中累日之浦，蓋浦所以障江流也。』」

66 桓茂倫云：「褚季野皮裏陽秋㊀。」謂其裁中也㊁。晉陽秋曰：「裒簡穆有器識，故爲彝所目也。」

㊀皮裏陽秋——晉書褚裒傳云：「以其外無臧否而內有褒貶也。」簡文宣鄭太后名阿春，故東晉人諱「春秋」爲「陽秋」。

㊁裁中——謂中有制裁。

67 何次道嘗送東人，瞻望，見賈寧在後輪中，曰：「此人不死，終爲諸侯上客。」 晉陽秋曰：「寧字建寧㊀，長樂人，賈氏孽子也。 初自結於王應、諸葛瑤。 應敗，浮遊吳、會，吳人咸侮辱之。 聞京師亂，馳出，投蘇峻，峻甚暱之，以爲謀主㊁。 及峻聞義軍起，自姑孰屯于石頭，是寧之計。 峻敗，先降，仕至新安太守。」

㊀寧字建寧——沈校本作「字建長」，賈寧晉書無傳，未知孰是。

㊁「峻甚暱之」二句——案賈寧爲蘇峻參軍，見峻傳。

68 杜弘治墓崩，哀容不稱。 庾公顧謂諸客曰：「弘治至羸，不可以致哀。」 晉陽秋曰：「杜乂字弘治，京兆人。 祖預，父錫，有譽前朝。 乂少有令名，仕丹陽丞，蚤卒。 成帝納乂女爲后。」又曰：「弘治哭不可哀。」

69 世稱庾文康爲豐年玉，穉恭爲荒年穀。 庾家論云：「是文康稱恭爲荒年穀㊀，庾長仁爲豐年玉㊁。」 謂亮有廊廟之器，翼有匡世之才，各有用也。

㊀恭——穉恭之省，庾翼字。

㊁庾長仁——長仁名統，庾懌子。 見本篇八九。

70 世目杜弘治標鮮，季野穆少。 江左名士傳曰：「乂清標令上也。」

71 有人目杜弘治標鮮清令，盛德之風，可樂詠也。 語林曰：「有人目杜弘治標鮮甚清令，初若熙怡容無韻㊀，盛德之風，可樂詠也。」

㊀初若熙怡容無韻——影宋本「韻」下有「非」字，亦不可解，疑有訛奪。

72 庾公云：「逸少國舉，故庾倪爲碑文云：『拔萃國舉。』」 倪，庾倩小字也㊀。 徐廣晉紀曰：「倩字少彥，司空冰子，皇后兄也㊁。有才具，仕至太宰長史。桓溫以其宗彊，使下邳王晃誣與謀反而誅之㊂。」

㊀庾倩小字也——庾倩，隋書經籍志梁有太宰長史庾蒨集二卷，字作「蒨」，晉書武陵王晞傳作「藉」，他傳皆作「倩」。庾氏譜作「倩」。

㊁皇后兄也——廢帝庾皇后，乃庾冰女，倩之妹。

㊂使下邳王晃誣與謀反而誅之——「下邳王」當作「新蔡王」。黜免七注引司馬晞傳云：「太宗卽位，新蔡王晃首辭引與晞及子綜謀逆。有司奏晞等斬刑，詔原之，徙新安。」下邳作新蔡，是也。晉書武陵威王晞傳：「溫又逼新蔡王晃使自誣與晞、綜及著作郎殷涓、太宰長史庾藉（「藉」當作「倩」。庾冰傳：「子倩，太宰長史，桓溫陷倩及柔以武陵王黨殺之。」）、掾曹秀、舍人劉彊等謀逆，遂收付廷尉，請誅之。簡文帝不許。溫於是奏徙新安郡，廢晃，徙衡陽郡。」與黜免七注合，足證下邳之誤。按晉宗室名晃者有二：一爲新蔡王晃，乃新蔡莊王確之後，卽此是也；一爲下邳獻王晃，乃安平獻王孚之子，薨于惠帝元康六年（本傳作咸寧六年，誤，茲從惠紀。），晉書三七有傳，先於武陵王晞之廢及庾倩之死七十餘年，世代邈不相涉。

73 庾稺恭與桓溫書稱：「劉道生日夕在事，大小殊快，義懷通樂既佳，且足作友，正實良器，推此與君同濟艱不者也。」宋明帝文章志曰：「劉恢字道生，沛國人。識局明濟，有文武才。王濛每稱其思理淹通，蕃屏之高選。爲車騎司馬，年三十六卒，贈前將軍。」

74 王藍田拜揚州㊀，主簿請諱㊁，教云：「亡祖、先君㊂，名播海內，遠近所知；內諱不出於外。禮記曰：「婦人之諱不出門。」餘無所諱。」

㊀王藍田——王述，襲封藍田縣侯。

㊁請諱——晉人最重家諱，故桓玄聞溫酒而流涕嗚咽（見任誕五〇），陸機之怒盧志，亦以其直呼其祖、父之名也（見方正一八）。上官就任，僚屬必先請諱，以防他時無意之中觸犯之。

㊂亡祖先君——王述祖湛，字處沖，晉汝南內史。父承，字安期，車騎將軍、東海太守。

75 蕭中郎，孫承公婦父㊀，劉尹在撫軍坐㊁，時擬爲太常。劉尹云：「蕭祖周不知便可作三公不？自此以還，無所不堪。」晉百官名曰：「蕭輪字祖周，樂安人。」劉謙之晉紀曰：「輪有才學，善三禮，歷常侍、國子博士。」

㊀孫承公婦父——「承」原作「丞」，據沈校本改。案晉書孫統傳：「統字承公。」

㊁撫軍——簡文帝時爲撫軍大將軍。

76 謝太傅未冠，始出西㊀，詣王長史清言良久。去後，苟子問曰：王濛、子脩並已見㊁。「向客何如尊？」長史曰：「向客亹亹，爲來逼人。」

㊀始出西——安未仕時寓居會稽，自會稽入都，故曰「出西」。

㊁王濛子脩並已見——王濛見言語六六，王脩見文學三八。

77 王右軍語劉尹：「故當共推安石。」劉尹曰：「若安石東山志立，當與天下共推之。」續晉陽秋曰：「初，安家於會稽上虞縣，優游山林，六七年間，徵召不至。雖彈奏相屬，繼以禁錮，而晏然不屑也㊀。」

㊀「六七年間」五句——晉書謝安傳：「揚州刺史庾冰以安有重名，必欲致之，累下郡縣敦逼，不得已赴召，月餘告歸。

復除尚書郎、琅邪王友，並不起。吏部尚書范汪舉安爲吏部郎，安以書距絕之。有司奏安被召，歷年不至，禁錮終身。」

78 謝公稱藍田掇皮皆真。徐廣晉紀曰：「述貞審，真意不顯。」

79 桓溫行經王敦墓邊過，望之云：「可兒！可兒！」孫綽與庾亮牋曰：「王敦可人之目，數十年間也。」

80 殷中軍道王右軍云：「逸少清貴人，吾於之甚至㊀，一時無所後。」文章志曰：「羲之高爽有風氣，不類常流也。」

㊀於——乃「相於」之「於」。呂覽不侵：「而猶以人之於己也爲念。」注：「於，猶厚也。」

81 王仲祖稱殷淵源非以長勝人，處長亦勝人。晉陽秋曰：「浩善以通和接物也。」

82 王司州與殷中軍語，歎云：「己之府奧，蚤已傾寫而見㊀；殷陳勢浩汗，衆源未可得測。」徐廣晉紀曰：「浩清言妙辯玄致，當時名流皆爲其美譽。」

㊀寫——禮記曲禮上疏：「寫，謂倒傳之也。」即今「瀉」字。

83 王長史謂林公：「真長可謂金玉滿堂。」林公曰：「金玉滿堂，復何為簡選？」王曰：「非爲簡選，直致言處自寡耳。」謂吉人之辭寡，非擇言而出也。

84 王長史道江道羣：「人可應有，乃不必有，人可應無，己必無㊀。」中興書曰：「江灌字道羣，陳留人，僕射虨從弟也。有才器，與從兄逌名相亞。仕尚書中護軍。」

㊀「人可應有」四句——兩「可」字疑當作「所」。

85 會稽孔沈、魏顗、虞球、虞存、謝奉並是四族之儁，于時之傑。沈、存、顗、奉，並別見㊀。虞氏譜曰：「球字和琳，會稽餘姚人。祖授，吳廣州刺史。父基，右軍司馬。球仕至黃門侍郎。」孫興公目之曰：「沈爲孔家金，顗爲魏家玉，虞爲長、琳宗，謝爲弘道伏。」長、琳即存及球字也㊁。弘道，謝奉字也。言虞氏宗長琳之才，謝氏伏弘道之美也。

㊀沈存顗奉並別見——孔沈見言語四四，虞存見政事一七，魏顗見排調四八，謝奉見雅量三三。

㊁長琳即存及球字也——案虞球字和琳，已見上引虞氏譜。虞存字道長，見政事一七注引孫統虞存誄敘。

86 王仲祖、劉真長造殷中軍談，談竟俱載去。劉謂王曰：「淵源真可。」王曰：「卿故墮其雲霧中。」中興書曰：「浩能言理，談論精微，長於老、易，故風流者皆宗歸之。」

87 劉尹每稱王長史云：「性至通而自然有節。」濛別傳曰：「濛之交物，虛己納善，恕而後行，希見其喜慍之色，凡與一面，莫不敬而愛之。然少孤，事諸母甚謹，篤義穆族㊀，不修小潔㊁，以清貧見稱。」

㊀篤義穆族——「族」，影宋本及沈校本並作「親」。

㊁不修小潔——「潔」，影宋本及沈校本並作「絜」，凌刻本作「節」。

88 王右軍道謝萬石「在林澤中爲自遒上」，歎林公「器朗神儁」，支遁別傳曰：「遁任心獨往，風期高亮。」道祖士少「風領毛骨，恐沒世不復見如此人」，道劉真長「標雲柯而不扶疏」。劉尹別傳曰：「惔既令望，姻婭帝室㊀，故屢居達官。然性不偶俗，心淡榮利，雖身登顯列，而每挹降，閑靜自守而已。」

㊀姻婭帝室——惔尚明帝女廬陵公主。

89 簡文目庾赤玉「省率治除」，謝仁祖云：「庾赤玉胸中無宿物。」赤玉，庾統小字。中興書曰：「統字長仁，潁川人，衛將軍懌子也㊀。少有令名，仕至尋陽太守。」

㊀衛將軍懌子也——「懌」原作「擇」，據凌刻本改。案晉書庾懌傳：「子統，字長仁。」

90 殷中軍道韓太常曰㊀：「康伯少自標置，居然是出羣器；及其發言遣辭，往往有情致。」續晉陽秋曰：「康伯清和有思理，幼爲舅殷浩所稱。」

㊀殷中軍——殷浩。

91 簡文道王懷祖㊀：「才既不長，於榮利又不淡，直以真率少許，便足對人多多許。」晉陽秋曰：「述少貧約，簞瓢陋巷，不求聞達。由是爲有識所重。」

㊀王懷祖——王述字懷祖，王承之子，坦之之父。

92 林公謂王右軍云：「長史作數百語㊀，無非德音，如恨不苦。」苦，謂窮人以辭。王曰：「長史自不欲苦物。」

㊀長史——王濛。

93 殷中軍與人書，道：「謝萬文理轉遒，成殊不易。」中興書曰：「萬才器儁秀，善自衒曜，故致有時譽；兼善屬文，能談論，時人稱之。」

94 王長史云：「江思悛思懷所通，不翅儒域㊀。」徐廣晉紀曰：「江惇字思悛，陳留人，僕射虨弟也。性篤學，手不釋書，博覽墳典，儒道兼綜。徵聘無所就，年四十九而卒。」

㈠不翅儒域——注中「博覽墳典、儒道兼綜」二語卽是此句注脚。不翅，不止也。

95 許玄度送母始出都，人問劉尹：「玄度定稱所聞不？」劉曰：「才情過於所聞。」許氏譜曰：「玄度母，華軼女也。」按詢集，詢出都迎姊，於路賦詩。續晉陽秋亦然㈠。而此言送母，疑繆矣。

㈠續晉陽秋亦然——見本篇一四四注引。

96 阮光祿云：「王家有三年少：右軍、安期、長豫㈠。」阮裕，王悅，安期王應並已見㈡。

㈠右軍安期長豫——晉書王羲之傳：「裕目羲之與王承、王悅爲王氏三少。」案王承、王應俱字安期，承望太原，應與羲之，悅望琅邪，族望不同。且承爲王坦之之父，年輩尊於羲之等，不得目爲年少。自以孝標所注爲正。

㈡阮裕王悅安期王應並已見——阮裕見德行三二，王悅（字長豫）見德行二九，王應見識鑒一五。

97 謝公道豫章㈠：「若遇七賢，必自把臂入林。」江左名士傳曰：「鯤通簡有識，不脩威儀，好迹逸而心整㈡，形濁而言清。居身若穢，動不累高。隣家有女，嘗往挑之，女方織，以梭投折其兩齒。既歸，傲然長嘯，曰：『猶不廢我嘯歌。』其不事形骸如此。」

㈠豫章——謝鯤官豫章太守，見文學二〇注。

㈡好迹逸而心整——「好」字疑衍，或其下有脫字。

98 王長史歎林公：「尋微之功，不減輔嗣。」支遁別傳曰：「遁神心警悟，清識玄遠。嘗至京師，王仲祖稱其造微之功㈠，不異王弼。」

㈠王仲祖——仲祖，王濛字。

99 殷淵源在墓所幾十年，于時朝野以擬管、葛。起不起以卜江左興亡。續晉陽秋曰：「時穆帝幼沖，母后臨朝，簡文親賢民望，任登宰輔。桓溫有平蜀、洛之勳，擅彊西陝㊀。帝自料文弱，無以抗之。陳郡殷浩素有盛名，時論比之管、葛，故徵浩爲揚州。溫知意在抗己，甚忿焉。」

㊀西陝——與陝西同，詳識鑒二八箋。

100 殷中軍道右軍「清鑒貴要」。晉安帝紀曰：「羲之風骨清舉也。」

101 謝太傅爲桓公司馬。續晉陽秋曰：「初，安優遊山水，以敷文析理自娛。桓溫在西蕃㊀，欽其盛名，諷朝廷請爲司馬。以世道未夷，志存匡濟，年四十，起家應務也。」桓詣謝，值謝梳頭，遽取衣幘。桓公云：「何煩此！」因下共語至暝。既去，謂左右曰：「頗曾見如此人不？」

㊀西蕃——溫時以征西大將軍領荆州刺史，荆州在建康之西，故稱荆州爲「西藩」，「蕃」同「藩」。晉書桓沖傳：「既而苻堅盡國內侵，沖深以根本爲慮，乃遣精銳三千來赴京都。謝安不聽。報云：『朝廷處分已定，兵革無闕，西藩宜以爲防。』」時沖爲荆州刺史，鎭上明。與此處同。但亦用於他州。

102 謝公作宣武司馬，屬門生數十人於田曹中郎趙悅子㊀。伏滔大司馬僚屬名曰：「悅字悅子，下邳人。歷大司馬參軍、左衞將軍。」悅子以告宣武，宣武云：「且爲用半。」趙俄而悉用之，曰：「昔安石在東山，搢紳敦逼，恐不豫人事。況今自鄉選，反違之邪？」

㊀屬門生數十人於田曹中郎趙悅子——晉書考異：「南史王琨傳：『琨爲吏部郎，吏曹選局，貴要多所屬請，琨自公卿下至士大夫，例爲用兩門生。』王思遠傳：『內外要職，並用門生。』陸慧曉傳：『王晏選門生補內外要局。』是門生亦有入

宦之路，高於僮僕一等也。」餘詳雅量一九箋。

103 桓宣武表云：「謝尚神懷挺率，少致民譽。」溫集載其平洛表曰：「今中州既平，宜時綏定。鎮西將軍、豫州刺史尚，神懷挺率，少致人譽㊀。是以人贊百揆，出蕃方司。宜進據洛陽，撫寧黎庶。謂可本官都督司州諸軍事。」

㊀少致人譽——此「人」字當作「民」，蓋唐人所改。

104 世目謝尚爲「令達」。阮遙集云：「清暢似達。」或云：「尚自然令上。」晉陽秋曰：「尚率易挺達，招悟令上也㊀。」

㊀招悟令上也——「招」，影宋本及沈校本並作「昭」，淩刻本作「超」，義較長，但未知所據。

105 桓大司馬病，謝公往省病，從東門入。溫時在姑孰。桓公遙望歎曰：「吾門中久不見如此人！」

106 簡文目敬豫爲「朗豫」。王恬，已見㊀。文字志曰：「恬識理明貴，爲後進冠冕也。」

㊀王恬——見德行二九。

107 孫興公爲庾公參軍，共遊白石山㊀，衛君長在坐。衛氏譜曰：「永字君長，成陽人，位至左軍長史。」孫曰：「此子神情都不關山水，而能作文。」庾公曰：「衛風韻雖不及卿諸人，傾倒處亦不近。」孫遂沐浴此言。

㊀白石山——景定建康志：「白石山在溧水縣北二十里，高一十丈，周迴十一里。」

108 王右軍目陳玄伯「壘塊有正骨」。陳泰，已見㊀。

㊀陳泰——見方正八。

109 王長史云：「劉尹知我，勝我自知。」濛別傳曰：「濛與沛國劉惔齊名，時人以濛比袁曜卿，惔比荀奉倩㊀，而共交友，甚相知賞也。」

㊀袁曜卿荀奉倩——袁渙，字曜卿；荀粲，字奉倩。

110 王、劉聽林公講，王語劉曰：「向高坐者，故是凶物。」復更聽㊀，王又曰：「自是鉢釪後王、何人也㊁。」高逸沙門傳曰：「王濛恒尋遁，遇祇洹寺中講，正在高坐上。每舉麈尾，常領數百言，而精理俱暢，預坐百餘人皆結舌注耳。濛云：『聽講衆僧，向高坐者，是鉢釪後王、何人也。』」

㊀復更聽——「更」原作「東」，據影宋本改。

㊁自是鉢釪後王何人也——此語費解。案高僧傳云：「王濛宿構精理，撰其才辭，往詣遁，作數百語，自謂遁莫能抗。遁徐曰：『貧道與君別來多年，君語了不長進。』濛慚而退焉。乃歎曰：『實緈鉢之王何也。』」（據磧沙藏本）「緈」字疑是「釪」字形近之誤。此文亦當從彼作「自是釪鉢之王何也」。猶言沙門中之輔嗣、平叔也。僧肇傳亦有「不意方袍，復見平叔」之語。又盂鉢爲佛門傳法之器，釪鉢後王何人，作如來傳法後沙門中王何一流人解，義亦可通。釋僧弼與沙門寶林書稱佛馱跋陀羅云：「道門禪師甚有天心，便是天竺王何風流人也。」句法相類。

111 許玄度言：「琴賦所謂『非至精者，不能與之析理』，劉尹其人；『非淵靜者，不能與之閑止』，簡文其人。」嵇叔夜琴賦也。劉惔眞長，丹陽尹。

112 魏隱兄弟少有學義，魏氏譜曰：「隱字安時，會稽上虞人，歷義興太守、御史中丞。弟遏，黄門郎。」總角詣謝奉，奉與語，大説之，曰：「大宗雖衰，魏氏已復有人。」

113 簡文云：「淵源語不超詣簡至，然經綸思尋處，故有局陳。」

114 初，法汰北來，未知名，車頻秦書曰：「釋道安爲慕容晉所掠㈠，欲投襄陽，行至新野，集衆議曰：『今遭凶年，不依國主，則法事難舉。』乃分僧衆㈡，使竺法汰詣揚州，曰：『彼多君子，上勝可投。』法汰遂渡江至揚土焉。」王領軍供養之。中興書曰：「王洽字敬和，丞相導第三子。累遷吴郡内史，爲士民所懷。徵拜中領軍，尋加中書令，不拜。年二十六而卒。」每與周旋行來，往名勝許，輒與俱。不得汰，便停車不行。因此名遂重。名德沙門題目曰：「法汰高亮開達。」孫綽爲汰贊曰：「淒風拂林，明泉映壑，爽爽法汰，校德無怍。事外蕭灑，神内恢廓。實從前起，名隨後躍。」泰元起居注曰㈢：「法汰以十二卒㈣，烈宗詔曰：『法汰師喪逝，哀痛傷懷，可贈錢十萬。』」

㈠釋道安爲慕容晉所掠——「慕容晉」，影宋本及沈校本並作「慕容俊」，是，高僧傳及雅量三二注並同；晉書載記作「慕容儁」。

㈡乃分僧衆——「乃」，影宋本及沈校本作「仍」。仍，因也，與乃義相近。

㈢泰元起居注曰——「泰元」當作「太元」。案太元乃晉孝武帝年號。下文烈宗乃孝武帝廟號。

㈣法汰以十二卒——「十二」下脱「年」字。高僧傳：「以晉太元十二年卒。」影宋本及沈校本作「十五年卒」，恐誤。

115 王長史與大司馬書㈠，道淵源識致安處㈡，足副時談。

㈠大司馬——謂桓温。

㈡淵源——殷浩字。

116 謝公云：「劉尹語審細。」孫綽爲惔誄敍曰㈠：「神猶淵鏡，言必珠玉。」

㈠孫綽爲惔誄敍曰——「誄」原誤作「諫」，據影宋本改。

117 桓公語嘉賓：「阿源有德有言，向使作令僕，足以儀刑百揆，朝廷用違其才耳㈠！」嘉賓，郗超小字也。阿源，殷浩也㈡。

㈠朝廷用違其才耳——謂不當處以軍旅之任，北征許洛，以致傾敗。

㈡阿源殷浩也——浩字淵源，故以阿源呼之，猶呼王平子爲阿平也。

118 簡文語嘉賓：「劉尹語末後亦小異，回復其言，亦乃無過。」

119 孫興公、許玄度共在白樓亭，會稽記曰：「亭在山陰，臨流映壑也。」共商略先往名達。林公既非所關，聽訖，云：「二賢故自有才情。」

120 王右軍道東陽：「我家阿林，章清太出。」「林」應爲「臨」。王氏譜曰：「臨之字仲產，琅邪人，僕射彪之子，仕至東陽太守。」

121 王長史與劉尹書，道淵源觸事長易。

122 謝中郎云㈠：「王脩載樂託之性，出自門風。」王氏譜曰：「耆之字脩載，琅邪人，荊州刺史廙第三子。歷中書郎、鄱陽太守、給事中。」

㊀謝中郎——謝萬。

123 林公云：「王敬仁是超悟人。」文字志曰：「脩之少有秀令之稱㊀。」

㊀脩之——文學三九注作「修」，無「之」字。晉書作「脩」。

124 劉尹先推謝鎮西，謝後雅重劉，曰：「昔嘗北面。」按謝尚年長於惔，神穎夙彰。而曰北面於劉，非可信。

125 謝太傅稱王脩齡曰：「司州可與林澤遊。」王胡之別傳曰：「胡之常遺世務，以高尚爲情，與謝安相善也。」

126 諺曰：「揚州獨步王文度，後來出人郗嘉賓。」續晉陽秋曰：「超少有才氣，越世負俗，不循常檢，時人爲一代盛譽者語曰：『大才槃槃謝家安，江東獨步王文度，盛德日新郗嘉賓。』」其語小異，故詳錄焉。

127 人問王長史江虨兄弟羣從。王答曰：「諸江皆復足自生活。」虨及弟淳、從灌㊀，並有德行，知名於世。

㊀虨及弟淳從灌——「淳」，晉書本傳及江氏譜並作「惇」，是，當據改。「從」下脫「弟」字。虨與惇，並統子。灌爲菅子，與虨爲同曾祖兄弟。

128 謝太傅道安北：「見之乃不使人厭，然出户去不復使人思。」安北，王坦之也㊀。續晉陽秋曰：「謝安初攜幼穉同好，養志海濱，襟情超暢，充好聲律，然抑之以禮，在哀能至。弟萬之喪，不聽絲竹者將十年。及輔政，而修室第園館，麗車服，雖期功之慘，不廢妓樂，王坦之因苦諫焉。」按謝公蓋以王坦之好直言，故不思爾。

㊀安北王坦之也——坦之卒後，追贈安北將軍。

129 謝公云：「司州造勝遍決。」宋明帝文章志曰：「胡之性簡，好達玄言也。」

130 劉尹云：「見何次道飲酒，使人欲傾家釀。」充飲酒能温克。

131 謝太傅語真長：「阿齡於此事故欲太厲。」修齡，王胡之小字也。劉曰：「亦名士之高操者。」胡之別傳曰：「胡之治身清約，以風操自居。」

132 王子猷說：「世目士少爲朗，我家亦以爲徹朗㊀。」晉諸公贊曰：「祖約少有清稱。」

㊀我家——我也，猶以君家爲君，此家爲此人。詳附録語詞淺釋「此家」條。

133 謝公云：「長史語甚不多，可謂有令音。」王濛別傳曰：「濛性和暢，能清言，談道貴理中，簡而有會。商略古賢顯然之際，辭旨劭令，往往有高致。」

134 謝鎮西道敬仁㊀：「文學鏃鏃，無能不新。」語林曰：「敬仁有異才，時賢皆重之。王右軍在郡，迎敬仁，叔仁輒同車，常惡其遲，後以馬迎敬仁。雖復風雨，亦不以車也。」

㊀謝鎮西道敬仁——謝尚官鎮西將軍。王濛子修，字敬仁。注中叔仁，乃修弟蘊，見識鑒二六。

135 劉尹道江道羣「不能言而能不言」。江灌，已見㊀。

㊀江灌已見——見本篇八四。

136 林公云：「見司州，警悟交至，使人不得住，亦終日忘疲。」王胡之別傳曰：「胡之少有風尚，才器率舉，有秀悟之稱。」

137 世稱苟子秀出，阿興清和。苟子，已見㈠。阿興，王蘊小字。

㈠苟子已見——王修小字苟子，見文學三八。

138 簡文云：「劉尹茗柯有實理。」「柯」一作「打」，又作「仃」，又作「打」㈠。

㈠「劉尹茗柯有實理」並注——影宋本及沈校本注「柯」一作「朾」。王世懋曰：「『茗柯』不可解。」劉應登曰：「有如茗之柯小實，非外博而中虛也。」劉解望文生義，非。案「柯」一作「朾」，是也。「茗朾」猶言「茗艼」、「酩酊」，再轉爲「瞢騰」、「懞懂」。謂真長雖外若懞懂，而中有實理也。晉書：「孫興公諫之曰：『居官無官官之事，處事無事事之心。』」即其應物無心，外似懞懂之證。劉辰翁批云：「大道之極，昏昏默默。」差爲得之。

139 謝胡兒作著作郎，嘗作王堪傳，晉諸公贊曰：「堪字世冑，東平壽張人。少以高亮義正稱。爲尚書左丞㈠，有準繩操。爲石勒所害，贈太尉。」不諳堪是何似人，咨謝公。謝公答曰：「世冑亦被遇。堪，烈之子。晉諸公贊曰：「烈字陽秀，蚤知名魏朝，爲治書御史。」阮千里姨兄弟㈡，潘安仁中外㈢，安仁詩所謂『子親伊姑，我父唯舅』。是許允壻。」岳集曰：「堪爲成都王軍司馬，岳送至北邙別，作詩曰：『微微髮膚，受之父母。峩峩王侯，中外之首。子親伊姑，我父唯舅。』」

㈠爲尚書左丞——「尚書左丞」，晉書石勒載記作「車騎將軍」。

㈡阮千里姨兄弟——此段當與上文合爲一條，袁刻本誤分爲二，影宋本同，今改正。

㊂中外——卽中表，潘詩所謂「子親伊姑，我父唯舅」是也。

140 謝太傅重鄧僕射，常言：「天地無知，使伯道無兒。」晉陽秋曰：「鄧攸旣棄子，遂無復繼嗣，爲有識傷惜㊀。」

㊀「鄧攸」三句——事見德行二八及注。

141 謝公與王右軍書曰：「敬和棲託好佳。」中興書曰：「洽於公子中最知名，與潁川荀羨俱有美稱。」

142 吳四姓舊目云：「張文，朱武，陸忠，顧厚㊀。」吳錄士林曰㊁：「吳郡有顧、陸、朱、張爲四姓，三國之間，四姓盛焉。」

㊀張文朱武陸忠顧厚——張，張昭之族。朱然朱桓，在吳並以武功顯，未知孰是。陸，陸遜之族，顧，顧雍之族。

㊁吳錄士林曰——此書隋志未著錄，未詳。「士林」或爲吳錄中一篇，或係人名，皆不可知。存疑。

143 謝公語王孝伯：「君家藍田，擧體無常人事。」按述雖簡而性不寬裕，投火怒蠅，方之未甚㊀。若非太傅虛相褒飾，則世說謬設斯語也。

㊀「按述雖簡而性不寬裕」三句——見忿狷二。

144 許掾嘗詣簡文，爾夜風恬月朗，乃共作曲室中語。襟情之詠，偏是許之所長，辭寄清婉，有逾平日。簡文雖契素，此遇尤相咨嗟，不覺造膝，共叉手語，達于將旦。既而曰：「玄度才情，故未易多有許。」續晉陽秋曰：「詢能言理，曾出都迎姊。簡文皇帝、劉眞長說其情旨及襟懷之詠，每造膝賞對，夜以繫日。」

145 殷允出西，郗超與袁虎書云：「子思求良朋，託好足下，勿以開美求之。」中興書曰：「允字子思，陳郡人，太常康第六子。恭素謙退，有儒者之風。歷吏部尚書。」世目袁爲「開美」，故子敬詩曰：「袁生開美度。」

146 謝車騎問謝公：「眞長性至峭，何足乃重？」答曰：「是不見耳。阿見子敬，尚使人不能已。」語林曰：「羊驎因酒醉，撫謝左軍謂太傅曰：『此家詎復後鎮西㈠？』太傅曰：『汝阿見子敬，便沐浴爲論兄輩。』」推此言意，則安以玄不見眞長，故不重耳。見子敬尚重之，況眞長乎？

㈠此家——翟灝通俗編：「魏志杜畿傳：『張時謂畿曰：此家疏誕，不中功曹。』吳志朱然傳：『征柤中，獻捷，權曰：此家前初有表，孤以爲難，今果如其言。』又漢書外戚傳：『是家輕族人，得無不敢？』後漢書皇后紀：『是家志不好樂，雖來無歡。』是家、此家，猶言此人。」

147 謝公領中書監，王東亭有事，應同上省。王後至，坐促，王、謝雖不通㈠，太傅猶斂膝容之。王、謝不通事，別見。王神意閑暢。謝公傾目。還謂劉夫人曰：「向見阿瓜㈡，故自未易有，按王珣小字法護㈢，而此言阿瓜，未爲可解，儻小名有兩耳。雖不相關，正自使人不能已已㈣。」

㈠王謝雖不通——晉書王珣傳：「珣兄弟皆謝氏壻，以猜嫌致隙，太傅安既與絕婚，又離珉妻，由是二族遂成仇釁。」亦見傷逝一五。

㈡向見阿瓜——「瓜」，影宋本及沈校本並作「苽」。

㈢按王珣小字法護——「王珣」原作「王詢」，據沈校本改。

㊃正自使人不能已已——「自」原作「是」，據影宋本及沈校本改。

148 王子敬語謝公：「公故蕭灑。」謝曰：「身不蕭灑，君道身最得，身正自調暢。」續晉陽秋曰：「安弘雅有氣㊀，風神調暢也。」

㊀安弘雅有氣——「氣」，影宋本及沈校本並作「器」，是。

149 謝車騎初見王文度，曰：「見文度，雖蕭灑相遇，其復愔愔竟夕㊀。」

㊀愔愔——文選嵇康琴賦：「愔愔琴德，不可測兮。」李善注：「韓詩曰：『愔愔，和悅貌。』聲類曰：『和靜貌。』」

150 范豫章謂王荊州：范甯、王忱，並已見㊀。「卿風流儁望，真後來之秀。」王曰：「不有此舅，焉有此甥㊁。」

㊀范甯王忱並已見——范甯見言語九七，王忱見德行四四。

㊁不有此舅焉有此甥——王忱母乃范甯之妹，見方正六六。

151 子敬與子猷書，道：「兄伯蕭索寡會，遇酒則酣暢忘反，乃自可矜㊀。」

㊀可矜——猶可貴。

152 張天錫世雄涼州，以力弱詣京師，雖遠方殊類，亦邊人之桀也。天錫，已見㊀。聞皇京多才，欽羨彌至。猶在渚住，司馬著作往詣之，未詳。言容鄙陋，無可觀聽。天錫心甚悔來，以遐外可以自固。王彌有儁才美譽㊁，當時聞而造焉。續晉陽秋曰：「珉風情秀發，才辭富贍。」既至，天錫見其風神清令，言話如流，陳說古今，無不貫悉。又諳人物氏族中來，皆有證據。天錫訝服。

㈠天錫已見——見言語九四。

㈡王彌——王珉小字僧彌。

153 王恭始與王建武甚有情，後遇袁悅之間，遂致疑隙，晉安帝紀曰：「初，忱與族子恭少相善，齊聲見稱；及並登朝，俱爲主相所待，內外始有不咸之論。恭獨深憂之，乃告忱曰：『悠悠之論，頗有異同，當由驃騎簡於朝覲故也㈠，將無從容切言之邪？若主相諧睦，吾徒得戮力明時，復何憂哉？』忱以爲然。而盧弗見令㈡，乃令袁悅具言之。悅每欲間恭，乃於王坐責讓恭曰：『卿何妄生同異，疑誤朝野！』其言切厲。恭雖惋悵，謂忱爲構己也。忱雖心不負恭，而無以自亮。於是情好大離，而怨隙成矣。」然每至興會，故有相思時。恭嘗行散至京口射堂，于時清露晨流，新桐初引。恭目之，曰：「王大故自濯濯。」

㈠當由驃騎簡於朝覲故也——驃騎謂會稽王道子。晉書本傳：「太元初，拜散騎常侍、中軍將軍，進驃騎將軍。」

㈡而盧弗見令——「令」，影宋本及沈校本並作「用」，是。

154 司馬太傅爲二王目曰：「孝伯亭亭直上，阿大羅羅清疏。」恭，正亮沈烈㈠；忱，通朗誕放。

㈠恭正亮沈烈——「正」疑當作「貞」，宋人刻書，避仁宗嫌名，改作「正」，如諱「貞觀」爲「正觀」之例。「沈」，影宋本及沈校本並作「亢」。

155 王恭有清辭簡旨，能敘說而讀書少，頗有重出。中興書曰：「恭雖才不多，而清辯過人。」有人道孝伯常有新意，不覺爲煩。

〔二〕殷仲堪喪後，桓玄問仲文：「卿家仲堪，定是何似人？」仲文曰：「雖不能休明一世，足以映徹九泉。」續晉陽秋曰：「仲堪，仲文之從兄也，少有美譽。」

品藻第九

1 汝南陳仲舉、潁川李元禮，二人共論其功德，不能定先後。蔡伯喈續漢書曰：「蔡伯喈，陳留圉人。通達有儁才，博學善屬文，伎藝術數無不精綜。仕至左中郎將，為王允所誅。」評之曰：「陳仲舉彊於犯上，李元禮嚴於攝下，犯上難，攝下易。」張璠漢紀曰：「時人為之語曰：『不畏彊禦陳仲舉，天下模楷李元禮。』」仲舉遂在「三君」之下，謝沈漢書曰：「三君者，一時之所貴也。竇武、劉淑、陳蕃〔一〕，少有高操，海內尊而稱之，故得因以為目。」元禮居「八俊」之上。薛瑩漢書曰：「李膺、王暢、荀緄、朱寓、魏朗、劉佑、杜楷、趙典為八俊〔二〕。」英雄記曰：「先是張儉等相與作衣冠糾彈，彈中人相調，言：『我彈中誠有八俊、八乂，猶古之八元、八凱也。』」謝沈書曰：「俊者，卓出之名也。」姚信士緯曰〔三〕：「陳仲舉體氣高烈，有王臣之節；李元禮忠壯正直，有社稷之能。海內論之未決，蔡伯喈抑一言以變之，疑論乃定也。」

〔一〕竇武劉淑陳蕃——「淑」原作「叔」，據影宋本及沈校本改。

〔二〕李膺王暢荀緄朱寓魏朗劉佑杜楷趙典為八俊——「朱寓」，影宋本及沈校本並作「朱㝢」，「劉佑」，沈校本作「劉祐」，並與後漢書合。後漢書有荀昱，無荀緄；有杜密，無杜楷。

〔三〕姚信士緯——隋書經籍志稱梁有士緯新書十卷，又姚氏新書二卷，與士緯相似。舊唐志與新唐志徑稱士緯，卷數與隋志同，三志並入子部名家類。宋志不著録，容齋續筆一六「計然意林」條謂此書已不傳於世。清馬國翰玉函房輯佚書卷七二自類書輯得士緯一卷。案經典釋文云：「姚信，三國吳吳興人，字德祐，七録云，字元直。」吳志陸遜傳云，信爲遜之外生，以親附太子和，枉見流徙。孫皓時官太常，見孫和傳。晉書天文志亦云「吳太常姚信」。

2 **龐士元至吳，吳人並友之。** 蜀志曰：「周瑜領南郡，士元爲功曹㊀。瑜卒，士元送喪至吳，吳人多聞其名；及當還西，並會閶門㊁，與士元言。」**見陸績、** 文士傳曰：「績字公紀。幼有儁朗才數，博學多通。龐士元年長於績，共爲交友。仕至鬱林太守。自知亡日，年三十二而卒。」**顧劭、全琮，** 環濟吳紀曰：「琮字子黃㊂，吳郡錢塘人。有德行義槩，爲大司馬。」**而爲之目曰：「陸子所謂駑馬有逸足之用，顧子所謂駑牛可以負重致遠。」或問：「如所目，陸爲勝邪？」曰：「駑馬雖精速㊃，能致一人耳。駑牛一日行百里，所致豈一人哉？」吳人無以難。「全子好聲名，似汝南樊子昭。」** 蔣濟萬機論曰：「許子將褒貶不平，以拔樊子昭而抑許文休。劉曄難曰：『子昭拔自賈豎，年至七十，退能守靜，進不苟競。』濟答曰：『子昭誠自幼至長，容貌完潔。然觀其插齒牙，樹頰頦，吐脣吻，自非文休之敵。』」

㊀「周瑜」二句——案蜀志龐統傳：「郡命爲功曹。後吳將周瑜助先主取荆州，因領南郡太守。瑜卒，統送喪至吳。」則周瑜領郡以前，統已爲南郡功曹，瑜至，統仍留任。註語不甚醒豁。

㊁並會閶門——蜀志龐統傳作昌門。

㊂琮字子黃——「黃」，沈校本作「璜」，是，吳志正作「璜」。

㊃駑馬雖精速——蜀志注引張勃吳録，無「速」字，下句「百里」作「三百里」。似以世說爲長。

3 顧劭嘗與龐士元宿語，問曰：「聞子名知人，吾與足下孰愈？」曰：「陶冶世俗，與時浮沉㊀，吾不如子；吳志曰：「劭好樂人倫，自州郡庶幾及四方人事㊁，往來相見，或諷議而去，或結友而別，風聲流聞，遠近稱之。」論王霸之餘策，覽倚仗之要害㊂，吾似有一日之長。」劭亦安其言。吳錄曰：「劭安其言，更親之。」

㊀與時浮沉——蜀志龐統傳注引吳錄作「甄綜人物」。

㊁庶幾——吳志張昭傳：「凡在庶幾之流，無不造門。」錢大昕考異曰：「王弼以庶幾爲慕聖，何晏解論語，亦云庶幾聖道。王充論衡云：『孔子之門，講習五經，五經皆習，庶幾之才也。』顧邵傳：『自州郡庶幾，及四方人士，往來相見。』晉書王羲之傳：『母兄鞠育，得漸庶幾。』蓋魏晉人好用『庶幾』字。」案語本易繫辭「顏氏之子，其殆庶幾乎！有不善未嘗不知，知之未嘗復行也」，因以泛稱進德修業之士。

㊂「論王霸」二句——「倚仗」，影宋本及沈校本並作「倚伏」，是。蜀志龐統傳注引吳錄作「論帝王之祕策，攬倚伏之要最」，太平廣記一六九引世說同。宋沈作喆寓簡卷三引作「論王霸之餘略，覽倚伏之要害」。

4 諸葛瑾弟亮，及從弟誕，吳書曰：「瑾字子瑜，其先葛氏，琅邪諸縣人，後徙陽都。陽都先有姓葛者㊀，時人謂諸葛㊁，因爲氏㊂。瑾少以至孝稱，累遷豫州牧，六十八卒。」魏志曰：「誕字公休，爲吏部郎。人有所屬託，輒顯其言而亟用之㊃，後有當不，則公議其得失以爲褒貶。自是羣僚莫不愼其所舉。累遷揚州刺史、鎭東將軍、司空，謀逆伏誅。」並有盛名，各在一國。于時以爲蜀得其龍，吳得其虎，魏得其狗。誕在魏，與夏侯玄齊名；瑾在吳，吳朝服其弘量。吳書曰：「瑾避亂渡江，大皇帝取爲長史㊄，遣使蜀，但與弟亮公會相見，反無私面㊅。而又有容貌思度，時人服其弘量。」

㊀陽都先有姓葛者——「姓」原作「信」，據影宋本改。案吳志諸葛瑾傳注引吳書正作「姓」。

㊁時人謂諸葛——「謂」下沈校本有「之」字，與吳志諸葛瑾傳注合。

㊂因爲氏——「因」下沈校本有「以」字，與吳志諸葛瑾傳注合。

㊃輒顯其言而亟用之——魏志本傳「亟」作「承」。

㊄大皇帝——謂孫權。

㊅反無私面——「反」，影宋本作「退」，吳志諸葛瑾傳同。私面，私覿也。

5 司馬文王問武陔：「陳玄伯何如其父司空㊀？」陔曰：「通雅博暢，能以天下聲教爲己任者，不如也；明練簡至，立功立事，過之。」魏志曰：「陔與泰善，故文王問之。」

㊀陳玄伯何如其父司空——陳泰，字玄伯。司空，謂陳羣，見方正八注。

6 正始中，人士比論，以五荀方五陳：荀淑方陳寔，荀靖方陳諶，逸士傳曰：「靖字叔慈，潁川人。有儁才，以孝著名。兄弟八人，號『八龍』。隱身修學，動止合禮㊀。弟爽，亦有才學，顯名當世。或問汝南許章：『爽與靖孰賢？』章曰：『二人皆玉也。慈明外朗，叔慈內潤。』太尉辟不就。年五十終，時人惜之，號玄行先生㊁。」荀爽方陳紀，荀彧方陳羣，典略曰：「彧字文若，潁川人。爲漢侍中、守尚書令。彧爲人英偉，折節待士，坐不累席。其在臺閣，不以私欲撓意。年五十薨，謚曰敬侯，以其名德高，追贈太尉。」荀顗方陳泰。晉諸公贊曰：「顗字景倩，彧之子。蹈禮立德，思義溫雅，加深識國體，累遷光祿大夫。晉受禪，封臨淮公。典朝儀，刊正國式，爲一代之制。轉太尉，爲台輔，德望清重，留心禮教。卒謚康公。」又以八裴方八王㊂：裴徽方王祥，裴楷方王夷甫，裴康方王綏，晉百官名曰：「康字仲豫，徽之子。」晉諸公贊曰：「康有弘量，歷太子左率。」裴綽方王澄，王朝目錄曰：「綽字仲舒㊃，楷弟也。名亞於楷，歷中書、黃門侍郎。」裴瓚方王敦，晉諸公贊曰：「瓚字國寶，楷之子。才氣爽儁，終中書郎。」裴遐方王導，裴頠方王戎，裴邈方王玄。

㊀動止合禮——「止」原作「正」，據影宋本改。

㊁「時人」二句——後漢書荀淑傳注引皇甫謐高士傳：「學士惜之，誄靖者二十六人。潁陰令丘貞追號靖曰玄行先生也。」

㊂又以八裴方八王——案八裴八王，多出正始以後，又上疑有闕文。晉書裴楷傳：「初裴王二族，盛於魏晉之世，時人以八裴方八王。」語意較爲周匝。

㊃綽字仲舒——案魏志裴潛傳注，綽字季舒。徽諸子，黎字伯宗，康字仲豫，楷字叔則，則綽字季舒爲是。

7 冀州刺史楊淮二子喬與髦㊀，俱總角爲成器。淮與裴頠、樂廣友善，遣見之。頠性弘方，愛喬之有高韻，謂淮曰：「喬當及卿，髦小減也。」廣性清淳，愛髦之有神檢，謂淮曰：「喬自及卿，然髦尤精出。」淮笑曰：「我二兒之優劣，乃裴、樂之優劣。」論者評之，以爲喬雖高韻，而檢不匝㊁；樂言爲得，然並爲後出之儁。荀綽冀州記曰：「喬字國彥，爽朗有遠意；髦字士彥，清平有貴識。並爲後出之儁，爲裴頠、樂廣所重。」晉諸公贊曰：「喬似淮而疏㊂，皆爲二千石，髦爲石勒所害。」

㊀冀州刺史楊淮二子喬與髦——「淮」沈校本作「準」，是。魏志陳思王植傳注引冀州記同。魏志又引世語曰：「修子囂，

囂子準，準字始丘（本書賞譽五八注引作「始立」，「丘」蓋「立」之形訛。）又晉書樂廣傳亦記此事，並作「楊準」。惟山簡傳作「弘農楊淮」。自以作「準」爲是。御覽四四六引晉書作「准」，亦「準」之誤。「喬」，魏志陳思王植傳注引冀州記作「嶠」，謂「準子嶠字國彥」。晉書樂廣傳：「準之二子曰喬曰髦。」李詳曰：「喬字國彥，自宜從『喬』爲是。」

㊁而檢不匝——魏志注引冀州記作「而神檢不逮」，晉書樂廣傳作「而神檢不足」，則此處「檢」上當脫「神」字。

㊂喬似淮而疏——「淮」亦當從沈校本作「準」。魏志陳思王植傳注引冀州記曰：「傅暢云：『喬似準而疏。』」案隋書經籍志云：「晉諸公贊二十一卷，晉祕書監傅暢撰。」冀州記所引傅暢語當出於晉諸公贊也。

8 劉令言始入洛，劉氏譜曰：「納字令言㊀，彭城叢亭人。祖瑾，樂安長。父勱，魏洛陽令。納歷司隸校尉。」見諸名士而歎曰：「王夷甫太解明，樂彥輔我所敬，張茂先我所不解，周弘武巧於用短，王隱晉書曰：「周恢字弘武，汝南人。祖斐，永寧少府。父隆，州從事。恢仕至秦相，秩中二千石。」杜方叔拙於用長。」晉諸公贊曰：「杜育字方叔，襄城鄧陵人，杜襲孫也。育幼便岐嶷，號『神童』；及長，美風姿，有才藻，時人號曰杜聖。累遷國子祭酒。洛陽將沒，爲賊所殺。」

㊀納字令言——「納」，沈校本作「訥」，下同。案言語五三注引文字志亦曰：「祖訥，司隸校尉。」

9 王夷甫云：「閭丘沖荀綽兗州記曰：「沖字賓卿，高平人。家世二千石。沖清平有鑒識，博學有文義。累遷太傅長史，雖不能立功蓋世，然聞義不惑，當世蒞事，務於平允。操持文案，必引經誥，飾以文采，未嘗有滯。性尤通達，不矜不假。好音樂，侍婢在側，不釋弦管。出入乘四望車，居之甚夷，不能虧損恭素之行㊀，淡然肆其心志。論者不以爲侈，不以爲僭，至於白首，而清名令望不渝於始。爲光祿勳㊁。京邑未潰，乘車出，爲賊所害，時人皆痛惜之。」優於滿奮、郝隆㊂。晉諸公贊曰：「隆字弘始，高平人。爲人通亮清識，爲吏部郎、揚州刺史。齊王冏起義，隆應檄稽留，爲參軍王邃所殺㊃。」此三人並是高才，沖最先達。兗州記曰：「于時高平人士偶盛，滿奮、郝隆達在沖前，名位已顯，而劉寶、王夷甫猶以沖之虛貴足先二人。」

㊀不能虧損恭素之行——「不能」，影宋本及沈校本並作「不以」，是。

㊁爲光祿勳——「光祿勳」，晉書懷帝紀作「尚書」。

㊂優於滿奮郝隆——「郝隆」當作「郗隆」，見晉書本傳及齊王冏傳。

㊃爲參軍王邃所殺——晉書郗隆傳云：「寧遠將軍陳留王邃，領東海都尉，鎮石頭。」不云「參軍」。惟齊王冏傳與此注相同。

10 王夷甫以王東海比樂令，江左名士傳曰：「承言理辯物，但明其旨要，不爲辭費，有識伏其約而能通。太尉王夷甫一世龍門，見而雅重之，以比南陽樂廣。」故王中郎作碑云：「當時標榜，爲樂廣之儷。」

11 庾中郎與王平子鴈行。晉陽秋曰：「初，王澄有通朗稱，而輕薄無行。兄夷甫有盛名，時人許以人倫鑒識。常爲天下士目曰：『阿平第一，子嵩第二，處仲第三。』敳以澄、敦莫己若也。及澄喪敦敗，敳世譽如初。」

12 王大將軍在西朝時㊀，見周侯，輒扇障面不得住。敦性彊梁，自少及長。季倫靳妓，曾無異色㊁。若斯傲狠㊂，豈憚於周顗乎？此言不然也。後度江左，不能復爾，王歎曰：「不知我進伯仁退？」沈約晉書曰：「周顗，王敦素憚之，見輒面熱，雖復臘月，亦扇面不休。其憚如此。」

㊀西朝——謂未南渡時，與「中朝」義同。其時都於洛陽，自建康言，則洛陽在西，故云。

㈡季倫斬妓曾無異色——見汰侈一。

㈢若斯傲狠——「傲」原作「徼」，據影宋本及沈校本改。

13 會稽虞騤，元皇時與桓宣武同俠㈠，其人有才理勝望。虞光祿傳曰：「騤字思行，會稽餘姚人，虞翻曾孫，右光祿潭兄子也。雖機幹不及潭，而至行過之。歷吏部郎、吳興守，徵爲金紫光祿大夫，卒。」王丞相嘗謂騤曰：「孔愉有公才而無公望，丁潭有公望而無公才，愉已見。會稽後賢記曰：「潭字世康，山陰人，吳司徒固曾孫也㈡。沈婉有雅望，少與孔愉齊名。仕至光祿大夫。」晉陽秋曰：「孔敬康、丁世康、張偉康俱著名，時謂『會稽三康。』偉康名茂，嘗夢得大象，以問萬雅㈢，雅曰：『君當爲大郡而不善也。象，大獸也，取其音狩㈣，故爲大郡；然象以齒喪身。』後爲吳郡，果爲沈充所殺。」兼之者其在卿乎？」騤未達而喪。虞光祿傳曰：「騤未登台鼎，時論稱屈。」

㈠元皇時與桓宣武同俠——「同俠」不可解。晉書虞騤傳：「與譙國桓彝俱爲吏部郎，情好甚篤。」疑「俠」乃「僚」之壞字，而「桓宣武」下又脫去「父」字耳。

㈡吳司徒固曾孫也——案晉書丁譚傳云「祖固」，則譚乃固之孫，與此注異。

㈢以問萬雅——「萬雅」，晉書張茂傳作「萬推」。

㈣取其音狩——晉書張茂傳作「獸者守也」。案此文「狩」當作「守」，乃與「郡」義相符。

14 明帝問周伯仁：「卿自謂何如郗鑒？」周曰：「鑒方臣如有功夫。」復問郗，郗曰：「周顗比臣有國士門風。」鄧粲晉紀曰：「伯仁清正嶷然，以德望稱之。」

15 王大將軍下，庾公問：「聞卿有四友，何者是？」答曰：「君家中郎、我家太尉、阿平、胡毋彥國。八王故事曰：「胡毋輔之少有雅俗鑒識，與王澄、庾敳、王敦、王夷甫爲四友㊀。」今故答也。阿平故當最劣。」庾曰：「似未肯劣。」庾又問：「何者居其右？」王曰：「自有人。」又問：「何者是？」王曰：「噫！其自有公論。」左右躡公，公乃止。敦自謂右者在己也。

㊀與王澄庾敳王敦王夷甫爲四友——胡毋與四人合爲五人，不當云四。案晉書胡毋輔之傳云：「與王澄、王敦、庾敳俱爲太尉王衍所昵，號爲四友。」謂衍之四友也。引文疑有脫字。

16 人問丞相：「周侯何如和嶠？」答曰：「長輿嵯櫱㊀。」虞預晉書曰：「嶠厚自封植，嶷然不羣。」

㊀嵯櫱——當與巀嶭同義。文選司馬相如上林賦：「九嵕巀嶭。」注：「高峻貌也。」故注引虞預晉書云：「嶷然不羣。」

17 明帝問謝鯤：「君自謂何如庾亮？」答曰：「端委廟堂，使百僚準則，臣不如亮；一丘一壑，自謂過之。」晉陽秋曰：「鯤隨王敦下㊀，入朝見太子於東宮，語及夕。太子從容問鯤曰：『論者以君方庾亮，自謂孰愈？』對曰：『宗廟之美，百官之富，臣不如亮；縱意丘壑，自謂過之。』」鄧粲晉紀曰：「鯤與王澄之徒，慕竹林諸人，散首披髮，裸袒箕踞，謂之『八達』。故鄰家之女，折其兩齒，世爲謠曰：『任達不已，幼輿折齒。』鯤有勝情遠槩，爲朝廷之望，故時以庾亮方焉。」

㊀鯤隨王敦下——晉書本傳但云「嘗使至都」，不云「隨王敦下」。

18 王丞相二弟不過江，曰穎、曰敞㊀。時論以穎比鄧伯道，敞比溫忠武㊁，議郎、祭酒者也。王氏譜曰：「穎字茂英，位至議郎，年二十卒。敞字茂平，丞相祭酒，不就，襲爵堂邑公，年二十有二而卒。」

㊀曰穎曰敞——「敞」原作「敝」，據影宋本及沈校本改。下「敞」字同。

㊀「時論」二句——晉書王導傳作「時人以穎方溫太真，以敞比鄧伯道」。

19 明帝問周侯：「論者以卿比郗鑒，云何？」周曰：「陛下不須牽顗比。」按顗死彌年，明帝乃即位。世說此言妄矣。

20 王丞相云：「頃下論以我比安期、千里㊀，亦推此二人㊁；唯共推太尉，此君特秀。」晉諸公贊曰：「夷甫性矜峻，少爲同志所推。」

㊀頃下論以我比安期千里——「頃下」御覽四四七引郭子作「雒下」，當是。

㊁亦推此二人——「亦」上御覽四四七引郭子有「我」字，是，當據補。

21 宋褘曾爲王大將軍妾㊀，後屬謝鎮西。鎮西問褘：「我何如王？」答曰：「王比使君，田舍貴人耳。」鎮西妖冶故也。未詳宋褘。

㊀宋褘——案御覽三八一引俗說云：「宋褘是石崇妓綠珠弟子，有色，善吹笛，後在晉明帝處。帝疢患篤，羣臣進諫，請出宋褘。帝曰：『卿諸臣誰欲得之？』阮遙集時爲吏部尚書，對曰：『願以賜臣。』即與之。」不知是否一人。

22 明帝問周伯仁：「卿自謂何如庾元規？」對曰：「蕭條方外，亮不如臣；從容廊廟，臣不如亮。」按諸書皆以謝鯤比亮，不聞周顗。

23 王丞相辟王藍田爲掾，庾公問丞相：「藍田何似？」王曰：「真獨簡貴，不減父祖㊀，然曠澹處故當不如爾。」王述猖隘故也㊁。

㊀不減父祖——王述父承，祖湛，見政事九注。

㈡王述狷隘——述之狷隘，見方正五八、忿狷二。

24 卞望之云㈠：「郗公體中有三反：方於事上，好下佞己，一反；治身清貞，大脩計校，二反；自好讀書，憎人學問，三反。」按太尉劉寔論王肅方於事上，好下佞己；性嗜榮貴，不求苟合；治身不穢，尤惜財物。王、郗志性儻亦同乎？

㈠卞望之——卞壼，字望之，見賞譽五四。

25 世論温太真是過江第二流之高者。時名輩共說人物第一將盡之間，温常失色。温氏譜序曰：「晉大夫郤至封於温，子孫因氏，居太原祁縣，爲郡著姓。」

26 王丞相云：「見謝仁祖，恒令人得上。」與何次道語，唯舉手指地曰：「正自爾馨㈠。」前篇及諸書皆云王公重何充，謂必代己相；而此章以手指地，意如輕詆。或清言析理，何不逮謝故邪？

㈠正自爾馨——爾，如此，以指地；馨，語助。指地，以喻其識解凡下也。

27 何次道爲宰相，人有譏其信任不得其人。晉陽秋曰：「充所暱庸雜，以此損名。」阮思曠慨然曰：「次道自不至此。但布衣超居宰相之位，可恨唯此一條而已！」語林曰：「阮光祿聞何次道爲宰相，歎曰：『我當何處生活？』」此則阮未許何爲鼎輔。二說便相符也。

28 王右軍少時，丞相云：「逸少何緣復減萬安邪！」劉綏，已見㈠。

㈠劉綏已見——見賞譽六四。

29 郗司空家有傖奴㈠，知及文章，事事有意㈡。王右軍向劉尹稱之，劉問：「何如方回？」

郗愔別傳曰：「愔字方回，高平金鄉人，太宰鑒長子也。淵靖純素，無執無競，簡私暱，罕交遊。歷會稽內史、侍中、司徒。」王曰：「此正小人有意向耳，何得便比方回？」劉曰：「若不如方回，故是常奴耳。」

㊀傖奴——一切經音義引晉陽秋曰：「吳人謂中州人爲傖人，俗又謂江淮間雜楚爲傖人。」

㊁事事有意——有意，謂有意趣，有知解。與文學六四「分數四有意道人」義同。

30 時人道阮思曠骨氣不及右軍，簡秀不如真長，韶潤不如仲祖，思致不如淵源，而兼有諸人之美。中興書曰：「裕以人不須廣學，正應以禮讓爲先。故終日頹然無所修綜，而物自宗之。」

31 簡文云：「何平叔巧累於理，嵇叔夜儁傷其道。」理本真率，巧則乖其致；道唯虛澹，儁則違其宗。所以二子不免也㊀。

㊀所以二子不免也——何晏黨於曹爽，爲司馬懿所殺，嵇康以呂安事，爲司馬昭所殺，皆不得其死。

32 時人共論晉武帝出齊王之與立惠帝，其失孰多？晉陽秋曰：「齊王攸字大猷，文帝第二子㊀。孝敬忠肅，清和平允，親賢下士，仁惠好施。能屬文，善尺牘。初荀勗、馮紞爲武帝親幸，攸惡勗之佞，勗懼攸或嗣立，必誅己，且攸甚得衆心，朝賢景附。會帝有疾，攸及皇太子入問訊，朝士皆屬目於攸，而不在太子。至是，勗從容曰：『陛下萬年後，太子不得立也。』帝曰：『何故？』勗曰：『百僚內外，皆歸心於齊王，太子安得立乎？陛下試詔齊王歸國，必舉朝謂之不可㊁，若然，則臣言徵矣。』侍中馮紞又曰：『陛下必欲建諸侯，成五等，宜從親始。親莫若齊王。』帝從之。於是下詔使攸之國，攸聞勗、紞間己，憂忿不知所爲。入辭出，歐血薨。帝哭之慟，馮紞侍曰：『齊王名過其實，而天下歸之。今自薨殞，陛下何哀之甚！』帝乃止。劉毅聞之，故終身稱疾焉。」多謂立惠帝爲重。桓温曰：「不然，使子繼父業，弟承家祀，有何不可？」武帝兆禍亂，覆神州，在斯而已。輿隸且知其若此，況宣武之弘儁乎！此言非也。

㊀「齊王攸」二句——御覽四一二引臧榮緒晉書曰：「齊獻王攸字文獻，晉文少子。」

㊁必舉朝謂之不可——「謂」原作「會」，據影宋本及沈校本改。

33　人問殷淵源：「當世王公，以卿比裴叔道，云何？」殷曰：「故當以識通暗處。」遐與浩並能清言。

34　撫軍問殷浩㊀：「卿定何如裴逸民㊁？」良久答曰：「故當勝耳。」

㊀撫軍——謂簡文帝。簡文於穆帝時以撫軍大將軍輔政，見德行三七注。

㊁裴逸民——裴頠字逸民，見言語二三注。

35　桓公少與殷侯齊名㊀，常有競心。桓問殷：「卿何如我？」殷云：「我與我周旋久，寧作我。」

㊀殷侯——殷浩，見政事二三注。

36　撫軍問孫興公：「劉真長何如？」曰：「清蔚簡令。」「王仲祖何如？」曰：「温潤恬和。」徐廣晉紀曰：「凡稱風流者，皆舉王、劉爲宗焉。」「桓温何如？」曰：「高爽邁出。」「謝仁祖何如？」曰：「清易令達㊀。」「阮思曠何如？」曰：「弘潤通長。」「袁羊何如㊁？」曰：「洮洮清便。」「殷洪遠何如㊂？」

曰：「遠有致思。」「卿自謂何如？」曰：「下官才能所經，悉不如諸賢；至於斟酌時宜，籠罩當世，亦多所不及。然以不才，時復託懷玄勝，遠詠老莊，蕭條高寄，不與時務經懷，自謂此心無所與讓也。」

㈠清易令達——宋沈作喆寓簡所引同，沈校本作「清令易達」。

㈡袁羊——羊，袁喬小字，見言語九〇。

㈢殷洪遠——殷融字洪遠，浩從父。見文學七四。

37 桓大司馬下都，問真長曰：「聞會稽王語奇進㈠，爾邪㈡？」桓溫別傳曰：「興寧九年㈢，以溫克復舊京，肅靜華夏，進都督中外諸軍事、侍中、大司馬，加黃鉞，使人參朝政。」劉曰：「極進，然故是第二流中人耳。」桓曰：「第一流復是誰？」劉曰：「正是我輩耳！」

㈠會稽王——謂簡文帝。

㈡爾邪——猶言「然邪」。

㈢興寧九年——按興寧無九年，乃元年之誤。晉書哀帝紀：「興寧元年三月，詔司徒會稽王昱總內外衆務。五月，加征西大將軍桓溫侍中、大司馬，都督中外諸軍事，錄尚書事，假黃鉞。」

38 殷侯既廢，桓公語諸人曰：「少時與淵源共騎竹馬，我棄去，已輒取之，故當出我下。」續晉陽秋曰：「簡文輔政，引殷浩為揚州，欲以抗桓，桓素輕浩，未之憚也。」

39 人問撫軍：「殷浩談竟何如？」答曰：「不能勝人，差可獻酬羣心。」

40 簡文云：「謝安南清令不如其弟，安南，謝奉也，已見㈠。謝氏譜曰：「奉弟聘，字弘遠，歷侍中、廷尉卿。」學義不及孔巖㈡，中興書曰：「巖字彭祖，會稽山陰人。父倹㈢，黃門侍郎。巖有才學，歷丹陽尹、尚書、西陽侯，在朝多所匡正。爲吳興太守，大得民和。後卒于家。」居然自勝。」言奉任天真也。

㈠謝奉已見——見雅量三三。

㈡學義不及孔巖——「孔巖」，晉書及通鑑作「孔嚴」，是，御覽六二七引中興書同。下文「巖」並當作「嚴」。案漢書儒林傳有嚴彭祖，孔嚴字彭祖，或義取於此。

㈢父倹——影宋本作「父倫」，晉書本傳亦作「倫」。

41 未廢海西公時㈠，王元琳問桓元子㈡：「箕子、比干迹異心同，不審明公孰是孰非？」曰：「仁稱不異，寧爲管仲。」論語曰：「微子去之，箕子爲之奴，比干諫而死。子曰：『殷有三仁焉。』子路曰：『桓公殺公子糾，召忽死之，管仲不死。曰未仁乎？』子曰：『桓公九合諸侯，一匡天下，不以兵車，管仲之力。如其仁！如其仁！』」

㈠海西公——廢帝奕，哀帝之同母弟，興寧三年即位，太和六年廢，簡文帝咸安二年，降封海西縣公。

㈡王元琳問桓元子——王珣字元琳。桓溫字元子。

42 劉丹陽、王長史在瓦官寺集㈠，桓護軍亦在坐，桓伊，已見㈡。共商略西朝及江左人物。或問「杜弘治何如衞虎？」桓答曰：「弘治膚清，衞虎奕奕神令㈢。」王、劉善其言。虎，衞玠小字。玠別傳曰：「永和中，劉真長、謝仁祖共商略中朝人。或問：『杜弘治可方衞洗馬不？』謝曰：『安得比！其間可容數人。』」江左名士傳曰：「劉真長曰：『吾請評之。弘治膚清，叔寶神清。』論者謂爲知言。」

㊀瓦官寺——景定建康志：「古瓦官寺，又爲昇元寺，在城西南隅。晉哀帝興寧二年，詔移陶官於淮水北，遂以南岸窰地施僧慧力，造瓦官寺。」方輿勝覽：「昇元寺即瓦官寺也，在建康府城西隅，前瞰江面，後據重岡，最爲古跡。」

㊁桓伊已見——見方正五五。

㊂「弘治」二句——晉書衛玠傳以爲劉惔語，與名士傳同；杜乂傳以爲桓伊語，同世說。

43 劉尹撫王長史背曰：「阿奴比丞相，但有都長。」阿奴，濛小字也。都，美也。司馬相如傳曰：「閑雅甚都。」語林曰：「劉真長與丞相不相得，每曰：『阿奴比丞相條達清長。』」

44 劉尹、王長史同坐，長史酒酣起舞。劉尹曰：「阿奴今日不復減向子期。」類秀之任率也。

45 桓公問孔西陽：「安石何如仲文？」西陽，即孔巖也㊀。孔思未對，反問公曰：「何如？」答曰：「安石居然不可陵踐，其處故乃勝也㊁。」

㊀即孔巖也——「孔巖」當作「孔嚴」，見本篇四○注。

㊁其處故乃勝也——其處，謂其自處之道。「乃」，影宋本及沈校本並無。

46 謝公與時賢共賞說，遏、胡兒並在坐㊀，公問李弘度曰：「卿家平陽何如樂令？」晉諸公贊曰：「李重字茂重㊁，江夏鍾武人。少以清尚見稱，歷吏部郎、平陽太守。」於是李潸然流涕曰：「趙王篡逆，樂令親授璽綬㊂。晉陽秋曰：「趙王倫篡位，樂廣與滿奮、崔隨進璽綬。」亡伯雅正，恥處亂朝，遂至仰藥，恐難以相比。此自顯於事實，非私親之言。」晉諸公贊曰：「趙王爲相國，取重爲左司馬。重以倫將篡，辭疾不就。敦喻之，重不復自治，至於篤甚，扶曳受拜，數日卒，時人惜之。贈散騎常侍。」謝公語胡兒曰：「有識者果不異人意。」

㊀遏胡兒——遏，謝玄小字；胡兒，謝朗小字。

㊁李重字茂重——「茂重」影宋本及沈校本並作「茂曾」，是，晉書本傳及棲逸四同。

㊂樂令親授璽綬——按此事不見本傳。趙王倫傳：「使散騎常侍、義陽王威兼侍中，出納詔命，矯作禪讓之詔，使使持節、尚書令滿奮、僕射崔隨爲副，奉皇帝璽綬以禪位於倫。」亦不及樂廣，與晉陽秋、世說異。

47 王脩齡問王長史㊀：「我家臨川，何如卿家宛陵？」長史未答，脩齡曰：「臨川譽貴。」長史曰：「宛陵未爲不貴。」中興書曰：「羲之自會稽王友改授臨川太守。王述從驃騎功曹出爲宛陵令。述之爲宛陵，多脩爲家之具，初有勞苦之聲㊁。丞相王導使人謂之曰：『名父之子，屈臨小縣，甚不宜爾！』述答曰：『足自當止。』時人未之達也㊂。後屢臨州郡，無所造作，世始歎服之。」

㊀王脩齡——王胡之字脩齡。

㊁「多修」二句——爲家之具，謂治生之具，田園第宅之類，晉書省作家具，義亦相同。晉書王述傳：「初，述家貧，求試宛陵令，頗受贈遺，而修家具，爲州司所檢，有一千三百條。」

㊂時人未之達也——「未之」，影宋本及沈校本並作「未知」，晉書本傳作「未之」。案作「未之」義長。

48 劉尹至王長史許清言，時苟子年十三，倚牀邊聽㊀。既去，問父曰：「劉尹語何如尊？」長史曰：「韶音令辭不如我，往輒破的勝我。」劉惔別傳曰：「惔有儁才，其談詠虛勝，理會所歸，王濛略同，而敍致過之，其詞當也㊁。」

㊀牀——坐具，今謂之榻。

㊁「王濛」三句——案孝標引此以注「往輒破的」，則「而敍致過之，其辭當也」二語，當屬之惔，非謂濛也。「王濛」上疑脫「與」字。

49 謝萬壽春敗後，簡文問郗超：「萬自可敗，那得乃爾失士卒情？」超曰：「伊以率任之性，欲區別智勇。」中興書曰：「萬之爲豫州，氐、羌暴掠司、豫，鮮卑屯結并、冀。萬既受方任，自率衆入潁，以援洛陽。萬矜豪傲物，失士衆之心㊀。北中郎郗曇以疾還彭城，萬以爲賊盛致退，便向還南㊁，遂自潰亂，狼狽單歸。太宗責之，廢爲庶人。」

㊀失士衆之心——「心」，影宋本及沈校本並作「和」。

㊁便向還南——「向」，影宋本及沈校本並作「回」。案捷悟六有「便回還」之語，則「回還」自是當時習語，作「回」是也。

50 劉尹謂謝仁祖曰：「自吾有四友㊀，門人加親。」謂許玄度曰：「自吾有由，惡言不及於耳。」二人皆受而不恨。尚書大傳曰：「孔子曰：『文王有四友。自吾得回也，門人加親，是非胥附邪？自吾得賜也，遠方之士至，是非奔走邪㊁？自吾得師也，前有輝，後有光，是非先後邪？自吾得由也，惡言不入於耳，是非禦侮邪？』」

㊀自吾有四友——王先謙校曰：「『四友』疑『回也』二字泐文。覼下文『自吾有由』，及注『自吾得回也、自吾得由也』等句可悟。原本因注中有四友，牽涉而誤。蓋劉尹以回視仁祖，以由視許玄度，故二人皆受而不憾。若泛指四友，則謝無所受。」

㈡是非奔走邪——「邪」原作「也」，據影宋本及沈校本改。

51 世目殷中軍「思緯淹通」，比羊叔子。羊祜德高一世，才經夷險；淵源蒸燭之曜㈠，豈喻日月之明也。

㈠淵源蒸燭之曜——蒸燭，儀禮既夕禮注：「燭用蒸。」疏：「大曰薪，小曰蒸。」蒸燭以喻光之微弱。

52 有人問謝安石、王坦之優劣於桓公。桓公停欲言㈠，中悔，曰：「卿喜傳人語，不能復語卿。」

㈠停欲言——沈吟而欲言也。

53 王中郎嘗問劉長沙曰：「我何如荀子㈠？」大司馬官屬名曰：「劉奭字文時，彭城人。」劉氏譜曰：「奭祖昶，彭城內史。父濟，臨海令。奭歷車騎咨議、長沙相、散騎常侍。」劉答曰：「卿才乃當不勝荀子，然會名處多。」王笑曰：「癡。」

㈠荀子——王濛子脩，小字荀子。

54 支道林問孫興公：「君何如許掾㈠？」孫曰：「高情遠致，弟子蚤已服膺；一吟一詠，許將北面。」

㈠許掾——謂許詢。

55 王右軍問許玄度：「卿自言何如安石㈠？」許未答，王因曰：「安石故相爲雄，阿萬當裂眼爭邪！」中興書曰：「萬器量不及安石，雖居藩任，安在私門之時，名稱居萬上也。」

㈠卿自言何如安石——「安石」，沈校本作「安萬」，是，據下文「安石」「阿萬」二語及中興書注可證。但羲之不當直呼二人之名，疑「安石」下脫「萬石」二字。

56 劉尹云：「人言江虨田舍，江乃自田宅屯。」謂能多出有也。

57 謝公云：「金谷中蘇紹最勝。」紹是石崇姊夫㈠，蘇則孫，愉子也。石崇金谷詩敍曰：「余以元康六年從太僕卿出爲使㈡，持節監青徐諸軍事、征虜將軍。有別廬在河南縣界金谷澗中，或高或下，有清泉茂林，衆果、竹柏、藥草之屬，莫不畢備。又有水碓、魚池、土窟，其爲娛目歡心之物備矣。時征西大將軍祭酒王詡當還長安，余與衆賢共送往澗中，晝夜遊宴，屢遷其坐，或登高臨下，或列坐水濱。時琴瑟笙筑，合載車中，道路並作；及住，令與鼓吹遞奏。遂各賦詩以敍中懷，或不能者，罰酒三斗。感性命之不永，懼凋落之無期，故具列時人官號、姓名、年紀，又寫詩著後。後之好事者，其覽之哉！凡三十人，吳王師、議郎關中侯、始平武功蘇紹，字世嗣，年五十，爲首。」魏書曰：「蘇則字文師，扶風武功人。剛直疾惡，常慕汲黯之爲人，仕至侍中、河東相。」晉百官名曰：「愉字休豫，則次子。」山濤啓事曰：「愉忠義有智意。」位至光祿大夫。

㈠紹是石崇姊夫——魏志蘇則傳注：「石崇妻，紹之女兄也。」與此不同。

㈡余以元康六年——「元康六年」，水經穀水注引作「元康七年」。

58 劉尹目庾中郎：「雖言不愔愔似道，突兀差可以擬道。」名士傳曰：「敳頹然淵放，莫有動其聽者。」

59 孫承公云：「謝公清於無奕㈠，中興書曰：「孫統字承公，太原人。善屬文，時人謂其有祖楚風。仕至餘姚令。」潤於林道。」陳逵別傳曰：「逵字林道，潁川許昌人。祖淮，太尉。父畛，光祿大夫。逵少有幹，以清敏立名。襲封廣陵公，黃門郎，西中郎將，領梁、淮南二郡太守。」

㊀無奕——安兄奕，字無奕。見德行三三。

60 或問林公：「司州何如二謝？」林公曰：「故當攀安提萬。」王胡之別傳曰：「胡之好談諧，善屬文辭，爲當世所重。」

61 孫興公、許玄度皆一時名流。或重許高情，則鄙孫穢行；或愛孫才藻，而無取於許。宋明帝文章志曰：「綽博涉經史，長於屬文，與許詢俱有負俗之談㊀。詢卒不降志，而綽嬰綸世務焉。」續晉陽秋曰：「綽雖有文才，而誕縱多穢行，時人鄙之。」

㊀與許詢俱有負俗之談——「俱有」原作「俱與」，據影宋本及沈校本改。

62 郗嘉賓道謝公造膝雖不深徹，而纏綿綸至。又曰：「右軍詣嘉賓㊀。」嘉賓聞之云：「不得稱詣，政得謂之朋耳。」謝公以嘉賓言爲得。凡徹、詣者，蓋深覈之名也。謝不徹，王亦不詣。謝、王於理，相與爲朋儔也。

㊀又曰右軍詣嘉賓——此文頗費解。「又曰」者，蓋記事者另發一端，言時人又有此論，不與上文相承。「詣」下「嘉賓」二字疑衍。

63 庾道季云：「思理倫和，吾愧康伯㊀；志力彊正，吾愧文度㊁。自此以還，吾皆百之。」庾龢，已見。

㈠康伯——韓伯字康伯，見德行三八注。

㈡文度——王坦之字文度，見言語七二。

64 王僧恩輕林公，藍田曰：「勿學汝兄㈠，汝兄自不如伊。」僧恩，王禕之小字也。王氏世家曰：「禕之字文劭，述次子㈡。少知名，尚尋陽公主。仕至中書郎，未三十而卒，坦之悼念，與桓溫稱之。贈散騎常侍。」

㈠汝兄——謂王坦之。輕詆二一云：「王中郎與林公絕不相得。」故藍田云「勿學汝兄」。

㈡述次子——禕之乃述少子，述次子名虔之（當作「處之」），小字阿智，見假譎一二。

65 簡文問孫興公：「袁羊何似㈠？」答曰：「不知者不負其才，知之者無取其體。」言其有才而無德也。

㈠袁羊——袁喬小字羊。

66 蔡叔子云㈠：「韓康伯雖無骨幹，然亦膚立。」

㈠蔡叔子——雅量三一有蔡子叔，注引中興書：「蔡系字子叔。」疑是一人。

67 郗嘉賓問謝太傅曰：「林公談何如嵇公？」謝云：「嵇公勤著脚，裁可得去耳㈠。」支遁傳曰：「遁神悟機發，風期所得，自然超邁也。」又問：「殷何如支？」謝曰：「正爾有超拔，支乃過殷；然亹亹論辯，恐口欲制支。」

㈠「嵇公」二句——高僧傳作「嵇努力裁得去耳」。「努力」正是「勤著脚」注脚。

68 庾道季云：「廉頗、藺相如雖千載上死人㈠，懍懍恒如有生氣；史記曰：「廉頗者，趙良將也，以勇氣聞諸侯。藺相如者，趙人也。趙惠文王時，得楚和氏璧，秦昭王請以十五城易之。趙遣相如送璧，秦受之，無還城意。相如請璧示其瑕，因持璧却立倚柱，怒髮上衝冠，曰：『王欲急臣，臣頭今與璧俱碎。』秦王謝之。後秦王使趙王鼓瑟，相如請秦王擊筑㈡。趙以相如功大，拜上卿，位在廉頗上。」曹蜍、蜍，曹茂之小字也。曹氏譜曰：「茂之字永世，彭城人也。祖韶，鎮東將軍司馬。父曼，少府卿。茂之仕至尚書郎。」李志晉百官名曰：「志字溫祖，江夏鍾武人。」李氏譜曰：「志祖重，散騎常侍。父慕，純陽令。志仕至員外常侍、南康相。」雖見在，厭厭如九泉下人。人皆如此，便可結繩而治，但恐狐狸猯狢噉盡。」言人皆如曹、李質魯淳慤，則天下無姦民，可結繩致治。然才智無聞，功迹俱滅，身盡於狐狸，無擅世之名也。

㈠廉頗藺相如雖千載上死人——王先謙校曰：「『死』，一本作『使』。」一本不知何本。若作「使」，則「使人」二字當屬下。

案金樓子亦作「死」，當不誤。

㈡相如請秦王擊筑——「筑」史記作「缶」。

69 衛君長是蕭祖周婦兄㈠，謝公問孫僧奴：僧奴，孫騰小字也。晉百官名曰：「騰字伯海，太原人。」中興書曰：「騰，紞子也㈡，博學，歷中庶子、廷尉。」「君家道衛君長云何㈢？」孫曰：「云是世業人。」謝曰：「殊不爾，衛自是理義人。」于時以比殷洪遠㈣。

㈠衛君長是蕭祖周婦兄——衛永字君長，見賞譽一〇七；蕭輪字祖周，見賞譽七五。

㈡騰紞子也——「紞」當作「統」。晉書孫統傳：「子騰嗣，以博學著稱，位至廷尉。」

㈢君家——猶君也，與「我家」指我、「此家」指此人同例，詳附錄語詞簡釋「此家」下。

㊃殷洪遠——殷融字洪遠，浩之叔，見文學七四注。

70 王子敬問謝公：「林公何如庾公？」謝殊不受，答曰：「先輩初無論，庾公自足沒林公。」殷羨言行曰：「時有人稱庾太尉理者，羨曰：『此公好舉宗本槌人㊀。』」

㊀此公好舉宗本槌人——「宗」影宋本作「素」。王先謙校曰：「一本『本』作『木』，是。」

71 謝遏諸人共道「竹林」優劣㊀，謝公云：「先輩初不臧貶『七賢』。」魏氏春秋曰：「山濤通簡有德，秀、咸、戎、伶朗達有儁才。於時之談，以阮爲首，王戎次之，山、向之徒，皆其倫也。」若如盛言，則非無臧貶。此言謬也。

㊀謝遏——謝玄，小字遏，屢見。

72 有人以王中郎比車騎㊀，車騎聞之曰：「伊窟窟成就。」續晉陽秋曰：「坦之雅貴有識量，風格峻整。」

㊀車騎——謝玄。

73 謝太傅謂王孝伯㊀：「劉尹亦奇自知，然不言勝長史。」

㊀王孝伯——王恭字孝伯，見德行四四注。恭爲王濛之孫。

74 王黃門兄弟三人俱詣謝公㊀，子猷、子重多說俗事，王氏譜曰：「操之字子重，羲之第六子，歷祕書監、侍中、尚書、豫章太守。」子敬寒溫而已。既出，坐客問謝公：「向三賢孰愈？」謝公曰：「小者最勝。」客曰：「何以知之？」謝公曰：「吉人之辭寡，躁人之辭多㊁。推此知之。」

㈠王黃門——王徽之官黃門侍郎，見雅量三六注。

㈡「吉人」二句——見易繫辭下。

75 謝公問王子敬：「君書何如君家尊？」答曰：「固當不同。」公曰：「外人論殊不爾。」王曰：「外人那得知！」宋明帝文章志曰：「獻之善隸書，變右軍法爲今體，字畫秀媚，妙絕時倫，與父俱得名。其章草疏弱，殊不及父。或訊獻之，云羲之書勝不，莫能判㈠。有問羲之云：『世論卿書不逮獻之。』答曰：『殊不爾也。』它日見獻之，問：『尊君書何如？』獻之不答。又問：『論者云：君固當不如。』獻之笑而答曰：『人那得知之也。』」

㈠「或訊獻之云」三句——「云」字疑衍文。不應與子語斥其父名，當以「或訊獻之羲之書勝不」爲句，「勝不」猶言勝負，蓋時人相與談論，故下云「莫能判」。

76 王孝伯問謝太傅：「林公何如長史？」太傅曰：「長史韶興。」問：「何如劉尹？」謝曰：「噫，劉尹秀。」王曰：「若如公言，並不如此二人邪？」謝云：「身意正爾也。」

77 人有問太傅：「子敬可是先輩誰比？」謝曰：「阿敬近撮王、劉之標㈠。」續晉陽秋曰：「獻之文義並非所長，而能撮其勝會，故擅名一時，爲風流之冠也。」

㈠王劉之標——王濛、劉惔。標，標格，風度。

78 謝公語孝伯：「君祖比劉尹故爲得逮㈠？」孝伯云：「劉尹非不能逮，直不逮。」言濛質而惔文也。

㈠君祖——濛生蘊，蘊生恭，故云「君祖」。

79 **袁彥伯爲吏部郎，子敬與郗嘉賓書曰：「彥伯已入，殊足頓興往之氣。故知捶撻自難爲人，冀小却當復差耳㊀。」**

㊀「彥伯已入」四句——入，謂入爲吏部郎。興往，猶邁往；頓，摧挫也。南史蕭琛傳：「時齊明帝用法嚴峻，尚書郎坐杖罰者皆即科行，琛乃密啓曰：『郎有杖起自後漢，爾時郎官位卑，親主文案，與令史不異，是以古人多恥爲此職。』」子敬所云「捶撻自難爲人」，當即指此。晉人以「過後」爲「却後」，小却，猶稍後。

80 **王子猷、子敬兄弟共賞高士傳人及贊，子敬賞「井丹高潔」。子猷云：「未若『長卿慢世』。」**

嵇康高士傳曰：「丹字大春，扶風郿人。博學高論，京師爲之語曰：『五經紛綸井大春。』未嘗書刺謁一人。北宮五王更請莫能致，新陽侯陰就使人要之㊀，不得已而行。侯設麥飯葱菜，以觀其意，丹推却曰：『以君侯能供美膳，故來相過，何謂如此！』乃出盛饌。侯起，左右進輦，丹笑曰：『聞桀、紂駕人車，此所謂人車者邪？』侯即去輦。越騎梁松貴震朝廷，請交丹，丹不肯見。後丹得時疾，松自將醫視之。病愈久之，松失大男磊，丹一往弔之。時賓客滿廷，丹裘褐不完，入門，坐者皆悚望其顏色。丹四向長揖㊁，前與松語。客主禮畢後，長揖徑坐，莫得與語，不肯爲吏，徑出，後遂隱遁。」其贊曰：「井丹高潔，不慕榮貴，抗節五王，不交非類。顯譏輦車，左右失氣，披褐長揖，義陵羣萃。」「司馬相如者，蜀郡成都人，字長卿。初爲郎，事景帝。梁孝王來朝，從遊說士鄒陽等，相如說之，因病免遊梁。後過臨邛，富人卓王孫女文君新寡，好音，相如以琴心挑之，文君奔之，俱歸成都。後居貧㊂，至臨邛買酒舍，文君當壚，相如著犢鼻幝，滌器市中。爲人口吃，善屬文。仕宦不慕高爵，常託疾，不與公卿大事。終于家。」其贊曰：「長卿慢世，越禮自放。犢鼻居市，不恥其狀。託疾避宦，蔑此卿相。乃賦大人，超然莫尚。」

㊀新陽侯——後漢書井丹傳作「信陽侯」，非也。陰興傳：「弟就，嗣父封宣恩侯，後改新陽侯。」注：「新陽縣屬汝南郡。」

㊁丹四向長揖——王先謙曰：「『四向』無解，當作『西向』。」案下贊語云：「披褐長揖，義陵羣萃。」則「四向長揖」者，或是環揖坐客之意，非必真指四方也。

㊂後居貧——「居」，沈校本作「苦」。

81 有人問袁侍中袁氏譜曰：「恪之字元祖，陳郡陽夏人。祖王孫，司徒從事中郎。父綸，臨汝令。恪之仕黃門侍郎。義熙初，爲侍中。」曰：「殷仲堪何如韓康伯？」答曰：「理義所得，優劣乃復未辨；然門庭蕭寂，居然有名士風流，殷不及韓。」故殷作誄云：「荆門晝掩，閑庭晏然。」

82 王子敬問謝公：「嘉賓何如道季㊀？」答曰：「道季誠復鈔撮清悟，嘉賓故自上㊁。」謂超拔也。

㊀道季——庾龢字道季，庾亮子，見言語七九。

㊁嘉賓故自上——「故自上」，御覽四四七引俗說作「故自勝」，下有「桓公稱云鏘鏘有文武」九字。

83 王珣疾，臨困，問王武岡曰：中興書曰：「謐字雅遠㊀，丞相導孫，車騎劭子。有才器，襲爵武岡侯，位至司徒。」「世論以我家領軍比誰？」武岡曰：「世以比王北中郎。」東亭轉臥向壁，歎曰：「人固不可以無年！」領軍王洽，珣之父也。年二十六卒㊁。珣意以其父名德過坦之而無年，故致此論。

㊀謐字雅遠——「雅遠」，晉書本傳作「稚遠」。

㈡年二十六卒——「二十六」，晉書本傳作「三十六」。

84 王孝伯道謝公濃至。又曰：「長史虛，劉尹秀，謝公融。」謂條暢也。

85 王孝伯問謝公：「林公何如右軍？」謝曰：「右軍勝林公。林公在司州前㈠，亦貴徹。」不言若義之，而言勝胡之。

㈠林公在司州前——前，上也。劉孝標注：「不言若義之，而言勝胡之。」「勝胡之」即釋「在司州前」之義。

86 桓玄爲太傅，大會，朝臣畢集，坐裁竟，問王楨之曰：「我何如卿第七叔？」王氏譜曰：「楨之字公幹，琅邪人，徽之子。歷侍中、大司馬長史。」第七叔，獻之也。于時賓客爲之咽氣㈠。王徐徐答曰：「亡叔是一時之標，公是千載之英。」一坐懽然。

㈠于時賓客爲之咽氣——「咽氣」，晉書王楨之傳作「氣咽」。

87 桓玄問劉太常曰：「我何如謝太傅？」劉瑾集敘曰：「瑾字仲璋，南陽人。祖遐，父暢，暢娶王羲之女，生瑾。瑾有才力，歷尚書、太常卿。」劉答曰：「公高，太傅深。」又曰：「何如賢舅子敬？」答曰：「樝梨橘柚，各有其美。」莊子曰：「樝梨橘柚，其味相反，皆可於口也。」

88 舊以桓謙比殷仲文。中興書曰：「謙字敬祖，沖第三子，尚書僕射、中軍將軍。」晉安帝紀曰：「仲文有器貌才思。」桓玄時，仲文入，桓於庭中望見之，謂同坐曰：「我家中軍那得及此也！」

規箴第十

1 漢武帝乳母嘗於外犯事，帝欲申憲㊀，乳母求救東方朔。漢書曰：「朔字曼倩，平原厭次人。」朔別傳曰：「朔，南陽步廣里人。」列仙傳曰：「朔是楚人，武帝時，上書說便宜，拜郎中。宣帝初，棄官而去，共謂歲星也。」朔曰：「此非脣舌所爭，爾必望濟者，將去時，但當屢顧帝，愼勿言，此或可萬一冀耳。」乳母既至，朔亦侍側，因謂曰：「汝癡耳！帝豈復憶汝乳哺時恩邪！」帝雖才雄心忍，亦深有情戀，乃悽然愍之，卽敕免罪。史記滑稽傳曰：「漢武帝少時，東武侯母嘗養帝，後號大乳母。其子孫從奴橫暴長安中，當道奪人衣物，有司請徙乳母於邊，奏可。乳母入辭。帝所幸倡郭舍人，發言陳辭雖不合大道，然令人主和說。乳母乃先見，爲下泣。舍人曰：『卽入辭，勿去，數還顧。』乳母如其言，舍人疾言罵之曰：『咄，老女子！何不疾行？陛下已壯矣，寧尚須乳母活邪！尚何還顧邪？』於是人主憐之，詔止毋徙，罰譖者。」

㊀申憲——申，伸也。憲，法也。申憲，謂致之於法。

2 京房與漢元帝共論，因問帝：「幽、厲之君何以亡？所任何人？」答曰：「其任人不忠。」房曰：「知不忠而任之，何邪？」曰：「亡國之君各賢其臣，豈知不忠而任之？」房稽首曰：「將恐今之視古，亦猶後之視今也。」漢書曰：「京房字君明，東郡頓丘人。尤好鐘律，知音聲，以孝廉爲郎。是時，中書令石顯專權，及友人五鹿充宗爲尚書令㊀，與房同經，論議相是非。而此二人用事。房嘗宴見，問上曰：『幽、厲之君何以亡？

所任何人？』上曰：『君亦不明而臣巧佞。』房曰：『知其巧佞而任之邪？將以爲賢邪？』上曰：『賢之。』房曰：『然則今何以知其不賢？』上曰：『以其時亂而君危知之。』房曰：『是任賢而理，任不肖而亂，自然之道也。幽、厲何不覺悟而蚤納賢，何爲卒任不肖以至亡？』於是上曰：『亂亡之君，各賢其臣，令皆覺悟，安得亂亡之君？』房曰：『齊桓、二世何不以幽、厲疑之㊁，而任豎刁、趙高，政治日亂邪？』上曰：『唯有道者能以往知來耳。』房曰：『自陛下卽位，盜賊不禁，刑人滿市』云云，問上曰：『今治也？亂也㊂？』上曰：『然愈於彼。』房曰：『前二君皆然。臣恐後之視今，猶今之視前也。』上曰：『今爲亂者誰？』房曰：『上所親與圖事帷幄中者。』房指謂石顯及充宗。顯等乃建言：宜試房以郡守。遂以房爲東郡㊃。顯發其私事，坐棄市。」

㊀及友人五鹿充宗爲尚書令——「及」，漢書京房傳作「顯」，謂石顯。

㊁齊桓二世何不以幽厲疑之——「疑」，影宋本作「卜」，是，漢書同。

㊂「今治也」二句——「治也」，沈校本作「治邪」，漢書同。「亂也」，漢書作「亂邪」。也、邪古通。

㊃遂以房爲東郡——「東郡」，沈校本作「魏郡」，是，漢書同。

3 陳元方遭父喪㊀，哭泣哀慟，軀體骨立，其母愍之，竊以錦被蒙上。郭林宗弔而見之，謂曰：「卿海內之儁才，四方是則，如何當喪，錦被蒙上？孔子曰：『衣夫錦也，食夫稻也，於汝安乎？』論語曰：「宰我問：『三年之喪，期已久矣。』子曰：『食夫稻，衣夫錦，於汝安乎？夫君子居喪，食旨不甘，聞樂不樂，居處不安，故不爲也。今汝安，則爲之。』」吾不取也。」奮衣而去。自後賓客絕百所日㊁。「所」一作「許」。

㈠陳元方遭父喪——御覽五六一及八一五引語林，與此文同。御覽七〇七亦引語林，作「傅信字子思」，不云陳元方。

㈡自後賓客絶百所日——「百所日」，御覽五六一、八一五及七〇七引語林並作「百許日」。許、所同義。

4 孫休好射雉，至其時，則晨去夕反㈠，羣臣莫不止諫㈡：「此爲小物，何足甚躭！」休曰㈢：「雖爲小物，耿介過人，朕所以好之。」環濟吴紀曰：「休字子烈，吴大帝第六子，初封琅邪王，夢乘龍上天，顧不見尾。孫琳廢少主㈣，迎休立之。鋭意典籍，欲畢覽百家之事。頗好射雉，至春，晨出莫反，唯此時舍書。崩，謚景皇帝。」條列吴事曰：「休在位烝烝，無有遺事，唯射雉可譏㈤。」

㈠則晨去夕反——「則」字唐寫本無。

㈡羣臣莫不止諫——「止諫」，唐寫本作「上諫曰」，廣記四六一引語林同，當據改。

㈢休曰——唐寫本作「休答曰」。

㈣孫琳廢少主——「孫琳」唐寫本作「孫綝」，是，吴志同。

㈤「休在位」三句——唐寫本作「休在政蒸蒸，少有違事，頗以射雉爲譏云爾。」

5 孫皓問丞相陸凱曰：「卿一宗在朝有幾人？」陸曰：「二相、五侯、將軍十餘人。」皓曰：「盛哉！」陸曰：「君賢臣忠，國之盛也；父慈子孝，家之盛也。今政荒民弊，覆亡是懼，臣何敢言盛！」吴録曰：「凱字敬風，吴人㈠，丞相遜族子。忠鯁有大節，篤志好學。初爲建忠校尉㈡，雖有軍事，手不釋卷㈢。累遷左丞相。時後主暴虐，凱正直彊諫，以其宗族彊盛，不敢加誅也㈣。」

㈠吳人——唐寫本作「吳郡吳人」。

㈡初爲建忠校尉——吳志本傳云「拜建武都尉」，又云「遷爲建武校尉」。

㈢手不釋卷——唐寫本作「手不釋書」，吳志本傳同。

㈣不敢加誅也——「不」上沈校本有「故」字，「也」字唐寫本無。

6 何晏、鄧颺令管輅作卦，云㈠：「不知位至三公不？」卦成，輅稱引古義，深以戒之。颺曰：「此老生之常談。」

輅別傳曰：「輅字公明，平原人也。明周易，聲發徐州。冀州刺史裴徽舉秀才，謂曰㈡：『何、鄧二尚書，有經國才略，於物理無不精也㈢。何尚書神明清徹，殆破秋豪，君當慎之！自言不解易中九事，必當相問，比至洛，宜善精其理。』輅曰：『若九事皆至義，不足勞思。若陰陽者，精之久矣。』輅至洛陽，果爲何尚書問九事，皆明㈣。何曰：『君論陰陽，此世無雙也。』時鄧尚書在㈤，曰：『此君善易，而語初不論易中辭義㈥，何邪？』輅答曰㈦：『夫善易者不論易也。』何尚書含笑贊之曰：『可謂要言不煩也。』因謂輅曰：『聞君非徒善論易㈧，至於分蓍思爻，亦爲神妙。試爲作一卦，知位當至三公不？又頃夢青蠅數十來鼻頭上㈨，驅之不去，有何意故？』輅曰：『鴟鴞，天下賤鳥也，及其在林食桑椹，則懷我好音。況輅心過草木，注情葵藿，敢不盡忠！唯察之爾。昔元、凱之相重華，宜慈惠和，仁義之至也。周公之翼成王，坐以待旦，敬慎之至也。故能流光六合，萬國咸寧。然後據鼎足而登金鉉，調陰陽而濟兆民。此履道之休應，非卜筮之所明也。今君侯位重山岳，勢若雷霆，望雲赴景，萬里馳風；而懷德者少，畏威者衆，殆非小心翼翼多福之士。又鼻者，艮也，此天中之山，高而不危，所以長守貴也。今青蠅，臭惡之物，而集之焉。位峻者顛，輕豪者亡，必至之分也。夫變化雖相生，極則有害；虛滿雖相受，溢則有竭。聖人見陰陽之性，明存亡之理，損益以爲衰，抑進以爲退。是故山在地中曰謙，雷在天上曰大壯。謙則裒多益寡，大壯則非禮不履㈢。伏願君侯上尋文王六爻之旨，下思尼父彖象之義，則三公可決，青蠅可驅。』鄧曰㈠：『此老生之常談。』輅曰：『夫老生者見不生，常談者見不談也㈡。』」晏曰「知幾其神乎，古人以爲難；交疏吐誠㈢，今人以爲難。今君一面，盡二難之道㈣，可謂『明德惟馨㈤』。詩不云乎，『中心藏之，何日忘之㈥！』」名士傳曰：「是時曹爽輔政，識者慮有危機。晏有重名，與魏姻戚，內雖懷憂，而無復退也。著五言詩以言志曰：『鴻鵠比翼遊，羣飛戲太清。常畏大網羅，憂禍一旦并。豈若集五湖，從流唼浮萍。永寧曠中懷㈦，何爲怵惕驚？』蓋因輅言，懼而賦詩。」

㈠云——唐寫本無。

㈡「平原人也」五句——唐寫本作「平原人，八歲，便好仰觀星辰，得人輒問。及成人，果明周易，仰觀風角占相之道，聲發徐州，號曰神童。冀州刺史裴徽召補文學，一見清論終日，再見轉爲部鉅鏕從事，三見轉爲治中，四見轉爲別駕，至十月，舉爲秀才。臨辭，徽謂曰」。「鏕」乃「鹿」之誤。

㈢「何鄧二尚書」三句——魏志本傳注引作「丁鄧二尚書」，是。丁指丁謐。唐寫本無「無」字，魏志注同，當從。

㈣「果爲」二句——唐寫本作「果爲何尚書所請，共論易九事，九事皆明」。魏志本傳注引輅別傳同。

㈤鄧尚書在——唐寫本「在」下有「坐」字。

㈥而語初不論易中辭義——唐寫本「不論」作「不及」，魏志本傳注同。

㈦輅答曰——唐寫本「輅」下有「尋聲」二字。魏志本傳注作「輅尋聲答之曰」。

㈧聞君非徒善論易——唐寫本末有「而已」兩字。

㈨又頃夢青蠅數十來鼻頭上——唐寫本作「又頃連青蠅數十頭來鼻上」。魏志本傳注「連夢見青蠅數十頭來鼻上。」

㈩大壯則非禮不履——「大」，唐寫本無，是，魏志本傳同。易大壯：「君子以非禮弗履。」注：「壯而違禮則凶，凶則失壯也。」

(一一)鄧曰——唐寫本作「鄧尚書曰」。

(一二)常談者見不談也——此句下沈校本有「未幾晏、颺皆伏誅」一句。

(一三)交疏吐誠——唐寫本作「交疏而吐誠」，魏志本傳注作「交疏而吐其誠」。

(一四)今君一面盡二難之道——「面」下魏志本傳注有「而」字。

(一五)明德惟馨——書君陳篇語。疏云：「明德之所遠及，乃惟爲馨香耳。」

(一六)「中心」二句——詩小雅隰桑卒章語也。

(一七)永寧曠中懷——「寧」，沈校本作「言」。

7 晉武帝既不悟太子之愚，必有傳後意，諸名臣亦多獻直言。帝嘗在陵雲臺上坐，衞瓘在側，欲申其懷㈠，因如醉，跪帝前，以手撫牀曰：「此坐可惜！」帝雖悟，因笑曰：「公醉邪？」

晉陽秋曰：「初，惠帝之爲太子，咸謂不能親政事㈡，衞瓘每欲陳啓廢之，而未敢也。後因會醉，遂跪牀前曰㈢：『臣欲有所啓。』帝曰：『公所欲言者何邪㈣？』瓘欲言而復止者三，因以手撫牀曰：『此坐可惜。』帝意乃悟。因謬曰：『公真大醉也㈤！』帝後悉召東宮官屬大會，令左右齎尚書處事以示太子，令處決，太子不知所對。賈妃以問外人，代太子對，多引古詞義㈥。給使張弘曰㈦：『太子不學，陛下所知，宜以見事斷㈧，不宜引書也。』妃從之。弘具草奏，令太子書呈，帝大說㈨，以示瓘。於是賈充語妃曰：『衞瓘老奴，幾敗汝家㈩！』妃由是怨瓘，後遂誅之。」

㈠欲申其懷——「申」上唐寫本有「微」字。

㈡咸謂不能親政事——「咸謂」原作「感謂」，據唐寫本、影宋本及沈校本改。「咸謂」上唐寫本有「朝廷百僚」四字。「不能」上有「太子」二字。

㈢遂跪牀前曰——「牀」上唐寫本有「世祖」二字。

㈣公所欲言者何邪——唐寫本作「公所言何邪」，晉書衞瓘傳同。

㈤公真大醉也——「也」，唐寫本作「邪」，晉書衞瓘傳同。

㈥多引古詞義——唐寫本作「多引古義」，晉書惠賈皇后傳同。

㈦給使張弘曰——「張弘」，唐寫本作「張泓」，下同。晉書惠賈皇后傳正作「張泓」。

㈧宜以見事斷——「宜」上唐寫本有「今」字。

㈨帝大說——「帝」下唐寫本有「讀」字。

㈩幾敗汝家——「敗」，唐寫本作「破」，晉書惠賈皇后傳同。

8 王夷甫婦，郭泰寧女，晉諸公贊曰：「郭豫字太寧㈠，太原人。仕至相國參軍，知名，早卒。」才拙而性剛，聚斂無厭，干豫人事。夷甫患之而不能禁。時其鄉人幽州刺史李陽，京都大俠，晉百官名曰：「陽字景祖，高平人㈡，武帝時爲幽州刺史。」語林曰：「陽性遊俠㈢，盛暑，一日詣數百家別，賓客與別，常塡門，遂死于几下。故懼之。」猶漢之樓護，漢書遊俠傳曰：「護字君卿，齊人。學經傳，甚得名譽。母死，送葬車三千兩㈣。仕至天水太守。」郭氏憚之。夷甫驟諫之，乃曰：「非但我言卿不可，李陽亦謂卿不可。」郭氏小為之損㈤。

㈠郭豫字太寧——「太寧」，唐寫本作「泰寧」。

㈡高平人——「平」原作「尚」，據唐寫本、影宋本及沈校本改。案王衍臨沂人，與高平相近，故曰鄉人。

㈢陽性遊俠——此句下唐寫本有「為幽州」一句，御覽四七三引語林有「為幽州刺史，當之職」二句，語意尤明。

㈣送葬車三千兩——唐寫本作「送葬者二三千兩」。漢書作「送葬者致車二三千兩」。

㈤郭氏小為之損——唐寫本作「郭氏為之小損」。

9 王夷甫雅尚玄遠，常嫉其婦貪濁，口未嘗言「錢」字㈠。晉陽秋曰：「夷甫善施舍，父時有假貸者，皆與焚券，未嘗謀貨利之事。」王隱晉書曰：「夷甫求富貴得富貴，資財山積，用不能消，安須問錢乎？而世以不問為高，不亦惑乎？」婦欲試之，令婢以錢遶牀，不得行㈡。夷甫晨起，見錢閡行，呼婢曰：「舉却阿堵物！」

㈠口未嘗言錢字——「字」唐寫本無，晉書本傳同。

㈡不得行——晉書本傳，「不」上有「使」字，語意更備。

10 王平子年十四五，見王夷甫妻郭氏貪欲，令婢路上儋糞。平子諫之，並言不可㈠。郭大怒，謂平子曰：「昔夫人臨終，以小郎囑新婦㈡，不以新婦囑小郎。」永嘉流人名曰：「澄父乂，第三取樂安任氏女，生澄。急捉衣裾，將與杖。平子饒力，爭得脫，踰窗而走。

㈡並言不可——「言」下唐寫本有「諸」字，義長。

㈢昔夫人臨終以小郎囑新婦——婦人稱夫弟曰小郎，自稱曰新婦。夫人，稱其姑也。

11 元帝過江猶好酒，王茂弘與帝有舊，常流涕諫，帝許之，命酌酒一酣，從是遂斷。鄧粲晉紀曰：「上身服儉約，以先時務。性素好酒，將渡江，王導深以諫。帝乃令左右進觴，飲而覆之㈠，自是遂不復飲。克己復禮，官修其方，而中興之業隆焉。」

㈠「王導」三句——唐寫本作「王導深以戒諫，乃令左右進觴而覆之」。

12 謝鯤爲豫章太守，從大將軍下至石頭。敦謂鯤曰：「余不得復爲盛德之事矣！」鯤曰：「何爲其然？但使自今已後，日亡日去耳㈠。」鯤別傳曰：「鯤之諷切雅正，皆此類也。」敦又稱疾不朝，鯤諭敦曰：「近者明公之舉，雖欲大存社稷，然四海之內㈡，實懷未達。若能朝天子，使羣臣釋然，萬物之心於是乃服。仗民望以從衆懷，盡沖退以奉主上，如斯則勳侔一匡，名垂千載。」時人以爲名言。晉陽秋曰：「鯤爲豫章太守，王敦將肆逆，以鯤有時望，逼與俱行。既克京邑，將旋武昌，鯤曰：『不就朝覲，鯤懼天下私議也。』敦曰：『君能保無變乎？』對曰：『鯤近日入覲，主上側席，遲得見公，宮省穆然，必無不虞之慮。公若入朝，鯤請侍從。』敦曰：『正復殺君等數百，何損於時！』遂不朝而去。」

㈠但使自今已後日亡日去耳——通鑑九二晉紀「亡」作「忘」，注：「言日復一日，寖忘前事，則君臣猜嫌之迹亦日去耳。」

㈡四海之內——「內」，唐寫本作「心」。

13 元皇帝時，廷尉張闓葛洪富民塘頌曰㊀：「闓字敬緒，丹陽人，張昭孫也㊁。」中興書曰：「闓，晉陵內史，甚有威德，轉至廷尉卿。」在小市居，私作都門，蚤閉晚開，羣小患之，詣州府訴，不得理；遂至撾登聞鼓㊂，猶不被判。聞賀司空出，至破岡，連名詣賀訴。賀循別傳曰：「循字彥先，會稽山陰人，本姓慶，高祖純避漢帝諱㊃，改爲賀氏。父劭，吳中書令，以忠正見害。循少嬰家禍，流放荒裔，吳平乃還。秉節高舉，元帝爲安東王㊄，循爲吳國內史㊅。」賀曰：「身被徵作禮官，不關此事。」羣小叩頭曰：「若府君復不見治，便無所訴。」賀未語，令：「且去，見張廷尉當爲及之。」張聞，卽毀門，自至方山迎賀㊆，賀出見辭之，曰：「此不必見關，但與君門情，相爲惜之。」張愧謝曰：「小人有如此，始不卽知，蚤已毀壞。」

㊀葛洪富民塘頌曰——「頌」下唐寫本有「敍闓」二字。

㊁張昭孫也——晉書本傳作「昭之曾孫」。

㊂登聞鼓——通鑑八二晉紀四惠帝元康元年：「太保主簿劉繇等執黃旛，撾登聞鼓。」注：「古者，設諫鼓，立謗木，所以通下情也。周禮：『太僕建路鼓於大寢之門外，以待達窮者。』鄭司農注云：『窮，謂窮寃失職者，來擊此鼓，以達於王，若今時上變事擊鼓矣。』此則登聞鼓之始也。登聞鼓之名，蓋始於魏晉之間。」按伐登聞鼓先見於晉書武帝紀泰始五年。

㊃高祖純避漢帝諱——「避漢帝諱」唐寫本作「避漢安帝諱」。賀鑄慶湖遺老集序引會稽先賢傳：「安帝時，避帝本生諱，改姓賀氏。」晉書賀循傳：「族高祖純，漢安帝時爲侍中，避安帝父諱，改爲賀氏。」漢安帝名祜，父清河孝王，名慶。晉

書及會稽先賢傳並是，則此文當作「避漢安帝父諱」。

㊄元帝爲安東王——「安東王」，唐寫本作「安東」，是。帝時爲安東將軍。

㊅循爲吳國内史——唐寫本下有「還太常、太傅，薨，贈司空也」十字。

㊆方山——文選謝靈運鄰里相送方山詩注引丹陽郡圖經曰：「方山在江寧縣東南五十里，下有湖水。舊揚州有四津，方山爲東，石頭爲西。」

14 郗太尉晚節好談，既雅非所經，而甚矜之。中興書曰：「鑒少好學博覽，雖不及章句，而多所通綜。」後朝覲，以王丞相末年多可恨，每見必欲苦相規誡。王公知其意，每引作他言。臨還鎮㊀，故命駕，詣丞相，丞相翹須厲色，上坐便言㊁：「方當乖別，必欲言其所見。」意滿口重，辭殊不流。王公攝其次，曰：「後面未期，亦欲盡所懷，願公勿復談！」郗遂大瞋，冰衿而出，不得一言。

㊀臨還鎮——「臨」下唐寫本有「當」字。

㊁丞相翹須厲色上坐便言——「丞相」二字唐寫本及沈校本無，則「翹須厲色」者乃郗也。當讀「翹須厲色，上坐便言」。

15 王丞相爲揚州，遣八部從事之職㊀，顧和時爲下傳還，同時俱見，諸從事各奏二千石官長得失，至和獨無言。王問顧曰：「卿何所聞？」答曰：「明公作輔，寧使網漏吞舟，何緣採聽風聞，以爲察察之政？」丞相咨嗟稱佳，諸從事自視缺然也。

㈠遣八部從事之職——晉書職官志：「州置刺史、別駕、治中從事、諸曹從事等員。所領中郡以上，郡各置部從事一人，小郡亦置一人。」通鑑九十晉紀注：「揚州時統丹陽、會稽、吳、吳興、宣城、東陽、臨海、新安八郡，故分遣部從事八人。」

16 蘇峻東征沈充，晉陽秋曰：「充字士居，吳興人。少好兵，諂事王敦，敦克京邑，以充爲車騎將軍，領吳國內史。明帝伐王敦，充率衆就王含。謂其妻曰：『男兒不建豹尾，不復歸矣！』敦死，充將吳儒斬首於京都㈠。」請吏部郎陸邁與俱。陸碑曰：「邁字功高㈡，吳郡人㈢。器識清敏，風檢澄峻，累遷振威太守、尚書吏部郎。」將至吳，密敕左右㈣，令入閶門放火以示威。陸知其意㈤，謂峻曰：「吳治平未久，必將有亂；若爲亂階，請從我家始㈥。」峻遂止。

㈠「敦死」二句——唐寫本作「敦死，使蘇峻討充，充將吳儒斬送充首」。「斬首於京都」，沈校本作「斬首送京都」，是。晉書本傳：「充敗，歸吳興，亡失道，誤入其故將吳儒家。儒遂殺之。」王敦傳：「吳儒斬沈充，並傳首京師。」

㈡邁字功高——「功高」，唐寫本及沈校本並作「公高」。

㈢吳郡人——「人」下唐寫本有「吳」字。案「吳」字當在「人」字上，作「吳郡吳人」。

㈣密敕左右——「密」上唐寫本有「峻」字。

㈤陸知其意——「知」上唐寫本有「密」字。

㈥請從我家始——「請」，唐寫本作「可」字。

17 陸玩拜司空，玩別傳曰：「是時王導、郗鑒、庾亮相繼薨殂，朝野憂懼。以玩德望，乃拜司空，玩辭讓不獲，乃歎息謂朋友曰㊀：「『以我爲三公，是天下無人矣！』時人以爲知言。」有人詣之，索美酒，得，便自起瀉著梁柱間地，祝曰：「當今乏才，以爾爲柱石之用，莫傾人棟梁。」玩笑曰：「戢卿良箴㊁。」

㊀乃歎息謂朋友曰——「朋友」，唐寫本作「賓客」，晉書本傳同。

㊁戢卿良箴——晉書本傳同。御覽一八七作「感卿良箴」。案：戢，藏也，即中心藏之之意。

18 小庾在荊州，公朝大會，問諸僚佐曰：「我欲爲漢高、魏武，何如？」翼別見。宋明帝文章志曰：「庾翼名輩，豈應狂狷如此哉！時若有斯言㊀，亦傳聞者之謬矣。」一坐莫答。長史江虨曰：「願明公爲桓、文之事，不願作漢高、魏武也。」

㊀時若有斯言——影宋本及沈校本無「時」字。案有「時」字義長。「時若有斯言」乃當時流傳有此言，故下云「亦傳聞者之謬」。若無「時」字，則是庾有此言，便不得謂傳聞之謬矣。

19 羅君章爲桓宣武從事，含別傳曰：「刺史庾亮初命含爲部從事，桓溫臨州，轉參軍。」謝鎮西作江夏，往檢校之。中興書曰：「尚爲建武將軍、江夏相。」羅既至，初不問郡事，徑就謝數日飲酒而還。桓公問：「有何事？」君章云：「不審公謂謝尚何似人？」桓公曰：「仁祖是勝我許人。」君章云：「豈有勝公人而行非者，故一無所問。」桓公奇其意而不責也。

20 王右軍與王敬仁、許玄度並善，二人亡後，右軍爲論議更克。孔巖誡之曰㊀：「明府昔與王、許周旋有情，及逝沒之後，無慎終之好，民所不取㊁。」右軍甚愧。

㈠孔巖誡之曰——「巖」，唐寫本作「嚴」，是。見品藻四○注。

㈡民——嚴，山陰人，羲之嘗爲會稽内史，嚴爲其部民，故自稱曰「民」，而以「明府」稱羲之。

21 謝中郎在壽春敗，臨奔走，猶求玉帖鐙。太傅在軍，前後初無損益之言。爾日猶云：「當今豈須煩此！」按萬未死之前，安猶未仕，高卧東山，又何肯輕入軍旅邪㈠？世說此言，迂謬已甚。

㈠又何肯輕入軍旅邪——按此事亦見晉書謝萬傳，而於謝安傳云：「及萬黜廢，始有仕進志。」其前後違迕，亦與世說相同。通鑑書謝安赴桓溫召爲征西司馬於穆帝升平四年，萬之敗在升平三年，軍士欲因其敗而圖之，以安故而止，則通鑑亦以安爲白衣隨軍，與世說不異。故孝標雖有此疑，而謂安必不輕入軍旅，亦無確證。

22 王大語東亭：「卿乃復論成不惡㈠，那得與僧彌戲？」續晉陽秋曰：「珉有儁才㈡，與兄珣並有名，聲出珣右㈢。故時人爲之語曰：『法護非不佳，僧彌難爲兄㈣。』」

㈠卿乃復論成不惡——「論成」，唐寫本作「倫伍」。

㈡珉有儁才——「珉」原作「民」，據唐寫本、影宋本及沈校本改。

㈢聲出珣右——「聲」上唐寫本、影宋本及沈校本並有「而」字，是，當據補。

㈣僧彌難爲兄——「僧彌」，唐寫本作「阿彌」。「兄」原誤作「元」，據唐寫本、影宋本及沈校本改。

23 殷覬病困，看人政見半面㈠。殷荊州興晉陽之甲，春秋公羊傳曰：「晉趙鞅取晉陽之甲以逐荀寅、士吉射。寅、吉射者，君側之惡人。」往與覬別，涕零，屬以消息所患。覬答曰：「我病自當差，正憂汝患耳！」晉安帝紀曰：「殷仲堪舉兵，覬弗與同，且以己居小任，唯當守局而已。晉陽之事，非所宜豫也。仲堪每邀之㈠，覬輒曰：「吾進不敢同，退不敢異。」遂以憂卒。」

㊀「殷覬病困」二句——「殷覬」，晉書作「殷顗」，下同。「政」同「正」，止也。

㊁仲堪每邀之——「邀」，唐寫本作「要」，「邀」與「要」通。

24 遠公在廬山中，豫章舊志曰：「廬俗字君孝，本姓匡，夏禹苗裔東野王之子。秦末，百越君長與吳芮助漢定天下，野王亡軍中，漢八年，封俗鄡陽男，食邑茲部，印曰『廬君』㊀。俗兄弟七人，皆好道術，遂寓于洞庭之山㊁，故世謂廬山。孝武元封五年，南巡狩，浮江，親睹神靈，乃封俗爲大明公㊂，四時秩祭焉。」遠法師廬山記曰：「山在江州尋陽郡，左挾彭澤，右傍通川。有匡俗先生出自殷、周之際，遁世隱時，潛居其下。或云匡俗受道於仙人，而共遊其嶺，遂託室崖岫，卽巖成館，故時人謂爲神仙之廬而命焉。」法師遊山記曰：「自託此山，二十三載㊃，再踐石門，四遊南嶺。東望香鑪峯，北眺九江，傳聞有石井、方湖，中有赤鱗踊出。野人不能敍，直歎其奇而已矣。」雖老，講論不輟。弟子中或有墮者㊄，遠公曰：「桑榆之光，理無遠照，但願朝陽之暉，與時並明耳。」執經登坐，諷誦朗暢㊅，詞色甚苦，高足之徒，皆肅然增敬。

㊀印曰廬君——唐寫本作「號曰越廬君」。

㊁遂寓于洞庭之山——「寓」下唐寫本有「爽」字，御覽四七有「精爽」二字，是。

㊂乃封俗爲大明公——「大明公」，御覽四一引廬山記作「文明公」。

㊃二十三載——御覽引廬山記作「二十二載」。

㊄弟子中或有墮者——「墮」，唐寫本作「惰」。案「墮」乃「惰」之借字。

㈥飄颻朗暢——「朗暢」二字唐寫本無，則「飄颻」二字連上。

25 桓南郡好獵，每田狩，車騎甚盛，五六十里中，旌旗蔽隰，騁良馬，馳擊若飛；雙甄所指㈠，不避陵壑。或行陳不整，麏兔騰逸，參佐無不被繫束。桓道恭，玄之族也，桓氏譜曰：「道恭字祖猷，彝同堂弟也。父赤之，太學博士。道恭歷淮南太守、僞楚江夏相，義熙初伏誅。」時爲賊曹參軍，頗敢直言。常自帶絳綿繩著腰中，玄問：「此何爲㈡？」答曰：「公獵，好縛人士，會當被縛，手不能堪芒也。」玄自此小差㈢。

㈠雙甄——甄音堅。晉書周訪傳：「使將軍李恒督左甄，許朝督右甄。」吳士鑑斠注：「案下文又稱兩甄，左傳文十年杜注：『將獵張兩甄，置左右司馬。』此杜氏以晉制況周制者。世說：『桓玄好獵，雙甄所指，不避林壑。』雙甄即兩甄。文選注引孫子曰：『長陣爲甄。』楚辭：『鵾鷄兮甄甄。』王注：『甄甄，鳥飛貌。』是知甄固陣名，取象飛鳥。左甄右甄，猶今言左翼右翼也。」

㈡此何爲——「此」上唐寫本有「用」字。

㈢小差——差，損也，減也，故疾小愈曰差。小差，言其威焰稍減。

26 王緒、王國寶相爲脣齒，並上下權要㈠。王氏譜曰：「緒字仲業，太原人。祖延㈡。父乂，撫軍。」晉安帝紀曰：「緒爲會稽王從事中郎，以佞邪親幸。王珣、王恭惡國寶與緒亂政㈢，與殷仲堪克期同舉，內匡朝廷。及恭表至，乃斬緒以説諸侯㈣。國寶，平北將軍坦之第三子。太傅謝安，國寶婦父也，惡而抑之不用。安薨，相王輔政，遷中書令，有妾數百。從弟緒，有寵於王，深爲其說，國寶權動內外。王珣、王恭、殷仲堪爲孝武所待，不爲相王所眄。恭抗表討之，車胤又争之，會稽王既不能拒諸侯兵，遂委罪國寶，付廷尉賜死㈤。」王大不平其如此，乃謂緒曰：「汝爲此欻欻㈥，曾不慮獄吏之爲貴乎？」史記曰：「有上書告漢丞相欲反，文帝下之廷尉㈦。勃既出，歎曰：『吾嘗將百萬之軍，安知獄吏之爲貴也！』」

㈠並上下權要——「上下」唐寫本作「弄」，是。「卡」爲「弄」之異體，諸刊本誤分爲二字。

㈡祖延——唐寫本下有「早終」二字。

㈢王珣王恭惡國寶與緒亂政——唐寫本作「間王珣、王恭於王，王恭惡國寶與緒亂政。」

㈣乃斬緒以説諸侯——唐寫本作「乃斬緒於市，以説於諸侯」。

㈤自「國寶」至「付廷尉賜死」——唐寫本作「國寶別傳曰：『國寶字國寶，平北將軍坦之第三子也。少不修士業，進趣當世。太傅謝安，國寶婦父也，其惡（當作惡其）爲人，每抑而不用。會稽王妃，國寶從妹也，由是得與王早遊，間安於王。安薨，相王輔政，超遷侍中、中書令。而貪恣聲色，妓妾以百數。坐事免官。國寶雖爲相王所重，既未爲孝武所親，及上覽萬機，乃自進於上，上甚愛之。俄而上崩，政由宰輔，國寶從弟緒有寵於王，深爲其説，王忿其去就，未之納也。緒説漸行，遷在（當作左）僕射，領吏部，丹楊尹，以東宮兵配之。國寶既得志，權震外內。王珣、恭、殷仲堪並爲孝武所待，不爲相王所昵，國寶深憚疾之。仲堪、王恭疾其亂政，抗表討之。國寶懼，不知所爲。乃求計於王珣。珣曰：殷、王與卿素無深讎，所競不過勢利之間耳。若放兵權，必無大禍。國寶曰：將不爲曹爽乎？珣曰：是何言與！卿寧有曹爽之罪，殷、王，宣王之疇耶！車胤又勸之。國寶尤懼，遂解職。會稽王既不能距諸侯之兵，遂委罪國寶，收付廷尉賜死也。』」

㈥欻欻——一切經音義引倉頡篇：「欻，卒起也，亦忽也。」欻欻義同，蓋以喻其輕舉妄動。

㈦「有上書」二句——唐寫本作「漢丞相周勃就國，有上書告勃反，文帝下之廷尉。吏稍侵辱。勃以千金與獄吏，吏教勃以其子婦公主爲證。帝於是赦勃，復爵邑。」

27 桓玄欲以謝太傅宅爲營，謝混曰：「召伯之仁，猶惠及甘棠；韓詩外傳曰：「昔周道之隆，召伯在朝，有司請召民㈠。召伯曰：『以一身勞百姓，非吾先君文王之志也。』乃暴處於棠下而聽訟焉。詩人見召伯休息之棠，美而歌之曰：『蔽芾甘棠，勿剪勿伐，召伯所茇。』」文靖之德㈡，更不保五畝之宅？」玄慚而止。

㈠請召民——韓詩外傳原作「請營召以居」。此注於外傳原文，頗多割裂。

㈡文靖——謝安謚曰文靖。

捷悟第十一

1 楊德祖爲魏武主簿，時作相國門，始構榱桷，魏武自出看，使人題門作「活」字，便去。楊見，即令壞之，既竟㈠，曰：「『門』中『活』，『闊』字，王正嫌門大也。」文士傳曰：「楊脩字德祖，弘農人，太尉彪子。少有才學思幹㈡。魏武爲丞相，辟爲主簿。脩常白事，知必有反覆教，豫爲答對數紙，以次牒之而行，敕守者曰：『向白事必教出相反覆㈢，若按此次第連答之。』已而風吹紙次亂，守者不別而遂錯誤。公怒，推問，脩慚懼㈣。然以所白甚有理，終亦是脩。後爲武帝所誅㈤。」

㈠既竟——御覽一八三無此二字。

㈡少有才學思幹——此下唐寫本有「早知名」三字。

㊂向白事必教出相反覆——「教」上唐寫本有「有」字，是，應據補。

㊃脩慚懼——此下唐寫本有「以實對」三字。

㊄「終亦」二句——唐寫本作「初雖見怪，事亦終是。脩之才解，皆此類矣。爲武帝所誅。」

2 人餉魏武一杯酪，魏武噉少許，蓋頭上題「合」字以示衆，衆莫能解。次至楊脩，脩便噉，曰：「公教人噉一口也，復何疑！」

3 魏武嘗過曹娥碑下，楊脩從。碑背上見題作「黃絹幼婦，外孫韲臼」八字，魏武謂脩曰：「解不㊀？」答曰：「解。」魏武曰：「卿未可言，待我思之。」行三十里，魏武乃曰：「吾已得。」令脩別記所知。脩曰：「黃絹，色絲也，於字爲『絕』；幼婦，少女也，於字爲『妙』；外孫，女子也，於字爲『好』；韲臼，受辛也，於字爲『辭』：所謂『絕妙好辭』也。」魏武亦記之，與脩同，乃歎曰：「我才不及卿，乃覺三十里㊁。」會稽典錄曰：「孝女曹娥者，上虞人。父盱，能撫節按歌，婆娑樂神。漢安二年，迎伍君神，泝濤而上，爲水所淹，不得其尸。娥年十四，號慕思盱，乃投瓜于江㊂，存其父尸曰㊃：『父在此，瓜當沈。』旬有七日，瓜偶沈，遂自投於江而死。縣長度尚悲憐其義，爲之改葬，命其弟子邯鄲子禮爲之作碑。」按曹娥碑在會稽中，而魏武、楊脩未嘗過江也。異苑曰：「陳留蔡邕避難過吳，讀碑文，以爲詩人之作，無詭妄也。因刻石旁作八字。魏武見而不能了，以問羣僚，莫有解者。有婦人浣於汾渚，曰：『第四車解。』既而禰正平也，衡卽以離合義解之。或謂此婦人卽娥靈也。」

㈠解不——「解」上唐寫本有「卿」字。

㈡乃覺三十里——唐寫本作「三十里覺」，誤。御覽九三作「乃較三十里」，「覺」即「較」也，試論如下：本篇七：「唯東亭一人常在前，覺數十步。」假譎六：「命騎追之，已覺多許里。」句法相同，義亦無異。「覺」爲「較」之借字，御覽引「覺」爲「較」，可爲左證。唐寫本不悟「覺」字之義，臆改爲「三十里覺」。此「覺」字當訓「相去」或「相差」。琱玉集一二引語林：「俗云：『有智無智，隔三十里。』此之謂也。」此「隔」字可證「覺」字之義。「較」字可讀入聲，故變爲「覺」。南史陸慧曉傳：「角其二者，則貂璫緩，拒寇切。」「角」亦「較」也，可爲「較」字讀入聲之證。術解一：「得周時玉尺，荀試以校己所治鐘鼓金石絲竹，皆覺短一黍。」此「覺」字亦借作「較」。字亦作「校」，吳志張紘傳注：「臣松之以爲秣陵之與蕪湖，道里相校無幾。」「相校」即「相去」也。此語唐時猶存，杜甫狂歌行贈四兄：「與兄行年校一歲」，與此「覺」字，用法全同。

㈢乃投瓜於江——「瓜」，影宋本作「爪」；後漢書及水經注並作「衣」，是也。後漢書注曰：「衣字或作爪，見項原列女傳。」此作「瓜」，乃「爪」字之誤，下二「瓜」字同。

㈣存其父尸——「存」，沈校本作「祝」，是。

4 魏武征袁本初，治裝，餘有數十斛竹片，咸長數寸。衆云並不堪用，正令燒除。太祖思所以用之㈠，謂可爲竹椑楯㈡，而未顯其言，馳使問主簿楊德祖，應聲答之，與帝心同㈢。衆伏其辯悟。

㈠「衆云」四句——唐寫本作「衆並謂不堪用，正令燒除，太祖甚惜，思所以用之」。御覽三五七所引同，惟「正令」作「合令」，「甚惜」作「意甚惜」。

〔一〕謂可爲竹椑楯——「椑」，御覽三五七作「甲」。

〔二〕與帝心同——「心」，御覽三五七作「正」。

5 王敦引軍垂至大桁〔一〕，明帝自出中堂。溫嶠爲丹陽尹，帝令斷大桁〔二〕，故未斷，帝大怒瞋目，左右莫不悚懼。按晉陽秋、鄧紀皆云：「敦將至，嶠燒朱雀橋以阻其兵。而云「未斷大桁致帝怒」，大爲譌謬。一本云：「帝自勸嶠入」，一本作「噉飲，帝怒」，此則近也。召諸公來，嶠至，不謝，但求酒炙〔三〕。王導須臾至，徒跣下地，謝曰：「天威在顏，遂使溫嶠不容得謝〔四〕。」嶠於是下謝，帝迺釋然。諸公共歎王機悟名言。

〔一〕大桁——即朱雀航。景定建康志：「案輿地志云：『六朝自石頭東至運瀆，總二十四渡，皆浮航，往來以稅行。直淮對編門，大航，用杜預河橋之法，本吳時南淮大橋也，一名朱雀橋，當朱雀門下，度淮水。王敦作逆，溫嶠燒絕之。』」

〔二〕「溫嶠」二句——唐寫本作「使丹陽尹溫嶠斷大桁。」

〔三〕但求酒炙——唐寫本作「但求酒及炙」。

〔四〕遂使溫嶠不容得謝——「容」字唐寫本無。

6 郗司空在北府〔一〕，桓宣武惡其居兵權。南徐州記曰：「徐州人多勁悍，號精兵〔二〕。故桓溫常曰：『京口酒可飲，箕可用，兵可使。』」郗於事機素暗，遣牋詣桓，方欲共獎王室，脩復園陵。世子嘉賓出行，於道上聞信至〔三〕，急取牋〔四〕，視竟，寸寸毀裂，便回還更作牋，自陳老病，不堪人間，欲乞閑地自養。宣武得牋大喜，即詔轉公督五郡、會稽太守。晉陽秋曰：「大司馬將討慕容暐，表求申勸平北將軍愔及袁真等嚴辦㊄。愔以羸疾求退㊅，詔大司馬領愔所任㊆。」按中興書：「愔辭此行，温責其不從㊇，轉授會稽。」世說爲謬㊈。

㊀北府——通鑑一〇四晉紀注：「晉人謂京口爲北府。」錢大昕晉書考異：「案：徐兗二州都督，例以北爲號，故有北府之稱，如褚裒號征北大將軍，荀羨、郗曇號北中郎將，范汪號安北將軍，庾希號北中郎將，郗愔號平北將軍。」

㊁「徐州人」二句——唐寫本作「徐州民勁悍，號曰精兵」。

㊂信——使者。

㊃急取牋——「牋」下唐寫本有「視」字。

㊄表求中勸平北將軍愔及袁真等嚴辦——「勸」，唐寫本作「勒」，當是「勅」字之誤。

㊅愔以羸疾求退——唐寫本作「愔以素羸疾，不堪戎行，自表求退，聽之」。

㊆詔大司馬領愔所任——「詔」原作「紹」，據唐寫本及影宋本改。此句下唐寫本有「授愔冠軍將軍、會稽内史」十字。

㊇温責其不從——此下唐寫本有「處分」二字。

㊈世說爲謬——唐寫本作「疑世說爲謬者」。案晉書郗愔、郗超二傳所載，並同世說。

7 王東亭作宣武主簿，嘗春月與石頭兄弟乘馬出郊㊀。時彦同遊者連鑣俱進，石頭，桓遐小字㊁。中興書曰：「遐字伯道，温長子也，仕至豫州刺史。」唯東亭一人常在前，覺數十步㊂，諸人莫之解。石頭等既疲倦，俄而乘輿回㊃，諸人皆似從官，唯東亭奕奕在前，其悟捷如此。

㊀嘗春月與石頭兄弟乘馬出郊——「郊」下唐寫本有「野」字。

㊁桓遐小字——「桓遐」，唐寫本作「桓熙」，是。晉書桓温傳：「長子熙，字伯道。」

㊂覺數十步——覺，相去也。已見本篇三箋。

㊃俄而乘輿回——「回」，唐寫本及影宋本並作「向」，是。當於「輿」字下逗，「向」字屬下讀。

夙惠第十二

1 賓客詣陳太丘宿，太丘使元方、季方炊。客與太丘論議，二人進火，俱委而竊聽，炊忘著箄，飯落釜中。太丘問：「炊何不餾㊀？」元方、季方長跪曰：「大人與客語，乃俱竊聽，炊忘著箄，飯今成糜㊁。」太丘曰：「爾頗有所識不？」對曰：「仿佛志之。」二子俱說㊂，更相易奪㊃，言無遺失。太丘曰：「如此但糜自可，何必飯也！」

㊀「炊忘著箄」三句——李詳曰：「說文竹部：『箄，蔽也，所以蔽甑底。』段注：『甑者，蒸飯之器，底有七穿，必以竹席蔽之，米乃不漏。』爾雅釋言：『饙，餾，稔也。』郭注：『今呼貸飯爲饙，饙熟爲餾。』邢疏：『說文：饙一蒸米，餾，飯氣流也。』然則蒸米謂之饙，饙必餾而熟之。」

㊁飯今成糜——唐寫本作「今皆成糜。」

㊂二子俱說——唐寫本作「二子長跪俱說」。

㊃更相易奪——更，更迭也。易奪，謂彼此穿插。

2 何晏七歲，明惠若神，魏武奇愛之，因晏在宮內㊀，欲以爲子。晏乃畫地令方，自處其中。人問其故，答曰：「何氏之廬也。」魏武知之，即遣還㊁。魏略曰：「晏父蚤亡，太祖爲司空時，納晏母㊂，其時秦宜祿阿鰾亦隨母在宮㊃，並寵如子㊄。常謂晏爲假子也㊅。」

㊀因晏在宮內——御覽三八五作「晏母在宮內」，是。

㊁卽遣還——「還」下唐寫本有「外」字。

㊂納晏母——此下唐寫本有「并收養」三字，「養」下似漏「晏」字。

㊃其時秦宜祿阿鰾亦隨母在宮——「阿鰾」，唐寫本作「何鯵」，「在宮」作「在公家」。案魏志曹真傳注引魏略：「其時秦宜祿兒阿蘇亦隨母在公家。」則「秦宜祿」下當脫「兒」字，「鰾」與「鯵」皆「蘇」之形誤。

㊄並寵如子——唐寫本作「並見如寵公子」，魏志曹真傳注作「並見寵如公子」，是。

㊅常謂晏爲假子也——唐寫本作「常謂之假子」。此句上唐寫本有「鯵性謹慎，而晏無所顧，服飾擬太子，故太子特憎之，每不呼其姓字」二十六字，魏志曹真傳注同。此句下又引魏氏春秋曰：「晏母尹爲武王夫人，故晏長於王宮也。」

3 晉明帝數歲㊀，坐元帝膝上。有人從長安來，元帝問洛下消息，潸然流涕。明帝問何以致泣，具以東渡意告之。因問明帝：「汝意謂長安何如日遠？」答曰：「日遠。不聞人從日邊來㊁，居然可知㊂。」元帝異之。明日，集羣臣宴會，告以此意，更重問之。乃答曰：「日近。」元帝失色，曰：「爾何故異昨日之言邪？」答曰：「舉目見日，不見長安㊃。」

㊀晉明帝數歲——「數歲」上唐寫本有「年」字。

㊁不聞人從日邊來——此上御覽引劉昭幼童傳有「只聞人從長安來」七字，語意始備。

㊂居然——猶言昭然，顯然。魏志何夔傳：「顯忠實之賞，明公實之報，則賢不肖之分，居然別矣。」與此同義。

㊃不見長安——此下唐寫本有注云：「案桓譚新論：『孔子東遊，見兩小兒辯，問其遠近，日中時遠（有脫漏），一兒以日初出遠（當作近），日中近（當作遠）者，日初出，大如車蓋，日中裁如槃，蓋此遠小而近大也。言遠（當作近）者，日初出愴愴（當作滄滄）凉凉，及中，如探湯，此近熱遠愴乎？』明帝此對，爾（亦）二兒之辨耶也？」

4 司空顧和與時賢共清言。張玄之、顧敷是中外孫㊀，年並七歲，顧愷之家傳曰：「敷字祖根，吳郡吳人。滔然有大成之量，仕至著作郎，二十三卒㊁。」在牀邊戲，于時聞語，神情如不相屬。瞑於燈下，二兒共敘客主之言，都無遺失。顧公越席而提其耳曰：「不意衰宗復生此寶。」

㊀中外孫——子所生爲中，女所生爲外。

㊁「仕至著作郎」二句——唐寫本作「仕至著作佐，苗而不秀，年廿三卒」。

5 韓康伯數歲，家酷貧，至大寒，止得襦，母殷夫人自成之，令康伯捉熨斗，謂康伯曰㊀：「且著襦，尋作複褌。」兒云㊁：「已足，不須複褌也。」母問其故，答曰：「火在熨斗中而柄熱，今既著襦，下亦當煖，故不須耳。」母甚異之，知爲國器。

㊀謂康伯曰——唐寫本作「謂兒曰」。

㊁兒云——影宋本及沈校本並作「乃云」。

6 晉孝武年十二㊀，時冬天，晝日不著複衣，但著單練衫五六重；夜則累茵褥。謝公諫曰：「聖體宜令有常，陛下晝過冷，夜過熱，恐非攝養之術。」帝曰：「晝動夜靜㊁。」老子曰：「躁勝寒，靜勝熱。」此言夜靜寒，宜重肅也㊂。謝公出，歎曰：「上理不減先帝。」簡文帝善言理也。

㊀晉孝武年十二——「十二」，唐寫本作「十三四」。

㊁晝動夜靜——「晝動」二字唐寫本無。

㊂「此言」二句——唐寫本作「此言夜靜則寒，宜重茵」。案御覽二七引小說，與唐寫本同，「肅」當作「茵」。

7 桓宣武薨，桓南郡年五歲，服始除，桓車騎與送故文武別，桓沖別傳曰：「沖字玄叔㊀，溫弟也。累遷車騎將軍，都督七州諸軍事㊁。」因指語南郡：「此皆汝家故吏佐。」玄應聲慟哭，酸感傍人。車騎每自目己坐曰：「靈寶成人，當以此坐還之。」靈寶，玄小字也。鞠愛過於所生。

㊀沖字玄叔——「玄叔」，唐寫本作「玄子」。案晉書本傳作「字幼子」。桓溫兄弟五人：溫字元子，雲字雲子，豁字朗子，祕字穆子，四人皆以「子」爲字，沖不當獨異，作「叔」誤，「玄」字亦「幼」字左半形近之訛。

㊁都督七州諸軍事——此下唐寫本有「荆州刺史，薨贈太尉」八字。

豪爽第十三

1 王大將軍年少時，舊有田舍名，語音亦楚。武帝喚時賢共言伎藝事，人皆多有所知㊀，唯王都無所關，意色殊惡。自言知打鼓吹，帝令取鼓與之。於坐振袖而起，揚槌奮擊，音節諧捷，神氣豪上，傍若無人，舉坐歎其雄爽。或曰：「敦嘗坐武昌釣臺，聞行船打鼓，嗟稱其能。俄而一槌小異，敦以扇柄撞几曰：『可恨！』應侍側，曰：『不然。此是回颿槌。』使視之，云：『船人入夾口。』應知鼓，又善於敦也㊂。」

㈠武帝喚時賢共言伎藝事——「藝」下唐寫本有「之」字。

㈡人皆多有所知——「人」，唐寫本作「人人」。

㈢唐寫本及影宋本無注。「回飆檛」，王刻本作「回飆槌」。

2 王處仲，世許高尚之目。嘗荒恣於色，體爲之弊，左右諫之，處仲曰：「吾乃不覺爾，如此者甚易耳。」乃開後閤㈠，驅諸婢妾數十人出路，任其所之，時人歎焉。鄧粲晉紀曰：「敦性簡脫，口不言財㈡，其存尚如此。」

㈠乃開後閤——「開」下唐寫本有「內」字。

㈡口不言財——「財」下唐寫本有「位」字。

3 王大將軍自目高朗疏率㈠，學通左氏。晉陽秋曰：「敦少稱高率通朗，有鑒裁。」

㈠自目高朗疏率——「高朗」下沈校本有「性」字，則當於「高朗」下逗。

4 王處仲每酒後，輒詠「老驥伏櫪，志在千里。烈士暮年，壯心不已」。魏武帝樂府詩。以如意打唾壺，壺口盡缺㈠。

㈠壺口盡缺——唐寫本作「壺邊盡缺」。

5 晉明帝欲起池臺，元帝不許。帝時爲太子，好養武士㈠，一夕中作池㈡，比曉便成。今太子西池是也㈢。丹陽記曰：「西池，孫登所創，吳史所稱西苑也，明帝修復之耳㈣。」

㈠好養武士——唐寫本、影宋本及沈校本作「好武養士」。

㊁一夕中作池——「池」字，唐寫本無。
㊂今太子西池是也——「是也」二字唐寫本無。案晉書溫嶠傳：「時太子起西池樓觀，頗爲勞費，嶠上疏以爲朝廷草創，巨寇未滅，宜應儉以率下，務農重兵，太子納焉。」與世說不同。
㊃「西池」三句——唐寫本作「西池者，孫登所創，吴史所稱西苑宜是也。中時湮廢，晉帝在東，更修復之，故俗太子西池也」。

6 王大將軍始欲下都，處分樹置㊀，先遣參軍告朝廷，諷旨時賢。祖車騎尚未鎮壽春，瞋目厲聲語使人曰：「卿語阿黑：敦小字也。何敢不遜！催攝面去㊁，須臾不爾，我將三千兵槊脚令上。」王聞之而止。

㊀處分樹置——「處」上唐寫本有「更」字。影宋本及沈校本作「更分樹置」，蓋脱「處」字。
㊁催攝面去——「面」唐寫本作「向」。

7 庾穉恭既常有中原之志，文康時，權重未在己；及季堅作相，忌兵畏禍，與穉恭歷同異者久之㊀，乃果行。傾荆、漢之力，窮舟車之勢，師次于襄陽。漢晉春秋曰：「翼風儀美劭，才能豐贍，少有經緯大略。及繼兄亮居方州之任，有匡維內外，掃蕩羣凶之志。是時，杜乂、殷浩諸人盛名冠世，翼未之貴也，常曰：『此輩宜束之高閣，俟天下清定，然後議其所任耳！』其意氣如此。唯與桓溫友善，相期以寧濟宇宙之事。初，翼輒發所部奴及車馬萬數，率大軍入沔，將謀伐狄，遂次于襄陽。」翼别傳曰：「翼爲荆州，雅有大志㊁，每以門地威重㊂，兄弟寵授，不陳力竭誠，何以報國。雖蜀阻險塞，胡負凶力，然皆無道酷虐，易可乘滅。當此時㊃，不能掃除二寇以復王業，非丈夫也。於是徵役三州，悉其帑實，成衆五萬，兼率荒附，治戎大舉，直指魏、趙㈤，軍次襄陽，耀威漢北也。」大會參佐，陳其旌甲，親援弧矢曰㈥：「我之此行，若此射矣。」遂三起三疊㈦。徒衆屬目，其氣十倍。

㈠「及季堅」三句——案晉書庾翼傳：「初翼遷襄陽，舉朝謂之不可，惟兄冰意同。」與世說異。翼兄亮，謚文康；冰字季堅。

㈡雅有大志——「大」原作「三」，據影宋本及沈校本改。

㈢每以門第威重——「威」，沈校本作「盛」。

㈣當此時——「此」唐寫本作「吾」。

㈤直指魏趙——「魏趙」，唐寫本及沈校本並作「趙魏」。

㈥親援弧矢——「援」原作「授」，影宋本及沈校本並同，據唐寫本改。

㈦遂三起三疊——左傳昭二十六年杜注：「起，發也。」故以發射爲起。汰侈六：「武子一起便破的。」排調六二：「卿此起不破。」「起」皆訓「發」。疊，擊鼓也。文選謝朓鼓吹曲：「凝笳翼高蓋，疊鼓送華輈。」李善注：「徐引聲謂之凝，小擊鼓謂之疊。」凡軍中閱射，中的則以擊鼓爲號。三起三疊，猶言三發三中也。故下云：「徒衆屬目，其氣十倍。」

8 桓宣武平蜀，集參僚置酒於李勢殿，巴、蜀搢紳莫不來萃㈠。桓既素有雄情爽氣，加爾日音調英發，叙古今成敗由人，存亡繫才，其狀磊落，一坐歎賞㈡。既散，諸人追味餘言，于時尋陽周馥曰：「恨卿輩不見王大將軍㈢。」中興書曰：「馥，周撫孫也，字湛隱，有將略㈣，曾作敦掾。」

㈠巴蜀搢紳莫不來萃——「來萃」，唐寫本作「悉萃」。

㈡「其狀」二句——唐寫本作「奇拔磊落，一坐讚賞不暇」。

㈢恨卿輩不見王大將軍——此下唐寫本有「馥曾爲敦掾」一句，而注引中興書「曾作敦掾」一句，唐寫本無，蓋將注語誤入正文。

㈣「字湛隱」二句——唐寫本作「湛隱有將略，仕至晉壽太守」，湛隱，疑是深沉之義。注云周撫孫，撫爲周訪子。馥不見周訪傳，訪傳但附子楚孫瓊，不及餘孫。

9 桓公讀高士傳，至於陵仲子，便擲去，曰：「誰能作此溪刻自處㈠！」皇甫謐高士傳曰：「陳仲子字子終，齊人。兄戴，相齊，食祿萬鍾。仲子以兄祿爲不義，乃適楚，居於陵㈡。曾乏糧三日，匍匐而食井李之實，三咽而後能視。身自織屨，令妻擗纑，以易衣食。嘗歸省母，有饋其兄生鵞者，仲子嚬顣曰：『惡用此鶃鶃爲哉！』後母殺鵞，仲子不知而食之。兄自外入，曰：『鶃鶃肉邪！』仲子出門，哇而吐之。楚王聞其名，聘以爲相，乃夫婦逃去，爲人灌園㈢」。

㈠溪刻——同谿礉。新書耳痺：「越國之俗，谿徼而輕絕。」注：「徼當作礉，慘礉也。」史記韓非列傳：「韓子慘礉少恩。」溪刻卽苛刻、刻薄之意。

㈡居於陵——此下唐寫本有「自謂於陵仲子，窮不求不義之食」二句。

㈢爲人灌園——此下唐寫本有「終身不屈其節」一句。

10 桓石虔，司空豁之長庶也，豁別傳曰：「豁字朗子，溫之弟。累遷荊州刺史，贈司空。」小字鎭惡，年十七八，未被舉，而童隸已呼爲鎭惡郎㈠。嘗住宣武齋頭。從征枋頭，車騎沖沒陳，左右莫能先救。宣武謂曰：「汝叔落賊，汝知不？」石虔聞之，氣甚奮，命朱辟爲副，策馬於數萬衆中，莫有抗者，徑致沖還，三軍歎服。河朔後以其名斷瘧。中興書曰：「石虔有才幹，有史學，累有戰功㊁，仕至豫州刺史㊂，贈後軍將軍㊃。」

㊀鎮惡郎——通鑑二〇七唐紀注：「門生、家奴呼其主爲郎，今俗猶謂之郎主。」故鄭杲稱張易之爲五郎，宋璟謂之曰：「君非其家奴，何郎之云！」

㊁累有戰功——「戰」原誤作「載」，據唐寫本及影宋本改。

㊂仕至豫州刺史——此下唐寫本有「封作唐縣」四字。

㊃贈後軍將軍——晉書本傳作「追贈右將軍」。

11 陳林道在西岸，晉陽秋曰：「逵爲西中郎將，領淮南太守，戍歷陽。」都下諸人共要至牛渚會。陳理既佳，人欲共言折㊀，陳以如意拄頰，望雞籠山歎曰㊁：「孫伯符志業不遂。」吳録曰：「長沙桓王諱策，字伯符，吳郡富春人。少有雄姿風氣，年十九而襲業，衆號孫郎。平定江東，爲許貢客射破其面，引鏡自照，謂左右曰：『面如此，豈可復立功乎！』乃謂張昭曰：『中國方亂，夫以吳、越之衆，三江之固，足以觀成敗。公等善相吾弟！』呼大皇帝㊂，授以印綬，曰：『舉江東之衆，決機於兩陳之間，卿不如我；任賢使能，各盡其心㊃，我不如卿。愼勿北渡！』語畢而薨，年二十有六。」於是竟坐不得談。

㊀人欲共言折——「折」，唐寫本作「㭊」，是。「㭊」即「析」字。

㊁雞籠山——景定建康志：「雞籠山在城西北六七里，高三十丈，周迴一十里。案輿地志云：『在覆舟山之西二百餘步。』

其狀如雞籠，因以爲名。」

㊂大皇帝——孫權謚大皇帝。

㊃各盡其心——此下唐寫本有「以保江東」一句，吳志孫策傳同。

12 王司州在謝公坐㊀，詠「入不言兮出不辭，乘回風兮載雲旗」，離騷九歌少司命之辭。語人云：「當爾時，覺一坐無人。」

㊀王司州——謂王胡之，屢見。

13 桓玄西下，入石頭，外白司馬梁王奔叛，續晉陽秋曰：「梁王珍之字景度。」中興書曰：「初，桓玄篡位，國人有孔璞者㊀，奉珍之奔尋陽㊁，義旗既興，歸朝廷，仕至太常卿，以罪誅。」玄時事形已濟，在平乘上笳鼓並作㊂，直高詠云：「簫管有遺音，梁王安在哉？」阮籍詠懷詩也。

㊀國人有孔璞者——「孔璞」，唐寫本作「孔樸」，晉書元四王傳同。

㊁奉珍之奔尋陽——「尋陽」，唐寫本作「壽陽」，晉書元四王傳同。

㊂平乘——案北史楊素傳：「素居永安，造大艦，名曰五牙，上起樓五層，高百餘尺，左右前後置六檣竿，高百五十尺，容戰士八百人，旗幟加于上。次曰黃龍，置兵百餘人。自餘平乘、舴艋等各有差。」是平乘乃大船之名，故稱大船之樓爲平乘樓。輕詆一一：「桓公入洛，過淮泗，踐北境，與諸僚屬登平乘樓，眺矚中原。」

世說新語卷下

容止第十四

1 魏武將見匈奴使，自以形陋，不足雄遠國，魏氏春秋曰：「武王姿貌短小，而神明英發。」使崔季珪代㈠，帝自捉刀立牀頭㈡。既畢，令間諜問曰㈢：「魏王何如？」匈奴使答曰：「魏王雅望非常；魏志曰：「崔琰字季珪，清河東武城人。聲姿高暢，眉目疏朗，鬚長四尺，甚有威重。」然牀頭捉刀人，此乃英雄也。」魏武聞之，追殺此使。

㈠使崔季珪代——此下御覽七七九引語林有「當坐」二字，語意尤備。

㈡牀——坐榻也。屢見。

㈢令間諜問曰——廣記一六九引小說同，御覽七七九引語林作「令人問曰」。

2 何平叔美姿儀，面至白。魏明帝疑其傅粉㈠。正夏月，與熱湯餅㈡。既噉，大汗出，以朱衣自拭，色轉皎然。魏略曰：「晏性自喜，動靜粉帛不去手㈢，行步顧影。」按此言，則晏之妖麗本資外飾；且晏養自宮中，與帝相長，豈復疑其形姿，待驗而明也㈣？

㈠魏明帝疑其傅粉——「魏明帝」，御覽二一引語林作「魏文帝」，御覽三六五引語林，注云：「世說同。」足證世說本作「魏文帝」，作「魏明帝」者傳刻之誤。

㊁湯麪——束皙餅賦：「充虛解戰，湯餅爲最。」倦遊雜録：「今人呼煮麪爲湯餅，唐人呼饅頭爲籠餅。豈非水瀹而食者皆可呼湯餅，籠蒸而食者皆可呼籠餅。」

㊂動静粉帛不去手——通鑑七五魏紀注：「以自塗澤也。」「粉帛」，魏志曹爽傳注引魏略及通鑑並作「粉白」，是。

㊃「且晏」三句——劉辰翁曰：「晏養宫中時，尚未有明帝，注駁未當。」案孝標此注，足證世説原作「魏文帝」，故其言如此。辰翁不知「明」是誤字，反據以責孝標，誤矣。據此可見宋時已誤「文」爲「明」。

3 魏明帝使后弟毛曾與夏侯玄共坐，時人謂「蒹葭倚玉樹」。魏志曰：「玄爲黄門侍郎，與毛曾並坐，玄甚恥之。曾説形於色。明帝恨之，左遷玄爲羽林監。」

4 時人目夏侯太初「朗朗如日月之入懷㊀」，李安國「頽唐如玉山之將崩」。魏略曰：「李豐字安國，衛尉李義子也。識别人物，海内注意。明帝得吴降人，問江東聞中國名士爲誰？以安國對之。是時豐爲黄門郎，改名宣㊁。上問安國所在，左右公卿卽具以豐對。上曰：『豐名乃被於吴越邪？』任至中書令，爲晉王所誅。」

㊀御覽四四七引郭子作「朗如明月入懷」。此「日」字或「明」字之誤。

㊁改名宣——文學五「鍾會撰四本論」，注：「四本者，言才性同，才性異，才性合，才性離也。尚書傅嘏論同，中書令李豐論異，侍郎鍾會論合，屯騎校尉王廣論離。」南史顧歡傳：「會稽孔珪登嶺尋歡，共談四本。歡曰：『蘭石危而密，宣國安而疏，士季似而非，公深謬而是。』」傅嘏字蘭石，鍾會字士季，王廣字公淵，南史避唐高祖諱，易「淵」爲「深」。則宣國乃李豐字無疑。魏略云：「改名宣。」謂改字安國爲宣國，非謂改豐爲宣。明帝知豐字宣國，而不知其舊字安國，故問安國所在，而左右公卿具以豐對，亦可見豐名未嘗改也。

5 嵇康身長七尺八寸，風姿特秀。康別傳曰：「康長七尺八寸，偉容色，土木形骸，不加飾厲，而龍章鳳姿，天質自然。正爾在羣形之中，便自知非常之器。」見者歎曰：「蕭蕭肅肅，爽朗清舉。」或云：「肅肅如松下風，高而徐引。」山公曰：「嵇叔夜之爲人也，巖巖若孤松之獨立；其醉也，傀俄若玉山之將崩㊀。」

㊀傀俄——與巍峩同。

6 裴令公目王安豐：「眼爛爛如巖下電㊀。」王戎形狀短小，而目甚清炤，視日不眩。

㊀裴令公——裴楷，屢見。

7 潘岳妙有姿容，好神情。岳別傳曰：「岳姿容甚美，風儀閑暢。」少時挾彈出洛陽道，婦人遇者，莫不連手共縈之。左太沖絕醜，續文章志曰：「思貌醜顇，不持儀飾。」亦復效岳遊遨，於是羣嫗齊共亂唾之㊀，委頓而返。語林曰：「安仁至美，每行，老嫗以果擲之滿車。張孟陽至醜，每行，小兒以瓦石投之，亦滿車。」二說不同㊁。

㊀嫗——案婦女老少皆可稱嫗。南史鄧郁傳：「從少嫗三十，年皆可十七八許。」羣嫗當與上文婦人同義。注引語林曰：「安仁至美，每行，老嫗以果擲之滿車。」晉書潘岳傳但云婦人，於義爲得。

㊁「張孟陽」五句——晉書潘岳傳謂「張載甚醜」云云，與語林同。

8 王夷甫容貌整麗，妙於談玄，恒捉白玉柄麈尾㊀，與手都無分別。

㈠麈尾——廿二史劄記：「六朝人清談必用麈尾，蓋初以談玄用之，相習成俗，遂爲名流雅器，雖不談亦常執持耳。」

9 潘安仁、夏侯湛並有美容，喜同行，時人謂之連璧。八王故事曰：「岳與湛著契，故好同遊。」

10 裴令公有儁容姿，一旦有疾，至困，惠帝使王夷甫往看㈠。裴方向壁臥，聞王使至㈡，強回視之。王出，語人曰：「雙眸閃閃若巖下電，精神挺動㈢，體中故小惡。」名士傳曰：「楷病困，詔遣黃門郎王夷甫省之。楷回眸屬夷甫云：『竟未相識。』夷甫還，亦歎其神儁。」

㈠惠帝使王夷甫往看——「惠帝」，御覽三六六作「武帝」。

㈡聞王使至——續談助四引小說作「聞王來」。王使疑是「王人」之義。

㈢挺動——李詳曰：「枚乘七發『筋骨挺解』與上下『委隨』、『惰窳』相厠，則『挺解』亦是倦貌，『挺動』義並相同。」案挺解云挺，當訓弛訓緩，呂氏春秋仲夏「挺重囚」注：「挺，緩也。」此云「挺動」，不得混爲一談。案挺亦動也，見呂氏春秋忠廉「不足以挺其心矣」注。精神挺動承上語來，下句乃另作轉語。

11 有人語王戎曰：「嵇延祖卓卓如野鶴之在雞羣㈠。」答曰：「君未見其父耳。」康已見上㈡。

㈠嵇延祖卓卓如野鶴之在雞羣——「卓卓」，晉書嵇紹傳作「昂昂」。

㈡康已見上——見德行一六、四三。

12 裴令公有儁容儀，脫冠冕，麤服亂頭皆好，時人以爲「玉人」。見者曰：「見裴叔則，如玉山上行，光映照人。」

13 劉伶身長六尺，貌甚醜顇，而悠悠忽忽，土木形骸。梁祚魏國統曰：「劉伶字伯倫，形貌醜陋，身長六尺；然肆意放蕩，悠焉獨暢，自得一時，常以宇宙爲狹。」

14 驃騎王武子是衞玠之舅，儁爽有風姿。見玠，輒歎曰：「珠玉在側，覺我形穢。」玠別傳曰：「驃騎王濟，玠之舅也。嘗與同遊，語人曰：『昨日吾與外生共坐，若明珠之在側，朗然來照人。』」

15 有人詣王太尉，遇安豐、大將軍、丞相在坐。往別屋，見季胤、平子。石崇金谷詩叙曰：「王詡字季胤，琅邪人。」王氏譜曰：「詡，夷甫弟也，仕至脩武令㊀。」還，語人曰：「今日之行，觸目見琳琅珠玉。」

㊀仕至脩武令——「令」上影宋本及沈校本並有「縣」字。

16 王丞相見衞洗馬，曰：「居然有羸形㊀，雖復終日調暢，若不堪羅綺。」玠別傳曰：「玠素抱羸疾。」西京賦曰：「始徐進而羸形，似不勝乎羅綺。」

㊀居然——猶言顯然，已見前。

17 王大將軍稱太尉處衆人中㊀，似珠玉在瓦石間。

㊀太尉——謂王衍。

18 庾子嵩長不滿七尺㊀，腰帶十圍，頹然自放。

㊀庾子嵩——庾敳，見文學一五。

19 衞玠從豫章至下都㊀，人久聞其名，觀者如堵牆。玠先有羸疾，體不堪勞，遂成病而死。時人謂看殺衞玠。玠別傳曰：「玠在羣伍之中，寔有異人之望。齠齔時，乘白羊車於洛陽市上，咸曰：『誰家璧人？』於是家門州黨號爲璧人。」按永嘉流人名曰：「玠以永嘉六年五月六日至豫章，其年六月二十日卒。」此則玠之南度豫章四十五日，豈暇至下都而亡乎？且諸書皆云玠亡在豫章，而不云在下都也㊁。

㊀下都——謂建鄴，晉舊都洛陽，故稱建鄴爲下都。

㊁「且諸書」二句——晉書本傳云：「求向建鄴。京師人士聞其姿容，觀者如堵，勞疾遂甚，卒，葬於南昌。」亦多牴牾，與世說同。

20 周伯仁道「桓茂倫嶔崎歷落，可笑人㊀。」或云謝幼輿言。

㊀桓茂倫——桓彝，見德行三〇。

21 周侯說王長史父：王氏譜曰：「訥字文開，太原人。祖默，尚書㊀。父祐，散騎常侍㊁。訥始過江，仕至新淦令。」「形貌既偉，雅懷有槩，保而用之，可作諸許物也㊂。」

㊀「祖默」二句——晉書王濛傳作「曾祖黯，歷位尚書」。

㊁「父祐」二句——晉書王濛傳作「祖佑，北軍中候」。

㊂可作諸許物也——謂所用非一端也。後漢書楚王英傳：「勉強飲食諸許。」諸許物猶言諸物。

22 祖士少見衞君長云㊀：「此人有旄仗下形。」

㊀祖士少見衞君長——祖約，見雅量一五。衞永，見賞譽一〇七。

23 石頭事故，朝廷傾覆，晉陽秋曰：「蘇峻自姑孰至于石頭，逼遷天子。峻以倉屋爲宮，使人守衞。」靈鬼志謠徵曰：「明帝末，有謠歌：『側側力，放馬出山側，大馬死，小馬餓㈠。』後峻遷帝於石頭，御膳不具。」溫忠武與庾文康投陶公求救。陶公云：「肅祖顧命不見及。且蘇峻作亂，釁由諸庾，誅其兄弟，不足以謝天下。」徐廣晉紀曰：「肅祖遺詔㈡，庾亮、王導輔幼主，而進大臣官，陶侃、祖約不在其例。侃、約疑亮寢遺詔也。」中興書曰：「初庾亮欲徵蘇峻，卞壼不許；溫嶠及三吳欲起兵衛帝室，亮不聽，下制曰：『妄起兵者誅。』故峻得作亂京邑也。」于時庾在溫船後，聞之，憂怖無計。別日，溫勸庾見陶，庾猶豫未能往。溫曰：「溪狗我所悉，卿但見之，必無憂也。」庾風姿神貌，陶一見便改觀，談宴竟日，愛重頓至。

㈠「側側力」四句——晉書五行志作「惻惻力力，放馬山側，大馬死，小馬餓。高山崩，石自破」。云：「及明帝崩，成帝幼，爲蘇峻所逼，遷於石頭，御膳不足，此『大馬死，小馬餓』也。高山，峻也，又言峻尋死。石，峻弟蘇石也。峻死後，石據石頭，尋爲諸公所破，復是崩山石破之應也。」

㈡肅祖——明帝廟號。

24 庾太尉在武昌，秋夜氣佳景清，使吏殷浩、王胡之之徒登南樓理詠㈠，音調始遒，聞函道中有屐聲甚厲㈡，定是庾公。俄而率左右十許人步來，諸賢欲起避之，公徐云：「諸君少住，老子於此處興復不淺。」因便據胡牀與諸人詠謔，竟坐甚得任樂。後王逸少下，與丞相言及此事，丞相曰：「元規爾時風範不得不小穨。」右軍答曰：「唯丘壑獨存。」孫綽庾亮碑文曰：「公雅好所託，常在塵垢之外，雖柔心應世，蠖屈其迹，而方寸湛然，固以玄對山水。」

㈠使吏——影宋本及沈校本並作「佐吏」，與晉書本傳合。

㈡函道——此函道當指樓梯。而南史(宋)廬陵王義真傳云：「因宴舫裏，使左右剔每舫函道，以施己舫。」殆如史記平準書云樓船高十餘丈者耶？輕詆一一：「桓公入洛，過淮泗，踐北境，與諸僚屬登平乘樓，眺矚中原。」平乘，大船也。大船有樓，則須梯而登，故亦有函道歟？俟續詳之。

25 王敬豫有美形㈠，問訊王公。王公撫其肩曰：「阿奴，恨才不稱。」又云：「敬豫事事似王公。」語林曰：「謝公云：『小時在殿廷會見丞相，便覺清風來拂人。』」

㈠王敬豫——王恬，見德行二九。

26 王右軍見杜弘治㈠，歎曰：「面如凝脂，眼如點漆，此神仙中人。」江左名士傳曰：「永和中，劉真長、謝仁祖共商略中朝人士，或曰：『杜弘治清標令上，爲後來之美。』又面如凝脂，眼如點漆，粗可得方諸衛玠。』」時人有稱王長史形者，蔡公曰：「恨諸人不見杜弘治耳。」

㈠杜弘治——杜乂，見賞譽六八。

27 劉尹道桓公鬢如反猬皮，眉如紫石稜，自是孫仲謀、司馬宣王一流人。宋明帝文章志曰：「溫爲溫嶠所賞，故名溫。」吳志曰：「孫權字仲謀，策弟也。漢使者劉琬語人曰：『吾觀孫氏兄弟，雖並有才秀明達，皆祿祚不終㈠。唯中弟孝廉㈡，形貌魁偉，骨體不恒，有大貴之表。』」晉陽秋曰：「宣王天姿傑邁，有英雄之略。」

㈠皆祿祚不終——「祚」，原作「胙」，據影宋本及沈校本改。案吳志吳主權傳正作「祚」。

㈡唯中弟孝廉——謂孫權。吳志本傳：「郡察孝廉，州舉茂才。」

28 王敬倫風姿似父。作侍中，加授桓公公服，從大門入。桓公望之曰：「大奴固自有鳳毛。」大奴，王劭也，已見㊀。中興書曰：「劭美姿容，持儀操也。」

㊀王劭也已見——見雅量二六。

29 林公道王長史：「斂衿作一來，何其軒軒韶舉！」語林曰：『王仲祖有好儀形，每覽鏡自照，曰：『王文開那生如馨兒㊀。』時人謂之達也。」

㊀王文開——濛父，名訥，見本篇二一注。

30 時人目王右軍「飄如遊雲，矯若驚龍㊀」。

㊀「時人」二句——案晉書本傳云：「論者稱其筆勢，以爲飄若浮雲，矯若驚龍。」乃稱其筆勢，與此狀其容止者不同。

31 王長史嘗病，親疏不通。林公來，守門人遽啓之曰：「一異人在門，不敢不啓。」王笑曰：「此必林公。」按語林曰：「諸人嘗要阮光祿共詣林公，阮曰：『欲聞其言，惡見其面。』」此則林公之形，信當醜異。

32 或以方謝仁祖㊀，不乃重者，桓大司馬曰：「諸君莫輕道仁祖，企脚北窗下彈琵琶，故自有天際真人想。」晉陽秋曰：「尚善音樂。」裴子云：「丞相嘗曰：『堅石挈脚枕琵琶，有天際想。』」堅石，尚小名。

㊀或以方謝仁祖——上下似有缺文。

33 王長史爲中書郎，往敬和許。敬和，王洽，已見㊀。爾時積雪，長史從門外下車，步入尚書，著公服㊁，敬和遥望歎曰：「此不復似世中人！」

㈠王洽已見——見賞譽一一四。

㈡「步入」二句——「尚書」下影宋本及沈校本有「省」字，無「著公服」三字。

34 簡文作相王時，與謝公共詣桓宣武。王珣先在內，桓語王：「卿嘗欲見相王，可住帳裏。」二客既去。桓謂王曰：「定何如？」王曰：「相王作輔，自然湛若神君。續晉陽秋曰：「帝美風姿，舉止端詳。」公亦萬夫之望，不然，僕射何得自沒？」僕射，謝安。

35 海西時，諸公每朝，朝堂猶暗，唯會稽王來㈠，軒軒如朝霞舉。

㈠會稽王——謂簡文帝，時以會稽王輔政，故前條稱之爲「相王」也。

36 謝車騎道謝公遊肆㈠，復無乃高唱，但恭坐捻鼻顧睞，便自有寢處山澤間儀。

㈠謝車騎——謝玄。

37 謝公云：「見林公雙眼黯黯明黑。」孫興公見林公，「稜稜露其爽㈠」。

㈠孫興公——孫綽，見言語八四。

38 庾長仁與諸弟入吳㈠，欲住亭中宿。諸弟先上，見羣小滿屋，都無相避意。長仁曰：「我試觀之。」乃策杖將一小兒，始入門，諸客望其神姿，一時退匿。長仁，已見。一說是庾亮。

㈠庾長仁——庾統，見賞譽八九。

39 有人歎王恭形茂者，云：「濯濯如春月柳。」

自新第十五

1 周處年少時，兇彊俠氣㈠，爲鄉里所患，處別傳曰：「處字子隱，吳郡陽羨人㈡。父魴，吳鄱陽太守。處少孤，不治細行。」晉陽秋曰：「處輕果薄行，州郡所棄。」又義興水中有蛟，山中有邅跡一作「白額」。虎㈢，並皆暴犯百姓，義興人謂爲「三橫」，而處尤劇。或說處殺虎斬蛟，實冀三橫唯餘其一。處卽刺殺虎，又入水擊蛟，蛟或浮或沒，行數十里，處與之俱，經三日三夜，鄉里皆謂已死，更相慶。竟殺蛟而出㈣。聞里人相慶，始知爲人情所患，有自改意。孔氏志怪曰：「義興有邪足虎，溪渚長橋有蒼蛟，並大噉人，郭西周，時謂郡中三害。」周卽處也。乃自吳尋二陸㈤，平原不在，正見清河，具以情告，并云欲自修改而年已蹉跎，終無所成。清河曰：「古人貴朝聞夕死，況君前途尚可。且人患志之不立，亦何憂令名不彰邪？」處遂改勵，終爲忠臣孝子。晉陽秋曰：「處仕晉爲御史中丞，多所彈糾。氐人齊萬年反，乃令處距萬年。伏波孫秀欲表處母老㈥，處曰：『忠孝之道，何當得兩全！』乃進戰，斬首萬計，弦絕矢盡，左右勸退。處曰：『此是吾授命之日。』遂戰而沒。」

㈠兇彊俠氣——「俠氣」，御覽三八六作「使氣」。

㈡吳郡陽羨人——晉書周處傳作「義興陽羨人」。丁國鈞云：「義興郡置於元帝時，西晉無此郡名也，蓋以後蒙前。」文選潘岳關中詩注引王隱晉書作「吳興人」。

㊂有遺跡虎——「遺跡」之義，當卽注引孔氏志怪所云「邪足」也。

㊃「又入水」八句——御覽七三引祖台之志怪：「義興郡溪渚長橋下有蒼蛟噉人。周處執劍橋側伺，久之遇出，於是懸自橋上投下蛟背而刺也。蛟數創，流血丹溪，自郡渚至太湖句浦乃死。」

㊄乃自吳尋二陸——「自吳」，影宋本及沈校本並作「入吳」，是。晉書本傳同。李詳曰：「勞格讀書雜識晉書校勘記云：『以處傳及陸機傳覈之，知係小說妄傳，非實事也。』案處沒於惠帝元康七年，年六十有二，推其生年，當在吳大帝之赤烏元年。陸機沒於惠帝泰安二年，年四十三，推其生年，當在吳景帝之永安五年。赤烏與永安，相距二十餘載，則處弱冠之年，陸機尚未生也。此云入吳尋二陸，未免近誣。又考陸機傳，年二十而吳滅，退居舊里。是吳未亡之前，機未嘗還吳也。或以爲處尋二陸，當在吳亡之後，其說亦非。考吳亡之歲，處年亦四十三，筮仕已久。又據本傳，處仕吳爲東觀左丞、無難督，故王渾之登建鄴宮，處有對渾之言。如使吳亡之後，處方厲志好學，則爲東觀左丞、無難督者，果何人乎？以此推之，知世說所云，盡屬謬妄。」按陸機集周處碑言處事陸雲。顧炎武金石文字記辨爲僞作。

㊅伏波孫秀——史繩祖學齋佔畢言古今同姓名者多矣，至晉尤甚。如兩劉毅、兩周撫、兩孫秀、兩解系、兩周訪、兩王愷、兩王渾、兩王澄是也。」案兩孫秀，晉書皆無傳。一爲吳主權弟匡之孫，爲前將軍、夏口督，孫皓忌之，秀遂奔晉，晉以爲驃騎將軍，儀同三司，封會稽公，附吳志孫匡傳。注引晉諸公贊曰：「吳平，降爲伏波將軍，開府如故。永寧中卒，追贈驃騎將軍。」晉書周處傳：「及氐人齊萬年反，乃使隸夏侯駿西征。伏波將軍孫秀知其將死，謂之曰：『卿有老母，可以此辭也。』」及本書惑溺四所記卽此人也。本書仇隙一陷石崇、潘岳於死者，爲別一孫秀。晉書趙王倫傳：一時左衞司馬督司馬雅及常從督許超與殿中中郎士猗等，謀廢賈后，復太子，說倫嬖人孫秀，秀許諾，言於倫，倫納焉。」則其人也。

2 戴淵少時遊俠，不治行檢，嘗在江淮間攻掠商旅。陸機赴假還洛，輜重甚盛，淵使少年掠劫。淵在岸上，據胡牀指麾左右，皆得其宜。淵既神姿峰穎㈠，雖處鄙事，神氣猶異。機於船屋上遙謂之曰：「卿才如此，亦復作劫邪？」淵便泣涕，投劍歸機，辭厲非常㈡。機彌重之，定交，作筆薦焉。虞預晉書曰：「機薦淵於趙王倫曰：『蓋聞繁弱登御，然後高墉之功顯；孤竹在肆，然後降神之曲成。伏見處士戴淵㈢，砥節立行，有井渫之潔；安窮樂志，無風塵之慕㈣。誠東南之遺寶，朝廷之貴璞也㈤。若得寄跡康衢㈥，必能結軌驥騄；耀質廊廟，必能垂光璵璠。夫枯岸之民，果於輸珠；潤山之客，列於貢玉。蓋明暗呈形，則庸識所甄也。』倫卽辟淵。」過江，仕至征西將軍。

㈠淵既神姿峰穎——「峰」，御覽四〇九作「鋒」，是。

㈡辭厲非常——「辭厲」，御覽四〇九作「辭屬」，是。屬，謂吐屬。

㈢伏見處士戴淵——「伏」，原誤作「狀」，據影宋本及沈校本改。

㈣「砥節」四句——「安窮」二句晉書戴若思傳在「砥節」二句上。

㈤朝廷之貴璞也——晉書本傳作「宰朝之奇璞也」。

㈥若得寄跡康衢——「寄跡」，晉書本傳作「託跡」。

企羨第十六

1 王丞相拜司空，桓廷尉作兩髻㈠，葛帬策杖，路邊窺之，歎曰：「人言阿龍超㈡，阿龍故自超！」阿龍，丞相小字。不覺至臺門。

㊀桓廷尉作兩髻——桓廷尉，桓彝。「兩髻」，御覽三九四引郭子作「兩角髻」。

㊁阿龍——御覽三九四引郭子注云：「導小名赤龍。」

2 王丞相過江，自說昔在洛水邊，數與裴成公、阮千里諸賢共談道㊀。羊曼曰㊁：「人久以此許卿，何須復爾？」王曰：「亦不言我須此，但欲爾時不可得耳！」「欲」一作「歎」。

㊀數與裴成公阮千里共談道——裴頠，見言語二三。阮瞻，見賞譽二九。

㊁羊曼——見雅量二〇。

3 王右軍得人以蘭亭集序方金谷詩序㊀，又以己敵石崇，甚有欣色。王羲之臨河叙曰㊁：「永和九年，歲在癸丑，莫春之初，會于會稽山陰之蘭亭，脩禊事也。羣賢畢至，少長咸集。此地有崇山峻嶺，茂林脩竹，又有清流激湍，映帶左右，引以爲流觴曲水，列坐其次。是日也，天朗氣清，惠風和暢，娛目騁懷，信可樂也。雖無絲竹管弦之盛，一觴一詠，亦足以暢叙幽情矣。故列序時人，錄其所述。右將軍司馬太原孫丞公等二十六人賦詩如左㊂，前餘姚令、會稽謝勝等十五人不能賦詩，罰酒各三斗。」

㊀王右軍得人以蘭亭集序方金谷詩序——晉書本傳云：「或以潘岳金谷詩序方其文」，而下文云「比於石崇」，則「潘岳」二字明係衍文，當以世說爲正。石崇金谷詩序見品藻五七注引。

㊁王羲之臨河序曰——蘭亭序，梁人謂「臨河序」。

㊂右將軍司馬太原孫丞公等二十六人賦詩如左——「孫丞公」當作「孫承公」。孫統字承公，晉書有傳。

4 王司州先爲庾公記室參軍，後取殷浩爲長史，始到，庾公欲遣王使下都，王自啓求住，曰：「下官希見盛德，淵源始至，猶貪與少日周旋。」

5 郗嘉賓得人以己比苻堅，大喜。

6 孟昶未達時，家在京口。晉安帝紀曰：「昶字彥達㊀，平昌人。父馥，中護軍。昶矜嚴有志局，少爲王恭所知，豫義旗之勳，遷丹陽尹。盧循既下，昶慮事不濟，仰藥而死。」嘗見王恭乘高輿，被鶴氅裘。于時微雪，昶於籬間窺之㊁，歎曰：「此眞神仙中人！」

㊀昶字彥達——「彥達」，嚴可均全晉文作「彥遠」。昶，晉書無傳，未知嚴氏所據。

㊁籬間——景定建康志引環濟吳紀曰：「天紀二年，衛尉岑昏表修百府，自宮門至朱雀橋，夾路作府舍。又開大道，使男女異行。夾道皆築高牆瓦覆，或作竹藩。」籬門南朝多有之。南史王儉傳：「宋世宮門外六門，城設竹籬。」裴之儉傳：「大同初，四籬門外，桐柏凋盡。」此所謂籬，疑卽竹藩籬門之類，或京口亦有此制。

傷逝第十七

1 王仲宣好驢鳴，魏志曰：「王粲字仲宣，山陽高平人。曾祖龔，父暢㊀，皆爲漢三公。粲至長安，見蔡邕，邕奇之，倒屣迎之，曰：『此王公孫，有異才，吾不及也。吾家書籍盡當與之。』避亂荊州，依劉表，以粲貌寢通脫㊁，不甚重之。太祖以從征吳，道中卒。」旣葬，文帝臨其喪，顧語同遊曰：「王好驢鳴，可各作一聲以送之。」赴客皆一作驢鳴。按戴叔鸞母好驢鳴㊂，叔鸞每爲驢鳴以說其母。人之所好，儻亦同之。

㈠父暢——魏志本傳作「祖父暢」，是，此脫「祖」字。案粲父名謙，爲大將軍何進長史。

㈡粲貌寢通脫——「通脫」，魏志本傳作「通侻」。注云：「通侻者，簡易也。」脫，脫略也，「侻」、「脫」義同。

㈢戴叔鸞——戴良字叔鸞，見後漢書逸民傳。

2 王濬沖爲尚書令㈠，著公服，乘軺車㈡，經黃公酒壚下過。韋昭漢書注曰：「壚，酒肆也；以土爲墮，四邊高似壚也㊂。」顧謂後車客：「吾昔與嵇叔夜、阮嗣宗共酣飲於此壚。竹林之遊，亦預其末。自嵇生夭、阮公亡以來，便爲時所羈紲。今日視此雖近，邈若山河。」竹林七賢論曰：「俗傳若此。潁川庾爰之嘗以問其伯文康㈣，文康云：『中朝所不聞，江左忽有此論，蓋好事者爲之耳！』」

㈠王濬沖——王戎，字濬沖。

㈡軺車——晉書輿服志：「軺車，古之時軍車也。一馬曰軺車，二馬曰軺傳。漢世貴輜軿而賤軺車，魏、晉重軺車而賤輜軿。三品將軍以上、尚書令軺車黑耳，有後戶，僕射但有後戶，無耳，並皁輪。」

㊂「韋昭漢書注曰」五句——韋昭此解見史記司馬相如傳集解引，漢書注不采。「壚」，史記作「鑪」，漢書作「盧」。後漢書孔融傳注：「累土爲之，以居酒瓮，四邊隆起，一面高，如鍛鑪，故名鑪，字或作壚。」「以土爲墮」，「墮」字疑是「垛」之借，同「垜」。一切經音義引字林：「垛，小堆也，吳人謂積土爲垛。」「墮」與「垛」形聲俱相近。

㈣潁川庾爰之嘗以問其伯文康——爰之，庾翼子。文康，庾亮。

3 孫子荊以有才少所推服㈠，唯雅敬王武子㈡。武子喪時，名士無不至者。子荊後來，臨屍慟哭，賓客莫不垂涕。哭畢，向靈牀曰：「卿常好我作驢鳴，今我爲卿作。」體似真聲㊂，賓客皆笑。孫舉頭曰：「使君輩存，令此人死！」語林曰：「王武子葬，孫子荊哭之甚悲，賓客莫不垂涕。既作驢鳴，賓客皆笑。孫曰：『諸君不死，而令武子死乎。』賓客皆怒。」

㊀孫子荊——孫楚。

㊁王武子——王濟。與孫楚並見言語二四。

㊂體似真聲——「真聲」，晉書孫楚傳作「聲真」，是。

4 王戎喪兒萬子㊀，山簡往省之，王悲不自勝。簡曰：「孩抱中物，何至於此！」王曰：「聖人忘情，最下不及情。情之所鍾，正在我輩。」王隱晉書曰：「戎子綏，欲取裴遁女㊁。綏既蚤亡，戎過傷痛，不許人求之，遂至老無敢取者。」簡服其言，更爲之慟。一說是王夷甫喪子，山簡弔之。

㊀王戎喪兒萬子——賞譽二九注引晉諸公贊曰：「王綏字萬子，辟太尉掾，不就，年十九卒。」則非「孩抱中物」可知。案晉書王衍傳云：「衍嘗喪幼子，山簡弔之」云云，與一說同。

㊁欲取裴遁女——「遁」當作「盾」。盾爲裴康子，永嘉中爲徐州刺史，附晉書裴憲傳。

5 有人哭和長輿曰㊀：「峨峨若千丈松崩。」

㊀和長輿——和嶠，見方正九。

6 衛洗馬以永嘉六年喪，謝鯤哭之，感動路人。永嘉流人名曰：「玠以六年六月二十日亡，葬南昌城許徵墓東。」玠之薨，謝幼輿發哀於武昌，感慟不自勝。人問：『子何恤而致哀如是㊀？』答曰：『棟梁折矣，何得不哀！』」咸和中，丞相王公教曰：「衛洗馬當改葬。此君風流名士，海內所瞻，可脩薄祭，以敦舊好。」玠別傳曰：「玠咸和中改遷於江寧㊁。丞相王公教曰：『洗馬明當改葬。此君風流名士，海內民望，可脩三牲之祭，以敦舊好。』」

㊀子何恤而致哀如是——「何恤」，原誤作「可血」，據影宋本改。

㊁改遷於江寧——「改」，原作「故」，據影宋本改。案晉書本傳正作「改」。

7 顧彥先平生好琴㊀，及喪，家人常以琴置靈牀上。張季鷹往哭之㊁，不勝其慟，遂徑上牀，鼓琴作數曲，竟，撫琴曰：「顧彥先頗復賞此不？」因又大慟，遂不執孝子手而出。

㊀顧彥先——顧榮，見德行二五。

㊁張季鷹——張翰，見識鑒一〇。

8 庾亮兒遭蘇峻難遇害。諸葛道明女爲庾兒婦，既寡，將改適，亮子會，會妻文彪㊀，並已見上。與亮書及之。亮答曰：「賢女尚少，故其宜也。感念亡兒，若在初沒。」

㊀會妻文彪——「文」，原作「父」，據方正二五注改。

9 庾文康亡，何揚州臨葬㊀，云：「埋玉樹著土中，使人情何能已已！」搜神記曰：「初，庾亮病，術士戴洋曰：『昔蘇峻事，公於白石祠中許賽車下牛，從來未解，爲此鬼所考，不可救也。』明年，亮果亡。」靈鬼志謠徵曰：「文康初鎮武昌，出石頭，百姓看者於岸歌曰：『庾公上武昌，翩翩如飛鳥；庾公還揚州，白馬牽旐旒。』又曰：『庾公初上時，翩翩如飛鴉；庾公還揚州，白馬牽旐車。』後連徵不入，尋薨，下都葬焉㈡。」

㈠何揚州——何充，見政事一七。

㈡下都葬焉——晉書本傳作「以喪還都葬」，太平廣記一四一引作「還都葬之」。「下都」、「還都」義同。晉人凡自上游至建業皆曰下。

10 王長史病篤，寢臥燈下，轉麈尾視之，歎曰：「如此人，曾不得四十！」及亡，劉尹臨殯，以犀柄麈尾著柩中，因慟絕。濛別傳曰：「濛以永和初卒，年三十九。沛國劉惔與濛至交，及卒，惔深悼之，雖友于之愛，不能過也。」

11 支道林喪法虔之後，精神霣喪，風味轉墜。支遁傳曰：「法虔，道林同學也。儁朗有理義，遁甚重之。」常謂人曰：「昔匠石廢斤於郢人，莊子曰：「郢人堊漫其鼻端，若蠅翼，使匠石運斤斲之，堊盡而鼻不傷，郢人立不失容。」牙生輟弦於鍾子，韓詩外傳曰：「伯牙鼓琴，鍾子期聽之。方鼓琴，志在太山，子期曰：『善哉乎鼓琴，巍巍乎若太山。』莫景之間，志在流水，子期曰：『善哉乎鼓琴，洋洋乎若流水。』鍾子期死，伯牙擗琴絕弦，終身不復鼓之。以爲在者，無足爲之鼓琴也。」推己外求㈠，良不虛也。冥契既逝㈡，發言莫賞，中心蘊結，余其亡矣！」却後一年，支遂殞。

㈠推己外求——高僧傳作「推己求人」。

㈡冥契既逝——高僧傳作「寶契既潛」。

12 郗嘉賓喪，左右白郗公：「郎喪。」既聞不悲，因語左右：「殯時可道。」公往臨殯，一慟幾絕。中興書曰：「超年四十二，先愔卒。超所交友，皆一時俊乂。及死之日，貴賤爲誄者四十餘人。」續晉陽秋曰：「超黨戴桓氏，爲其謀主。以父愔忠於王室，不令知之。將亡，出一小書箱付門生，云：『本欲焚此，恐官年尊，必以傷愍爲斃㊀。我亡後，若大損眠食，則呈此箱。』愔後果慟悼成疾，門生乃如超旨，則與桓溫往反密計。愔見卽大怒曰：『小子死恨晚！』後不復哭。」

㊀必以傷愍爲斃——「斃」，晉書郗超傳作「弊」，是。弊，病憊也。

13 戴公見林法師墓㊀，支遁傳曰：「遁，太和元年終于剡之石城山，因葬焉。」曰：「德音未遠，而拱木已積。冀神理緜緜，不與氣運俱盡耳。」王珣法師墓下詩序曰：「余以寧康二年命駕之剡石城山，卽法師之丘也。高墳鬱爲荒楚，丘隴化爲宿莽，遺跡未滅，而其人已遠。感想平昔，觸物悽懷。」其爲時賢所惜如此。

㊀戴公——戴逵，見雅量三四。

14 王子敬與羊綏善。綏清淳簡貴，爲中書郎，少亡。綏已見㊀。王深相痛悼，語東亭云：「是國家可惜人。」

㊀羊綏——見方正六〇。

15 王東亭與謝公交惡。中興書曰：「珣兄弟皆壻謝氏，以猜嫌離婚。太傅既與珣絕婚，又離妻㊀，由是二族遂成仇釁。」王在東聞謝喪，便出都，詣子敬，道欲哭謝公。子敬始臥，聞其言，便驚起曰：「所望於法護。」法護，珣小字。王於是往哭。督帥刁約不聽前，曰：「官平生在時，不見此客。」王亦不與語，直前哭，甚慟，不執末婢手而退。末婢，謝琰小字。琰字瑗度，安少子。開率有大度，爲孫恩所害㈡，贈侍中、司空。

㈠又離妻——「妻」上晉書王珣傳有「珉」字，是。

㈡爲孫恩所害——案晉書謝琰傳：「至千秋亭，敗績。琰帳下都督張猛於後斫琰馬，琰墮地，與二子俱被害。」

16 王子猷、子敬俱病篤，而子敬先亡。獻之以泰元十三年卒，年四十五。子猷問左右：「何以都不聞消息？此已喪矣。」語時了不悲。便索輿來奔喪，都不哭。子敬素好琴，便徑入坐靈牀上，取子敬琴彈，弦既不調，擲地云：「子敬，子敬，人琴俱亡！」因慟絕良久。月餘亦卒。幽明錄曰：「泰元中，有一師從遠來，莫知所出。云：『人命應終，有生樂代者㈠，則死者可生；若逼人求代，亦復不過少時。』人聞此，咸怪其虛誕。王子猷、子敬兄弟特相和睦。子敬疾，屬纊。子猷謂之曰：『吾才不如弟，位亦通塞，請以餘年代弟。』師曰：『夫生代死者，以己年限有餘，得以足亡者耳。今賢弟命既應終，君侯算亦當盡，復何所代？』子猷先有背疾，子敬疾篤，恒禁來往。聞亡，便撫心悲惋，都不得一聲，背卽潰裂。推師之言，信而有實。」

㈠有生樂代者——「生」下，晉書王徽之傳有「人」字，是。

17 孝武山陵夕，王孝伯入臨，告其諸弟曰：「雖榱桷惟新，便自有黍離之哀。」中興書曰：「烈宗喪㈠，會稽王道子執政，寵幸王國寶，委以機任。王恭入赴山陵，故有此歎。」

㈠烈宗喪——烈宗，晉孝武帝廟號。

18 羊孚年三十一卒，桓玄與羊欣書曰：「賢從情所信寄，暴疾而殞，孚，已見。宋書曰：「欣字敬元，太山南城人。少懷靜默，秉操無競，美姿容，善笑言，長於草隸。」羊氏譜曰：「孚卽欣從祖㊀。」祝予之歎，如何可言！」公羊傳曰：「顏淵死，子曰：『噫，天喪予！』子路亡，子曰：『噫，天祝予！』」何休曰：「祝者，斷也；天將亡夫子耳。」

㊀孚卽欣從祖——按南城羊氏譜，忱生楷與權。楷生綏，綏生孚；權生不疑，不疑生欣。則孚與欣乃再從兄弟。「孚卽欣從祖」下脫「兄」字。羊孚見言語一〇四。

19 桓玄當篡位，語卞鞠云：卞範，已見㊀。「昔羊子道恒禁吾此意。今腹心喪羊孚，爪牙失索元，索氏譜曰：「元字天保，燉煌人。父緒，散騎常侍。元歷征虜將軍、歷陽太守。」幽明錄曰：「元在歷陽疾病。西界一年少女子姓某，自言爲神所降，來與元相聞，許爲治護。元性剛直，以爲妖惑，收以付獄，戮之於市中。女臨死曰：『却後十七日，當令索元知其罪。』如期，元果亡。」而忽忽作此詆突㊁，詎允天心？」

㊀卞範已見——見下寵禮六注，此云已見，不知何指。

㊁詆突——本義與唐突義相近，或作「牴突」，後漢書臧宮傳：「內國憂其牴突。」注：「抵觸也。」亦作「底突」。南史江革傳：「革精信因果，而帝未知，謂革不奉佛法，因賜革覺意詩五百字云：『唯當勤精進，自强行勝修，豈可作底突，如彼必死囚！』又手敕曰：『果報不可不信，豈得底突，如對元延明耶？』」此處似謂鹵莽行事。

棲逸第十八

1 阮步兵嘯聞數百步。蘇門山中，忽有真人，樵伐者咸共傳說。阮籍往觀，見其人擁膝巖側，籍登嶺就之，箕踞相對。籍商略終古，上陳黃、農玄寂之道，下考三代盛德之美以問之，仡然不應㊀。復敘有爲之教、棲神導氣之術以觀之，彼猶如前，凝矚不轉。籍因對之長嘯。良久，乃笑曰：「可更作。」籍復嘯。意盡，退還半嶺許，聞上㗰然有聲，如數部鼓吹，林谷傳響，顧看，迺向人嘯也。魏氏春秋曰：「阮籍常率意獨駕，不由徑路，車跡所窮，輒慟哭而反。嘗遊蘇門山，有隱者，莫知姓名，有竹實數斛、杵臼而已。籍聞而從之。談太古無爲之道㊁，論五帝、三王之義，蘇門先生翛然曾不眄之。籍乃嘐然長嘯，韻響寥亮。蘇門先生乃逌爾而笑。籍既降，先生喟然高嘯，有如鳳音。籍素知音，乃假蘇門先生之論以寄所懷。其歌曰：『日没不周西，月出丹淵中。陽精晦不見㊂，陰光代爲雄。亭亭在須臾，厭厭將復隆。富貴俛仰間，貧賤何必終！㊃』」竹林七賢論曰：「籍歸，遂著大人先生論，所言皆胸懷間本趣，大意謂先生與己不異也。觀其長嘯相和，亦近乎目擊道存矣。」

㊀仡然——史記司馬相如傳：「仡以佁儗兮。」索隱引張揖曰：「仡，舉頭也。」「仡然不應」，謂凝視不語，故下云：「彼猶如前凝矚不轉。」

㊁談太古無爲之道——「談」上魏志王粲傳注引魏氏春秋有「與」字，是。

㊂陽精晦不見——「晦」，魏志王粲傳注引作「蔽」。

㊃「其歌曰」九句——按此歌見阮籍大人先生傳，此乃節引。

2 嵇康遊於汲郡山中，遇道士孫登，遂與之遊。康臨去，登曰：「君才則高矣，保身之道不足。」康集序曰：「孫登者，不知何許人。無家，於汲郡北山土窟住。夏則編草爲裳，冬則被髮自覆。好讀易，鼓一弦琴。見者皆親樂之。」魏氏春秋曰：「登性無喜怒。或沒諸水，出而觀之，登復大笑。時時出入人間，所經家設衣食者，一無所辭；去，皆舍去。」文士傳曰：「嘉平中，汲縣民共入山中，見一人，所居懸巖百仞，叢林鬱茂，而神明甚察。自云：『孫姓登名，字公和。』康聞，乃從遊三年，問其所圖，終不答，然神謀所存良妙。康每荼然歎息。將別，謂曰：『先生竟無言乎？』登乃曰：『子識火乎？生而有光而不用其光，果然在於用光；人生有才而不用其才，果然在於用才。故用光在乎得薪，所以保其曜；用才在乎識物，所以全其年。今子才多識寡，難乎免於今之世矣。子無多求！』康不能用。及遭呂安事，在獄爲詩自責云：『昔慚下惠，今愧孫登㊀。』」王隱晉書曰：「孫登卽阮籍所見者也。嵇康執弟子禮而師焉。」魏晉去就，易生嫌疑，貴賤並沒，故登或默也。

㊀「昔慚」二句——見文選嵇康幽憤詩。

3 山公將去選曹，欲擧嵇康，康與書告絕㊀。康別傳曰：「山巨源爲吏部郎，遷散騎常侍，擧康，康辭之，并與山絕。豈不識山之不以一官遇己情邪，亦欲標不屈之節，以杜擧者之口耳。乃答濤書，自說不堪流俗而非薄湯武。大將軍聞而惡之㊁。」

㊀康與書告絕——康與山巨源絕交書見晉書本傳，亦見文選。

㊁大將軍——謂司馬昭。

4 李廞是茂曾第五子，清貞有遠操，而少羸病，不肯婚宦。居在臨海，住兄侍中墓下。既有高名，王丞相欲招禮之，故辟爲府掾。廞得牋命，笑曰：「茂弘乃復以一爵假人。」文字志曰：「廞字宗子，江夏鍾武人。祖康㊀，秦州刺史。父重，平陽太守。世有名望。廞好學，善草隸，與兄式齊名。躄疾不能行坐，常仰臥彈琴，讀誦不輟。河間王辟太尉掾，以疾不赴。後避難，隨兄南渡，司徒王導復辟之。廞曰：『茂弘乃復以一爵加人。』永和中卒。廞嘗爲二府辟，故號李公府也。式字景則，廞長兄也，思理儒隱，有平素之譽。渡江，累遷臨海太守、侍中。年五十四而卒。」

㊀祖康——「康」，晉書李重傳作「景」。魏志李通傳作「秉」，是也。唐高祖父名昞，故唐人諱「昞」爲「景」，「昞」、「秉」同音，故晉書亦諱「秉」爲「景」，此作「康」者，乃「秉」字形近之誤。

5 何驃騎弟以高情避世，而驃騎勸之令仕，答曰：「予第五之名，何必減驃騎！」中興書曰：「何準字幼道，廬江灊人，驃騎將軍充第五弟也。雅好高尚，徵聘一無所就。充位居宰相，權傾人主，而準散帶衡門，不及世事。于時名德皆稱之。年四十七卒。有女爲穆帝皇后。贈光祿大夫，子恢讓不受㊀。」

㊀子恢讓不受——「恢」，晉書外戚傳作「惔」，廬江何氏譜作「恢」。

6 阮光祿在東山，蕭然無事，常內足於懷。阮裕別傳曰：「裕居會稽剡山，志存肥遁。」有人以問王右軍，右軍曰：「此君近不驚寵辱，老子曰：「寵辱若驚，得之若驚，失之若驚。」雖古之沈冥，何以過此！」揚子曰：「蜀莊沈冥。」李軌注曰：「沈冥，猶玄寂，泯然無迹之貌。」

7 孔車騎少有嘉遁意，年四十餘，始應安東命㊀。未仕宦時，常獨寢歌吹自箴誨。自稱孔郎，遊散名山。孔愉別傳曰：「永嘉大亂，愉入臨海山中，不求聞達，中宗命爲參軍㊁。」百姓謂有道術，爲生立廟，今猶有孔郎廟。

㊀安東——晉元帝，時爲安東將軍。

㊁中宗命爲參軍——中宗乃元帝廟號。案晉書孔愉傳：「惠帝末，歸鄉里，行至江淮間，遇石冰、封雲爲亂，雲逼愉爲參軍，不從，將殺之，賴雲司馬張統營救獲免。東還會稽，入新安山中，改姓孫氏，以稼穡讀書爲務，信著鄉里。後忽捨去，皆謂爲神人，而爲之立祠。永嘉中，元帝始以安東將軍鎭揚土，命愉爲參軍，邦族尋求，莫知所在。建興初，始出應召，爲丞相掾，仍除駙馬都尉、參丞相軍事，時年已五十矣。」

8 南陽劉驎之，高率善史傳，隱於陽岐㊀。于時苻堅臨江，荆州刺史桓沖將盡訏謨之益，徵爲長史，遣人船往迎，贈貺甚厚。驎之聞命便升舟，悉不受，所餉緣道以乞窮乏㊁，比至上明亦盡㊂。一見沖，因陳無用，翛然而退。居陽岐積年，衣食有無，常與村人共，值己匱乏，村人亦如之。甚厚爲鄉閭所安。鄧粲晉紀曰：「驎之字子驥，南陽安衆人。少尙質素，虛退寡欲，好遊山澤間，志存遁逸。桓沖嘗至其家，驎之方條桑，謂沖：『使君既枉駕光臨，宜先詣家君。』沖遂詣其父。父命驎之，然後乃還，拂裋褐與沖言。父使驎之自持濁酒葅菜供賓，沖敕人代之，父辭曰：『若使官人，則非野人之意也。』沖爲慨然，至昏乃退。因請爲長史，固辭。居陽岐，去道斥近，人士往來，必投其家。驎之身自供給，贈致無所受。去家百里，有孤嫗疾將死，謂人曰：『唯有劉長史當埋我耳！』驎之身往候之，値終，爲治棺殯，其仁愛皆如此。以壽卒。」

㊀陽岐——村名。任誕三八注：「村臨江，去荊州二百里。」

㊁緣道以乞窮乏——「乞」下沈校本有「氣」字，蓋後人注音，傳寫者誤作正文耳。乞，與也，給也。

㊂上明——荊州刺史治所。晉書桓沖傳：「沖既到江陵，時苻堅強盛，沖欲移阻江南，於是移鎮上明。」沖上疏云：「南平孱陵縣界，地名上明，田土膏良，可以資業軍人。在吳時樂鄉城以上四十餘里，北枕大江，西接三峽。」

9 南陽翟道淵與汝南周子南少相友，共隱于尋陽。庾太尉說周以當世之務，周遂仕。翟秉志彌固。其後周詣翟，翟不與語。晉陽秋曰：「翟湯字道淵㊀，南陽人，漢方進之後也。篤行任素，義讓廉潔，饋贈一無所受。值亂多寇，聞湯名德，皆不敢犯。」尋陽記曰：「初，庾亮臨江州，聞翟湯之風，束帶躡屐而詣焉。亮禮甚恭，湯曰：『使君直敬其枯木朽株耳！』亮稱其能言，表薦之，徵國子博士，不赴。主簿張玄曰：『此君臥龍，不可動也。』終于家。」

㊀翟湯字道淵——「道淵」，晉書翟湯傳作「道深」，蓋史家避唐高祖諱。與殷浩字淵源，改爲深源同例。

10 孟萬年及弟少孤，居武昌陽新縣。萬年遊宦，有盛名當世。少孤未嘗出京邑，人士思欲見之，乃遣信報少孤云：「兄病篤。」狼狽至都，時賢見之者，莫不嗟重。因相謂曰：「少孤如此，萬年可死。」袁宏孟處士銘曰：「處士名陋，字少孤，武昌陽新人㊀，吳司空孟宗後也。少而希古，布衣蔬食，棲遲蓬蓽之下，絕人間之事，親族慕其孝。大將軍命會稽王辟之㊁，稱疾不至。相府歷年虛位，而澹然無悶，卒不降志。時人奇之。」

㊀武昌陽新人——晉書孟陋傳作「武昌人」。丁國鈞晉書校文曰：「陋與孟嘉兄弟，嘉傳作江夏鄳人，此傳則云武昌人。

錢氏考異曾舉其異，而未及辨正。余按嘉、陋爲武昌之陽新人，見世說棲逸篇，孟嘉別傳及陶淵明孟府君傳皆同。惟兩傳既言孟氏爲武昌陽新人，而又特志嘉爲江夏鄳人。別傳不知誰作，淵明則嘉之外孫，所言必不謬。意孟氏自宗葬陽新，後子孫遂爲土著，嘉則復自陽新遷鄳，故淵明云然，否則一傳中，不應自相矛盾也。晉書於陋兄弟各別其籍，正其精審處，第以嘉傳江夏鄳人句例之，則陋傳不應遺去陽新，但著郡名爾。」

㈡大將軍命會稽王辟之——案晉書本傳：「簡文帝輔政，命爲參軍，稱疾不至。」時帝以撫軍大將軍會稽王輔政，故曰「大將軍會稽王」，「命」字誤衍。下云「相府歷年虛位」，並指會稽王。

11 康僧淵在豫章，去郭數十里立精舍㈠，旁連嶺，帶長川，芳林列於軒庭，清流激於堂宇。乃閒居研講，希心理味。庾公諸人多往看之，觀其運用吐納，風流轉佳，加已處之怡然㈡，亦有以自得，聲名乃興。後不堪，遂出。僧淵，已見。

㈠精舍——通鑑一〇四晉紀注：「後漢書姜肱傳：『就精廬求見徵君。』賢曰：『精廬，卽精舍也。』」蓋以專精講習所業爲義。今儒、釋肄業之地，通曰精舍。

㈡加已處之怡然——「已」字影宋本及沈校本無。

12 戴安道既厲操東山，續晉陽秋曰：「逵不樂當世，以琴書自娛，隱會稽剡山。國子博士徵，不就。」而其兄欲建式遏之功㈠。戴氏譜曰：「逯字安丘㈡，譙國人。祖碩，父綏，有名位。逯以武勇顯，有功，封廣陵侯，仕至大司農。」謝太傅曰：「卿兄弟志業，何其太殊？」戴曰：「下官不堪其憂，家弟不改其樂㈢。」

㈠式遏——詩大雅民勞：「式遏寇虐。」

㈡逯字安丘——「逯」，晉書謝安傳作「遂」，是，下同。案「遂」卽「遁」字。

㈢「謝太傅曰」六句——晉書謝玄傳謂遂乃處士逵之弟，云：「謝安嘗謂遂曰：『卿兄弟志業何殊？』遂曰：『下官不堪其憂，家兄不改其樂。』」與世說不同。

13 許玄度隱在永興南幽穴中，每致四方諸侯之遺。或謂許曰：「嘗聞箕山人似不爾耳。」許曰：「筐篚苞苴，故當輕於天下之寶耳。」鄭玄禮記注云：「苞苴，裹肉也，或以葦，或以茅。」此言許由尚致堯帝之讓，筐篚之遺，豈非輕邪？

14 范宣未嘗入公門㈠，韓康伯與同載，遂誘俱入郡，范便於車後趨下。續晉陽秋曰：「宣少尚隱遁，家于豫章，以清潔自立。」

㈠范宣——見德行三八。宣字宣子，見晉書本傳。彼注誤作子宣。

15 郗超每聞欲高尚隱退者，輒爲辦百萬資，并爲造立居宇。在剡，爲戴公起宅，甚精整。戴始往舊居，與所親書曰：「近至剡，如官舍㈠。」郗爲傅約亦辦百萬資，傅隱事差互㈡，故不果遺。約，瓊小字。

㈠「戴始往舊居」四句——御覽五一〇作「始往居，如入官舍」。「舊」字無義，自是衍文。「入」字應補。

㈡差互——猶言蹉跎不遂。

16 許掾好遊山水㈠，而體便登陟。時人云：「許非徒有勝情，實有濟勝之具。」

㈠許掾——許詢。

17 郗尚書與謝居士善，常稱謝慶緒識見雖不絕人，可以累心處都盡。尚書，郗恢也，別見。檀道鸞續晉陽秋曰：「謝敷字慶緒，會稽人。崇信釋氏。初入太平山中㊀，十餘年，以長齋供養爲業，招引同事，化納不倦。以母老，還南山若邪中。內史郗愔表薦之㊁，徵博士，不就。初，月犯少微星，一名處士星㊂，占云：『以處士當之。』時戴逵居剡，既美才藝，而交游貴盛，先敷著名，時人憂之，俄而敷死。會稽人士以嘲吳人云：『吳中高士，便是求死不得。』」

㊀太平山——寰宇記：「太平山在餘姚縣東七十八里，接連天台，卽敷隱居之所。」施宿會稽志曰：「謝敷宅在會稽五雲門外一里。或云在雲門寺東，與何諱宅相近。」按何諱卽何胤，避宋太祖諱而改。

㊁內史郗愔表薦之——「內史」，晉書謝敷傳作「鎮軍」。案晉書郗愔傳，愔以會稽內史加鎮軍。

㊂一名處士星——「一名」上晉書天文志有「少微」二字，語意尤明。

賢媛第十九

1 陳嬰者，東陽人。少脩德行，著稱鄉黨。秦末大亂，東陽人欲奉嬰爲主，母曰：「不可。自我爲汝家婦，少見貧賤，一旦富貴，不祥。不如以兵屬人，事成少受其利，不成禍有所歸。」史記曰：「嬰故東陽令史，居縣，素信，爲長者㊀。東陽人欲立長，乃請嬰；嬰母諫之㊁，乃以兵屬項梁，梁以嬰爲上柱國。」

㊀素信爲長者——史記項羽本紀作「素信謹，稱爲長者」。

㊁嬰母諫之——「諫」原作「見」，據影宋本及沈校本改。

2 漢元帝宮人既多，乃令畫工圖之，欲有呼者，輒披圖召之。其中常者，皆行貨賂。王明君姿容甚麗，志不苟求，工遂毀爲其狀㈠。後匈奴來和，求美女於漢帝，帝以明君充行。既召，見而惜之，但名字已去，不欲中改，於是遂行。漢書匈奴傳曰：「竟寧元年，呼韓邪單于來朝㈡，自言願壻漢氏以自親。元帝以後宮良家子王嬙字明君賜之㈢。單于懽喜，上書願保塞。」文穎曰：「昭君本蜀郡秭歸人也。」琴操曰：「王昭君者，齊國王穰女也。年十七，儀形絕麗，以節聞國中，長者求之者，王皆不許，乃獻漢元帝。帝造次不能別房帷，昭君恚怒之。會單于遣使，帝令宮人裝出，使者請一女，帝乃謂宮中曰：『欲至單于者起。』昭君喟然越席而起，帝視之，大驚悔。是時使者並見，不得止，乃賜單于。單于大說，獻諸珍物。昭君有子曰世違。單于死，世違繼立。凡爲胡者，父死，妻母。昭君問世違曰：『汝爲漢也，爲胡也？』世違曰：『欲爲胡耳。』昭君乃吞藥自殺㈣。」石季倫曰：「『昭』以觸文帝諱，故改爲『明』。」

㈠「王明君」三句——李詳曰：「御覽三百八十一引此作『昭君』，蓋未見劉注引石季倫曰『昭』以觸文帝諱，故改爲『明』。是劉義慶循石崇舊稱作『明』，非不知爲『昭』也。御覽作『昭』，自是宋人改正。『志不苟求』二句，御覽作『志不可苟求，工遂毀爲甚醜』，當從御覽，否則今本必去『爲』字，方令人解。」

㈡呼韓邪單于來朝——「來」原作「求」，據影宋本及沈校本改。案漢書匈奴傳作「單于復入朝」。

㈢元帝以後宮良家子王嬙字明君賜之——「王嬙」，漢書匈奴傳作「王牆」。

㈣「昭君有子」十二句——案漢書匈奴傳，昭君生子曰伊屠智牙師，爲右日逐王。呼韓邪死，雕陶莫皋立，爲復株絫若鞮單于，復妻昭君，非昭君所生也。琴操所云，齊東野人之語，孝標舍漢書而引之，何也？

3 漢成帝幸趙飛燕，飛燕讒班婕妤祝詛，於是考問，辭曰：「妾聞死生有命，富貴在天。修善尚不蒙福㊀，爲邪欲以何望？若鬼神有知，不受邪佞之訴㊁；若其無知，訴之何益？故不爲也。」漢書外戚傳曰：「成帝趙皇后，本長安宮人。初生，父母不舉，三日不死，乃收養之。及壯，屬河陽主家㊂，學歌舞，號曰飛燕。帝微行過主，見而說之，召入宮，大得幸，立爲后。班婕妤者，鴈門人㊃。成帝初選入宮，大得幸，立爲婕妤。帝遊後庭，嘗欲與同輦，婕妤辭之。趙飛燕譖許皇后及婕妤，婕妤對有辭致，上憐之，賜黃金百斤。飛燕嬌妬，婕妤恐見危中㊄，求供養太后於長信宮。帝崩，婕妤充奉園陵，薨，葬園中。」

㊀修善尚不蒙福——「修善」，漢書外戚傳作「修正」。

㊁不受邪佞之訴——「邪佞」，漢書外戚傳作「不臣」。

㊂屬河陽主家——「河陽」，漢書外戚傳作「陽阿」。師古曰：「陽阿，平原之縣也。今俗書『阿』字作『河』，又或爲『河陽』，皆後人所妄改耳。」

㊃鴈門人——案漢書外戚傳不云「鴈門」。文選兩都賦注引後漢書班固傳曰北地人。今後漢書班彪傳作扶風安陵人。案漢書敘傳：「始皇之末，班壹避地於樓煩。」師古曰：「樓煩，鴈門之縣。」此云鴈門人，亦是。

㊄婕妤恐見危中——漢書外戚傳作「婕妤恐久見危」。

4 魏武帝崩，文帝悉取武帝宮人自侍。及帝病困，卞后出看疾。太后入戶，見直侍並是昔日所愛幸者。太后問：「何時來邪？」云：「正伏魄時過。」因不復前而歎曰：「狗鼠不食汝餘，死故應爾！」至山陵，亦竟不臨。魏書曰：「武宣卞皇后，琅邪開陽人。以漢延熹三年生齊郡白亭，有黃氣滿室移日。父敬侯怪之，以問卜者王越㊀。越曰：『此吉祥也。』年二十，太祖納於譙。性約儉，不尚華麗，有母儀德行。」

㊀以問卜者王越——「王越」，御覽一三八引作「王旦」，魏志武宣卞皇后傳注同。

5 趙母嫁女，女臨去，敕之曰：「愼勿爲好！」女曰：「不爲好，可爲惡邪？」母曰：「好尚不可爲，其況惡乎㊀！」列女傳曰㊁：「趙姬者，桐鄉令東郡虞韙妻，潁川趙氏女也。才敏多覽。韙既沒，大皇帝敬其文才㊂，詔入宮省。上欲自征公孫淵，姬上疏以諫㊃。作列女傳解，號趙母注，賦數十萬言。赤烏六年卒。」淮南子曰：「人有嫁其女而教之者曰：『爾爲善，善人疾之。』對曰：『然則當爲不善乎？』曰：『善尚不可爲，而況不善乎？』」景獻羊皇后曰：「此言雖鄙，可以命世人。」

㊀其況惡乎——「其」字沈校本無。

㊁列女傳曰——李詳曰：「隋書經籍志有列女後傳十卷，項原撰；列女傳六卷，皇甫謐撰；列女傳七卷，綦毋邃撰。趙姬之事當在此數傳內。志又有趙母注列女傳七卷。文選范蔚宗後漢書皇后紀論善注引列女傳『曲沃負』條，有虞貞節云云。章宗源隋書經籍志考證謂即趙母列女傳注，『貞節』，疑爲吳之賜號。」

㊂大皇帝敬其文才——「大皇帝」原作「文皇帝」，據凌刻本改。大皇帝，孫權之謚。

㊃姬上疏以諫——「以」字沈校本無。

6 許允婦是阮衛尉女，德如妹，魏略曰：「允字士宗，高陽人。少與清河崔贊俱發名於冀州。仕至領軍將軍。」陳留志名曰：「阮共字伯彥，尉氏人。清真守道，動以禮讓。仕魏至衛尉卿。少子侃，字德如，有俊才，而飭以名理，風儀雅潤。與嵇康爲友。仕至河內太守。」奇醜。交禮竟，允無復入理，家人深以爲憂。會允有客至，婦令婢視之，還，答曰：「是桓郎。」桓郎者，桓範也。魏略曰：「範字允明，沛郡人。仕至大司農，爲宣王所誅。」婦云：「無憂，桓必勸入。」桓果語許云：「阮家旣嫁醜女與卿，故當有意，卿宜察之。」許便回入內，旣見婦，卽欲出。婦料其此出無復入理，便捉裾停之。許因謂曰：「婦有四德，卿有其幾？」周禮：「九嬪掌婦學之法，以敎九御婦德、婦言、婦容、婦功。」鄭注曰：「德謂貞順，言謂辭令，容謂婉娩，功謂絲枲。」婦曰：「新婦所乏唯容爾。然士有百行，君有幾？」許云：「皆備。」婦曰：「夫百行以德爲首。君好色不好德，何謂皆備？」允有慚色，遂相敬重。

7 許允爲吏部郎，多用其鄉里，魏明帝遣虎賁收之。其婦出誡允曰：「明主可以理奪，難以情求。」旣至，帝覈問之，允對曰：「『舉爾所知㊀』，臣之鄉人，臣所知也。陛下檢校，爲稱職與不？若不稱職，臣受其罪。」旣檢校，皆官得其人，於是乃釋。允衣服敗壞，詔賜新衣。初允被收，舉家號哭。阮新婦自若，云：「勿憂，尋還。」作粟粥待。頃之，允至。魏氏春秋曰：「初，允爲吏部，選遷郡守。明帝疑其所用非次，將加其罪。允妻阮氏跣出謂曰：『明主可以理奪，不可以情求。』允頷之而入。帝怒詰之，允對曰：『某郡太守雖限滿，文書先至，年限在後，日限在前。』帝前取事視之，乃釋然遣出。望其衣敗，曰：『清吏也。』」

㊀舉爾所知——論語子路：「仲弓爲季氏宰，問政。子曰：『先有司，赦小過，舉賢才。』曰：『焉知賢才而舉之？』曰：『舉爾所知。爾所不知，人其舍諸？』」

8 許允爲晉景王所誅，門生走入告其婦。婦正在機中，神色不變，曰：「蚤知爾耳。」魏志曰：「初，領軍與夏侯玄、李豐親善㈠。有詐作尺一詔書，以玄爲大將軍，允爲太尉，共録尚書事。無何，有人天未明乘馬以詔版付允門吏，曰：『有詔。』因便驅走㈡，允投書燒之，不以關呈景王。」魏略曰：「明年，李豐被收，允欲往見大將軍。已出門，允回遑不定，中道還取袴。大將軍聞而怪之，曰：『我自收李豐，士大夫何爲忽忽乎？』會鎮北將軍劉靜卒，以允代靜。大將軍與允書曰：『鎮北雖少事，而都典一方。念足下震華鼓，建朱節，歷本州。此所謂著繡晝行也。』會有司奏允前擅以厨錢穀乞諸俳及其官屬，減死徙邊，道死。」魏氏春秋曰：「允之爲鎮北，喜謂其妻曰：『吾知免矣！』妻曰：『禍見於此，何免之有？』」晉諸公贊曰：「允有正情，與文帝不平，遂幽殺之。」婦人集載阮氏與允書，陳允禍患所起，辭甚酸愴。文多不録。門人欲藏其兒，婦曰：「無豫諸兒事。」後徙居墓所，景王遣鍾會看之，若才流及父，當收。兒以咨母，母曰：「汝等雖佳，才具不多，率胸懷與語，便無所憂；不須極哀，會止便止；又可少問朝事。」兒從之。會反，以狀對，卒免。世語曰：「允二子：奇字子太，猛字子豹，並有治理。」晉諸公贊曰：「奇，泰始中爲太常丞。世祖嘗祠廟，奇應行事，朝廷以奇受害之門，不令接近，出爲長史。世祖下詔述允宿望，又稱奇才，擢爲尚書祠部郎。猛禮學儒博，加有才識，爲幽州刺史。」

㈠領軍——許允仕至領軍將軍，見本篇六注。魏志「領軍」下有「高陽許允」四字。

㈡驅走——魏志作「馳走」，驅走謂驅馬而走。

9 王公淵娶諸葛誕女，入室，言語始交，王謂婦曰：「新婦神色卑下，殊不似公休㈠。」婦曰：「大丈夫不能仿佛彥雲㈡，而令婦人比蹤英傑！」魏氏春秋曰：「王廣字公淵，王陵子也㈢。有風量才學，名重當世。與傅嘏等論才性同異，行於世。」魏志曰：「廣有志尚學行。陵誅，并死。」臣謂王廣名士，豈以妻父爲戲？此言非也。

㈠公休——諸葛誕字公休。

㈡彥雲——王淩字彥雲。

㈢王陵子也——「王陵」當作「王淩」，下「陵」字同。

10 王經少貧苦，仕至二千石，母語之曰：「汝本寒家子，仕至二千石，此可以止乎！」經不能用。爲尚書，助魏，不忠於晉，被收，涕泣辭母曰：「不從母敕，以至今日。」母都無慽容，語之曰：「爲子則孝，爲臣則忠，有孝有忠，何負吾邪？」世語曰：「經字彥偉㈠，清河人。高貴鄉公之難，王沈、王業馳告文王，經以正直不出，因沈、業申意。後誅經及其母。」晉諸公贊曰：「沈、業將出，呼經，不從，曰：『吾子行矣！』」漢晉春秋曰：「初，曹髦將自討司馬昭，經諫曰：『昔魯昭不忍季氏，敗走失國，爲天下笑。今權在其門久矣，朝廷四方皆爲之致死，不顧逆順之理，非一日也。且宿衛空闕，寸刃無有㈡，陛下何所資用而一旦如此？無乃欲除疾而更深之邪！』髦不聽。後殺經并及其母。將死，垂泣謝母，母顏色不變，笑而謂曰：『人誰不死！往所以止汝者，恐不得其所也。以此并命，何恨之有！』」干寶晉紀曰：「經正直不忠於我，故誅之。」按傅暢、干寶所記，則是經實忠貞於魏，而世語既謂其正直，復云因沈、業申意。何其相反乎？故二家之言深得之。

㈠經字彥偉——錢大昕三國志考異：「管輅傳注：字彥緯。嘗從系旁，

㈡寸刃無有——御覽九四引作「兵甲寡弱」。

11 山公與嵇、阮一面，契若金蘭。山妻韓氏覺公與二人異於常交，問公，公曰：「我當年可以爲友者，唯此二生耳。」妻曰：「負羈之妻亦親觀狐、趙㈠，意欲窺之，可乎？」他日，二人來，妻勸公止之宿，具酒肉。夜穿墉以視之，達旦忘反。公入曰：「二人何如？」妻曰：「君才致殊不如㈡，正當以識度相友耳。」公曰：「伊輩亦常以我度爲勝。」晉陽秋曰：「濤雅素恢達，度量弘遠，心存事外，而與時俛仰。嘗與阮籍、嵇康諸人著忘言之契。至於羣子屯蹇於世，濤獨保浩然之度。」王隱晉書曰：「韓氏有才識，濤未仕時，戲之曰：『忍寒㈢，我當作三公，不知卿堪爲夫人不耳！』」

㈠負羈之妻亦親觀狐趙——見左傳僖公二十三年。

㈡君才致殊不如——「致」字影宋本及沈校本並無。

㈢忍寒——晉書山濤傳作「忍饑寒」，是。

12 王渾妻鍾氏生女令淑，虞預晉書曰：「渾字玄沖，太原晉陽人，魏司徒昶子。仕至司徒。」武子爲妹求簡美對而未得，有兵家子有儁才，欲以妹妻之，乃白母。王氏譜曰：「鍾夫人名琰之，太傅繇之孫。」曰：「誠是才者，其地可遺㈠，然要令我見。」武子乃令兵兒與羣小雜處，使母帷中察之。既而母謂武子曰：「如此衣形者，是汝所擬者非邪？」武子曰：「是也。」母曰：「此才足以拔萃；然

地寒，不有長年，不得申其才用。觀其形骨，必不壽，不可與婚。」武子從之。兵兒數年果亡。

㊀其地可遺——地謂門地，其地可遺，謂門地可以不論。下「地寒」地字義亦同。

13 賈充前婦，是李豐女。豐被誅，離婚徙邊。婦人集曰：「充妻李氏，名婉㊀，字淑文。豐誅，徙樂浪。」後遇赦得還，充先已取郭配女，賈氏譜曰：「郭氏名玉璜，卽廣宣君也㊁。」武帝特聽置左右夫人。李氏別住外，不肯還充舍。晉諸公贊曰：「世祖踐阼，李氏赦還。而齊獻王妃欲令充遣郭氏，更納其母。充不許，爲李氏築宅而不往來。充母柳氏將亡，充問所欲言者，柳曰：『我教汝迎李新婦尚不肯，安問他事！』」郭氏語充，欲就省李，充曰：「彼剛介有才氣，卿往不如不去。」充別傳曰：「李氏有淑性令才也。」郭氏於是盛威儀，多將侍婢。既至，入戶，李氏起迎，郭不覺脚自屈，因跪再拜。既反，語充。充曰：「語卿道何物？」按晉諸公贊曰：「世祖以李豐得罪晉室，又郭氏是太子妃母，無離絕之理，乃下詔敕斷，不得往還。」而王隱晉書亦云：「充既與李絕婚，更取城陽太守郭配女，名槐。李禁錮解，詔充置左右夫人，充母柳亦敕充迎李。槐怒，攘臂責充曰：『刊定律令，爲佐命之功，我有其分。李那得與我並！』充乃架屋永年里中以安李，槐晚乃知，充出，輒使人尋充。詔許充置左右夫人，充答詔㊂，以謙讓不敢當盛禮。」晉贊既云：「世祖下詔，不遣李還。」而王隱晉書及充別傳並言：「詔聽置立左右夫人，充憚郭氏，不敢迎李。」三家之說並不同，未詳孰是。然李氏不還，別有餘故。而世說云自不肯還，謬矣。且郭槐彊狠，豈能就李而爲之拜乎？皆爲虛也。

㊀充妻李氏名婉——李詳曰：「隋書經籍志，梁有晉太傅賈充妻李扶集一卷，是充妻名扶也。」

㊁即廣宣君也——晉書賈充傳作「充婦廣城君郭槐」，御覽二〇二引潘岳宜城宣君誄，「宣」，其謚也。「廣」下疑奪「城」字。按趙萬里漢魏六朝墓誌集釋載夫人宜成宣君郭氏之柩謂槐字媛韶。「宜成」當作「宜城」，乃後之改封。

14 賈充妻李氏作女訓行於世。李氏女，齊獻王妃；郭氏女，惠帝后。充卒，李、郭女各欲令其母合葬，經年不決。賈后廢，李氏乃祔葬，遂定。晉諸公贊曰：「李氏有才德，世稱李夫人訓者。生女合㊀，亦才明，即齊王妃。」婦人集曰：「李氏至樂浪，遺二女典式八篇㊁。」王隱晉書曰：「賈后字南風，爲趙王所誅。」

㊀生女合——晉書賈充傳作「生女荃」。

㊁遺二女典式八篇——「典式」，初學記四引作「賈充李夫人典戒」，玉燭寶典一引作「李夫人典誡」，「式」字疑誤。

15 王汝南少無婚㊀，自求郝普女。郝氏譜曰：「普字道匡，太原襄城人。仕至洛陽太守。」司空以其癡，會無婚處，任其意便許之。魏氏志曰㊁：「王昶字文舒，仕至司空。」既婚，果有令姿淑德，生東海㊂，遂爲王氏母儀。或問汝南：「何以知之？」曰：「嘗見井上取水，舉動容止不失常，未嘗忤觀，以此知之。」汝南別傳曰：「襄城郝仲將㊃，門至孤陋，非其所偶也。君嘗見其女，便求聘焉。果高朗英邁，母儀冠族。其通識餘裕皆此類。」

㊀王汝南——王湛，見賞譽一七。

㊁魏氏志曰——王先謙曰：「『氏』字誤衍。」

㊂東海——王承，官東海太守，見政事九。

㈣郝仲將——前引郝氏譜云：「普字道匡。」前後違迕，未知孰是。

16 王司徒婦，鍾氏女，太傅曾孫㈠，王氏譜曰：「夫人，黃門侍郎鍾琰女㈡。」亦有俊才女德。婦人集曰：「夫人有文才，其詩賦頌誄行於世。」鍾、郝爲娣姒，雅相親重：鍾不以貴陵郝，郝亦不以賤下鍾。東海家內則郝夫人之法，京陵家內範鍾夫人之禮㈢。

㈠太傅曾孫——本篇一二注作「太傅繇之孫」。

㈡夫人黃門侍郎鍾琰女——案夫人名琰，不應父女同名。晉書列女傳作「父徽，黃門郎。」魏志鍾繇傳：「子毓、會。」鍾毓傳：「子駿嗣。」鍾會傳不言有子，但言兄子邕隨會俱死，會所養兄子毅及峻、辿等下獄當伏誅，下詔特原峻、辿兄弟。并無名徽或琰者，竟不知夫人之父爲誰。

㈢京陵——王渾封京陵侯，湛(司徒)爲渾之弟。

17 李平陽，秦州子，李重，已見㈠。永嘉流人名曰：「康字玄冑㈡，江夏人。魏秦州刺史。」中夏名士，于時以比王夷甫。孫秀初欲立威權，咸云：「樂令民望，不可殺，減李重者又不足殺㈢。」晉諸公贊曰：「孫秀字俊忠，琅邪人。初趙王倫封琅邪，秀給爲近職小吏。倫數使秀作書疏，文才稱倫意。倫封趙，秀徙戶爲趙人，用爲侍郎，信任之。」晉陽秋曰：「倫篡位，秀爲中書令，事皆決於秀。爲齊王所誅。」遂逼重自裁。初，重在家，有人走從門入，出髻中疏示重，重看之色動。入內示其女，女直叫絕，了其意，出則自裁。按諸書皆云：「重知趙王倫作亂，有疾不治，遂以致卒。」而此書乃言自裁，甚乖謬㈣。且倫、秀兇虐，動加誅夷，欲立威權，自當顯戮，何爲逼令自裁？此女甚高明，重每咨焉。

㈠李重已見——見品藻四六。

㈡康字玄冑——「康」當作「秉」，詳棲逸四箋。

㈢減——不及也。

㈣「按諸書」六句——晉書本傳：「永康初，趙王倫用爲相國左司馬，以憂逼成疾而卒。」與孝標語合。

18 周浚作安東時，行獵，值暴雨，過汝南李氏。李氏富足，而男子不在。有女名絡秀，聞外有貴人，與一婢於內宰豬羊，作數十人飲食，事事精辦，不聞有人聲。密覘之，獨見一女子，狀貌非常。浚因求爲妾，父兄不許。絡秀曰：「門戶殄瘁，何惜一女！若連姻貴族，將來或大益。」父兄從之。八王故事曰：「浚字開林，汝南安城人㈠。少有才名。太康初，平吳，自御史中丞出爲揚州刺史。元康初，加安東將軍。」遂生伯仁兄弟。絡秀語伯仁等：「我所以屈節爲汝家作妾，門戶計耳。按周氏譜，浚取同郡李伯宗女，此云爲妾，妄耳。汝若不與吾家作親親者，吾亦不惜餘年！」伯仁等悉從命。由此李氏在世得方幅齒遇㈡。

㈠汝南安城人——晉書周浚傳作「汝南安成人」，是。案晉書地理志上豫州汝南郡下亦作「安成」。

㈡得方幅齒遇——案「方幅」二字乃爾時口語。巧藝一〇注引語林，亦有「祥後客來，方幅會戲」之語。南史臨汝侯坦之傳：「帝夜遣內左右密賂文季，文季不受。帝大怒。坦之曰：『官若詔敕出賜，令舍人主書送往，文季寧敢不受。政以事不方幅，故仰遣耳。』」合觀諸條，其意自見。蓋方幅本意指形體方整，引申爲正大，正當、公然諸義。此處「方幅齒遇」，猶今言正當待遇。

19 陶公少有大志，家酷貧，與母湛氏同居。同郡范逵素知名，舉孝廉，逵，未詳㊀。投侃宿。于時冰雪積日，侃室如懸磬，而逵馬僕甚多。侃母湛氏語侃曰：「汝但出外留客，吾自爲計。」湛頭髮委地，下爲二髲，一作「髢」。賣得數斛米。斫諸屋柱，悉割半爲薪，剉諸薦以爲馬草。日夕，遂設精食，從者皆無所乏。逵既歎其才辯，又深愧其厚意。明旦去，侃追送不已，且百里許。逵曰：「路已遠，君宜還。」侃猶不返。逵曰：「卿可去矣。至洛陽，當相爲美談。」侃廼返。逵及洛，遂稱之於羊晫、顧榮諸人㊁，大獲美譽。晉陽秋曰：「侃父丹㊂，娶新淦湛氏女㊃，生侃。湛虔恭有智算，以陶氏貧賤，紡績以資給侃，使交結勝己。侃少爲尋陽吏，鄱陽孝廉范逵嘗過侃宿。時大雪，侃家無草，湛徹所卧薦剉給，陰截髮，賣以供調。逵聞之歎息。逵去，侃追送之。逵曰：『豈欲仕乎？』侃曰：『有仕郡意。』逵曰：『當相談致。』過廬江，向太守張夔稱之。召補吏，舉孝廉，除郎中。時豫章顧榮或責羊晫曰：『君奈何與小人同輿㊄？』晫曰：『此寒俊也。』」王隱晉書曰：「侃母既截髮供客，聞者歎曰：『非此母不生此子。』乃進之於張夔，羊晫亦簡之。後晫爲十郡中正，舉侃爲鄱陽小中正，始得上品也。」

㊀逵未詳——晉書陶侃傳載此事，卽取材於世説及注，無所增益，惟傳後云，侃既斬郭默，詔侃都督江州，領刺史。侃旋於巴陵，因移鎮武昌，命范逵子珧爲湘東太守。

㊁遂稱之於羊晫、顧榮諸人——「羊晫」，晉書本傳作「楊晫」。

㊂侃父丹——「丹」下沈校本有「吳揚武將軍」五字。

㊃娶新淦湛氏女——李詳曰：「晉書列女湛氏傳，侃父丹娉爲妾。與晉陽秋異。然云娉，似非妾稱。」

㈤「時豫章顧榮」二句——晉書本傳：「楊暐與同乘，見中書郎顧榮，榮奇之。吏部溫雅謂暐曰：『奈何與小人共載！』」

此注「時豫章顧榮」下有闕文。

20 陶公少時作魚梁吏，嘗以坩鱃餉母㈠。母封鱃付使，反書責侃曰：「汝為吏，以官物見餉，非唯不益，乃增吾憂也。」侃別傳曰：「母湛氏，賢明有法訓。侃在武昌，與佐吏從容飲燕，常有飲限㈡。或勸猶可少進，侃悽然良久曰：『昔年少，曾有酒失，二親見約，故不敢踰限。』及侃丁母憂，在墓下，忽有二客來弔，不哭而退，儀服鮮異。知非常人，遣隨視之；但見雙鶴沖天而去。」幽明錄曰：「陶公在尋陽西南一塞取魚，自謂其池曰鶴門。按吳司徒孟宗為雷池監，以鱃餉母，母不受。非侃也。疑後人因孟假為此說。

㈠嘗以坩鱃餉母——「鱃」，影宋本及沈校本並作「鮓」，下句及注中「鱃」字同。

㈡常有飲限——沈校本作「飲有常限」。

21 桓宣武平蜀，以李勢妹為妾㈠，甚有寵，常著齋後。主始不知，既聞，與數十婢拔白刃襲之。續晉陽秋曰：「溫尚明帝女南康長公主。」正值李梳頭，髮委藉地，膚色玉曜，不為動容，徐曰：「國破家亡，無心至此，今日若能見殺，乃是本懷。」主慚而退。妒記曰：「溫平蜀，以李勢女為妾。郡主兇妒，不卽知之。後知，乃拔刃往李所，因欲斫之。見李在窗梳頭，姿貌端麗，徐徐結髮，斂手向主，神色閑正，辭甚悽惋。主於是擲刀前抱之，曰：『阿子！我見汝亦憐㈡，何況老奴！』遂善之。」

㈠以李勢妹為妾——「妹」，御覽一五四引作「女」，與注引妒記合。

㊀「阿子」二句——類聚一八引妒記作「阿姊見汝，不能不憐」。然「阿子」亦見於晉書五行志：「穆帝升平中，兒童忽歌於道，曰『阿子聞』，曲終輒云：『阿子，汝聞否？』無幾而帝崩，太后哭之曰：『阿子，汝聞否？』」則「阿子」似是一種親暱之稱，但不知其確義耳。

22 庾玉臺，希之弟也。希誅，將戮玉臺。希，已見㊀。玉臺，庾友小字。庾氏譜曰：「友字惠彥，司空冰第三子，歷中書郎、東陽太守。」玉臺子婦，宣武弟桓豁女也㊁，庾氏譜曰：「友字弘之，長子宣，娶宣武弟桓豁之女，字女幼。」徒跣求進。閽禁不內，女厲聲曰：「是何小人！我伯父門，不聽我前！」因突入，號泣請曰：「庾玉臺常因人，脚短三寸㊂，當復能作賊不？」宣武笑曰：「壻故自急。」遂原玉臺一門。中興書曰：「桓溫殺庾希弟倩，希聞難而逃。希弟友當伏誅，子婦桓氏女請溫㊃，得宥。」

㊀希已見——庾希見雅量二六。

㊁宣武弟桓豁女也——「桓豁女」，晉書庾冰傳作「桓祕女」。祕，豁之弟也。

㊂脚短三寸——劉應登曰：「言足短不能自行，因人而行，明其無他。」

㊃子婦桓氏女請溫——「請」，沈校本作「訴」。

23 謝公夫人幃諸婢，使在前作伎，使太傅暫見便下幃。太傅索更開，夫人云：「恐傷盛德。」劉夫人，已見㊀。

㊀劉夫人已見——見賞譽一四七。

24 桓車騎不好著新衣，浴後，婦故送新衣與。桓氏譜曰：「沖娶琅邪王恬女，字女宗。」車騎大怒，催使持去。婦更持還，傳語云：「衣不經新，何由而故？」桓公大笑，著之。

25 王右軍郗夫人謂二弟司空、中郎曰：司空，愔。已見㈠。郗曇別傳曰：「曇字重熙，鑒少子。性韻方質、和正沈簡。累遷丹陽尹、北中郎將、徐兗二州刺史。」「王家見二謝，傾筐倒庋；二謝：安、萬。見汝輩來，平平爾。汝可無煩復往。」

㈠愔已見——郗愔見品藻二九。

26 王凝之謝夫人既往王氏㈠，大薄凝之。既還謝家，意大不說。太傅慰釋之曰：「王郎，逸少之子，人身亦不惡㈡，汝何以恨迺爾？」答曰：「一門叔父，則有阿大、中郎㈢；羣從兄弟，則有封、胡、遏、末㈣。封胡，謝韶小字。遏末，謝淵小字。韶字穆度，萬子，車騎司馬。淵字叔度，奕第二子，義興太守。時人稱其尤彥秀者。或曰封、胡、遏、末，封謂朗，遏謂玄，末謂韶。朗玄淵㈤。一作胡謂淵，遏謂玄，末謂韶也。不意天壤之中，乃有王郎！」

㈠謝夫人——謝道蘊，安兄奕之女，見言語七一。

㈡人身——猶言人材。北史祖珽傳：「項羽人身亦何由可及，但天命不至耳。項羽布衣率烏合衆，五年而成霸王業，陛下藉父兄資，財得至此，臣以爲項羽未易可輕。」

㈢阿大、中郎——中郎謝據，見紕漏五注。阿大不知何指，晉書列女傳亦缺而不詳。

㈣則有封、胡、遏、末——「遏」，晉書列女傳作「羯」，云：「封謂謝韶，胡謂謝朗，羯謂謝玄，末謂謝川，皆其小字也。」案「川」卽「淵」也，唐人避高祖諱，故改爲「川」。

㊄朗玄淵——疑是「胡謂淵」之誤。

27 韓康伯母隱古几毀壞。卞鞠見几惡，欲易之。鞠，卞範之，母之外孫也。答曰：「我若不隱此，汝何以得見古物？」

28 王江州夫人語謝遏曰㊀：「汝何以都不復進？夫人，玄之妹㊁。爲是塵務經心，天分有限？」

㊀王江州夫人——王凝之妻謝道韞。凝之官江州刺史，見言語七一注。

㊁夫人玄之妹——王世懋曰：「此豈女弟待兄言，注誤矣，妹當爲姊。」案本篇三〇「謝遏絕重其姊」，則王氏之言是也。

29 郗嘉賓喪，婦兄弟欲迎妹還㊀，終不肯歸，郗氏譜曰：「超娶汝南周閔女，名馬頭。」曰：「生縱不得與郗郎同室，死寧不同穴？」毛詩曰㊁：「穀則異室，死則同穴。」鄭玄注曰：「穴謂壙中墟也。」

㊀婦兄弟欲迎妹還——「妹」，御覽五一七引作「姊」。

㊁毛詩曰——見王風大車。

30 謝遏絕重其姊。張玄常稱其妹，欲以敵之。有濟尼者，並遊張、謝二家，人問其優劣，答曰：「王夫人神情散朗，故有林下風氣；顧家婦清心玉映，自是閨房之秀。」

31 王尚書惠嘗看王右軍夫人，宋書曰：「惠字令明，琅邪人。歷吏部尚書，贈太常卿。」問：「眼耳未覺惡不㊀？」婦人集載謝表曰：「妾年九十，孤骸獨存。願蒙哀矜，賜其鞠養。」答曰：「髮白齒落，屬乎形骸；至於眼耳，關於神明，那可便與人隔！」

㊀惡——此謂視聽衰退。

32 韓康伯母殷，隨孫繪之之衡陽，韓氏譜曰：「繪之字季倫。父康伯，太常卿。繪之仕至衡陽太守。」於闔廬洲中逢桓南郡㊀。卞鞠是其外孫，時來問訊。謂鞠曰：「我不死，見此豎二世作賊㊁。」在衡陽數年，繪之遇桓景真之難也，續晉陽秋曰：「桓亮字景真，大司馬溫之孫。父濟，給事中。叔父玄，篡逆見誅，亮聚衆於長沙，自號湘州刺史，殺太宰甄恭、衡陽前太守韓繪之等十餘人，爲劉毅軍人郭珍斬之㊂。」殷撫屍哭曰：「汝父昔罷豫章，徵書朝至夕發。汝去郡邑數年，爲物不得動，遂及於難，夫復何言！」

㊀闔廬洲——通鑑九三晉紀注：「闔廬洲，在江中。」賀循云：「江中劇地，惟有闔廬一處，地勢險奥，亡逃所聚。」按賀循語見晉書本傳。

㊁見此豎二世作賊——此豎指桓玄，桓溫威權震主，已蓄逆謀，未及而死，故云二世。

㊂爲劉毅軍人郭珍斬之——「郭珍」，晉書桓玄傳作「郭彌」。案「彌」亦寫作「弥」，與「珍」俗體「珎」形近，故誤。

術解第二十

1 荀勗善解音聲，時論謂之「闇解」，遂調律呂，正雅樂。每至正會，殿庭作樂，自調宮商，無不諧韻。阮咸妙賞，時謂「神解」。每公會作樂，而心謂之不調，既無一言直勗，意忌之，遂出阮爲始平太守。後有一田父耕於野，得周時玉尺，便是天下正尺，荀試以校己所治鐘鼓金石絲竹，皆覺短一黍㊀，於是伏阮神識。晉後略曰：「鐘律之器，自周之末廢，而漢成、哀之間，諸儒修而治之。至後漢末，復隳矣。魏氏使協律知音者杜夔造之，不能考之典禮，徒依于時絲管之聲、時之尺寸而制之，甚乖失禮度。於是世祖命中書監荀勖依典制定鍾律。既鑄律管，募求古器，得周時玉律數枚，比之不差。又諸郡舍倉庫，或有漢時故鍾，以律命之，皆不叩而應，聲音韻合，又皆俱成。」晉諸公贊曰㊁：「律成，散騎侍郎阮咸謂勖所造聲高，高則悲。夫亡國之音哀以思，其民困。今聲不合雅，懼非德政中和之音，必是古今尺有長短所致。然今鍾磬是魏時杜夔所造，不與勖律相應，音聲舒雅，而久不知夔所造，時人爲之。不足改易。勖性自矜，乃因事左遷咸爲始平太守，而病卒㊂。後得地中古銅尺，校度勖今尺，短四分，方明咸果解音，然無能正者。」干寶晉紀曰：「荀勖始造正德、大象之舞，以魏杜夔所制律呂校大樂，本音不和㊃。後漢至魏尺，長於古四分有餘。而夔據之，是以失韻。乃依周禮積粟以起度量，以度古器，符于本銘。遂以爲式，用之郊廟。」

㊀皆覺短一黍——覺，較也。「一黍」，晉書樂志及律曆志引世說並作「一米」。

㊁晉諸公贊——案文選二一顏延之五君詠注引傅暢諸公讚曰：「勖性自矜，因事左遷咸爲始平太守。」與此文正同。暢爲祗之子，字世道，作晉諸公敘讚二十二卷，又爲公卿故事九卷，見晉書四七。

㊂乃因事左遷咸爲始平太守而病卒——晉書阮咸傳同。而樂志云：「乃出咸爲始平相。後有田父耕於野，得周時玉尺，勖以校己所治鐘鼓金石絲竹，皆短校一米，於此服咸之妙，復徵咸歸。」御覽五六五引世說，末亦有「徵阮南還」語。

㊃本音不和——「本音」，御覽一六引王隱晉書及晉書樂志、律曆志並作「八音」，是。

2 荀勗嘗在晉武帝坐上食筍進飯，謂在坐人曰：「此是勞薪炊也。」坐者未之信，密遣問之，實用故車脚。

3 人有相羊祜父墓，後應出受命君。祜惡其言，遂掘斷墓後以壞其勢。相者立視之，曰：「猶應出折臂三公。」俄而祜墜馬折臂，位果至公。幽明錄曰：「羊祜工騎乘。有一兒五六歲，端明可喜，掘墓之後，兒卽亡。羊時爲襄陽都督，因盤馬落地，遂折臂。于時士林咸歎其忠誠。」

4 王武子善解馬性。嘗乘一馬，著連錢障泥㊀，前有水，終日不肯渡㊁。王云：「此必是惜障泥。」使人解去，便徑渡。語林曰：「武子性愛馬，亦甚別之。故杜預道王武子有馬癖，和長輿有錢癖。武帝問杜預㊂：『卿有何癖？』對曰：『臣有左傳癖。』」

㊀著連錢障泥——「連錢」，晉書王濟傳作「連乾」。案爾雅釋畜「青驪驎驒」注：「色有深淺斑駁隱粼，今之連錢驄。」本指馬毛斑駁如錢文，此施於障泥，當指花飾。連錢、連乾義同。

㊁終日不肯渡——「日」字晉書王濟傳及御覽三五九所引並無，是。

㊂武帝問杜預——「杜預」，影宋本及沈校本並作「預」，是。

5 陳述爲大將軍掾㊀，甚見愛重。及亡，郭璞往哭之，甚哀，乃呼曰：「嗣祖，焉知非福！」俄而大將軍作亂，如其所言。陳氏譜曰：「述字嗣祖，潁川許昌人。有美名。」

㊀爲大將軍掾——大將軍謂王敦，事見晉書郭璞傳。

6 晉明帝解占塚宅，聞郭璞爲人葬，帝微服往看，因問主人：「何以葬龍角？此法當滅族。」主人曰：「郭云此葬龍耳，不出三年，當致天子。」帝問：「爲是出天子邪？」答曰：「非出天子，能致天子問耳。」青鳥子相冢書曰㊀：「葬龍之角，暴富貴，後當滅門。」

㊀青鳥子相冢書曰——「青鳥子」，影宋本及沈校本並作「青烏子」。案青烏先生，相傳爲彭祖弟子，有葬經，故世稱相風水爲青烏術。新唐書藝文志子部五行類有青烏子三卷。舊唐書經籍志作青烏子。

7 郭景純過江，居于暨陽，墓去水不盈百步㊀。時人以爲近水，景純曰：「將當爲陸。」璞別傳曰：「璞少好經術，明解卜筮。永嘉中，海內將亂，璞投策歎曰：『黔黎將同異類矣。』便結親暱十餘家南渡江，居于暨陽。」今沙漲，去墓數十里皆爲桑田。其詩曰：「北阜烈烈，巨海混混，壘壘三墳，唯母與昆。」

㊀「居于暨陽」二句——輿地紀勝：「今父老云：去申港八里許，有郭璞母墓。」毗陵志古跡門有郭陂，亦云與暨陽接界。日知錄二一：「王惲集云：『金山西北大江中，亂石間有叢薄，鴉鵲棲集，爲郭璞墓。』按史文原謂去水百步許，不在大江之中，且當時卽已沙漲爲田。而暨陽在今江陰縣界，不在京口。又所葬者璞之母，而非璞也。世之所傳皆誤。」

8 王丞相令郭璞試作一卦。卦成，郭意色甚惡，云：「公有震厄。」王問：「有可消伏理不？」郭曰：「命駕西出數里，得一栢樹，截斷如公長㊀，置牀上常寢處，災可消矣。」王從其語，數日中，果震栢粉碎㊀。子弟皆稱慶。王隱晉書曰：「璞消災轉禍，扶厄擇勝，時人咸言京、管不及。」大將軍云：「君乃復委罪於樹木！」

㈠截斷如公長——「斷」，御覽一三引作「短」。

㈡果震柏粉碎——「粉」，御覽一三引作「樹」。

9 桓公有主簿，善別酒，有酒輒令先嘗，好者謂「青州從事」，惡者謂「平原督郵」。青州有齊郡，平原有鬲縣；「從事」言到臍㈠，「督郵」言在鬲上住㈡。

㈠從事言到臍——李詳曰：「臍，古亦作齊。莊子達生篇：『與齊俱入。』釋文：『司馬云：齊，回水如腹齊也。』史記封禪書：『祠天齊淵。』索隱：『臨淄城南有天齊泉，言如天之腹齊也。』」

㈡鬲上住——鬲，借作膈。

10 郗愔信道甚精勤，常患腹內惡，諸醫不可療，聞于法開有名㈠，往迎之。既來便脈，云：「君侯所患，正是精進太過所致耳。」合一劑湯與之。一服卽大下，去數段許紙，如拳大，剖看，乃先所服符也。　晉書曰：「法開善醫術。嘗行，莫投主人，妻產而兒積日不墮。法開曰：『此易治耳。』殺一肥羊，食十餘臠而針之。須臾兒下，羊膋裹兒出。其精妙如此。」

㈠聞于法開有名——文學四五注引高逸沙門傳云：「法開初以文學著名，後與支遁有競，故遁居剡溪，更學醫術。」

11 殷中軍妙解經脈，中年都廢。有常所給使，忽叩頭流血。浩問其故，云：「有死事，終不可說。」詰問良久，乃云：「小人母年垂百歲，抱疾來久，若蒙官一脈，便有活理，訖就屠戮無恨。」浩感其至性，遂令舁來，爲診脈處方。始服一劑湯便愈。於是悉焚經方。

巧藝第二十一

1 彈棋始自魏宮內用妝奩戲㊀。傅玄彈棋賦敘曰：「漢成帝好蹴踘，劉向以謂勞人體，竭人力，非至尊所宜御。乃因其體作彈棋。今觀其道，蹴踘道也。」按玄此言，則彈棋之戲其來久矣。且梁冀傳云：「冀善彈棋格五㊁」，而此云起魏世，謬矣。文帝於此戲特妙，用手巾角拂之，無不中。有客自云能，帝使爲之。客著葛巾角，低頭拂棋，妙踰於帝。典論帝自叙曰㊂：「戲弄之事少所喜，唯彈棋略盡其妙，少時嘗爲之賦。昔京師少工有二焉，合鄉侯、東方世安、張公子㊃，常恨不得與之對也。」博物志曰：「帝善彈棋，能用手巾角。時有一書生，又能低頭以所冠葛巾角撇棋也。」

㊀彈棋始自魏宮內用妝奩戲——李詳曰：「御覽七百五十五引此作『彈棋始自魏文帝宮內裝器戲也』。又引彈棋經後序曰：『自後漢沖質已後，此藝中絕。至獻帝建安中，曹公執政，禁闌幽密，至於博奕之具，皆不得妄置宮中。宮人因以金釵玉梳，戲於妝奩之上，卽取類於彈棋也。及魏文帝受禪，因宮人所爲更習彈棋焉。』案陸游老學庵筆記，大名龍興寺佛殿有魏宮玉彈棋局，上有黃初中刻字。政和中取入宮中。」

㊁格五——後漢書梁冀傳注：「鮑宏簺經：簺有四采，塞、白、乘、五是也。至五卽格，不得行，故謂之格五。」

㊂典論帝自叙曰——「帝」原作「常」，據影宋本及沈校本改。案魏志文帝紀注正作「帝」。

㊃「昔京師少工有二焉」二句——「少工」，魏志文帝紀注作「先工」，御覽七五五引典論同；廣記二二八作「妙工」。「少」恐卽「妙」之誤。「二焉」，魏志注及御覽均作「馬」，是。後漢書馬援傳載其孫朗封合鄉侯，故此馬合鄉侯非朗卽朗之

子孫。」「焉」二字實「馬」字之誤。「東方世安」，魏志注作「東方安世」。

2 陵雲臺樓觀精巧，先稱平衆木輕重㊀，然後造構，乃無錙銖相負揭㊁。臺雖高峻，常隨風搖動，而終無傾倒之理。魏明帝登臺，懼其勢危，別以大材扶持之，樓即頹壞。論者謂輕重力偏故也。洛陽宮殿簿曰：「陵雲臺上壁，方十三丈，高九尺；樓方四丈，高五丈；棟去地十三丈五尺七寸五分也。」

㊀先稱平衆木輕重——御覽一七六作「先稱平衆材輕重當宜」。

㊁負揭——後漢書左雄傳注：「負謂欠負。」說文：「揭，高舉也。」負揭二字連用，猶言高下。

3 韋仲將能書。魏明帝起殿，欲安榜，使仲將登梯題之。既下，頭鬢皓然。因敕兒孫勿復學書。文章敍錄曰：「韋誕字仲將，京兆杜陵人，太僕端子。有文學，善屬辭。以光祿大夫卒。」衛恒四體書勢曰：「誕善楷書，魏宮觀多誕所題。明帝立陵霄觀，誤先釘榜，乃籠盛誕，轆轤長絙引上，使就題之。去地二十五丈，誕甚危懼，乃戒子孫絕此楷法，著之家令㊀。」

㊀「衛恒四體書勢曰」十二句——案此事不見於晉書衛恒傳所引四體書勢，惟王獻之傳謝安述以試獻之之語，與此畧同。法書要錄引王僧虔條疏古來能書人名啟及論書韋誕條，與此正同。疑僧虔語本出衛恒，晉書所引或非全文。

4 鍾會是荀濟北從舅，二人情好不協。荀有寶劍，可直百萬，常在母鍾夫人許。孔氏志怪曰：「勗以寶劍付妻。」會善書，學荀手跡，作書與母取劍，仍竊去不還。世語曰：「會善學人書。伐蜀之役，於劍閣要鄧艾章表，皆約其言㊀，令詞旨倨傲，多自矜伐。艾由此被收也。」荀勗知是鍾而無由得也㊁，思所以報之。後鍾兄弟以千萬起一宅，始成，甚精麗，未得移住。荀極善畫，乃潛往畫鍾門堂作太傅形象，衣冠狀貌如平生。二鍾入門，便大感慟，宅遂空廢。孔氏志怪曰：「于時咸謂勗之報會，過於所失數十倍。彼此書畫，巧妙之極。」

㊀皆約其言——「約」，魏志鍾會傳及御覽四九四所引並作「易」。

㊁荀勗知是鍾而無由得也——「勗」，御覽三四三作「深」。

5 羊長和博學工書，文字志曰：「忱性能草書，亦善行隸，有稱於一時。」能騎射，善圍棊。諸羊後多知書，而射奕餘蓺莫逮。

6 戴安道就范宣學，中興書曰：「逵不遠千里往豫章詣范宣，宣見逵異之，以兄女妻焉。」視范所爲，范讀書亦讀書，范抄書亦抄書。唯獨好畫，范以爲無用，不宜勞思於此。戴乃畫南都賦圖㊀，范看畢咨嗟，甚以爲有益，始重畫。

㊀南都賦——張衡有南都賦，見文選。

7 謝太傅云：「顧長康畫，有蒼生來所無。」續晉陽秋曰：「愷之尤好丹青，妙絶於時。曾以一廚畫寄桓玄，皆其絶者，深所珍惜，悉糊題其前。桓乃發廚後取之，好加理復㊀。愷之見封題如初，而畫並不存，直云：『妙畫通靈，變化而去，如人之登仙矣。』」

㈠好加理復——理謂修理。

8 戴安道中年畫行像甚精妙。庾道季看之㈠，語戴云：「神明太俗，由卿世情未盡。」戴云：「唯務光當免卿此語耳。」列仙傳曰：「務光，夏時人也。耳長七寸，好鼓琴，服菖蒲韭根。湯將伐桀，謀於光，光曰：『非吾事也。』湯曰：『伊尹何如？』務光曰：『彊力忍詬，不知其它。』湯克天下，讓於光。光曰：『吾聞無道之世，不踐其土，況讓我乎？』負石自沈於盧水。」

㈠庾道季——庾亮子龢，字道季，見言語七九。

9 顧長康畫裴叔則，頰上益三毛。人問其故，顧曰：「裴楷儁朗有識具，正此是其識具。看畫者尋之，定覺益三毛如有神明，殊勝未安時。」愷之歷畫古賢，皆爲之贊也。

10 王中郎以圍棋是坐隱㈠，支公以圍棋爲手談。博物志曰：「堯作圍棋以教丹朱。」語林曰：「王以圍棋爲手談，故其在哀制中，祥後客來，方幅會戲㈡。」

㈠王中郎——王坦之，見言語七二。
㈡方幅會戲——方幅，公然也，詳賢媛一八箋。

11 顧長康好寫起人形，續晉陽秋曰：「愷之圖寫特妙。」欲圖殷荊州，殷曰：「我形惡，不煩耳。」顧曰：「明府正爲眼爾。仲堪眇目故也。但明點童子，飛白拂其上，使如輕雲之蔽日㈠。」「日」，一作「月」。

㊀使如輕雲之蔽日——「日」，晉書本傳作「月」，下有「豈不美乎！仲堪乃從之」九字，語意始備。

12 顧長康畫謝幼輿在巖石裏㊀。人問其所以，顧曰：「謝云：『一丘一壑，自謂過之㊁。』此子宜置丘壑中。」

㊀謝幼輿——謝鯤，見文學二〇。

㊁謝云——見品藻一七。

13 顧長康畫人，或數年不點目精。人問其故，顧曰：「四體妍蚩，本無關於妙處，傳神寫照，正在阿堵中。」

14 顧長康道：畫「手揮五弦」易，「目送歸鴻」難㊀。

㊀「手揮」、「目送」二句——見文選嵇康送秀才入軍詩。晉書本傳云：「愷之每重嵇康四言詩，因爲之圖。」

寵禮第二十二

1 元帝正會，引王丞相登御牀，王公固辭，中宗引之彌苦㊀。王公曰㊁：「使太陽與萬物同暉，臣下何以瞻仰㊂！」中興書曰：「元帝登尊號，百官陪位，詔王導升御坐，固辭然後止。」

㊀中宗——元帝廟號。

㊁王公曰——御覽二九引作「文獻曰」。案王導諡文獻。

㊂臣下何以瞻仰——此下御覽二九有「乃止」二字。

2 桓宣武嘗請參佐入宿，袁宏、伏滔相次而至。蒞名，府中復有袁參軍，彥伯疑焉，令傳教更質㊀。傳教曰：「參軍是袁、伏之袁，復何所疑？」

㊀傳教——通鑑八九晉紀注：「傳教，郡吏也；宣傳教令者也。」

3 王珣、郗超並有奇才，爲大司馬所眷。拔珣爲主簿，超爲記室參軍。超爲人多髯㊀，珣狀短小㊁，于時荊州爲之語曰：「髯參軍，短主簿，能令公喜，能令公怒。」續晉陽秋曰：「超有才能，珣有器望，並爲溫所暱。」

㊀超爲人多髯——「髯」原作「須」，據影宋本及沈校本改。案晉書本傳正作「髯」。

㊁珣狀短小——「狀」上沈校本有「形」字，御覽二四九同。影宋本作「行」，蓋「形」字音近之誤。

4 許玄度停都一月，劉尹無日不往，乃歎曰：「卿復少時不去，我成輕薄京尹。」語林曰：「玄度出都，真長九日十一詣之，曰：『卿尚不去，使我成薄德二千石。』」

5 孝武在西堂會，伏滔預坐。還，下車呼其兒，兒即系也㊀。丘淵之文章錄曰：「系字敬魯，仕至光祿大夫。」語之曰：「百人高會，臨坐未得他語，先問：『伏滔何在？在此不？』此故未易得。爲人作父如此，何如？」

㊀兒即系也——李詳曰：「傳載滔子系之，劉注作系，又引文章錄，系字敬魯。晉書二名，與劉引異。」案晉人單名常加「之」字，如袁悅一作袁悅之，張玄一作張玄之，此例非一。

6 卞範之爲丹陽尹。羊孚南州暫還，往卞許，云：「下官疾動，不堪坐㊀。」卞便開帳拂褥，羊徑上大牀，入被須枕。卞回坐傾睞，移晨達莫。羊去，卞語曰：「我以第一理期卿，卿莫負我！」丘淵之文章錄曰：「範之字敬祖，濟陰宛句人。祖嵊，下邳太守。父循，尚書郎。桓玄輔政，範之遷丹陽尹。玄敗，伏誅。」

㊀疾動——動，發作也。

任誕第二十三

1 陳留阮籍、譙國嵇康、河內山濤三人年皆相比，康年少亞之㊀。預此契者，沛國劉伶、陳留阮咸、河內向秀、琅邪王戎。七人常集于竹林之下，肆意酣暢，故世謂「竹林七賢」。晉陽秋曰：「于時風譽扇于海內，至于今詠之。」

㊀康年少亞之——按晉書阮籍傳，籍以魏陳留王奂景元四年卒，年五十四，則其生當在漢獻帝建安十四年。山濤傳言卒於晉武帝太康四年，年七十九，則當生於建安十年，長阮籍四歲。嵇康傳但云死時年四十，不言死於何年，通鑑繫其事于景元三年，則其生當在魏文帝黃初四年，蓋小山濤十八歲，小阮籍十四歲，故云「少亞之」。

2 阮籍遭母喪，在晉文王坐，進酒肉。司隸何曾亦在坐，晉諸公贊曰：「何曾字穎考，陳郡陽夏人。父夔，魏太僕。曾以高雅稱，加性仁孝㊀。累遷司隸校尉，用心甚正，朝廷憚之。仕晉至太宰。」曰：「明公方以孝治天下，而阮籍以重喪顯於公坐飲酒食肉，宜流之海外，以正風教。」文王曰：「嗣宗毀頓如此，君不能共憂之，何謂？且有疾而飲酒食肉，固喪禮也㈡。」籍飲噉不輟，神色自若。干寶晉紀曰：「何曾嘗謂阮籍曰：『卿恣情任性，敗俗之人也。今忠賢執政，綜核名實，若卿之徒，何可長也！』復言之於太祖，籍飲噉不輟。故魏、晉之間，有被髮夷傲之事，背死忘生之人，反謂行禮者，籍爲之也。」魏氏春秋曰：「籍性至孝，居喪，雖不率常禮，而毀幾滅性。然爲文俗之士何曾等深所讎疾，大將軍司馬昭愛其通偉，而不加害也。」

㈠加性仁孝——「加」，沈校本作「天」。

㈡且有疾而飲酒食肉固喪禮也——禮記曲禮：「居喪之禮，頭有創則沐，身有瘍則浴，有疾則飲酒食肉，疾止復初。不勝喪乃比於不慈不孝。」故云。

3 劉伶病酒，渴甚，從婦求酒。婦捐酒毀器，涕泣諫曰：「君飲太過，非攝生之道，必宜斷之！」伶曰：「甚善。我不能自禁，唯當祝鬼神自誓斷之耳。便可具酒肉。」婦曰：「敬聞命。」供酒肉於神前，請伶祝誓。伶跪而祝曰：「天生劉伶，以酒爲名，一飲一斛，五斗解酲。毛公注曰：「酒病曰酲。」婦人之言，慎不可聽！」便引酒進肉，隗然已醉矣㈠。見竹林七賢論。

㈠隗然——晉書本傳同。「隗」疑「隤」之通借。「隤」即「頹」字。

4 劉公榮與人飲酒，雜穢非類。人或譏之，答曰：「勝公榮者不可不與飲，不如公榮者亦不可不與飲，是公榮輩者又不可不與飲。」故終日共飲而醉。劉氏譜曰：「昶字公榮，沛國人㈠。」晉陽秋日：「昶爲人通達，仕至兗州刺史。」

㈠沛國人——晉書范喬傳作「濟陰劉公榮」。丁國鈞晉書校文曰：「據劉氏譜，公榮爲沛國人。武陔傳言『同郡劉公榮有知人之鑒』，陔亦沛國人。濟陰誤。」

5 步兵校尉缺，廚中有貯酒數百斛㈠，阮籍乃求爲步兵校尉。文士傳曰：「籍放誕有傲世情，不樂仕宦。晉文帝親愛籍，恒與談戲，任其所欲，不迫以職事㈡。籍常從容曰：『平生曾遊東平，樂其土風，願得爲東平太守。』文帝說，從其意。籍便騎驢徑到郡，皆壞府舍諸壁障，使內外相望，然後教令清寧㈢，十餘日便復騎驢去。後聞步兵廚中有酒三百石，忻然求爲校尉。於是入府舍，與劉伶酣飲。」竹林七賢論又云：「籍與伶共飲步兵廚中，並醉而死。」此好事者爲之言。籍景元中卒，而劉伶太始中猶在。

㈠廚中有貯酒數百斛——程大昌演繁露續集：「今人謂公庫酒爲兵廚酒，言公庫之酒，因犒軍而醞也。太守正廳爲設廳，公廚爲設廚，皆以此也。漢有步兵校尉，掌上林苑屯兵。晉阮籍聞步兵廚營人善醞釀，有貯酒三百斛，乃求爲之，則亦兵廚之祖也。」

㈡不迫以職事——「迫」原作「道」，據影宋本、淩刻本改。

㈢然後教令清寧——「清寧」，御覽四九八引文士傳作「清當」。

6 劉伶恒縱酒放達，或脫衣裸形在屋中。人見譏之，伶曰：「我以天地爲棟宇，屋室爲幝衣，諸君何爲入我幝中！」鄧粲晉紀曰：「客有詣伶，值其裸袒。伶笑曰：『吾以天地爲宅舍，以屋宇爲幝衣，諸君自不當入我幝中，又何惡乎？』其自任若是。」

7 阮籍嫂嘗還家，籍見與別。或譏之，曲禮：「嫂叔不通問。」故譏之。籍曰：「禮豈爲我輩設也」

8 阮公鄰家婦，有美色，當壚酤酒。阮與王安豐常從婦飲酒㈠，阮醉，便眠其婦側。夫始殊疑之，伺察，終無他意。王隱晉書曰：「籍鄰家處子有才色㈡，未嫁而卒。籍與無親，生不相識，往哭㈢，盡哀而去。其達而無檢，皆此類也。」

㈠王安豐——王戎，屢見。

㈡籍鄰家處子有才色——晉書本傳作「兵家女有才色」。

㈢往哭——沈校本作「往哭之」，晉書本傳作「徑往哭之」。

9 阮籍當葬母，蒸一肥豚，飲酒二斗，然後臨訣，直言：「窮矣！」都得一號，因吐血，廢頓良久。鄧粲晉紀曰：「籍母將死，與人圍棋如故，對者求止，籍不肯，留與決賭。既而飲酒三斗，舉聲一號，嘔血數升，廢頓久之。」

10 阮仲容咸也。步兵居道南，諸阮居道北；北阮皆富，南阮貧。七月七日，北阮盛曬衣，皆紗羅錦綺。仲容以竿挂大布犢鼻幝於中庭㈠。人或怪之，答曰：「未能免俗，聊復爾耳。」竹林七賢論曰：「諸阮前世皆儒學，善居室，唯咸一家尚道棄事，好酒而貧。舊俗：七月七日法當曬衣。諸阮庭中爛然錦綺，咸時總角，乃豎長竿挂犢鼻幝也。」

㈠犢鼻幝——十駕齋養新錄：「史記司馬相如傳：『相如自著犢鼻褌。』韋昭曰：『今三尺布作，形如犢鼻矣。』案廣雅：

「衳　襣幝也。幝無襠者謂之裧。裧，度没反。」說文無裧字，當爲突，卽犢鼻也。突犢聲相近，重言爲犢鼻，單言爲突，後人又加衣旁耳。集韻始收裧字。」

11 阮步兵籍也。喪母，裴令公楷也。往弔之。阮方醉，散髮坐牀，箕踞不哭。裴至，下席於地，哭，弔唁畢便去。或問裴：「凡弔，主人哭，客乃爲禮。阮既不哭，君何爲哭？」裴曰：「阮方外之人，故不崇禮制。我輩俗中人，故以儀軌自居。」時人歎爲兩得其中㊀。名士傳曰：「阮籍喪親，不率常禮。裴楷往弔之，遇籍方醉，散髮箕踞，旁若無人。楷哭泣盡哀而退，了無異色。其安同異如此。」戴逵論之曰：「若裴公之致弔㊁，欲冥外以護內，有達意也，有弘防也。」

㊀時人歎爲兩得其中——「其中」二字晉書阮籍傳無。中，當也。

㊁若裴公之致弔——「致」原作「制」，據影宋本及沈校本改。

12 諸阮皆能飲酒，仲容至宗人閒共集，不復用常杯斟酌，以大甕盛酒，圍坐相向大酌。時有羣豬來飲，直接去上，便共飲之。

13 阮渾長成㊀，風氣韻度似父，亦欲作達。步兵曰：「仲容已預之，卿不得復爾！」竹林七賢論曰：「籍之抑渾，蓋以渾未識己之所以爲達也。後咸兄子簡，亦以曠達自居。父喪，行遇大雪寒凍，遂詣浚儀令。令爲他賓設黍臛，簡食之，以致清議，廢頓幾三十年。是時竹林諸賢之風雖高，而禮教尚峻。迨元康中，遂至放蕩越禮。樂廣譏之曰：『名教中自有樂地，何至於此！』樂令之言有旨哉！謂彼非玄心，徒利其縱恣而已。」

㊀阮渾長成——經典釋文序錄，阮渾有易義。隋書經籍志作「馮翊太守阮渾周易論二卷」。阮渾，字長成，此處「長成」二字似只作「成長」義用。

14 裴成公婦，王戎女。王戎晨往裴許，不通徑前。裴從牀南下，女從北下，相對作賓主，了無異色。裴氏家傳曰：「頠取戎長女。」

15 阮仲容先幸姑家鮮卑婢，及居母喪，姑當遠移，初云當留婢，既發，定將去㊀。仲容借客驢㊁，著重服，自追之，累騎而返㊂，曰：「人種不可失！」卽遙集之母也。竹林七賢論曰：「咸既追婢，於是世議紛然。自魏末沈淪閭巷，逮晉咸寧中始登王途。」阮孚別傳曰：「咸與姑書曰：『胡婢遂生胡兒。』姑答書曰：『魯靈光殿賦曰：「胡人遙集於上楹。」可字曰遙集也。』故孚字遙集。」

㊀定將去——「定」，沈校本作「適」，義長。

㊁仲容借客驢——「驢」，晉書阮咸傳作「馬」，通鑑七八魏紀同。

㊂累騎——通鑑七八魏紀注：「累，重也，兩人共馬，謂之累騎。」

16 任愷既失權勢，不復自檢括。或謂和嶠曰：「卿何以坐視元裒敗而不救？」和曰：「元裒如北夏門㊀，拉攞自欲壞，非一木所能支。」晉諸公贊曰：「愷字元裒㊁，樂安博昌人。有雅識國幹，萬機大小多綜之。與賈充不平，充乃啓愷掌吏部。又使有司奏愷用御食器，坐免官。世祖情遂薄焉。」

㊀北夏門——疑卽大夏門。洛陽伽藍記序：「北面有二門，西頭曰大夏門，漢曰夏門，魏晉曰大夏門，嘗造三層樓，去地二十丈。洛陽城門樓皆兩重，去地百尺，惟大夏門甍棟干雲。」案太平寰宇記西京洛陽縣：「北面有二門，其西，漢曰

夏門，晉改爲大夏門，正在亥上。」則夏門乃大夏門之故名，以其在北，遂稱爲北夏門歟？於諸門中最爲雄峻，故特舉以爲喻。

㈡愷字元裒——「元裒」，晉書本傳作「元褒」，非是。

17 劉道真少時，常漁草澤，善歌嘯，聞者莫不留連。有一老嫗，識其非常人，甚樂其歌嘯，乃殺豚進之。道真食豚盡，了不謝。嫗見不飽，又進一豚。食半餘半，迺還之。後爲吏部郎，嫗兒爲小令史，道真超用之，不知所由，問母，母告之，於是齎牛酒詣道真。道真曰：「去，去！無可復用相報。」劉寶，已見㈠。

㈠劉寶已見——見德行二二。

18 阮宣子常步行，以百錢掛杖頭，至酒店，便獨酣暢，雖當世貴盛，不肯詣也。名士傳曰：「脩性簡任㈠。」

㈠脩性簡任——「任」原誤作「仕」，據影宋本及沈校本改。

19 山季倫爲荊州，時出酣暢，人爲之歌曰：「山公時一醉，徑造高陽池，日莫倒載歸，茗艼無所知。復能乘駿馬，倒著白接䍦㈠，舉手問葛彊，何如并州兒？」高陽池在襄陽。彊是其愛將，并州人也。襄陽記曰：「漢侍中習郁，於峴山南，依范蠡養魚法作魚池。池邊有高隄，種竹及長楸，芙蓉、菱芡覆水㈡，是遊燕名處也。山簡每臨此池，未嘗不大醉而還，曰：『此是我高陽池也。』襄陽小兒歌之。」

㈠倒著白接䍦——「䍦」原誤作「籬」，今改正。接䍦，帽也，亦作「睫攡」，爾雅釋鳥：「鷺，春鉏。」注：「白鷺也，頭、翅、背上皆有長翰毛，今江東人取以爲睫攡，名之曰白鷺縗。」當時或以白鷺羽爲冠飾，故云。

㈡菠芡覆水——「芡」原作「茨」，據沈校本改。

20 張季鷹縱任不拘，時人號爲「江東步兵㈠」。或謂之曰：「卿乃可縱適一時，獨不爲身後名邪？」答曰：「使我有身後名，不如卽時一杯酒。」文士傳曰：「翰任性自適，無求當世，時人貴其曠達。」

㈠江東步兵——步兵，謂阮籍，籍嘗爲步兵校尉。翰吳人，故曰江東步兵。

21 畢茂世云：「一手持蟹螯，一手持酒杯，拍浮㈠酒池中，便足了一生。」晉中興書曰：「畢卓字茂世，新蔡人。少傲達，爲胡毋輔之所知。太興末爲吏部郎，嘗飲酒廢職。比舍郎釀酒熟，卓因醉，夜至其甕間取飲之。主者謂是盜，執而縛之，知爲吏部也，釋之。卓遂引主人燕甕側，取醉而去。溫嶠素知愛卓，請爲平南長史，卒。」

㈠拍浮——卽游泳之義，凡游泳者皆以手拍水，故曰拍浮。北史劉豐傳：「船纜忽絕，漂至城下，豐拍浮向土山，爲浪激，不時至。」

22 賀司空入洛赴命，爲太孫舍人㈠，經吳閶門，在船中彈琴。張季鷹本不相識，先在金閶亭，聞弦甚清，下船就賀，因共語，便大相知說。問賀：「卿欲何之？」賀曰：「入洛赴命，正爾進路。」張曰：「吾亦有事北京㈡。」因路寄載。」便與賀同發。初不告家，家追問，迺知。

㈠太孫舍人——按晉書賀循傳，循爲武康令，陸機薦之，召補太子舍人。趙王倫篡位，轉侍御史，辭疾去職。是循之赴洛，乃應太子舍人之徵，非太孫舍人也。通鑑八三晉紀，惠帝永康元年四月己亥，相國倫矯詔賜賈后死。五月己巳，詔立臨海王臧爲皇太孫，太子官屬卽轉爲太孫官屬。是太孫之有官屬，已在趙王篡位之後。「太孫」爲「太子」之誤無疑。

㊁北京——二人皆吳人，故稱洛陽爲北京。

23 祖車騎過江時，公私儉薄，無好服玩。王、庾諸公共就祖，忽見裘袍重疊，珍飾盈列。諸公怪問之，祖曰：「昨夜復南塘一出㊀。」祖于時恒自使健兒鼓行劫鈔，在事之人亦容而不問。晉陽秋曰：「逖性通濟，不拘小節。又賓從多是桀黠勇士，逖待之皆如子弟。永嘉中，流民以萬數，揚土大饑。賓客攻剽，逖輒擁護全衞。談者以此少之，故久不得調。」

㊀南塘——通鑑九三晉紀注：「晉都建康，自江口沿淮築堤，南塘，秦淮之南塘岸也。」

24 鴻臚卿孔羣好飲酒，王丞相語云：「卿何爲恒飲酒？不見酒家覆瓿布，日月糜爛？」羣曰：「不爾。不見糟肉乃更堪久？」羣嘗書與親舊㊀：「今年田得七百斛秫米，不了麴糵事。」羣，已見上㊁。

㊀嘗書與親舊——御覽八四五引作「嘗與親舊書」。

㊁羣已見上——孔羣見方正三六。

25 有人譏周僕射與親友言戲穢雜無檢節。鄧粲晉紀曰：「王導與周顗及朝士詣尚書紀瞻觀伎，瞻有愛妾能爲新聲，顗於衆中欲通其妾，露其醜穢，顏無怍色。有司奏免顗官，詔特原之。」周曰：「吾若萬里長江，何能不千里一曲！」

26 温太真位未高時，屢與揚州、淮中估客摴蒱，與輒不競㊀。嘗一過大輸物，戲屈，無因得反。與庾亮善，於舫中大喚亮曰：「卿可贖我！」庾卽送直，然後得還。經此數四。㈠中興書曰：「嶠有儁朗之目，而不拘細行。」

㈠與輒不競——「與」字疑涉上而衍。

27 温公喜慢語，卞令禮法自居。卞壼別傳曰：「壼正色立朝，百僚嚴憚，貴遊子弟莫不祗肅。」至庾公許㈠，大相剖擊，温發口鄙穢，庾公徐曰：「太真終日無鄙言。」重其達也。

㈠庾公——庾亮，屢見。

28 周伯仁風德雅重，深達危亂。通江積年，恒大飲酒，嘗經三日不醒㈠。時人謂之「三日僕射」。晉陽秋曰：「初，顗以雅望獲海內盛名，後屢以酒失。庾亮曰：『周侯末年，可謂鳳德之衰也。』」語林曰：「伯仁正有姊喪三日醉，姑喪二日醉㈡。大損資望。每醉，諸公常共屯守。」

㈠嘗經三日不醒——「三日不醒」，御覽二二一及四九七作「三日醒」。南史陳暄傳：「與兄子秀書曰：『昔聞周伯仁渡江，唯三日醒。』」「不」字衍。

㈡「伯仁」二句——御覽四九七引作「周伯仁過江恒醉，止一有姊喪三日醒，姑喪二日醒也」。二「醉」字並當作「醒」。正有，止有也。

29 衞君長爲温公長史，温公甚善之。每率爾提酒脯就衞，箕踞相對彌日；衞往温許亦爾。衞永，已見㈠。

㈠衞永已見——見賞譽一〇七。

30 蘇峻亂，諸庾逃散。庾冰時爲吳郡㊀，單身奔亡。民吏皆去，唯郡卒獨以小船載冰出錢塘口，籧篨覆之。時峻賞募覓冰，屬所在搜檢甚急。卒捨船市渚，因飲酒醉，還，舞棹向船曰：「何處覓庾吳郡，此中便是！」冰大惶怖，然不敢動。監司見船小裝狹，謂卒狂醉，都不復疑。自送過淛江，寄山陰魏家，得免。中興書曰：「冰爲吳郡，蘇峻作逆，遣軍伐冰，冰棄郡奔會稽。」後事平，冰欲報卒，適其所願。卒曰：「出自廝下，不願名器。少苦執鞭，恒患不得快飲酒；使其酒足餘年，畢矣。無所復須。」冰爲起大舍，市奴婢，使門內有百斛酒，終其身。時謂此卒非唯有智，且亦達生。

㊀庾冰時爲吳郡——晉書庾冰傳云：「出補吳興內史。」王舒傳云：「時吳國內史庾冰。」按吳郡卽吳國，不當云吳興也。文館詞林四五七孫綽撰庾冰碑銘亦作吳郡。

31 殷洪喬作豫章郡，殷氏譜曰：「羨字洪喬，陳郡人，父識，鎮東司馬。羨仕至豫章太守㊀。」臨去，都下人因附百許函書。既至石頭，悉擲水中，因祝曰：「沉者自沉，浮者自浮，殷洪喬不能作致書郵！」

㊀羨仕至豫章太守——案晉書殷浩傳：「羨終於光祿勳。」與此異。

32 王長史、謝仁祖同爲王公掾，王濛別傳曰：「丞相王導辟名士時賢，協贊中興，旌命所加，必延俊乂。辟濛爲掾。」長史云：「謝掾能作異舞。」謝便起舞，神意甚暇。晉陽秋曰：「尚性通任，善音樂。」語林曰：「謝鎮西酒後，於槃案間爲洛市肆工鴝鵒舞，甚佳。」王公熟視，謂客曰：「使人思安豐。」戎性通任，尚類之。

33 王、劉共在杭南㊀，酣宴於桓子野家。伊，已見㊁。謝鎮西往尚書墓還，葬後三日反哭㊂。諸人欲要之，初遣一信㊃，猶未許，然已停車；重要，便回駕。諸人門外迎之，把臂便下。裁得脫幘，著帽酣宴。半坐，乃覺未脫衰。尚書謝裒，尚叔也，已見。宋明帝文章志曰：「尚性輕率，不拘細行。兄葬後往墓還。王濛、劉惔共遊新亭，濛欲招尚，先以問惔曰：『計仁祖正當不爲異同耳？』惔曰：『仁祖韻中自應來。』乃遣要之。尚初辭㊄，然已無歸意；及再請，即回軒焉。其率如此。」

㊀杭南——杭同航，即朱雀航。景定建康志：「烏衣巷在秦淮南，晉南渡，王謝諸名族居此，時謂其子弟爲烏衣諸郎。今城南長干寺北有小巷，曰烏衣巷，去朱雀橋不遠。」則「杭南」者，即王謝諸族所居之地。餘見捷悟門五「大桁」注。

㊁伊已見——桓伊見方正五五。

㊂葬後三日反哭——御覽五四七引郭子作「是葬後三日」。

㊃信——謂使者。

㊄尚初辭——「辭」下影宋本及沈校本有「不往」二字。

34 桓宣武少家貧，戲大輸，債主敦求甚切。思自振之方，莫知所出。陳郡袁耽俊邁多能，袁氏家傳曰：「耽字彥道，陳郡陽夏人，魏中郎令渙曾孫也㊀。魁梧爽朗，高風振邁。少倜儻不羈，有異才，士人多歸之。仕至司徒從事中郎。」宣武欲求救於耽。耽時居艱，恐致疑，試以告焉，應聲便許，略無嫌吝。遂變服，懷布帽，隨温去與債主戲。耽素有藝名，債主就局，曰：「汝故當不辦作袁彥道邪？」遂共戲。十萬一擲，直上百萬數，投馬絕叫㈡，傍若無人，探布帽擲對人曰：「汝竟識袁彥道不？」郭子曰：「桓公摴蒱失數百斛米，求救於袁耽。耽在艱中，便云：『大快，我必作采。卿但大喚。』卽脱其衰，共出門去。覺頭上有布帽，擲去，著小帽。既戲，袁形勢呼祖，擲必盧雉，二人齊叫，敵家頃刻失數百萬也。」

㈠魏中郎令渙曾孫也——「中郎令」當作「郎中令」。魏志袁渙傳：「魏國初建，爲郎中令。」

㈡馬——唐國史補：「洛陽令崔師本又好爲古之摴蒱。其法，三分其子三百六十，限以二關，人執六馬。其骰五枚，分上爲黑，下爲白；黑者刻二爲犢，白者刻二爲雉。擲之全黑者爲盧，其采十六；二雉三黑爲雉，其采十四；二犢三白爲犢，其采十；全白爲白，其采八：四者貴采也。開爲十二，塞爲十一，塔爲五，秃爲四，撅爲三，梟爲二：六者雜采也。貴采得連擲，得打馬，得過關，餘采則否。」淵鑑類函引摴蒱經：「凡近關及後一子謂之塹，近關及前一子謂之坑。落塹坑非貴采不能出。凡一馬打一馬，如遇六踏馬，則一馬可踏六馬。」按禮記投壺：「勝飲不勝者，正爵既行，請爲勝者立馬。」注：「馬，勝算也。」疏：「請爲勝者立馬者，此謂行正爵畢，而爲勝者立馬者，則反取筭以爲馬，表於勝數也。」馬，卽後世所謂籌馬。摴蒱之馬，疑亦此類。

35 王光祿云：「酒正使人人自遠。」光祿，王蘊也。續晉陽秋曰：「蘊素嗜酒，末年尤甚。及在會稽，略少醒日。」

36 劉尹云：「孫承公狂士㈠，每至一處，賞翫累日，或回至半路却返。」中興書曰：「承公少誕任不羈。家於會稽，性好山水。及求鄞縣，遊心細務，縱意游肆，名阜勝川，靡不歷覽」

㊀孫承公——孫統，見品藻五九。

37 袁彥道有二妹：一適殷淵源，一適謝仁祖。袁氏譜曰：「躭大妹名女皇，適殷浩；小妹名女正，適謝尚。」語桓宣武云：「恨不更有一人配卿！」

33 桓車騎在荊州㊀，張玄爲侍中㊁，使至江陵，路經陽岐村。村臨江，去荊州二百里。俄見一人持半小籠生魚，徑來造船，云：「有魚欲寄作膾。」張乃維舟而納之，問其姓字，稱是劉遺民㊂。中興書曰：「劉驎之一字遺民。」已見。張素聞其名，大相忻待。劉既知張銜命，問：「謝安、王文度並佳不？」張甚欲話言，劉了無停意。既進膾，便去，云：「向得此魚，觀君船上當有膾具，是故來耳。」於是便去，張乃追至劉家。爲設酒，殊不清旨，張高其人，不得已而飲之。方共對飲㊃，劉便先起，云：「今正伐荻，不宜久廢。」張亦無以留之。

㊀桓車騎——桓沖，見夙惠七。

㊁張玄——一作張玄之，見言語五一。

㊂劉遺民——蓮社高賢傳：「劉程之，字仲思，彭城人，漢楚元王之後，少孤，事母以孝聞。謝安、劉裕嘉其賢，相推薦之，皆力辭，裕以其不屈，乃旌其門曰『遺民』。」則遺民乃其號，名亦與中興書不同。陶集有酬劉柴桑及和劉柴桑詩，李公煥注：「遺民嘗作柴桑令。」白居易宿西林寺詩云：「木落天晴山翠開，愛山騎馬入山來，心知不及柴桑令，一宿西林便却回。」注：「柴桑令，劉遺民也。」晉書無傳，惟宋書周續之傳云：「遺民遁迹廬山。」劉驎之字子驥，晉書有傳；卽桃花源記所云南陽劉子驥也。孝標注合爲一人，疑莫能明。

㈣方共對飲——「對」原作「封」，據影宋本改。

39 王子猷詣郗雍州，中興書曰：「郗恢字道胤，高平人。父曇，北中郎將。恢長八尺，美鬚髯，風神魁梧，烈宗器之，以爲蕃伯之望。自太子左率擢爲雍州刺史。」雍州在內，見有毹毲㈠，云：「阿乞那得此物！」阿乞，恢小字。令左右送還家。郗出覓之，王曰：「向有大力者負之而趨。」莊子曰：「夫藏舟於壑，藏山於澤，謂之固矣；然有大力者負之而走，昧者不知也。」郗無忤色。

㈠毹毲——同氍毲，毛毯之類。後漢書西域傳：「天竺國有細布好氍毲。」一切經音義引通俗文：「毛蓐細者，謂之氍毲。」

40 謝安始出西戲，失車牛㈠，便杖策步歸。道逢劉尹，語曰：「安石將無傷？」謝乃同載而歸。

㈠車牛——程大昌演繁露：「漢初馬少，故曰自天子不能具醇駟，將相或乘牛車。言唯天子之車然後有馬，然亦不能純具一色，至將相則時或駕牛也。自吳楚誅後，諸侯唯食租衣稅，無有橫入，故貧者或乘牛車。則此之以牛而駕，自緣貧窶，非有禁約也。舍車而騎，漢已有禁，東晉唯許乘車，其駕車遂改用牛。王導駕短轅犢車，犢，牛犢也。王濟（當作王愷）之八百里駮，駮亦牛也，言其色駮而行速，日可八百里也。石崇之牛，疾奔人不能追，此其所以寶之也。南史，吳興太守之官，皆殺牨下牛以祭項羽，知駕車用牛也。」

41 襄陽羅友有大韻，少時多謂之癡。嘗伺人祠，欲乞食，往太蚤，門未開。主人迎神出見，問以非時何得在此，答曰：「聞卿祠，欲乞一頓食耳。」遂隱門側，至曉得食便退，了無怍容。為人有記功：從桓宣武平蜀，按行蜀城闕觀宇，內外道陌廣狹，植種果竹多少，皆默記之。後宣武漂洲與簡文集㊀，友亦預焉。共道蜀中事，亦有所遺忘，友皆名列，曾無錯漏。宣武驗以蜀城闕簿，皆如其言，坐者歎服。謝公云：「羅友詎減魏陽元。」後為廣州刺史，當之鎮，刺史桓豁語令莫來宿，答曰：「民已有前期，主人貧，或有酒饌之費，見與甚有舊。請別日奉命。」征西密遣人察之，至夕乃往荆州門下書佐家㊁，處之怡然，不異勝達。在益州，語兒云：「我有五百人食器。」家中大驚，其由來清，而忽有此物，定是二百五十沓烏樏㊂。晉陽秋曰：「友字宅仁㊃，襄陽人。少好學，不持節檢。性嗜酒，當其所遇，不擇士庶。又好伺人祠，往乞餘食，雖復營署壚肆，不以為羞。桓温常責之云：『君太不逮。須食，何不就身求，乃至於此！』友傲然不屑，答曰：『就公乞食，今乃可得，明日已復無。』温大笑之。始仕荆州，後在温府，以家貧乞祿。温雖以才學遇之，而謂其誕肆，非治民才，許而不用。後同府人有得郡者，温為席起別㊄，友至尤晚。問之，友答曰：『民性飲道嗜味㊅，昨奉教旨，乃是首旦出門㊆，於中路逢一鬼，大見揶揄云：「我只見汝送人作郡，何以不見人送汝作郡！」』民始怖終慚㊇，回還以解，不覺成淹緩之罪。』温雖笑其滑稽，而心頗愧焉。後以為襄陽太守，累遷廣、益二州刺史。在藩，舉其宏綱，不存小察，甚為吏民所安說㊈。薨於益州。」

㊀漂洲——當作溧洲。通鑑一一二晉紀：「牢之軍溧洲。」注云：「溧音栗。溧水出溧陽縣，在建康東南。元顯遣牢之西上擊桓玄，亦其路也。晉書劉牢之傳作洌洲。今舟行自采石東下，未至三山，江中有洌山，即洌洲也。『洌』、『溧』聲相近，故又為『溧洲』。」又通鑑一〇一晉紀注：「今姑孰江中有洌山，即其地。」此作「漂」，蓋「溧」字形近之訛。晉書桓

温傳：「時簡文帝輔政，會温於洌洲，議征討事。」即其事也。

㈡至夕乃往荆州門下書佐家——「至夕」原作「至日」，據影宋本及沈校本改。

㈢二百五十沓烏樏——樏，食盒也。玉篇：「扁榼謂之樏。」廣韻：「盤中有隔也。」一具謂之一沓。太平御覽引東宮舊事曰：「漆三十五子方樏二沓，蓋二枚。」是一蓋一底爲一沓也。中有隔，可供二人食，故云五百人食器也。雅量八王夷甫族人擧樏擲其面者，即此物。

㈣友字宅仁——「宅」原誤作「它」，據沈校本改。

㈤温爲席起別——「起」，影宋本及沈校本並作「赴」。

㈥民性飲道嗜味——王先謙曰：「『飲道』當作『飲酒』。」

㈦乃是首旦出門——「旦」原誤作「且」，據影宋本及沈校本改。

㈧民始怖終慚——「慚」原作「慙」，據影宋本及沈校本改。

㈨甚爲吏民所安説——「民」原作「吏」，據影宋本及沈校本改。

42 桓子野每聞清歌，輒喚「奈何」，謝公聞之，曰：「子野可謂一往有深情。」

43 張湛好於齋前種松柏，晉東宮官名曰：「湛字處度，高平人。」張氏譜曰：「湛祖嶷，正員郎。父曠，鎮軍司馬。湛仕至中書郎㈠。」時袁山松出遊，每好令左右作挽歌。山松別見㈡。續晉陽秋曰：「袁山松善音樂。北人舊歌有行路難曲㈢，辭頗疏質。山松好之，乃爲文其章句，婉其節制。每因酒酣，從而歌之，聽者莫不流涕。初，羊曇善唱樂，桓伊能挽歌，及山松以行路難繼之。時人謂之『三絶』。」今云「挽歌」，未詳。時人謂「張屋下陳屍，袁道上行殯」。裴啓語林曰：「張湛好於齋前種松，養鴝鵒；袁山松出遊，好令左右作挽歌。時人云云。」

㈠湛仕至中書郎——案隋書經籍志：「張湛列子注八卷。」注云：「字處度，光祿勳。」

㈡山松別見——見排調六。

㈢北人舊歌有行路難曲——「北人」二字晉書袁山松傳無。

44 羅友作荊州從事，桓宣武爲王車騎集別，車騎王洽，別見㈠。友進，坐良久，辭出，宣武曰：「卿向欲咨事，何以便去？」答曰：「友聞白羊肉美，一生未曾得喫，故冒求前耳，無事可咨。今已飽，不復須駐。」了無慚色。

㈠車騎王洽別見——見賞譽一一四。

45 張驎酒後，挽歌甚悽苦。桓車騎曰：「卿非田橫門人，何乃頓爾至致？」驎，張湛小字也。譙子法訓云：「有喪而歌者，或曰：『彼爲樂喪也，有不可乎？』譙子曰：『書云：「四海遏密八音。」何樂喪之有！』曰：『今喪有挽歌者，何以哉？』譙子曰：『周聞之，蓋高帝召齊田橫，至于尸鄉亭，自刎奉首。從者挽至於宮，不敢哭而不勝哀，故爲歌以寄哀音。彼則一時之爲也。鄰有喪，舂不相，引挽人銜枚，孰樂喪者邪？』」按莊子曰：「紼謳所生，必於斥苦。」司馬彪注曰：「紼，引柩索也。斥，疏緩也。苦，用力也。引紼所以有謳歌者，爲人有用力不齊，故促急之也。」春秋左氏傳曰：「魯哀公會吳伐齊，其將公孫夏命歌虞殯。」杜預曰：「虞殯，送葬歌，示必死也。」史記絳侯世家曰：「周勃以吹簫樂喪。」然則挽歌之來久矣，非始起於田橫也。然譙氏引禮之文，頗有明據，非固陋者所能詳聞。疑以傳疑，以俟通博。

46 王子猷嘗暫寄人空宅住，便令種竹。或問：「暫住何煩爾？」王嘯詠良久，直指竹曰：「何可一日無此君！」中興書曰：「徽之卓犖不羈，欲爲傲達，放肆聲色頗過度，時人欽其才，穢其行也。」

47 王子猷居山陰，夜大雪，眠覺，開室命酌酒，四望皎然。因起彷徨，詠左思招隱詩，中興書曰：「徽之任性放達，棄官東歸，居山陰也。」左詩曰：「杖策招隱士，荒塗橫古今。巖穴無結構，丘中有鳴琴。白雪停陰岡㊀，丹葩曜陽林。」忽憶戴安道㊁。時戴在剡，卽便夜乘小船就之。經宿方至，造門不前而返。人問其故，王曰：「吾本乘興而行，興盡而返，何必見戴！」

㊀白雪停陰岡——「白雪」，文選左思招隱作「白雲」。

㊁戴安道——戴逵，見雅量三四。

48 王衞軍云：「酒正自引人著勝地。」王薈㊀，已見。

㊀王薈——「薈」原誤作「蒼」，據影宋本及沈校本改。薈，見雅量二六。

49 王子猷出都，尚在渚下㊀。舊聞桓子野善吹笛，續晉陽秋曰：「左將軍桓伊善音樂。孝武飲燕，謝安侍坐。帝命伊吹笛，伊神色無忤，既吹一弄，乃放笛云：『臣於箏乃不如笛，然自足以韻合歌管。臣有一奴善吹笛，且相便串，請進之。』帝賞其放率，聽召奴。奴既至，吹笛，伊撫箏而歌怨詩，因以爲諫也。」而不相識。遇桓於岸上過，王在船中，客有識之者，云是桓子野㊁。王便令人與相聞，云：「聞君善吹笛，試爲我一奏。」桓時已貴顯，素聞王名，卽便回下車，踞胡牀㊂，爲作三調。弄畢，便上車去。客主不交一言。

㈠「王子猷」二句——晉書桓伊傳作「王徽之赴召京師，泊舟青溪側」，與此異。

㈡云是桓子野——案桓伊小字子野，見於方正五五「桓公問桓子野」。孝標注云：「子野，桓伊小字也。」義慶與孝標去晉世不遠，宜不誤。而晉書本傳敍此事云：「客呼其小字曰：『此桓野王也。』」桓氏譜亦從之。疑莫能明，豈誤讀此文所致？古小說鉤沉引語林亦有桓野王善解音云云，但晉書好掇拾小說，不甚別擇，語林原書久佚，出於類書，似不如世說及孝標注之足據。

㈢胡牀——清異錄：「胡床，施轉關以交足，穿綆帶以容坐，轉縮須臾，重不數斤。」演繁露：「今之交床，本自虜來，始名胡床。隋高祖意在忌胡，器物涉胡名者，咸令改之，乃改交床。」按卽後世所謂交椅。

50 桓南郡被召作太子洗馬，玄別傳曰：「玄初拜太子洗馬。時朝廷以溫有不臣之迹，故抑玄爲素官。」船泊荻渚，王大服散後已小醉㈠，往看桓。桓爲設酒，不能冷飲，頻語左右令「溫酒來」，桓乃流涕嗚咽。王便欲去，桓以手巾掩淚，因謂王曰：「犯我家諱，何預卿事！」晉安帝紀曰：「玄哀樂過人，每歡戚之發，未嘗不至嗚咽。」王歎曰：「靈寶故自達！」靈寶，玄小字也。異苑曰：「玄生而有光照室。善占者云：『此兒生有奇耀，宜字爲天人㈡。』宣武嫌其三文，復言爲『神靈寶』，猶復用三，既難重前，却減『神』一字，名曰靈寶。」語林曰：「玄不立忌日，止立忌時。其達而不拘皆此類。」

㈠王大——王忱，見德行四四。

㈡宜字爲天人——「字」原作「自」，據影宋本及沈校本改。據下文「嫌其三文」之語，「天人」上下疑脫一字。

51 王孝伯問王大：「阮籍何如司馬相如？」王大曰：「阮籍胸中壘塊，故須酒澆之。」言阮皆同相如，而飲酒異耳。」

52 王佛大歎言：「三日不飲酒，覺形神不復相親。」晉安帝紀曰：「忱少慕達，好酒，在荆州轉甚，一飲或至連日不醒，遂以此死。」宋明帝文章志曰：「忱嗜酒，醉輒經日，自號『上頓』。世喭以大飲爲『上頓』，起自忱也。」

53 王孝伯言㊀：「名士不必須奇才，但使常得無事，痛飲酒，熟讀離騷，便可稱名士。」

㊀王孝伯——王恭，見德行四四。

54 王長史登茅山，大慟哭曰：「琅邪王伯輿，終當爲情死！」王氏譜曰：「廞字伯輿，琅邪人。父薈，衞將軍。廞歷司徒長史。」周祗隆安記曰：「初，王恭將唱義，使喻三吳。廞居喪，拔以爲吳國內史。國寶既死，恭罷兵，令廞反喪服。廞大怒㊀，卽日據吳都以叛。恭使司馬劉牢之討廞㊁。廞敗，不知所在。」

㊀廞大怒——通鑑晉紀三一：「廞以起兵之際，誅異己者頗多，勢不得止，遂大怒。」

㊁恭使司馬劉牢之討廞——「廞」，沈校本作「之」。

簡傲第二十四

1 晉文王功德盛大，坐席嚴敬，擬於王者，漢晉春秋曰：「文王進爵爲王，司徒何曾與朝臣皆盡禮，唯王祥長揖不拜㊀。」唯阮籍在坐，箕踞嘯歌，酣放自若。

㊀唯王祥長揖不拜——晉書本傳：「及武帝爲晉王，祥與荀顗往謁。顗謂祥曰：『相王尊重，何侯既已盡敬，今便當拜也。』祥曰：『相國誠爲尊貴，然是魏之宰相，吾等魏之三公，公王相去，一階而已，班例大同，安有天子三司而輒拜人

者！損魏朝之望，虧晉王之德，君子愛人以禮，吾不爲也。』及入，顗遂拜，而祥獨長揖。帝曰：「今日方知君見顧之重矣。』」

2 王戎弱冠詣阮籍，時劉公榮在坐，阮謂王曰：「偶有二斗美酒，當與君共飲，彼公榮者無預焉。」二人交觴酬酢，公榮遂不得一杯，而言語談戲，三人無異。或有問之者，阮答曰：「勝公榮者，不得不與飲酒；不如公榮者，不可不與飲酒；唯公榮可不與飲酒㊀。」晉陽秋曰：「戎年十五，隨父渾在郎舍，阮籍見而說焉。每適渾，俄頃輒在戎室，久之乃謂渾：『濬沖清尚，非卿倫也。』戎嘗詣籍共飲，而劉昶在坐，不與焉，昶無恨色。既而戎問籍曰：『彼爲誰也？』曰：『劉公榮也。』濬沖曰：『勝公榮，故與酒；不如公榮，不可不與酒，唯公榮者，可不與酒㊁。』」竹林七賢論曰：「初，籍與戎父渾俱爲尚書郎，每造渾，坐未安，輒曰：『與卿語，不如與阿戎語。』就戎，必日夕而返。籍長戎二十歲，相得如時輩。劉公榮通士，性尤好酒。籍與戎酬酢終日，而公榮不蒙一杯，三人各自得也。戎爲物論所先皆此類。」

㊀阮答曰云云——此文與任誕四劉公榮之言相類，蓋公榮先有此言，故嗣宗稍變其語以戲之，入簡傲不如入排調。

㊁濬沖曰云云——味前後問答之辭，此數語當屬阮籍，「濬沖曰」三字疑衍文。

3 鍾士季精有才理，先不識嵇康，鍾要于時賢儁之士，俱往尋康。康方大樹下鍛，向子期爲佐鼓排㊀。康揚槌不輟，傍若無人，移時不交一言。鍾起去，康曰：「何所聞而來？何所見而去？」鍾曰：「聞所聞而來，見所見而去。」文士傳曰：「康性絕巧，能鍛鐵。家有盛柳樹，乃激水以圜之，夏天甚清涼，恒居其下傲戲，乃身自鍛。家雖貧，有人就鍛者㊀，康不受直，唯親舊以雞酒往，與共飲噉清言而已。」魏氏春秋曰：「鍾會爲大將軍兄弟所暱，聞康名而造焉。會，名公子，以才能貴幸。乘肥衣輕，賓從如雲。康方箕踞而鍛，會至，不爲之禮，會深銜之。後因呂安事而遂譖康焉。」

㊀排——魏志韓暨傳：「舊時冶，作馬排。」裴松之注：「蒲拜反，爲排以吹炭。」字本作「韛」，玉篇云：「韋囊，可以吹火令熾。」說文「硆」下段注：「冶囊謂排囊，其字或作韛，冶者以韋囊鼓火。」按即今鍛鐵時所用風箱，古者以革爲之，故字從韋。

㊁有人就鍛者——「就」原作「說」，據影宋本及沈校本改。

4 嵇康與呂安善，每一相思，千里命駕。晉陽秋曰：「安字中悌㊀，東平人，冀州刺史招之第二子㊁。志量開曠，有拔俗風氣。」干寶晉紀曰：「初，安之交康也，其相思則率爾命駕。」安後來，值康不在，喜出戶延之，不入，晉百官名曰：「嵇喜字公穆，歷揚州刺史，康兄也。阮籍遭喪，往弔之。籍能爲青白眼，見凡俗之士，以白眼對之。及喜往，籍不哭，見其白眼，喜不懌而退。康聞之，乃齎酒挾琴而造之，遂相與善。」干寶晉紀曰：「安嘗從康，或遇其行，康兄喜拭席而待之，弗顧。獨坐車中，康母就設酒食。求康兒共語戲，良久則去。其輕貴如此。」題門上作「鳳」字而去。喜不覺，猶以爲欣故作㊂。「鳳」字，凡鳥也。許慎說文曰：「鳳，神鳥也，從鳥凡聲。」

㊀安字中悌——「中」，影宋本及沈校本並作「仲」，文選思舊賦注同。案「中」與「仲」通。

㊁冀州刺史招之第二子——「招」，魏志王粲傳注及文選思舊賦注並作「昭」。

〔三〕猶以爲欣故作——「故作」二字疑衍。

5 陸士衡初入洛，咨張公所宜詣〔一〕，劉道真是其一〔二〕。陸既往，劉尚在哀制中。性嗜酒，禮畢，初無他言，唯問：「東吳有長柄壺盧，卿得種來不？」陸兄弟殊失望，乃悔往。

〔一〕張公——張華，見德行一二。

〔二〕劉道真——劉寶，見德行二二。

6 王平子出爲荊州，晉陽秋曰：「惠帝時，太尉王夷甫言於選者，以弟澄爲荊州刺史，從弟敦爲青州刺史。澄、敦俱詣太尉辭，太尉謂曰：『今王室將卑，故使弟等居齊、楚之地，外可以建霸業，內足以匡帝室。所望於二弟也。』」王太尉及時賢送者傾路。時庭中有大樹，上有鵲巢，平子脫衣巾，徑上樹取鵲子，涼衣拘閡樹枝〔一〕，便復脫去。得鵲子還下弄，神色自若，傍若無人。鄧粲晉紀曰：「澄放蕩不拘，時謂之達。」

〔一〕涼衣——方言：「礿繵謂之襌。」郭璞注：「今又呼爲涼衣也。」

7 高坐道人於丞相坐，恒偃臥其側；見卞令〔一〕，肅然改容云：「彼是禮法人。」高坐傳曰：「王公曾詣和上，和上解帶偃伏，悟言神解。見尚書令卞望之，便斂衿飾容，時歎皆得其所。」

〔一〕卞令——卞壼，見賞譽五四。

8 桓宣武作徐州，時謝奕爲晉陵，中興書曰：「奕自吏部郎出爲晉陵太守。」先粗經虛懷，而乃無異常。及桓遷荊州，將西之間，意氣甚篤，奕弗之疑。唯謝虎子婦王悟其旨，虎子，謝據小字，奕弟也。其妻王氏，已見㊀。每曰：「桓荊州用意殊異，必與晉陵俱西矣。」俄而引奕爲司馬。奕既上，猶推布衣交。在温坐，岸幘嘯詠㊁，無異常日。宣武每曰：「我方外司馬。」遂因酒轉無朝夕禮㊂，桓舍入內，奕輒復隨去；後至奕醉，温往主許避之㊃。主曰：「君無狂司馬，我何由得相見！」

㊀其妻王氏已見——見文學三九。
㊁岸幘——通鑑九二晉紀注：「岸幘者，幘微脫額也。」
㊂遂因酒轉無朝夕禮——晉書謝奕傳作「奕每因酒，無復朝廷禮」。
㊃温往主許避之——晉書桓温傳：「選尚南康長公主。」主，元帝之女。

8 謝萬在兄前，欲起索便器。于時阮思曠在坐㊀，曰：「新出門戶，篤而無禮。」

㊀阮思曠——阮裕，見德行三二。

10 謝中郎是王藍田女壻。謝氏譜曰：「萬取太原王述女，名荃。」嘗著白綸巾，肩輿徑至揚州聽事㊀，見王，直言曰：「人言君侯癡，君侯信自癡。」藍田曰：「非無此論，但晚令耳。」述別傳曰：「述少真獨退靜，人未嘗知。故有晚令之言。」

㊀肩輿徑至揚州聽事——晉書王述傳：「代殷浩爲揚州刺史。」

11 王子猷作桓車騎騎兵參軍。桓問曰：「卿何署？」答曰：「不知何署，時見牽馬來，似是馬曹。」中興書曰：「桓沖引徽之爲參軍，蓬首散帶，不綜知其府事。」桓又問：「官有幾馬？」答曰：「『不問馬』，何由知其數？」論語曰：「廄焚，孔子退朝曰：『傷人乎？』不問馬。」注：「貴人賤畜，故不問也。」又問：「馬比死多少？」答曰：「『未知生，焉知死！』」論語曰：「子路問死。孔子曰：『未知生，焉知死！』」馬融注曰：「死事難明，語之無益，故不答。」

12 謝公嘗與謝萬共出西㊀，過吳郡，阿萬欲相與共萃王恬許，恬，已見㊁，時爲吳郡太守。太傅云：「恐伊不必酬汝，意不足爾。」萬猶苦要，太傅堅不回，萬乃獨往。坐少時，王便入門內，謝殊有欣色，以爲厚待己。良久，乃沐頭散髮而出，亦不坐，仍據胡牀，在中庭曬頭，神氣傲邁，了無相酬對意。謝於是乃還，未至船，逆呼太傅，安曰：「阿螭不作爾。」王恬小字螭虎。

㊀共出西——東晉都建康，以會稽爲東，二謝居會稽，故以入吳爲出西。

㊁恬已見——王恬，見德行二九。

13 王子猷作桓車騎參軍。桓謂王曰：「卿在府久，比當相料理。」初不答，直高視，以手版拄頰云：「西山朝來，致有爽氣。」

14 謝萬北征，常以嘯詠自高，未嘗撫慰衆士。謝公甚器愛萬，而審其必敗，乃俱行，從容謂萬曰：「汝爲元帥，宜數喚諸將宴會，以說衆心。」萬從之。因召集諸將，都無所說，直以如意指四坐云：「諸君皆是勁卒！」諸將甚忿恨之㊀。謝公欲深著恩信，自隊主將帥以下，無不身造，厚相遜謝。及萬事敗，軍中因欲除之。復云：「當爲隱士㊁。」故幸而得免。萬敗事已見上㊂。

㊀「諸君」二句——通鑑一〇〇晉紀注：「凡奮身行伍者，以兵與卒爲諱；既爲將矣，而稱之爲卒，所以益恨也。」

㊁當爲隱士——謝安時未仕，故稱隱士，意謂當爲謝安故貸其一死耳。

㊂萬敗事已見上——見品藻四九。

15 王子敬兄弟見郗公，躡履問訊，甚脩外生禮㊀。及嘉賓死，皆著高屐，儀容輕慢。命坐，皆云：「有事不暇坐。」既去，郗公慨然曰：「使嘉賓不死，鼠輩敢爾！」愔子超，有盛名，且獲寵於桓溫，故爲超敬愔。

㊀外生——羲之娶郗鑒女，見雅量一九，故子敬兄弟於愔爲甥。

16 王子猷嘗行過吳中，見一士大夫家極有好竹，主已知子猷當往，乃灑埽施設㊀，在聽事坐相待。王肩輿徑造竹下，諷嘯良久，主已失望，猶冀還當通。遂直欲出門。主人大不堪，便令左右閉門，不聽出。王更以此賞主人，乃留坐，盡歡而去。

㊀灑掃施設——施設，謂具飲饌。

17 王子敬自會稽經吳，聞顧辟疆顧氏譜曰：「辟疆，吳郡人，歷郡功曹、平北參軍。」有名園，先不識主人，徑往其家。值顧方集賓友酣燕，而王遊歷既畢，指麾好惡㊀，傍若無人。顧勃然不堪曰：「傲主人，非禮也；以貴驕人，非道也。失此二者，不足齒之傖耳㊁。」便驅其左右出門。

王獨在輿上，回轉顧望，左右移時不至，然後令送著門外，怡然不屑。

㊀指麾好惡——謂指點評論。

㊁不足齒之傖耳——「之」，原誤作「人」，據沈校本改。案晉書本傳正作「之」。晉書周玘傳：「吳人謂中州人爲傖。」

排調第二十五

1 諸葛瑾爲豫州，遣別駕到臺㊀，瑾，已見㊁。語云：「小兒知談，卿可與語。」連往詣恪，江表傳曰：「恪字元遜，瑾長子也。少有才名，發藻岐嶷，辯論應機，莫與爲對。孫權見而奇之，謂瑾曰：『藍田生玉，真不虛也。』仕吳，至太傅。爲孫峻所害。」恪不與相見。後於張輔吳坐中相遇，環濟吳紀曰：「張昭字子布，忠正有才義，仕吳爲輔吳將軍。」別駕喚恪：「咄咄郎君！」恪因嘲之曰：「豫州亂矣，何咄咄之有？」答曰：「君明臣賢，未聞其亂。」恪曰：「昔唐堯在上，四凶在下。」答曰：「非唯四凶，亦有丹朱。」於是一坐大笑。

㊀到臺——魏晉間謂朝廷禁省爲臺，到臺猶言入朝。

㊁瑾已見——諸葛瑾見品藻四。

2 晉文帝與二陳共車，過喚鍾會同載，卽駛車委去。比出，已遠。既至，因嘲之曰：「與人期行，何以遲遲？望卿遙遙不至。」會答曰：「矯然懿實，何必同羣。」帝復問會：「皋繇何如人？」答曰：「上不及堯、舜，下不逮周、孔，亦一時之懿士。」二陳，騫與泰也。會父名繇，故以「遙遙」戲之〔一〕。騫父矯，宣帝諱懿，泰父羣，祖父寔。故以此酬之。

〔一〕「會父名繇」二句——李詳曰：「鍾會父繇，魏時自音遙，非如今時音由也。禮檀弓：『詠斯猶。』鄭注：『猶當爲搖，聲之誤。秦人猶搖聲相近。』又爾雅釋詁：『繇，喜也。』郭注：『禮記：詠斯猶。猶即繇，古今字耳。』」

3 鍾毓爲黃門郎，有機警〔一〕，在景王坐燕飲。時陳羣子玄伯、武周子元夏同在坐〔二〕，魏志曰：「武周字伯南，沛國竹邑人。仕至光祿大夫。」共嘲毓。景王曰：「皐繇何如人？」對曰：「古之懿士。」顧謂玄伯、元夏曰：「君子周而不比，羣而不黨。」孔安國注論語曰：「忠信爲周，阿黨爲比。黨，助也。君子雖衆，不相私助。」

〔一〕有機警——「機」，原誤作「譏」，據王刻本改。

〔二〕玄伯、元夏——陳泰字玄伯，見方正八；武陔字元夏，見賞譽一四。

4 嵇、阮、山、劉在竹林酣飲，王戎後往，步兵曰：「俗物已復來敗人意！」魏氏春秋曰：「時謂王戎未能超俗也。」王笑曰：「卿輩意亦復可敗邪？」

5 晉武帝問孫皓：吳錄曰：「皓字元宗，一名彭祖，大皇帝孫也。景帝崩，皓嗣位，爲晉所滅，封歸命侯。」「聞南人好作爾汝歌，頗能爲不？」皓正飲酒，因舉觴勸帝而言曰：「昔與汝爲鄰，今與汝爲臣。上汝一杯酒，令汝壽萬春！」帝悔之。

6 孫子荊年少時欲隱，語王武子「當枕石漱流㈠」，誤曰「漱石枕流」。王曰：「流可枕，石可漱乎？」孫曰：「所以枕流，欲洗其耳；逸士傳曰：「許由爲堯所讓，其友巢父責之，由乃過清冷水洗耳拭目，曰：『向聞貪言，負吾之友。』」所以漱石，欲礪其齒。」

㈠枕石漱流——李詳曰：「蜀志秦宓傳：『枕石漱流，吟詠縕袍。』」

7 頭責秦子羽云：子羽，未詳。「子曾不如太原温顒，潁川荀寓㈠，温顒，已見㈡。荀氏譜曰：「寓字景伯，祖式，太尉。父保，御史中丞。」世語曰：「寓少與裴楷、王戎、杜默俱有名，仕晉至尚書。」范陽張華，士卿劉許㈢，晉百官名曰：「劉許字文生，涿鹿郡人㈣。父放，魏驃騎將軍。許，惠帝時爲宗正卿。」按許與張華同范陽人，故曰士卿，互其辭也。宗正卿或曰士卿。義陽鄒湛，河南鄭詡。晉諸公贊曰：「湛字潤甫，新野人。以文義達，仕至侍中。詡字思淵，滎陽開封人。爲衞尉卿。祖泰，揚州刺史。父褒㈤，司空。」此數子者，或謇喫無宮商㈥，或尪陋希言語，或淹伊多姿態，或讙譁少智諝，或口如含膠飴，或頭如巾齏杵。文士傳曰：「華爲人少威儀，多姿態。」推意此語，則此六句還以目上六人。而「口如含膠飴」，則指鄒湛，湛辯麗英博，而有此稱，未詳。而猶以文采可觀，意思詳序，攀龍附鳳，並登天府。張敏集載頭責子羽文曰㈦：「余友有秦生者，雖有姊夫之尊，少而狎焉。同時好暱㈧，有太原温長仁顒，潁川荀景伯寓，范陽張茂先華，士卿劉文生許，南陽鄒潤甫湛，河南鄭思淵詡。數年之中，繼踵登朝，而此賢身處陋巷，屢沽而無善價，亢志自若，終不衰墮，爲之慨然。又怪諸賢既已在位，曾無伐木嚶鳴之聲，甚違王貢彈冠之義。故因秦生容貌之盛，爲頭責之文以戲之，并以嘲六子焉。雖似諧謔，實有興也。」其文曰維泰始元年，頭責子羽曰：「吾託子爲頭（九），萬有餘日矣。大塊稟我以精，造我以形。我爲子植髮膚（一〇），置鼻耳，安眉須，插牙齒。眸子摛光，雙顴隆起。每至出入之間（一一），遨遊市里，行者辟易，坐者竦跽。或稱君侯，或言將軍，捧手傾側，佇立崎嶇（一二）。如此者，故我形之足偉也。子冠冕不戴，金銀不佩，釵以當笄（一三），帢以代幘（一四）。旨味弗嘗（一五），食粟茹菜，隈摧園間，糞壤汙黑。歲莫年過，曾不自悔。子厭我於形容（一六），我賤子乎意態（一七）。若此者乎（一八），必子行己之累也（一九）。子遇我如讐，我視子如仇，居常不樂，兩者俱憂，何其鄙哉！子欲爲人寶也（二〇），則當如皐陶、后稷、巫咸、伊陟，保乂王家，永見封殖。子欲爲名高也（二一），則當如許由、子臧（二二）、卞隨、務光，洗耳逃祿，千歲流芳。子欲爲遊說也，則當如陳軫、蒯通、陸生、鄧公，轉禍爲福，令辭從容（二三）。子欲爲進趣也，則當如賈生之求試，終軍之請使，砥礪鋒穎，以幹王事。子欲爲恬淡也，則當如老聃之守一，莊周之自逸，廓然離欲（二四），志陵雲日。子欲爲隱遁也，則當如榮期之帶索，漁父之瀺灂，棲遲神丘（二五），垂餌巨壑。此一介之所以顯身成名者也（二六）。今子上不希道德，中不效儒、墨，塊然窮賤，守此愚惑。察子之情，觀子之志，退不爲於處士（二七），進無望於三事（二八），而徒翫日勞形，習爲常人之所喜，不亦過乎！」於是子羽愀然深念而對曰：「凡所教敕，謹聞命矣。以受性拘係，不閑禮義（二九）。設以天幸（三〇），爲子所寄，今欲使吾爲忠也（三一），即當如伍胥、屈平（三二）。欲使吾爲信也，則當殺身以成名。欲使吾爲介節邪，則當赴水火以全貞。此四者，人之所忌，故吾不敢造意。」頭曰：「子所謂天刑地網，剛德之尤。不登山抱木，則褰裳赴流。吾欲告爾以養性，誨爾以優游，而與蟣蝨同情（三三），不聽我謀。悲哉！俱寓人體（三四），而獨爲子頭。且擬人其倫，喻子儕偶：子不如太原溫顒（三五），潁川荀寓，范陽張華，士卿劉許，南陽鄒湛，河南鄭詡。此數子者，或謇喫無宮商，或尪陋希言語，或淹伊多姿態，或讙譁少智諝，或口如含膠飴，或頭如巾齏杵，而猶以文采可觀（三六），意思詳序，攀龍附鳳，並登天府。夫舐痔得車，沈淵得珠(三七)，豈若夫子，徒令脣舌腐爛、手足沾濡哉！居有事之世，而耻爲權圖(三八)，譬猶鑿池抱甕，難以求富。嗟乎子羽！何異檻中之熊(三九)，深穽之虎，石間饑蟹，竇中之鼠(四〇)。事力雖勤，見功甚苦(四一)，宜其拳局剪蹙(四二)，至老無所希也。支離其形，猶能不困，非命也夫！豈與夫子同處也(四三)。」

(一)潁川荀寓——案魏志荀彧傳：「子惲嗣侯。惲弟俁。」注引荀氏家傳：「俁子寓，字景伯。」則「寓」當作「寓」，爲彧之孫，俁之子。注並誤。但通鑑晉惠帝元康九年，裴頠上表曰：「去元康四年大風，廟闕屋瓦有數枚傾落，免太常荀寓。」作寓，不知是否一人。

(二)溫顒已見——溫顒前未見。案晉書任愷傳：「賈充既爲帝所遇，欲專名勢，而庾純、張華、溫顒、向秀、和嶠之徒皆與愷善，楊珧、王恂、華廙等，充所親敬，於是朋黨紛然。」顒之名僅見於此。

(三)士卿劉許——案魏志劉放傳注曰：「晉惠帝世，許爲越騎校尉。」隋書經籍志，梁有宗正劉訏集二卷；唐書經籍志有劉訏集二卷，次於張敏集二卷之後，而新唐書藝文志則作「劉許集」，名與本書及魏志注所載同。

(四)涿鹿郡人——案下文謂許與張華同范陽人，晉書地理志范陽國注：「漢置涿郡，魏文帝更名范陽郡，武帝置國，封宣帝弟子綏。」「鹿」字疑衍。

(五)父裦——「裦」當作「袤」，鄭袤晉書四十四有傳，詡乃其第四子。

(六)或齧喫無宮商——「喫」，影宋本及沈校本作「吃」，「喫」乃「吃」之俗字。

(七)張敏集載頭責子羽文曰——洪邁容齋五筆卷四晉代遺文條引此文，謂出晉代名臣文集，並云：「張敏者，太原人，仕歷平南參軍、太子舍人、濟北長史。」

(八)同時好暱——類聚一七及容齋五筆「好暱」並作「昵好」。

(九)吾託子爲頭——類聚及容齋五筆並作「吾託爲子頭。」

(一〇)我爲子植髮膚——類聚及容齋五筆「植」並作「蒔」。

(一一)每至出入之間——「之間」，類聚及容齋五筆並作「人間」。

(一二)佇立崎嶇——「崎嶇」，容齋五筆作「踦嶇」。

(一三)鍛以當笄——「鍛」，容齋五筆作「艾」。

(一四)帢以代幗——容齋五筆作「帽以代帶」。

(一五)旨味弗嘗——「旨味」，容齋五筆作「百味」。

(一六)子厭我於形容——「於」字，容齋五筆無。

(一七)我賤子乎意態——「乎」字，容齋五筆無。

(一八)若此者乎——「乎」字，容齋五筆無，應據刪。

(一九)必子行己之累也——容齋五筆脫「之」字。

(二〇)子欲爲人寶也——「人寶也」，類聚及容齋五筆並作「仁賢耶」。

(二一)子欲爲名高也——「也」字，類聚及容齋五筆並作「耶」。以下「子欲爲」云云各句末「也」字並作「耶」，案「也」「耶」古通。

(二二)子滅——「滅」，原誤「威」，據沈校本改，類聚及容齋五筆並不誤。

(二三)令辭從容——「令」，類聚及容齋五筆並作「含」。

(二四)廓然離欲——沈校本作「廓然離俗」，類聚及容齋五筆作「漠然離俗」。

(二五)棲遲神丘——容齋五筆「神丘」作「神岳」。

(二六)此一介之所以顯身成名者也——「一介之」下容齋五筆多「人」字。

(二七)退不爲於處士——類聚作「退不能爲處士」。容齋作「退不爲處士」。

(二八)進無望於三事——類聚「於」作「乎」，容齋脫「於」字。

(二九)不閒禮義——影宋本及沈校本「閒」作「閑」，閑，習也。「閒」與「閑」通。容齋作「聞」。

(三〇)設以天幸——「設」，類聚作「吾」，容齋作「誤」。作「設」誤。

(三一)今欲使吾爲忠也——「也」字，沈校本作「耶」。下「爲信也」「也」字同。類聚及容齋同。

(三二)當如伍胥屈平——「伍胥」，類聚作「子胥」，容齋作「包胥」。

(三三)而與蟣蝨同情——「與」，原作「以」，據沈校本改，類聚及容齋並作「與」。

(三四)俱寓人體——「寓」，類聚及容齋並作「御」，非。

(三五)子不如太原溫顒——「子不如」，類聚作「子曾不如」，容齋作「曾不如」。

(三六)而猶以文采可觀——「以」字原脫，據沈校本補，類聚及容齋並有「以」字。

(三七)沈淵得珠——「得珠」，容齋作「竊珠」。

(三八)而恥爲權圖——「權圖」，類聚及容齋並作「權謀」。

(三九)何異檻中之熊——「檻中」，類聚及容齋並作「牢檻」。

(四〇)竇中之鼠——「竇」，類聚及容齋並作「竈」。

(四一)「事力雖勤」二句——類聚作「事力雖多，而見功甚少」。容齋作「事雖多而見功甚少」。案「苦」字此處用韻。

㊷宜其拳局剪蹙——「拳局」，類聚作「蹉跼」。「剪蹙」，影宋本、沈校本與類聚及容齋同作「煎蹙」。

㊸非命也夫豈與夫子同處也——容齋作「命也夫！與子同處」，義長。容齋此下云：「集仙傳所載神女成公智瓊傳，見於太平廣記，蓋敏之作也。鄒湛姓名，因羊叔子而傳，而字曰潤甫，則見於此。」

8 王渾與婦鍾氏共坐，見武子從庭過㊀，渾欣然謂婦曰：「生兒如此，足慰人意。」婦笑曰：「若使新婦得配參軍㊁，生兒故可不啻如此㊂。」王氏家譜曰：「淪字太沖㊃，司空穆侯中子，司徒渾弟也。醇粹簡遠，貴老、莊之學，用心淡如也。爲老子例略、周紀。年二十餘，舉孝廉，不行，歷大將軍參軍。年二十五卒，大將軍爲之流涕。」

㊀武子——王濟字武子，渾之子。

㊁參軍——御覽三九一引郭子云：「參軍是渾中弟，名淪字太沖，嘗爲晉文王大將軍參軍，從征壽春，遇疾亡，時人惜焉。」

㊂不啻——猶云不止。

㊃淪字太沖——「淪」，原作「倫」，據沈校本改。案晉書列女王渾妻鍾氏傳及御覽三九一引郭子並作「淪」。

9 荀鳴鶴、陸士龍二人未相識，俱會張茂先坐。張令共語㊀，以其並有大才，可勿作常語。陸舉手曰：「雲間陸士龍㊁。」荀答曰：「日下荀鳴鶴㊂。」陸曰：「既開青雲，睹白雉：何不張爾弓，布爾矢？」荀答曰：「本謂雲龍騤騤，定是山鹿野麋，獸弱弩彊，是以發遲。」張乃撫掌大笑。晉百官名曰：「荀隱字鳴鶴，潁川人。」荀氏家傳曰：「隱祖昕，樂安太守。父岳，中書郎。隱與陸雲在張華坐語，互相反覆，陸連受屈。隱辭皆美麗，張公稱善。云世有此書，尋之未得。歷太子舍人、廷尉平㊃，蚤卒。」

㊀張令共語——「共」，原作「其」，據影宋本及沈校本改。

㊁雲間——華亭古名雲間。元和郡縣志：「華亭，天寶十載置。吳地記：『地名雲間。』」

㊂日下——指京都。荀，潁川人，與洛陽相近，故云。

㊃歷太子舍人廷尉平——荀岳墓碣：「息男隱，字鳴鶴，司徒左西曹掾。」

10 陸太尉詣王丞相，陸玩，已見㊀。王公食以酪。陸還，遂病。明日，與王牋云：「昨食酪小過，通夜委頓。民雖吳人，幾爲傖鬼㊁。」

㊀陸玩已見——見規箴一七。

㊁傖鬼——一切經音義引晉陽秋曰：「吳人謂中州人爲傖。」北人食酪，南人所不習，故云。

11 元帝皇子生，普賜羣臣。殷洪喬謝曰：殷羨，已見㊀。「皇子誕育，普天同慶。臣無勳焉，而猥頒厚賚。」中宗笑曰：「此事豈可使卿有勳邪！」

㊀殷羨已見——見任誕三一。

12 諸葛令、王丞相共争姓族先後。王曰：「何不言葛、王，而云王、葛？」令曰：「譬言驢馬，不言馬驢，驢寧勝馬邪？」諸葛恢，已見㊀。

㊀諸葛恢已見——見方正二五。「已見」二字原脫，據影宋本及沈校本補。

13 劉真長始見王丞相，時盛暑之月，丞相以腹熨彈棋局，曰：「何乃渹？」吳人以冷爲「渹㊀」。劉既出，人問見王公云何，劉曰：「未見他異，唯聞作吳語耳。」語林曰：「真長云：『丞相何奇，止能作吳語及細唾也。』」

㊀渹——李詳曰：「說文：『瀙，冷寒也。』段注引此條，云太平御覽引此事，渹作瀙。」案御覽二十一引世說此條，注「吳人以冷爲渹」下有「音楚敬反」四字小注，他卷或作「瀙」，或作「訠」。

14 王公與朝士共飲酒，舉瑠璃盌謂伯仁曰：「此盌腹殊空，謂之寶器，何邪？」以戲周之無能。答曰：「此盌英英，誠爲清徹，所以爲寶耳。」

15 謝幼輿謂周侯曰：「卿類社樹，遠望之，峨峨拂青天；就而視之，其根則羣狐所託，下聚溷而已。」謂顗好媟瀆故。答曰：「枝條拂青天，不以爲高；羣狐亂其下，不以爲濁。聚溷之穢，卿之所保，何足自稱！」

16 王長豫幼便和令㊀，丞相愛恣甚篤。每共圍棊，丞相欲舉行，長豫按指不聽。丞相笑曰：「詎得爾，相與似有瓜葛。」蔡邕曰：「瓜葛，疏親也。」

㊀王長豫——王悅，見德行二九。

17 明帝問周伯仁：「真長何如人？」答曰：「故是千斤犗特㊀。」王公笑其言。伯仁曰：「不如捲角牸，有盤辟之好㊀。」以戲王也。

㊀犗特——犗音戒，莊子外物疏：「犍牛也。」謂去勢之牛。玉篇：「特，牡牛。」

㊀「不如」二句——牸，牝牛也。盤辟，同槃辟，猶盤旋也。漢書儒林傳注引蘇林曰：「不知經，但能槃辟爲禮容。」此言捲角牸不能如千斤犗特之任重致遠，而折旋進退，皆如乘者之意。

18 王丞相枕周伯仁膝，指其腹曰：「卿此中何所有？」答曰：「此中空洞無物，然容卿輩數百人。」

19 干寶向劉真長中興書曰：「寶字令升，新蔡人。祖正，吳奮武將軍。父瑩，丹陽丞。寶少以博學才器著稱，歷散騎常侍。」敍其搜神記，孔氏志怪曰：「寶父有嬖人，寶母至妒，葬寶父時，因推著藏中。經十年而母喪，開墓，其婢伏棺上，就視，猶煖，漸有氣息，輿還家，終日而蘇。說寶父常致飲食，與之接寢，恩情如生。家中吉凶輒語之，校之悉驗。平復數年後方卒。寶因作搜神記，中云『有所感起』是也。」劉曰：「卿可謂鬼之董狐。」春秋傳曰：「趙穿攻晉靈公於桃園，趙宣子未出境而復。太史書『趙盾弒其君』，宣子曰：『不然。』對曰：『子爲正卿，亡不越境，反不討賊，非子而誰？』孔子曰：『董狐，古之良史也，書法不隱。趙盾，古之賢大夫也，爲法受惡。』」

20 許文思往顧和許，顧先在帳中眠，許至，便徑就牀角枕共語。許琛，已見㊀。既而喚顧共行，顧乃命左右取杭上新衣㊁，易己體上所著。許笑曰：「卿乃復有行來衣乎㊂？」

㊀許琛已見——案許琛前未見，晉書亦無傳，唯雅量一六許侍中下注：「許璪字思文。」疑卽其人，「琛」或是「璪」之誤。

㊁杭——同桁，衣架也。

㊂行來——往來，出入之義。後漢書陸康傳：「除高成令，縣在邊垂，舊制令户一人具弓弩以備不虞，不得行來。」注：

「行來，猶往來也。」賞譽一一四：「初法汰北來，未知名，王領軍供養之，每與周旋行來，往名勝許，輒與俱。」南史孝義郭原平傳：「每行來，見人牵埭未過，輒迅楫助之。」義並相同。因謂出門爲行來，出門所著衣服曰行來衣。

21 康僧淵目深而鼻高，王丞相每調之。僧淵曰：「鼻者，面之山；管輅別傳曰：「鼻者，天中之山。」相書曰：「鼻之所在，爲天中；鼻有山象，故曰山。」目者，面之淵。山不高則不靈，淵不深則不清㊀。」

㊀「山不高」二句——李詳曰：「梁簡文謝安吉公主餉胡子一頭啓：『山高水深，宛在其貌。』卽用僧淵此事。胡子者，胡奴也，僧淵本胡人。」

22 何次道往瓦官寺禮拜甚勤，充崇釋氏，甚加敬也。阮思曠語之曰：「卿志大宇宙，尸子曰：「天地四方曰宇，往古來今曰宙。」勇邁終古。」終古，往古也。楚辭曰：「吾不能忍此終古也。」何曰：「卿今日何故忽見推？」阮曰：「我圖數千户郡，尚不能得；卿迺圖作佛，不亦大乎？」思曠，裕也。

23 庾征西大舉征胡，既成行，止鎮襄陽。晉陽秋曰：「翼率衆入沔，將謀伐狄。既至襄陽，狄尚彊，未可決戰。會康帝崩，兄冰薨，留長子方之守襄陽，自馳還夏口。」殷豫章與書，送一折角如意以調之。豫章，殷羡。庾答書曰：「得所致，雖是敗物，猶欲理而用之。」

24 桓大司馬乘雪欲獵，先過王、劉諸人許。真長見其裝束單急㊀，問：「老賊欲持此何作？」桓曰：「我若不爲此，卿輩亦那得坐談？」語林曰：「宣武征還，劉尹數十里迎之。桓都不語，直云：『垂長衣，談清言，竟是誰功？』劉答曰：『晉德靈長，功豈在爾？』」二人說小異，故詳載之。

㊀裝束單急——謂戎裝也。宋書沈慶之傳：「慶之戎服履𧚔縛絝入，上見而驚曰：『卿何意乃爾急裝？』慶之曰：『夜半喚隊主，不容緩裝。』」

25 褚季野問孫盛：「卿國史何當成㊀？」孫云：「久應竟。在公無暇，故至今日。」褚曰：「古人『述而不作』，何必在蠶室中！」漢書曰：「李陵降匈奴，武帝甚怒，太史令司馬遷盛明陵之忠，帝以遷爲陵遊說，下遷腐刑。乃述唐、虞以來至于獲麟，爲史記。」遷與任安書曰：「李陵既生降，僕又茸之以蠶室㊁。」蘇林注曰：「腐刑者，作密室蓄火，時如蠶室。」舊時平陰有蠶室獄。

㊀國史——謂盛所作晉陽秋。

㊁僕又茸之以蠶室——「之」字，沈校本無，漢書司馬遷傳同。文選作「佴之蠶室」。顏師古曰：「茸，人勇反，推也。蠶室，初腐刑所居溫密之室也，謂推致蠶室之中也。」

26 謝公在東山，朝命屢降而不動。後出爲桓宣武司馬，將發新亭，朝士咸出瞻送。高靈時爲中丞，亦往相祖，先時多少飲酒，因倚如醉，戲曰：「卿屢違朝旨，高卧東山，諸人每相與言：『安石不肯出，將如蒼生何！』今亦蒼生將如卿何？」謝笑而不答。高靈，已見㊀。婦人集載桓玄問王凝之妻謝氏曰：「太傅東山二十餘年，遂復不終，其理云何？」謝答曰：「亡叔太傅先正以無用爲心，顯隱爲優劣，始末正當動靜之異耳。」

㊀高靈已見——高崧，見言語八二，注云：「阿酃，崧小字也。」晉書本傳亦謂崧小字阿酃，不作「靈」。

27 初，謝安在東山居布衣時，兄弟已有富貴者，翕集家門，傾動人物。劉夫人戲謂安曰：

「大丈夫不當如此乎？」謝乃捉鼻曰：「但恐不免耳。」

28 支道林因人就深公買印山㊀，深公答曰：「未聞巢、由買山而隱。」逸士傳曰：「巢父者，堯時隱人，山居，不營世利，年老，以樹爲巢而寢其上，故號巢父。」高逸沙門傳曰：「遁得深公之言，慚恧而已。」

㊀支道林因人就深公買印山——「印山」，當作「岇山」。言語：「支公好鶴，住剡東岇山。」注云：「山去會稽二百里。」

29 王、劉每不重蔡公㊀。二人嘗詣蔡語，良久，乃問蔡曰：「公自言何如夷甫？」答曰：「身不如夷甫。」王、劉相目而笑曰：「公何處不如？」答曰：「夷甫無君輩客。」

㊀蔡公——蔡謨，見方正四〇。

30 張吳興年八歲，虧齒，玄之，已見㊀。先達知其不常，故戲之曰：「君口中何爲開狗竇？」張應聲答曰：「正使君輩從此中出入。」

㊀玄之已見——見言語五一。

31 郝隆七月七日出日中仰臥㊀，人問其故，答曰：「我曬書。」征西僚屬名曰：「隆字佐治，汲郡人。仕吳至征西參軍㊁。」

㊀郝隆七月七日出日中仰臥——「七月七日」下御覽三一有「見鄰人皆曝曬衣物，隆乃」九字，語意更備。

㊁仕吳至征西參軍——「吳」字衍。桓溫爲征西將軍，隆爲溫征西參軍也，不當言「吳」。

32 謝公始有東山之志，後嚴命屢臻，勢不獲已，始就桓公司馬。于時人有餉桓公藥草，中有遠志。公取以問謝：「此藥又名小草，何一物而有二稱？」本草曰：「遠志一名棘菀，其葉名小草。」謝未即答。時郝隆在坐㊀，應聲答曰：「此甚易解。處則爲遠志，出則爲小草。」謝甚有愧色。桓公目謝而笑曰：「郝參軍此過乃不惡㊁，亦極有會。」

㊀時郝隆在坐——此句下御覽九八九有「謝因曰：郝參軍多知識，試復通看」十三字。

㊁郝參軍此過乃不惡——「過」，御覽九八九作「通」，是。通，闡述也，屢見。「此通」猶言「此論」。

33 庾園客詣孫監㊀，值行，見齊莊在外㊁，尚幼，而有神意。庾試之曰：「孫安國何在？」即答曰：「庾穉恭家。」庾大笑曰：「諸孫大盛，有兒如此。」又答曰：「未若諸庾之翼翼。」還語人曰：「我故勝，得重喚奴父名。」孫放別傳曰：「放兄弟並秀異，與庾翼子園客同爲學生。園客少有佳稱，因談笑嘲放曰：『諸孫於今爲盛。』『盛』，監君諱也。放即答曰：『未若諸庾之翼翼。』放應機制勝，時人仰焉。司馬景王、陳、鍾諸賢相酬，無以踰也。」

㊀庾園客詣孫監——庾爰之小字，見識鑒一九。孫監，孫盛字安國，官中書監。見言語四九。

㊁齊莊——孫放字，見言語五〇。

34 范玄平在簡文坐，談欲屈，引王長史曰：「卿助我！」范汪別傳曰：「汪字玄平，潁陽人，左將軍略之孫㊀。少有不常之志，通敏多識，博涉經籍，致譽於時。歷吏部尚書、徐兗二州刺史。」王曰：「此非拔山力所能助㊁。」史記曰：「項羽爲漢兵所圍，夜起歌曰：『力拔山兮氣蓋世，時不利兮騅不逝。』」

㊀左將軍略之孫——晉書本傳作「雍州刺史畧之孫。」良吏傳云：「畧字彥長，二子廣、稚，稚子汪。」作「略」誤。

㊁此非拔山力所能助——「助」，書鈔九八、類聚五五、御覽六一七引郭子作「救」。

35 郝隆爲桓公南蠻參軍。三月三日會，作詩，不能者罰酒三升㊀。隆初以不能受罰，既飲，攬筆便作一句云㊁：「娵隅躍清池。」桓問：「娵隅是何物？」答曰：「蠻名魚爲娵隅。」桓公曰：「作詩何以作蠻語？」隆曰：「千里投公，始得蠻府參軍，那得不作蠻語也！」

㊀不能者罰酒三升——「三升」，影宋本及沈校本並作「三斗」。

㊁攬筆便作一句云——「作」下御覽二四九有「其」字，則當於「作」字下逗。

36 袁羊嘗詣劉恢㊀，恢在內眠未起。袁因作詩調之曰：「角枕粲文茵，錦衾爛長筵。」唐詩曰㊁：「晉獻公好攻戰，國人多喪。」其詩曰：「角枕粲兮，錦衾爛兮，予美亡此，誰與獨旦？」袁故嘲之。劉尚晉明帝女，晉陽秋曰：「恢尚廬陵長公主名南弟。」主見詩不平，曰：「袁羊，古之遺狂！」

㊀袁羊嘗詣劉恢——羊，袁喬小字，見言語九〇。「恢」乃「惔」之誤，晉書劉惔傳：「尚明帝女廬陵公主。」晉書無劉恢。

㊁唐詩曰——「詩」下沈校本有「序」字，是。此是唐風葛生小序。

37 殷洪遠答孫興公詩云：「聊復放一曲。」劉眞長笑其語拙，問曰：「君欲云那放？」殷曰：「槍臘亦放，何必其鎗鈴邪？」殷融，已見㊀。

㊀殷融已見——見文學七四。

38 桓公既廢海西，立簡文。晉陽秋曰：「海西公諱奕，字延齡，成帝子也。興寧中即位。少同閹人之疾，使宮入與左右淫通，生子。大司馬溫自廣陵還姑孰，過京都，以皇太后令，廢帝爲海西公。」侍中謝公見桓公，拜，桓驚笑曰㊀：「安石，卿何事至爾㊁？」謝曰：「未有君拜於前，臣立於後㊂。」

㊀桓驚笑曰——「笑」字，晉書桓溫傳無。

㊁卿何事至爾——「至爾」，晉書桓溫傳作「乃爾」。

㊂臣立於後——「立」，晉書桓溫傳作「揖」。

39 郗重熙與謝公書，道王敬仁：「聞一年少懷問鼎，郗曇、王脩，已見㊀。史記曰：「楚莊王觀兵於周郊，周定王使王孫滿迎勞楚王。王問鼎大小輕重，對曰：『在德不在鼎。』莊王曰：『子無阻九鼎，楚國折鉤之喙，足以爲九鼎也。』」不知桓公德衰？爲復後生可畏？」春秋傳曰：「齊桓公伐楚，責苞茅之不貢。」論語曰：「後生可畏，焉知來者之不如今。」孔安國曰：「後生，少年。」

㊀郗曇、王脩已見——郗曇見賢媛二五，王脩見文學三八。

40 張蒼梧是張憑之祖，嘗語憑父曰㊀：「我不如汝。」憑父未解所以，蒼梧曰：「汝有佳兒。」張蒼梧碑曰：「君諱鎮，字義遠，吳國吳人。忠恕寬明，簡正貞粹。泰安中，除蒼梧太守，討王含有功，封興道縣侯。」憑時年數歲，斂手曰：「阿翁！詎宜以子戲父！」

㊀憑父——憑父不知何名，本傳亦失載。晉書雖立張憑傳，但取世說排調四〇及文學五三兩事聯綴成文，別無增益。

41 習鑿齒、孫興公未相識，同在桓公坐。桓語孫：「可與習參軍共語。」孫云：「蠢爾蠻荊，敢與大邦爲讐！」習云：「薄伐玁狁，至于太原。」小雅詩也。毛詩注曰：「蠢，動也。荆蠻，荆之蠻也。玁狁，北夷也。」習鑿齒，襄陽人；孫興公，太原人。故因詩以相戲也。」

42 桓豹奴是王丹陽外生，形似其舅，桓甚諱之。豹奴，桓嗣小字。中興書曰：「嗣字恭祖，車騎將軍沖子也。少有清譽，仕至江州刺史。」王氏譜曰：「混字奉正，中軍將軍恬子。仕至丹陽尹㊀。」宣武云：「不恒相似，時似耳。恒似是形，時似是神。」桓逾不說。

㊀「混字奉正」三句——晉書王悅傳：「無子，以弟恬子琨爲嗣，襲導爵，丹楊尹。」宋書及南史王誕傳並作「混」，晉書作「琨」，誤。

43 王子猷詣謝萬，林公先在坐，瞻矚甚高。王曰：「若林公鬚髮並全，神情當復勝此不？」謝曰：「脣齒相須，不可以偏亡。春秋傳曰：「脣亡齒寒。」鬚髮何關於神明！」林公意甚惡㊀，曰：「七尺之軀，今日委君二賢。」

㊀林公意甚惡——「意甚惡」，沈校本作「意色甚惡」，義較長。

44 郗司空拜北府，南徐州記曰：「舊徐州都督以東爲稱。晉氏南遷，徐州刺史王舒加北中郎將。『北府』之號，自此起也。」王黄門詣郗門拜云：「應變將略，非其所長。」驟詠之不已。郗倉謂嘉賓曰：「公今日拜，子猷言語殊不遜，深不可容㊀。」倉，郗融小字也。郗氏譜曰：「融字景山，愔第二子。辟琅邪王文學，不拜，而蚤終。」嘉賓曰：「此是陳壽作諸葛評，蜀志陳壽評曰：「亮連年動衆而無成功，蓋應變將略，非其所長也。」王隱晉書曰：「壽字承祚，巴西安漢人。好學，善著述，仕至中庶子。初，壽父爲馬謖參軍，諸葛亮誅謖，髡其父頭；亮子瞻又輕壽，故壽撰蜀志，以愛憎爲評也。」人以汝家比武侯㊁，復何所言！」

㊀「公今日拜」三句——王子猷，羲之子徽之，爲郗愔外甥，故融責其不遜。

㊁汝家——猶言汝，此以指其父愔。

45 王子猷詣謝公，謝曰：「云何七言詩？」東方朔傳曰：「漢武帝在柏梁臺上，使羣臣作七言詩。」七言詩自此始也。子猷承問，答曰：「昂昂若千里之駒，汎汎若水中之鳧㊀。」出離騷㊁。

㊀「昂昂」二句——見楚辭卜居。

㊁出離騷——此以離騷泛指楚辭。文心雕龍辨騷，亦以騷爲楚辭之總稱。

46 王文度、范榮期俱爲簡文所要，范年大而位小，王年小而位大。將前，更相推在前，既移久，王遂在范後。王因謂曰：「簸之揚之，穅粃在前。」范曰：「洮之汰之，沙礫在後。」王坦之、范啓，已見上。一說是孫綽、習鑿齒言㊀。

㊀一說是孫綽、習鑿齒言——「一」字原脫，據影宋本及沈校本補。案晉書孫綽傳作孫、習二人語，與一說同。

47 劉遵祖少爲殷中軍所知，稱之於庾公，庾公甚忻然㊀，便取爲佐。既見，坐之獨榻上，與語。劉爾日殊不稱，庾小失望，遂名之爲「羊公鶴」。昔羊叔子有鶴善舞，嘗向客稱之，客試使驅來，氃氋而不肯舞，故稱比之。徐廣晉紀曰：「劉爰之字遵祖，沛郡人。少有才學，能言理。歷中書郎、宣城太守。」

㊀庾公甚忻然——「然」字，影宋本及沈校本無。

48 魏長齊雅有體量，而才學非所經。初宦當出，虞存嘲之曰㊀：「與卿約法三章：談者死，文筆者刑，商略抵罪。」魏怡然而笑，無忤於色。魏氏譜曰：「顗字長齊，會稽人。祖胤，處士。父說，大鴻臚卿。顗仕至山陰令。」漢書曰：「沛公入咸陽，召諸父老曰：『天下苦秦苛法久矣，今與父老約法三章耳：殺人者死，傷人及盜抵罪。』」應劭注曰：「抵，至也，但至於罪。」

㊀虞存——見政事一七。

49 郗嘉賓書與袁虎，道戴安道、謝居士云：「恒任之風，當有所弘耳。」以袁無恒，故以此激之。袁、戴、謝，並已見㊀。

㊀袁戴謝並已見——袁虎，袁宏小字，見文學八八；戴逵字安道，見雅量三四；居士謝敷，見棲逸一七。

50 范啓與郗嘉賓書曰：「子敬舉體無饒，縱掇皮無餘潤。」郗答曰：「舉體無餘潤，何如舉體非真者？」范性矜假多煩㊀，故嘲之。

㊀矜假——謂其性矜持，多做作。

51 二郗奉道，二何奉佛，皆以財賄。謝中郎云㊀：「二郗諂於道，二何佞於佛。」中興書曰：「郗愔及弟曇奉天師道。」晉陽秋曰：「何充性好佛道，崇修佛寺，供給沙門以百數。久在揚州，徵役吏民，功賞萬計，是以爲遐遁所議。充弟準，亦精勤，唯讀佛經、營治寺廟而已矣㊁。」

㊀謝中郎——謝萬，見言語七七。

㊁唯讀佛經、營治寺廟而已矣——「唯」字、「矣」字，影宋本及沈校本並無，可刪。

52 王文度在西州㊀，與林法師講，韓、孫諸人並在坐㊁，林公理每欲小屈。孫興公曰：「法師今日如著弊絮在荊棘中，觸地掛閡。」

㊀西州——通鑑一一三宋紀注：「揚州治所在臺城西，故謂之西州。」元和志：「州廨，王敦及王導所創也。後會稽王道子於東府城領州，故號此爲西州。」

㊁韓——謂康伯。

53 范榮期見郗超俗情不淡，戲之曰：「夷、齊、巢、許一詣垂名，何必勞神苦形、支策據梧邪？」郗未答，韓康伯曰：「何不使遊刃皆虛？」莊子曰：「昭文之鼓琴，師曠之支策，惠子之據梧，三子之智幾矣，皆其盛也，故載之末年。」「庖丁爲文惠君解牛，三年之後，未嘗見全牛也。用刀十九年矣，所解數千牛，而刀刃若新發於硎。文惠君問之，庖丁曰：『彼節者有間，而刀刃無厚。以無厚入有間，恢恢乎其於遊刃必有餘地。』」

54 簡文在殿上行，右軍與孫興公在後。右軍指簡文語孫曰：「此噉名客。」簡文顧曰：「天下自有利齒兒。」後王光祿作會稽，謝車騎出曲阿祖之，王蘊、謝玄，已見㊀。王孝伯罷秘書丞，在坐，謝言及此事，因視孝伯曰：「王丞齒似不鈍。」王曰：「不鈍，頗亦驗。」

㈠王蘊、謝玄已見——王蘊見德行四四注；謝玄見言語七八。

55 謝遏夏月嘗仰臥㈠，謝公清晨卒來，不暇著衣，跣出屋外，方躡履問訊，公曰：「汝可謂『前倨而後恭』。」戰國策曰：「蘇秦說惠王而不見用，黑貂之裘弊，黃金百斤盡，大困而歸。父母不與言，妻不爲下機，嫂不爲炊。後爲從長，行過洛陽，車騎輜重甚衆，秦之昆弟妻嫂側目不敢視。秦笑謂其嫂曰：『何先倨而後恭？』嫂謝曰：『見季子位高而金多。』秦歎曰：『一人之身，富貴則親戚畏懼，貧賤則輕易之，而況於他人哉！』」

㈠謝遏——玄小字，見文學五二注。

56 顧長康作殷荊州佐，請假還東。爾時例不給布颿，顧苦求之，乃得。發至破冢，遭風大敗。周祗隆安記曰：「破冢，洲名，在華容縣。」作牋與殷云：「地名破冢，真破冢而出，行人安穩，布颿無恙。」

57 苻朗初過江，裴景仁秦書曰：「朗字元達，苻堅從兄㈠。性宏放，神氣爽悟，堅常曰：『吾家千里駒也。』堅爲慕容沖所圍，朗降謝玄，用爲員外散騎侍郎。吏部郎王忱與兄國寶命駕詣之。沙門法汰問朗曰：『見王吏部兄弟未？』朗曰：『非一狗面人心，又一人面狗心者是邪？』忱醜而才，國寶美而狠故也。朗常與朝士宴，時賢並用唾壺。朗欲夸之，使小兒跪而張口，唾而含出。又善識味，會稽王道子爲設精饌，訖，問：『關中之食，孰若於此？』朗曰：『皆好，唯鹽味小生。』即問宰夫，如其言。或人殺雞以食之，朗曰：『此雞棲恒半露。』問之，亦驗。又食鵝炙，知白黑之處。咸試而記之，無豪釐之差。著苻子數十篇，蓋老莊之流也。朗矜高忤物，不容於世，後衆讒而殺之㈡。」王咨議大好事，問中國人物及風土所生，終無極已。」王氏譜曰：「肅之字幼恭，右將軍羲之第四子。歷中書郎、驃騎咨議。」朗大患之。次復問奴婢貴賤，朗云：「謹厚有識中者乃至十萬㊂；無意爲奴婢問者㊃，止數千耳。」

㊀「朗字元達」二句——晉書載記：「朗，堅從兄子。」此注脫「子」字。

㊁後衆譏而殺之——晉書載記：「王國寶譏而殺之。」

㊂謹厚有識中者——有識中謂有識。參閱德行一九「理中清遠」箋。

㊃無意爲奴婢問者——此句疑有訛奪，「問」字疑涉上而衍。無意與有識相對，謂無所知解。文學六四：「即於坐分數四有意道人，更就餘屋自講」之「意」，與此處「意」字同義。

58 東府客館是版屋，謝景重詣太傅㊀，時賓客滿中，初不交言，直仰視云：「王乃復西戎其屋。」秦詩敍曰：「襄公備其兵甲以討西戎，婦人閔其君子，故作。」詩曰：「在其版屋，亂我心曲㊁。」毛公注曰：「西戎之版屋也。」

㊀太傅——會稽王道子。

㊁「秦詩敍曰」七句——此秦風小戎序及詩。

59 顧長康噉甘蔗，先食尾。人問所以，云：「漸至佳境。」

60 孝武屬王珣求女壻，曰：「王敦、桓温磊砢之流，既不可復得；且小如意，亦好豫人家事，酷非所須。正如真長、子敬比，最佳。」珣舉謝混。後袁山松欲擬謝婚，續晉陽秋曰：「山松，陳郡人。祖喬，益州刺史。父方平，義興太守。山松歷秘書監、吳國內史。孫恩作亂，見害。初帝爲晉陵公主訪壻於王珣，珣舉謝混，云：『人才不及眞長，不減子敬。』帝曰：『如此便已足矣。』王曰：「卿莫近禁臠㊀！」

㊀禁臠——晉書謝安傳附謝混傳云：「元帝始鎮建業，公私窘罄，每得一㹠，以爲珍膳，項上一臠尤美，輒以薦帝，羣下未嘗敢食，于時呼爲禁臠。故珣因以爲戲。」

61 桓南郡與殷荊州語次，因共作了語。顧愷之曰：「火燒平原無遺燎。」桓曰：「白布纏棺豎旒旐。」殷曰：「投魚深淵放飛鳥。」次復作危語。桓曰：「矛頭淅米劍頭炊。」殷曰：「百歲老翁攀枯枝。」顧曰：「井上轆轤臥嬰兒。」殷有一參軍在坐，云：「盲人騎瞎馬，夜半臨深池。」殷曰：「咄咄逼人！」仲堪眇目故也。中興書曰：「仲堪父嘗疾患經時，仲堪衣不解帶數年。自分劑湯藥，誤以藥手拭淚，遂眇一目㊀。」

㊀「中興書曰」六句——隋書經籍志有殷仲堪殷荊州要方一卷。顏氏家訓雜藝篇云：「醫方之事，微解藥性，小小和合，居家得以救急，皇甫謐、殷仲堪則其人也。」

62 桓玄出射，有一劉參軍與周參軍朋賭㊀，垂成，唯少一破㊁。劉謂周曰：「卿此起不破㊂，我當撻卿。」周曰：「何至受卿撻？」劉曰：「伯禽之貴，尚不免撻，而況於卿！」尚書大傳曰：「伯禽與康叔見周公，三見而三笞，康叔有駭色，謂伯禽曰：『有商子者，賢人也，與子見之。』乃見商子而問焉。商子曰：『南山之陽有木焉，名喬。』二三子往觀之㊃，見喬，實高高然而上。反以告商子，商子曰：『喬者，父道也。南山之陰有木焉，名曰梓。』二三子復往觀焉，見梓，實晉晉然而俯。反以告商子，商子曰：『梓者，子道也。』二三子明日見周公，入門而趨，登堂而跪。

周公拂其首，勞而食之，曰：『爾安見君子乎！』」禮記曰：「成王有罪，周公則撻伯禽。」亦其義也。周殊無忤色。桓語庾伯鸞曰：晉東宮百官名曰：「庾鴻字伯鸞，潁川人。」庾氏譜曰：「鴻祖義㈤，吳國內史。父楷，左衛將軍㈥。鴻仕至輔國內史。」「劉參軍宜停讀書，周參軍且勤學問。」

㈠朋賭——謂賭射時數人共爲一朋，一朋猶一組也。北史長孫晟傳：「開皇十九年，賜射於武安殿，選善射十二人，分爲兩朋。」即其例。

㈡「垂成」二句——謂再中一箭，即可取勝。破，破的。簡稱破的爲破，乃爾時常語。南史齊武陵王曄傳：「後於華林賭射，凡六箭，五破一皮，賜錢五萬文。」五破一皮，謂五矢中的，一矢貫革。

㈢此起不破——謂此發不中。起訓發，謂發射。汰侈六「武子一起便破的」，謂一發即中也。

㈣二三子往觀之——「二三子」，叢刊本尚書大傳同，「三」字疑衍，下同。文選任昉王文憲集序注所引皆作「二子」。

㈤鴻祖義——「義」，晉書庾楷傳作「羲」。

㈥左衛將軍——晉書庾楷傳作「左將軍」。

63 桓南郡與道曜講老子，王侍中爲主簿，在坐。桓曰：「王主簿可顧名思義。」王未答，且大笑。桓曰：「王思道能作大家兒笑。」道曜，未詳。思道，王禎之小字也。老子明道，禎之字思道，故曰「顧名思義」。

64 祖廣行恒縮頭。詣桓南郡，始下車，桓曰：「天甚晴朗，祖參軍如從屋漏中來。」祖氏譜曰：「廣字淵度，范陽人。父台之，仕光祿大夫㈠。廣仕至護軍長史。」

㈠仕光禄大夫——「仕」字，影宋本及沈校本並無，是。

65 桓玄素輕桓崖。崖在京下有好桃，玄連就求之，遂不得佳者㈠。崖，桓脩小字。續晉陽秋曰：「脩少爲玄所侮，於言端常嗤鄙之。」玄與殷仲文書以爲嗤笑曰：「德之休明，肅愼貢其楛矢。如其不爾，籬壁間物亦不可得也。」國語曰：「仲尼在陳，有隼集陳侯之庭而死，楛矢貫之，石砮尺有咫。問於仲尼，對曰：『隼之來遠矣，此肅愼之矢也。昔武王克商，通道于九夷百蠻，使各以方賄貢。於是肅愼氏貢楛矢。古者分異姓之職，使不忘服也，故分陳以肅愼之貢。若求之故府，其可得。』使求，得之金櫝如初㈡。」

㈠遂不得佳者——遂，終也，竟也。

㈡得之金櫝如初——「如初」，國語作「如之」。韋昭注：「如之，如孔子之言也。」

輕詆第二十六

1 王太尉問眉子：「汝叔名士，何以不相推重？」眉子，已見㈠。叔，王澄也。眉子曰：「何有名士終日妄語！」

㈠眉子已見——王玄小字眉子，見識鑒一二。

2 庾元規語周伯仁：「諸人皆以君方樂。」周曰：「何樂？謂樂毅邪？」史記曰：「樂毅，中山人。賢而爲燕昭王將軍，率諸侯伐齊。終於趙。」庾曰：「不爾，樂令耳。」周曰：「何乃刻畫無鹽，以唐突西子也。」列女傳曰：「鍾離春者㊀，齊無鹽之女也，其醜無雙。黃頭深目，長壯大節，鼻昂結喉，肥項少髮，折腰出胸㊁，皮膚若漆，行年三十，無所容入，衒嫁不售。乃自詣齊宣王，乞備後宮，因說王以四殆，王拜爲正后。」吳越春秋曰：「越王勾踐得山中採薪女子，名曰西施，獻之吳王。」

㊀鍾離春者——「春」，原誤作「舂」，據沈校本改。

㊁折腰出胸——「出」，沈校本作「凸」。

3 深公云：「人謂庾元規名士，胸中柴棘三斗許！」

4 庾公權重，足傾王公。庾在石頭，王在冶城坐，大風揚塵，王以扇拂塵曰：「元規塵汙人。」按王公雅量通濟，庾亮之在武昌，傳其應下，公以識度裁之，羣言自息㊀。豈或回貳，有扇塵之事乎？王隱晉書載洋傳曰：「丹陽太守王導問洋得病七年，洋曰：『君侯命在申，爲土地之主。而於申上冶，火光照天，此爲金火相爍，水火相炒，以故相害。』導呼冶令奕遜使啓鎮東徙㊁，今東冶是也。」丹陽記曰：「丹陽冶城，去宮三里，吳時鼓鑄之所。吳平，猶不廢。」又云：「孫權築冶城，爲鼓鑄之所。」既立石頭大塢，不容近立此小城，當是徙縣治㊂，空城而置冶爾。冶城疑是金陵本治，漢高六年，令天下縣邑㊃，秣陵不應獨無。

㊀「庾亮之在武昌」四句——見本書雅量一三。

㊁使啓鎮東徙——鎮東指琅玡王睿，即元帝，時以鎮東大將軍鎮建鄴。

㊂當是徙縣治——「治」，原誤作「冶」，據凌刻本改。

㊃令天下縣邑——「邑」下漢書高帝紀有「城」字，當據補。

5 王右軍少時甚澀訥。在大將軍許，王、庾二公後來，右軍便起欲去，大將軍留之，曰：「爾家司空㈠、王丞相，已見。元規，復可所難㈡？」

㈠司空——晉書王導傳：「及帝登尊號，進驃騎大將軍，儀同三司。以討華軼功，封武岡侯，進位侍中、司空，假節録尚書，領中書監。」

㈡復可所難——「可」，凌刻本作「何」，是。

6 王丞相輕蔡公，曰：「我與安期、千里共遊洛水邊㈠，何處聞有蔡充兒㈡？」晉諸公贊曰：「充字子尼，陳留雍丘人。」充別傳曰：「充祖睦，蔡邕孫也㈢。充少好學，有雅尚，體貌尊嚴，莫有媟慢於其前者。高平劉整有儁才，而車服奢麗，謂人曰：『紗縠，人常服耳。』嘗遇蔡子尼在坐，終日不自安。見憚如此。是時陳留爲大郡，多人士。琅邪王澄嘗經郡，入境，問：『此郡多士，有誰乎？』吏曰：『有江應元㈣、蔡子尼。』時陳留多居大位者，澄問：『何以但稱此二人？』吏曰：『向謂君侯問人不謂位也。』澄笑而止。充歷成都王東曹掾，故稱東曹。」妒記曰：「丞相曹夫人性甚忌，禁制丞相不得有侍御，乃至左右小人亦被檢簡，時有妍妙，皆加誚責。王公不能久堪，乃密營別館，衆妾羅列，兒女成行。後元會日，夫人於青疏臺中望見兩三兒騎羊㈤，皆端正可念。夫人遥見，甚憐愛之，語婢：『汝出問，是誰家兒？』給使不達旨，乃答云：『是第四、五等諸郎。』曹氏聞，驚愕大恚，命車駕，將黄門及婢二十人，人持食刀，自出尋討。王公亦遽命駕，飛轡出門，猶患牛遲，乃以左手攀車蘭㈥，右手捉麈尾，以柄助御者打牛，狼狽奔馳，劣得先至㈦。蔡司徒聞而笑之，乃故詣王公，謂曰：『朝廷欲加公九錫，公知不？』王謂信然，自敍謙志。蔡曰：『不聞餘物，唯聞有短轅犢車㈧，長柄麈尾。』王大愧。

後貶蔡曰：『吾昔與安期、千里共在洛水集處，不聞天下有蔡充兒！』正忿蔡前戲言耳。」

㈠我與安期、千里共遊洛水邊——安期，王承字；千里，阮瞻字。見品藻二〇。

㈡何處聞有蔡充兒——案晉書蔡謨傳作「父克」，當是形近之誤。

㈢「充祖睦」二句——「孫」，沈校本作「從孫」。案蔡邕無嗣，見後漢書列女傳。睦乃邕之從弟。邕之從孫，乃充，非睦。「祖睦」二字，案文義當在「蔡邕從孫也」之下。

㈣江應元——江統，字應元，著徙戎論，見晉書卷五六。

㈤於青疏臺中——文選古詩十九首：「交疏結綺窗。」李善注：「薛綜西京賦注曰：『疏，刻穿之也。』」「青疏」與「青瑣」義近。漢書元后傳：「赤墀青瑣。」師古注：「青瑣者，刻為連環文而青塗之也。」惑溺五：「會賈女於青瑣中看，見壽，說之。」青疏、青瑣，並指窗牖。

㈥車蘭——後漢書東夷傳注：「蘭，即欄也。」

㈦劣——僅也。

㈧犢車——晉書輿服志：「古之貴者，不乘牛車，漢武帝推恩之末，諸侯寡弱，貧者至乘牛車。其後稍見貴之，自靈、獻以來，天子至士，盡以為常乘。」史記平準書言，漢興，接秦之敝，自天子不能具鈞駟，而將相或乘牛車，則漢初貴者已乘之矣。自晉至隋，屬車皆駕牛，王公士大夫競乘牛車。詳錢大昕廿二史考異卷二〇。

7 褚太傅初渡江，嘗入東，至金昌亭，吳中豪右燕集亭中。謝歆金昌亭詩敘曰：「余尋師，來入經吳，行達昌門，忽睹斯亭，傍川帶河，其榜題曰金昌。訪之耆老，曰：『昔朱買臣仕漢，還為會稽內史，逢其迎吏，逆旅比舍㈠，與買臣爭席。買臣出其印綬，羣吏慚服自裁。因事建亭，號曰金傷，失其字義耳。』」褚公雖素有重名，于時造次不相識，別敕左右多與茗汁，少著粽，汁盡輒益，使終不得食。褚公飲訖，徐舉手共語云：「褚季野。」於是四坐驚散，無不狼狽。

㈠逆旅比舍——「比」原作「北」，據影宋本改。

8 王右軍在南，丞相與書，每歎子姪不令，云：「虎㹠、虎犢，還其所如㈠。」虎㹠，王彭之小字也。王氏譜曰：「彭之字安壽，琅邪人。祖正，尚書郎。父彬，衛將軍。彭之仕至黃門郎。虎犢，彪之小字也。彪之字叔虎㈡，彭之第三弟，年二十而頭須皓白，時人謂之『王白須』。少有局幹之稱，累遷至左光祿大夫。」

㈠「虎㹠」二句——劉應登曰：「言其真如㹠犢耳。」

㈡彪之字叔虎——「叔虎」，晉書作「叔武」，乃唐人避太祖諱，改「虎」爲「武」。

9 褚太傅南下，孫長樂於船中視之。長樂，孫綽。言次及劉真長死，孫流涕，因諷詠曰：「人之云亡，邦國殄瘁㈠。」大雅詩。毛公注曰：「殄，盡；瘁，病也。」褚大怒，曰：「真長平生，何嘗相比數，而卿今日作此面向人！」孫回泣向褚曰：「卿當念我。」時咸笑其才而性鄙。

㈠「人之云亡」二句——見詩大雅瞻卬。

10 謝鎮西書與殷揚州，爲真長求會稽，殷答曰：「真長標同伐異，俠之大者。常謂使君降階爲甚，乃復爲之驅馳邪？」

11 桓公入洛，過淮泗，踐北境，與諸僚屬登平乘樓㈠，眺矚中原，慨然曰：「遂使神州陸沈，

百年丘墟，王夷甫諸人不得不任其責！」八王故事曰：「夷甫雖居台司，不以事物自嬰，當世化之，羞言名教，
自臺郎以下，皆雅崇拱默，以遺事爲高。四海尚寧，而識者知其將亂。」晉陽秋曰：「夷甫將爲石勒所殺，謂人曰：『吾等若
不祖尚浮虛，不至於此。』」袁虎率爾對曰㊁：「運自有廢興，豈必諸人之過？」桓公懍然作色，顧謂四
坐曰：「諸君頗聞劉景升不？劉鎮南銘曰：「表字景升，山陽高平人。黃中通理，博識多聞，仕至鎮南將軍、荊州
刺史。」有大牛重千斤，噉芻豆十倍於常牛，負重致遠，曾不若一羸牸。魏武入荊州，烹以饗
士卒，于時莫不稱快。」意以況袁。四坐既駭，袁亦失色。

㊀平乘樓——大船之樓，見豪爽一三箋。

㊁袁虎——袁宏小字，見文學八八注。

12 袁虎、伏滔同在桓公府，桓公每遊燕，輒命袁、伏。袁甚恥之，恒歎曰：「公之厚意，未足以榮國士，與伏滔比肩，亦何辱如之！」

13 高柔在東，甚爲謝仁祖所重。既出，不爲王、劉所知。仁祖曰：「近見高柔大自敷奏，然未有所得。」真長云：「故不可在偏地居，輕在角䚥㊀奴角反。中爲人作議論。」高柔聞之，云：「我就伊無所求。」人有向真長學此言者，真長曰：「我寔亦無可與伊者。」然遊燕猶與諸人書：「可要安固。」安固者，高柔也。孫統爲柔集敘曰：「柔字世遠，樂安人。才理清鮮，安行仁義。婚泰山胡毋氏女，年二十，既有倍年之覺㊁，而姿色清惠，近是上流婦人。柔家道隆崇，既罷司空參軍、安固令，營宅於伏川，馳動

之情既薄，又愛甄賢妻，便有終焉之志。尚書令何充取爲冠軍參軍，僶俛應命，眷戀綢繆，不能相舍。相贈詩書，清婉新切㊂。」

㊀角觸——李詳曰：「廣韻四覺：觸，屋角。今人謂屋隅爲角觸，當作此『觸』字。」

㊁既有倍年之覺——覺同較，相差也。見捷悟三箋。

㊂清婉新切——「新」，原作「辛」，據沈校本改。

14 劉尹、江虨、王叔虎、孫興公同坐㊀，江、王有相輕色。虨以手歙叔虎云㊁：「酷吏！」詞色甚彊。劉尹顧謂：「此是瞋邪？非特是醜言聲、拙視瞻。」言江此言非是醜拙，似有忿於王也。

㊀江虨王叔虎——江虨，見方正四二。王彪之字叔虎，見本篇八注。

㊁歙——後漢書張衡傳注：「歙，猶脅也。」疑此處亦有威脅之意，故注云然。

15 孫綽作列仙商丘子贊曰：「所牧何物？殆非真豬。儻遇風雲，爲我龍攄㊀。」列仙傳曰：「商丘子胥者，商邑人。好吹竽，牧豕，年七十不娶妻，而不老。問其道要，言：『但食老朮、昌蒲根，飲水，如此便不饑不老耳。』貴戚富室聞而服之，不能終歲，輒止，謂將有匿術㊁。」孫綽爲贊曰：「商丘卓犖，執策吹竽，渴飲寒泉，饑食昌蒲。所牧何物？殆非真豬。儻逢風雲，爲我龍攄。」時人多以爲能。王藍田語人云：「近見孫家兒作文，道『何物真豬』也。」

㊀龍攄——潘岳西征賦：「忽蛇變而龍攄，雄霸上而高驤。」後漢書張衡傳注：「攄，猶騰也。」

㊁謂將有匿術——「謂」，原作「吁」，據凌刻本改。匿術，謂秘而不宣之術。

16 桓公欲遷都，以張拓定之業。孫長樂上表諫㊀，此議甚有理。桓見表心服，而忿其爲異。令人致意孫云：「君何不尋遂初賦，而彊知人家國事！」孫綽表諫曰：「中宗龍飛，實賴萬里長江，畫而守之耳。不然，胡馬久已踐建康之地，江東爲豺狼之場矣。」綽賦遂初，陳止足之道。

㊀孫長樂上表諫——晉書五六孫綽傳錄全文。

17 孫長樂兄弟就謝公宿，言至欵雜。劉夫人在壁後聽之，具聞其語。謝公明日還，問昨客何似，劉對曰：「亡兄門未有如此賓客。」夫人，劉惔之妹。謝深有愧色。

18 簡文與許玄度共語，許云：「舉君親以爲難。」簡文便不復答，許去後而言曰：「玄度故可不至於此。」按邴原別傳：「魏五官中郎將嘗與羣賢共論曰：『今有一丸藥，得濟一人疾，而君、父俱病，與君邪？與父邪？』諸人紛葩㊀，或父或君。原勃然曰：『父子一本也。』亦不復難。」君親相校，自古如此。未解簡文誚許意。

㊀諸人紛葩——「紛葩」，沈校本作「紛紛」，魏志邴原傳注引作「紛紜」。「葩」字恐誤。

19 謝萬壽春敗，後還書與王右軍云㊀：「慚負宿顧。」右軍推書曰：「此禹、湯之戒。」春秋傳曰：「禹、湯罪己，其興也勃焉。」言禹、湯以聖德自罪，所以能興。今萬失律致敗，雖復自咎，其可濟焉。故王嘉萬也㊁。

㊀還書與王右軍云——案晉書王羲之傳，殷浩將北伐，羲之以爲必敗，以書止之，言甚切至。及浩爲姚襄所敗，復圖再舉，又遺浩書，並與會稽王牋，陳浩不宜北伐。二書並見本傳。謝萬北征，亦必有書諫止，故此云還書，而本傳失載。惟謝萬傳敍萬再遷豫州刺史，領淮南太守，監司豫冀并四州軍，假節，羲之與桓溫牋曰：「謝萬才流經通，處廊廟，參

諷議，故是後來一器。而今屈其邁往之氣，以俯順荒餘，近是違才易務矣。」溫不聽。萬北征，兵潰逃歸，廢爲庶人。

㈡故王嘉萬也——「王」，沈校本作「丕」，疑「不」字之誤。王校曰：「萬自罪。王云此禹湯之誡，所以深致其非，非嘉之也。『嘉』蓋『詆』字之誤，後人妄改。玩劉注，是詆非嘉。且本書人之輕詆門，尤明證。」案王校以「嘉」字爲誤，是；以爲當作「詆」，則未必然。「其可濟焉」，「可」字當作「何」，「雖復自咎，其何濟焉」，是一開一闔語氣，乃深責之，而僅曰：「此禹湯之戒」，乃以反語致譏諷之意。

20 蔡伯喈睹睞笛椽㈠，孫興公聽妓振且擺折。伏滔長笛賦敍曰：「余同僚桓子野，有故長笛，傳之耆老，云蔡邕伯喈之所製也。初，邕避難江南，宿於柯亭之館㈡，以竹爲椽。邕仰眄之，曰：『良竹也。』取以爲笛，音聲獨絕，歷代傳之至于今。」王右軍聞，大嗔曰：「三祖壽一作臺。樂器，虺瓦一作尪凡。弔孫家兒打折。」

㈠蔡伯喈睹睞笛椽——「笛椽」疑當作「椽笛」。據伏滔賦敍，則椽已取爲笛，不當仍目之爲椽，且下云「三祖壽樂器」，尤足見其是笛非椽。

㈡初邕避難江南宿於柯亭之館——後漢書蔡邕傳注引張騭文士傳曰：「邕告吳人曰：『吾昔嘗經會稽高遷亭，見屋椽竹東間第十六可以爲笛，取用，果有異聲。』」

21 王中郎與林公絕不相得。王謂林公詭辯，林公道王云：「著膩顏帢㈠，綸布單衣㈡，挾左傳，逐鄭康成車後，問是何物塵垢囊？」中郎，坦之。帢，帽也。裴子曰：「林公云：『文度著膩顏㈢，挾左傳，逐鄭康成，自爲高足弟子。篤而論之，不離塵垢囊也。』」

㈠膩顏帢——晉書五行志上：「初，魏造白帢，橫縫其前以別後，名之曰『顏帢』，帢，帽也。」魏志太祖紀注：「魏太祖擬古皮弁，裁縑帛以爲帢，合乎簡易隨時之義。」膩，垢膩也。

㈡綸布單衣——「綸」字不見字書，未詳其義，疑是「絡」之俗字。

㈢著膩顏——「顏」下疑脫「帢」字。

22 孫長樂作王長史誄云：「余與夫子，交非勢利。心猶澄水，同此玄味。」禮記曰：「君子之交淡若水，小人之交甘若醴。」王孝伯見曰：「才士不遜，亡祖何至與此人周旋！」

23 謝太傅謂子姪曰：「中郎始是獨有千載。」車騎曰：「中郎衿抱未虛，復那得獨有！」中郎，謝萬。

24 庾道季詫謝公曰：「裴郎云：『謝安謂裴郎乃可不惡，何得爲復飲酒！』」庾龢、裴啓，已見㈠。裴郎又云：『謝安目支道林如九方臯之相馬，略其玄黃，取其儁逸。』」支遁傳曰：「遁每標舉會宗，而不留心象喻，解釋章句，或有所漏，文字之徒，多以爲疑。謝安石聞而善之，曰：『此九方臯之相馬也，略其玄黃而取其儁逸。』」列子曰：「伯樂謂秦穆公曰：『臣所與共儋纆薪菜者有九方臯，此其於馬非臣之下也。』公使行求馬，反曰：『得矣，牝而黃㈡。』使人取之，牡而驪㈢。公曰：『毛物牝牡之不知，何馬之能知也？』伯樂曰：『若臯之觀馬者，天機也。得其精，亡其麤，在其內，亡其外；見其所見，不見其所不見；視其所視，遺其所不視。若彼之所相，有貴於馬也。』既而馬果千里足。」謝公云：「都無此二語，裴自爲此辭耳。」庾意甚不以爲好，因陳東亭經酒壚下賦。讀畢，都不下賞裁，直云：「君乃復作裴氏學！」於此語林遂廢。今時有者，皆是先寫，無復謝語。

續晉陽秋曰：「晉隆和中，河東裴啓撰漢、魏以來迄于今時言語應對之可稱者，謂之語林。時人多好其事，文遂流行。後說太傅事不實，而有人於謝坐，敍其黃公酒壚，司徒王珣爲之賦，謝公加以與王不平㈣，乃云：『君遂復作裴郎學！』自是衆咸鄙其事矣。安鄉人有罷中宿縣詣安者，安問其歸資，答曰：『嶺南凋弊，唯有五萬蒲葵扇，又以非時爲滯貨。』安乃取其中者捉之㈤。於是京師士庶競慕而服焉，價增數倍，旬月無賣。夫所好生羽毛，所惡成瘡痏。謝相一言，挫成美於千載；及其所與，崇虛價於百金。上之愛憎與奪，可不慎哉！」

㈠庾龢、裴啓已見——庾龢見言語七九，裴啓見文學九〇。

㈡牝而黃——「牝」原作「牡」，據影宋本改。案列子正作「牝」。

㈢牡而驪——「牡」原作「牝」，據影宋本改。案列子正作「牡」。

㈣謝公加以與王不平——見傷逝一五注。

㈤安乃取其中者捉之——中者，猶言合者、可者。抱朴子對俗：「然則既斬之指，已灑之血，本自一體，非爲殊族，何以既斬之而不可續，既灑之而不中服乎？」此例甚多。

25 王北中郎不爲林公所知㈠，乃著論沙門不得爲高士論，大略云：「高士必在於縱心調暢。沙門雖云俗外，反更束於教，非情性自得之謂也。」

㈠王北中郎——王坦之官北中郎將。

26 人問顧長康：「何以不作洛生詠㈠？」答曰：「何至作老婢聲！」洛下書生詠音重濁，故云老婢聲。

㈠洛生詠——見雅量二九注。

27 殷顗、庾恒並是謝鎮西外孫，謝氏譜曰：「尚長女僧要適庾龢，次女僧韶適殷歆。」殷少而率悟，庾每不推。嘗俱詣謝公，謝公熟視殷，曰：「阿巢故似鎮西。」巢，殷顗小字也。於是庾下聲語曰：「定何似？」謝公續復云：「巢頰似鎮西。」庾復云：「頰似，足作健不？」庾氏譜曰：「恒字敬則，祖亮，父龢。恒仕至尚書僕射。」

28 舊目韓康伯將肘無風骨㊀。說林曰：「范啓云：『韓康伯似肉鴨。』」

㊀舊目韓康伯將肘無風骨——「將」，影宋本作「捋」。

29 苻宏叛來歸國，謝太傅每加接引。宏自以有才，多好上人，坐上無折之者。適王子猷來，太傅使共語。子猷直孰視良久，回語太傅云：「亦復竟不異人。」宏大慚而退。續晉陽秋曰：「宏，苻堅太子也。堅爲姚萇所殺，宏將母妻來投，詔賜田宅。桓玄以宏爲將，玄敗，寇湘中，伏誅。」

30 支道林入東，見王子猷兄弟，還，人問：「見諸王何如？」答曰：「見一羣白頸烏，但聞喚啞啞聲㊀。」

㊀「見一羣」二句——陸游老學庵筆記：「按古所謂揖，但舉手而已，今所謂喏，乃始於江左諸王。方其時，唯王氏子弟爲之。故支道林入東，見王子猷兄弟，還，人問諸王何如。答曰：『見一羣白頸烏，但聞啞啞聲。』即今喏也，故曰唱喏。」王琦注李賀染絲上春機引世說此事，末云：「王氏子弟多服白領故也。」蓋以釋白頸烏之義，但未知所據。

31 王中郎舉許玄度爲吏部郎㊀，郗重熙曰㊁：「相王好事㊂，不可使阿訥在坐頭。」訥，詢小字。

㈠王中郎——王坦之。

㈡郗重熙——郗曇。

㈢相王——簡文帝時以會稽王輔政，故稱相王。

32 王興道謂謝望蔡霍霍如失鷹師。永嘉記曰：「王和之字興道，琅邪人。祖翼㈠，平南將軍。父胡之，司州刺史。和之歷永嘉太守、正員常侍。」望蔡，謝琰小字也㈡。

㈠祖翼——「翼」當作「廙」。言語八一注引王胡之別傳：「胡之字修齡，廙之子也。」案王廙晉書有傳。

㈡「望蔡」二句——案謝琰小字末婢，見傷逝一五注。望蔡乃其封爵。晉書謝琰傳：「以勳封望蔡公。」

33 桓南郡每見人不快，輒嗔云：「君得哀家梨，當復不烝食不？」舊語：秣陵有哀仲家梨，甚美，大如升，入口消釋。言愚人不別味，得好梨，烝食之也。

假譎第二十七

1 魏武少時，嘗與袁紹好爲游俠。觀人新婚，因潛入主人園中，夜叫呼云：「有偷兒賊！」青廬中人皆出觀㈠，魏武乃入，抽刃劫新婦，與紹還出。失道，墜枳棘中，紹不能得動。復大叫云：「偷兒在此！」紹遑迫自擲出，遂以俱免。曹瞞傳曰：「操小字阿瞞，少好譎詐，遊放無度。」孫盛雜語云：「武王少好俠，放蕩不修行業。嘗私入常侍張讓宅中，讓乃手戟於庭㈡，踰垣而出，有絕人力，故莫之能害也。」

㈠青廬——酉陽雜俎：「北朝婚禮，青布幔爲屋在門內外，謂之青廬，於此交拜迎婦。」按「屋」與「幄」同。

(一)讓乃手戟於庭——魏志武帝紀注引雜語作「讓覺之，乃舞手戟於庭」，當據補。舞戟於庭者乃操，非張讓也。

2 魏武行役，失汲道，軍皆渴(一)，乃令曰：「前有大梅林，饒子，甘酸可以解渴。」士卒聞之，口皆出水。乘此得及前源。

(一)軍皆渴——「軍」上影宋本及沈校本並有「三」字，御覽五七同。

3 魏武常言：「人欲危己，己輒心動。」因語所親小人曰：「汝懷刃密來我側，我必說『心動』，執汝使行刑，汝但勿言其使，無他，當厚相報。」執者信焉(一)，不以爲懼。遂斬之，此人至死不知也。左右以爲實，謀逆者挫氣矣。曹瞞傳曰：「操在軍，廩穀不足，私語主者曰：『何如？』主者云：『可以小斛足之。』操曰：『善。』後軍中言操欺衆，操題其主者背以徇曰：『行小斛，盜軍穀。』遂斬之，仍云：『特當借汝死以厭衆心。』其變詐皆此類也。」

(一)執者信焉——「執者」，御覽三七六作「懷刃者」。

4 魏武常云：「我眠中不可妄近，近便斫人，亦不自覺。左右宜深慎此。」後陽眠(一)，所幸一人，竊以被覆之，因便斫殺。自爾每眠，左右莫敢近者。

(一)後陽眠——「陽」與「佯」同。

5 袁紹年少時，曾遣人夜以劍擲魏武，少下，不著。魏武揆之，其後來必高。因帖臥牀上，劍至果高。按袁、曹後由鼎峙，迹始攜貳。自斯以前，不聞讐隙，有何意故而剚之以劍也？

6 王大將軍既爲逆㈠，頓軍姑孰。晉明帝以英武之才，猶相猜憚，乃著戎服，騎巴賨馬，齎一金馬鞭，陰察軍形勢。未至十餘里，有一客姥居店賣食，帝過愒之㈡，謂姥曰：「王敦舉兵圖逆，猜害忠良，朝廷駭懼，社稷是憂。故劬勞晨夕，用相覘察。恐形迹危露，或致狼狽，追迫之日，姥其匿之。」便與客姥馬鞭而去，行敦營匝而出。軍士覺，曰：「此非常人也！」敦臥心動，曰：「此必黃須鮮卑奴來！」命騎追之。已覺多許里㈢，追士因問向姥：「不見一黃須人騎馬度此邪？」姥曰：「去已久矣，不可復及。」於是騎人息意而反。異苑曰：「帝躬往姑孰，敦時晝寢，卓然驚悟，曰：『營中有黃頭鮮卑奴來，何不縛取！』帝所生母荀氏，燕國人，故貌類焉。」

㈠王大將軍既爲逆——御覽三五九引世說：「王敦在姑孰，晉帝出看軍營，敦覺，追帝。帝以金馬鞭與客舍姥，姥以水澆馬尿令冷。追者問姥，姥云：『去已久矣。』追者乃止也。」與此稍異，與晉書明帝紀同。

㈡帝過愒之——王世懋曰：「『愒』字無謂，恐是『謁』字誤耳。」案「愒」與「憩」同，「之」字疑衍。

㈢覺——讀爲較，相去之意，詳捷悟三箋。通鑑魏紀十：「緒趣截維，較一日不及。」胡三省注：「言較遲一日，遂不及維也。」較一日，猶今言「差一日」。

7 王右軍年減十歲時㈠，大將軍甚愛之，恒置帳中眠。大將軍嘗先出，右軍猶未起，須臾錢鳳入，屏人論事，晉陽秋曰：「鳳字世儀，吳嘉興尉子也。奸慝好利，爲敦鎧曹參軍。知敦有不臣心，因進說。後敦敗，見誅。」都忘右軍在帳中，便言逆節之謀。右軍覺，既聞所論，知無活理，乃陽吐汙頭面被褥㈡，詐孰眠。敦論事造半，方憶右軍未起㈢，相與大驚曰：「不得不除之。」及開帳，乃見吐唾從橫，信其實孰眠，於是得全。于時稱其有智。按諸書皆云王允之事㈣，而此言羲之，疑謬。

㈠王右軍年減十歲時——「減」，沈校本作「裁」，義並可通。

㈡乃陽吐污頭面被褥——「陽」，原作「剔」，據沈校本改。

㈢方憶右軍未起——「憶」，原誤作「意」，據沈校本改。

㈣按諸書皆云王允之事——晉書王舒傳：「允之字深猷。總角，從伯敦謂爲似己，恒以自隨，出則同輿，入則共寢。敦嘗夜飲，允之辭醉先卧。敦與錢鳳謀爲逆，允之已醒，悉聞其言，慮敦或疑己，便於卧處大吐，衣面並污。鳳既出，敦果照視，見允之卧吐中，以爲大醉，不復疑之。」

8 陶公自上流來赴蘇峻之難，令誅庾公，謂必戮庾，可以謝峻。晉陽秋曰：「是時成帝在繈褓，太后臨朝，中書令庾亮以元舅輔政，欲以風軌格政，繩御四海。而峻擁兵近甸，爲逋逃藪。亮圖召峻，王導、卞壼並不欲。亮曰：『蘇峻豺狼，終爲禍亂。晁錯所謂削亦反，不削亦反。』遂下優詔，以大司農徵之。峻怒曰：『庾亮欲誘殺我也！』遂克京邑。平南温嶠聞亂，號泣登舟，遣參軍王愆期推征西陶侃爲盟主，俱赴京師。時亮敗績奔嶠，人皆尤而少之，嶠愈相崇重，分兵以配給之。」庾欲奔竄則不可，欲會恐見執，進退無計。温公勸庾詣陶，曰：「卿但遥拜，必無他，我爲卿保之。」庾從温言詣陶，至便拜，陶自起止之，曰：「庾元規何緣拜陶士衡㈠？」畢，又降就下坐，陶又自要起同坐。坐定，庾乃引咎責躬，深相遜謝，陶不覺釋然。

㈠庾元規何緣拜陶士衡——案晉書陶侃傳作「字士行」，與世説異，已見前。

9 温公喪婦。從姑劉氏家值亂離散，唯有一女，甚有姿慧。姑以屬公覓婚，公密有自婚意，答云：「佳壻難得，但如嶠比，云何？」姑云：「喪敗之餘，乞粗存活，便足慰吾餘年，何敢希汝比。」却後少日，公報姑云：「已覓得婚處，門地粗可，壻身名宦盡不減嶠。」因下玉鏡臺一枚。姑大喜。既婚，交禮，女以手披紗扇，撫掌大笑曰：「我固疑是老奴，果如所卜。」按温氏譜，嶠初取高平李暅女，中取琅邪王詡女，後取廬江何邃女，都不聞取劉氏。便爲虛謬。谷口云：「劉氏，政謂其姑爾，非指其女姓劉也。孝標之注，亦未爲得㈠。」玉鏡臺，是公爲劉越石長史，北征劉聰所得。王隱晉書曰：「建興二年，嶠爲劉琨假守左司馬，都督上前鋒諸軍事㈡，討劉聰。」晉陽秋曰：「聰一名載，字玄明，屠各人。父淵，因亂起兵，死，聰嗣業。」

㈠「谷口云」六句——此言殊憒憒。其姑，母家之姓當爲温，言劉氏則必是其夫家之姓，安有母歸劉氏而女不姓劉者，谷口不知何人，豈後人評語闌入本注耶？考温嶠傳，平北大將軍劉琨妻，嶠之從母也。爾雅釋親：「母之姊妹爲從母。」嶠母崔氏，見晉書本傳。此事大抵子虛烏有，殆流俗附會劉琨家事，而誤從母爲從姑歟？案盧諶傳：「琨妻，即諶之從母也。」又云：「清河崔悅，琨妻之姪也。」亦與温氏譜俱不合。

㈡都督上前鋒諸軍事——「上」字沈校本無，是。

10 諸葛令女，庾氏婦，既寡，誓云不復重出。此女性甚正彊㈠，無有登車理。即庾亮子會妻文彪㈡，已見上。恢既許江思玄婚，乃移家近之。初誑女云：「宜徙於是。」家人一時去，獨留女在後。比其覺，已不復得出。江郎莫來，女哭詈彌甚；積日漸歇。江虨暝入宿，恒在對牀上。後觀其意轉帖，彪乃詐厭，良久不悟，聲氣轉急。女乃呼婢云：「喚江郎覺！」江於是躍來就之，曰：「我自是天下男子，厭何預卿事而見喚邪？」既爾相關，不得不與人語。」女默然而慚，情義遂篤。葛令之清英，江君之茂識，必不背聖人之正典，習蠻夷之穢行。康王之言㊂，所輕多矣。

㊀性甚正彊——「彊」，原誤作「疆」，據影宋本改。

㊁卽庾亮子會妻文彪——「文彪」，原誤作「父彪」，據方正二五注改，故注云「已見上」也。

㊂康王——義慶卒謚康王。

11 愍度道人始欲過江，與一傖道人爲侶。謀曰：「用舊義往江東，恐不辦得食。」便共立心無義。既而此道人不成渡。愍度果講義積年。名德沙門題目曰：「支愍度才鑒清出。」孫綽愍度贊曰：「支度彬彬，好是拔新，俱稟昭見，而能越人。世重秀異，咸競爾珍。孤桐嶧陽，浮磬泗濱。」後有傖人來，先道人寄語云：「爲我致意愍度，無義那可立？舊義者曰：「種智有是而能圓照。然則萬累斯盡，謂之空無；常住不變，謂之妙有。」而無義者曰：「種智之體，豁如太虛。虛而能知，無而能應，居宗至極，其唯無乎？」治此計權救饑爾，無爲遂負如來也！」

12 王文度弟阿智，惡乃不翅㊀，當年長而無人與婚。孫興公有一女，亦僻錯，又無嫁娶理，因詣文度，求見阿智。既見，便陽言：「此定可，殊不如人所傳，那得至今未有婚處！我有一女，乃不惡，但吾寒士，不宜與卿計，欲令阿智娶之。」文度欣然而啓藍田云：「興公向來，忽言欲與阿智婚。」藍田驚喜。既成婚，女之頑嚚，欲過阿智。方知興公之詐。阿智，王處之小字㈡。處之字文將，辟州別駕不就。娶太原孫綽女，字阿恒。

㈠惡乃不翅——李詳曰：「疷，病不翅也。段氏注：翅同啻。倉頡篇（見一切經音義七引）曰：不啻，多也。古語不啻，如楚人言夥頤之類。世說新語『惡乃不翅』，晉宋間人尚作此語。」案不啻，不止也。顏氏家訓省事：「常以爲二十口家，奴婢盛多，不可出二十人，良田十頃，堂室纔蔽風雨，車馬僅代杖策，蓄財數萬，以擬吉凶急速。不啻此者，以義散之；不至此者，勿非道求之。」惡乃不翅，謂惡乃不止也。

㈡王處之小字——「王處之」，原作「王虔之」，據影宋本及沈校本改。案太原晉陽王氏譜：「處之，述子，字文將，小字阿智。」

13 范玄平爲人好用智數，而有時以多數失會㈠。嘗失官居東陽，桓大司馬在南州，故往投之。桓時方欲招起屈滯，以傾朝廷，且玄平在京，素亦有譽。桓謂遠來投己，喜躍非常。比人至庭，傾身引望，語笑歡甚。顧謂袁虎曰：「范公且可作太常卿。」范裁坐，桓便謝其遠來意。范雖實投桓，而恐以趨時損名，乃曰：「雖懷朝宗㈡，會有亡兒瘞在此，故來省視。」桓悵然失望，向之虛佇，一時都盡。中興書曰：「初，桓溫請范汪爲征西長史，復表爲江州，並不就。還都，因求爲東陽太守，溫甚恨之。汪後爲徐州，溫北伐，令汪出梁國，失期，溫挾憾奏汪爲庶人。汪居吳，後至姑孰見溫，溫語其下曰：『玄平乃來見，當以護軍起之㈢。』汪數日辭歸，溫曰：『卿適來，何以便去？』汪曰：『數歲小兒喪，往年經亂，權瘞此境，故來迎之，事竟去耳。』溫愈怒之，竟不屑意。

㈠以多數失會——數卽智數之數，謂權詐。會，際會、機會之會。范有時以好用智數而坐失機緣，如本節所記是也。

㈡朝宗——李詳曰：「晉時禮謁上官，謂之朝宗。陶潛孟府君傳『褚裒爲豫章太守，出朝宗亮』是也。晉書范汪傳去此語，唐之史臣不審所云，疑以爲僭。」

㈢當以護軍起之——「起」，沈校本作「處」。案「起」，起用也，亦通。

14 謝遏年少時，好著紫羅香囊，垂覆手，太傅患之，而不欲傷其意。乃譎與賭，得卽燒之。遏，謝玄小字。

黜免第二十八

1 諸葛厷在西朝，少有清譽，爲王夷甫所重，時論亦以擬王。後爲繼母族黨所讒，誣之爲狂逆。將遠徙，友人王夷甫之徒詣檻車與別，厷問：「朝廷何以徙我？」王曰：「言卿狂逆。」厷曰：「逆則應殺，狂何所徙！」厷，已見㈠。

㈠厷已見——諸葛厷見文學一三。

2 桓公入蜀，至三峽中，部伍中有得猨子者，荆州記曰：「峽長七百里，兩岸連山，略無絕處，重巖疊障，隱天蔽日。常有高猨長嘯，屬引清遠。漁者歌曰：『巴東三峽巫峽長，猿鳴一聲淚沾裳㈠。』」其母緣岸哀號，行百餘里不去，遂跳上船，至便卽絕。破視其腹中，腸皆寸寸斷。公聞之怒，命黜其人。

㊀猿鳴一聲淚沾裳——王先謙校曰：「藝文類聚獸部下、御覽獸部二十二引宜都記，均作『三聲』，袁本作『一』，非。」案水經江水注亦作「三」。

3 殷中軍被廢，在信安，終日恒書空作字。揚州吏民尋義逐之，竊視，唯作「咄咄怪事」四字而已。 晉陽秋曰：「初，浩以中軍將軍鎮壽陽。羌姚襄上書歸降，後有罪，浩陰圖誅之。會關中有變，苻健死，浩僞率軍而行，云修復山陵，襄前驅恐，遂反。軍至山桑，聞襄將至，棄輜重，馳保譙。襄至，據山桑，焚其舟實，至壽陽，略流民而還。浩士卒多叛。征西溫乃上表黜浩，撫軍大將軍奏免浩㊀，除名爲民。浩馳還謝罪，既而遷于東陽信安縣。」

㊀撫軍大將軍——時簡文帝以撫軍大將軍輔政。

4 桓公坐有參軍椅烝薤㊀，不時解；共食者又不助，而椅終不放。舉坐皆笑。桓公曰：「同盤尚不相助，況復危難乎？」敕令免官。

㊀桓公坐有參軍椅烝薤——「椅」，御覽九七七作「掎」，注云：「音羈，筯取物也。」據下文「而椅終不放」，則本作「掎」也。

5 殷中軍廢後，恨簡文曰：「上人著百尺樓上，儋梯將去。」 續晉陽秋曰：「浩雖廢黜，夷神委命，雅詠不輟，雖家人不見其有流放之戚。外生韓伯始隨至徙所㊀，周年還都。浩素愛之，送至水側，乃詠曹顏遠詩曰：『富貴它人合，貧賤親戚離。』因泣下。」其悲見于外者，唯此一事而已。則書空、去梯之言，未必皆實也。

㊀外生韓伯——韓康伯母殷，見德行四七，注引鄭緝孝子傳云：「康伯母，揚州刺史殷浩之妹，聰明婦人也。」

6 鄧竟陵免官後赴山陵，過見大司馬桓公，公問之曰：「卿何以更瘦？」 大司馬僚屬名曰：「鄧遐字應玄㈠，陳郡人，平南將軍岳之子。勇力絕人，氣蓋當世，時人方之樊噲。爲桓溫參軍，數從溫征伐，歷竟陵太守。枋頭之役，溫既懷恥忿，且憚遐，因免遐官。病卒。」鄧曰：「有愧於叔達，不能不恨於破甑。」郭林宗別傳曰：「鉅鹿孟敏，字叔達。敦朴質直。客居太原，雜處凡俗，未有所名。嘗至市貿甑㈡，何擔墮地，壞之㈢，徑去不顧。適遇林宗，見而異之。因問曰：『壞甑可惜，何以不顧？』客曰：『甑既已破，視之何益？』林宗賞其介決，因以知其德性，謂必爲美士，勸令讀書。遊學十年，遂知名。三府並辟，不就，東夏以爲美賢㈣。」

㈠鄧遐字應玄——「應玄」，晉書鄧遐傳作「應遠」。

㈡嘗至市貿甑——「貿」，影宋本作「買」。

㈢何擔墮地壞之——「何」，影宋本及沈校本並作「荷」，後漢書郭泰傳同。案「何」乃「荷」之本字，說文：「何，儋也。」

㈣東夏——泛指東方諸郡國，太原在洛陽之東，故云。晉書曹志傳：「伏聞大司馬齊王出藩東夏。」劉聰載記：「石勒鴟視趙魏，曹嶷狼顧東齊，鮮卑之衆星布燕代，齊代燕趙皆有將大之氣，願陛下以東夏爲慮！」石勒載記：「關東所在兵起，皆以誅穎爲名，河間王顒懼東師之盛，欲輯懷東夏，乃奏議廢穎。」此以趙代燕齊爲東夏也。後乃以揚州爲東夏，如顧榮傳之「名冠東夏」，愍紀之「詔琅邪王曰：公茂德昵屬，宣隆東夏（時睿以安東將軍都督揚州江南諸軍事）」，皆隨疆域變遷而所指不同。至涼武昭王李玄盛傳之「招懷東夏」，泛指敦煌以東，則以其地處涼州，故云然，視爲例外可也。

7 桓宣武既廢太宰父子，仍上表曰：「應割近情，以存遠計。若除太宰父子，可無後憂。」簡文手答表曰：「所不忍言，況過於言。」宣武又重表，辭轉苦切。簡文更答曰：「若晉室靈長，明公便宜奉行此詔；如大運去矣，請避賢路。」桓公讀詔，手戰流汗，於此乃止。太宰父子遠徙新安。司馬晞傳曰：「晞字道升㊀，元帝第四子。初封武陵王，拜太宰。少不好學，尚武凶恣。時太宗輔政㊁，晞以宗長不得執權，常懷憤慨，欲因桓溫入朝，殺之。太宗卽位，新蔡王晃首辭，引與晞及子綜謀逆，有司奏晞等斬刑，詔原之，徙新安。晞未敗四五年中，喜爲挽歌，自搖大鈴，使左右習和之。又燕會，倡妓作新安人歌舞離別之辭，其聲甚悲。後果徙新安。」

㊀晞字道升——「道升」，晉書元四王傳作「道叔」。案詩東方未明：「東方未晞。」傳：「晞，明之始升。」晞字道升，取義於此。作「叔」者，隸書形近之誤。

㊁時太宗輔政——簡文帝廟號太宗。

8 桓玄敗後，殷仲文還爲大司馬咨議，意似二三，非復往日。大司馬府聽前有一老槐㊀，甚扶疏。殷因月朔，與衆在聽，視槐良久，歎曰：「槐樹婆娑㊁，無復生意！」晉安帝紀曰：「桓玄敗，殷仲文歸京師，高祖以其衞從二后㊂，且以大信宜令，引爲鎮軍長史。自以名輩先達，位遇至重㊃，而後來謝混之徒，皆疇昔之所附也，今比肩同列，常怏然自失。後果徙信安。」

㊀聽——官舍視事之所曰「聽事」，簡言之曰「聽」，卽「廳」字。

㊁婆娑——李詳曰：「婆娑本訓爲舞貌，舞必宛轉傾側，引申爲人偃息縱弛之狀。項岱注漢書叙傳『婆娑偃息』是也。仲文此語，謂槐樹婆娑剝落，無復生趣，與陶桓公言『老子婆娑』正同。通鑑九十五胡注：婆娑，肢體緩縱不收之貌。」

㊂高祖以其衞從二后——高祖謂劉裕。晉書桓玄傳：「玄留永安皇后及皇后於巴陵。殷仲文時在玄艦，求出別船，收

集散軍，因叛玄，奉二后奔於夏口。」殷仲文傳：「至巴陵，因奉二后投義軍。」

㈣位遇至重——「遇」原作「過」，據影宋本改。

9 殷仲文既素有名望，自謂必當阿衡朝政。忽作東陽太守，意甚不平，晉安帝紀曰：「仲文後爲東陽，愈憤怨，乃與桓胤謀反，遂伏誅。仲文嘗照鏡不見頭，俄而難及。」及之郡，至富陽，慨然歎曰：「看此山川形勢，當復出一孫伯符。」孫策，富春人，故及此而歎。

儉嗇第二十九

1 和嶠性至儉，家有好李，王武子求之㈠，與不過數十。王武子因其上直，率將少年能食之者，持斧詣園，飽共噉畢，伐之。送一車枝與和公，問曰：「何如君李？」和既得，唯笑而已。晉諸公贊曰：「嶠性不通，治家富擬王公，而至儉，將有犯義之名。」語林曰：「嶠諸弟往園中食李，而皆計核責錢。故嶠婦弟王濟伐之也。」

㈠王武子求之——晉書王濟傳作「帝求之」。

2 王戎儉吝，其從子婚，與一單衣，後更責之㈠。王隱晉書曰：「戎性至儉，不能自奉養，財不出外。天下人謂爲膏肓之疾。」

㈠責——說文：「責，求也。」徐鍇曰：「責者，迫迮而求之也。」猶索取也。

3 司徒王戎既貴且富，區宅、僮牧、膏田、水碓之屬，洛下無比。契疏鞅掌㊀，每與夫人燭下散籌算計。晉諸公贊曰：「戎性簡要，不治儀望，自遇甚薄，而產業過豐。論者以爲台輔之望不重。」王隱晉書曰：「戎好治生，園田周徧天下。翁嫗二人，常以象牙籌晝夜算計家資。」晉陽秋曰：「戎多殖財賄，常若不足。或謂戎故以此自晦也。」戴逵論之曰：「王戎晦默於危亂之際，獲免憂禍，既明且哲，於是在矣。」或曰：『大臣用心，豈其然乎？』逵曰：『運有險易，時有昏明。如子之言，則蘧瑗、季札之徒，皆負責矣。自古而觀，豈一王戎也哉！』」

㊀契疏鞅掌——契，券契也；凡條其事而記之曰疏。契疏，券契簿籍之類。詩小雅北山：「或王事鞅掌。」毛傳：「鞅掌，失容也。」疏：「言事煩鞅掌然，不暇爲儀容也。」馬瑞辰傳箋通釋曰：「鞅掌疊韻，猶秧穰之類，禾之葉多曰秧穰，人之事多曰鞅掌，其義一也。」

4 王戎有好李，賣之，恐人得其種，恒鑽其核。

5 王戎女適裴頠，貸錢數萬㊀。女歸，戎色不說，女遽還錢，乃釋然。

㊀貸錢數萬——此下晉書本傳有「久而未還」一句，語意始備。

6 衞江州在尋陽，永嘉流人名曰：「衞展字道舒㊀，河東安邑人。祖列，彭城護軍。父韶，廣平令。展，光熙初，除鷹揚將軍、江州刺史。」有知舊人投之，都不料理，唯餉王不留行一斤，此人得餉便命駕。本草曰：「王不留行，生大山，治金瘡，除風，久服之輕身。」李弘範聞之，曰：「家舅刻薄，乃復驅使草木。」中興書曰：「李軌字弘範，江夏人。仕至尚書郎。」按軌，劉氏之甥。此應弘度㊁，非弘範也。

㈠衛展——隋書經籍志有光祿大夫衛展集十二卷，梁有十五卷，亡。初學記二〇，衛展表曰：「諺言：廷尉獄，平如砥，有錢生，無錢死。此諺之起，死生之出於此注獄也。」

㈡弘度——李充字弘度，見言語八〇。案李充晉書有傳。

7 王丞相儉節，帳下甘果盈溢不散，涉春爛敗。都督白之，公令舍去，曰：「慎不可令大郎知！」王悅也。

8 蘇峻之亂，庾太尉南奔見陶公，陶公雅相賞重。陶性儉吝。及食，噉薤，庾因留白。陶問：「用此何爲？」庾云：「故可種。」於是大歎庾非唯風流，兼有治實。

9 郗公大聚斂，有錢數千萬，嘉賓意甚不同。常朝旦問訊，郗家法，子弟不坐，因倚語移時㈠，遂及財貨事。郗公曰：「汝正當欲得吾錢耳！」迺開庫一日，令任意用。郗公始正謂損數百萬許，嘉賓遂一日乞與親友、周旋略盡。郗公聞之，驚怪不能已已。中興書曰：「超少卓犖而不羈㈡，有曠世之度。」

㈠因倚語移時——易說卦：「參天兩地而倚數。」釋文引王肅注：「倚，立也。」倚語謂立語也。

㈡超少卓犖而不羈——「而」字，沈校本無，晉書本傳同。

汰侈第三十

1 石崇每要客燕集，常令美人行酒；客飲酒不盡者，使黃門交斬美人㈠。王丞相與大將軍嘗共詣崇，丞相素不能飲，輒自勉彊，至于沈醉。每至大將軍，固不飲以觀其變，已斬三人，顏色如故，尚不肯飲。丞相讓之，大將軍曰：「自殺伊家人，何預卿事！」王隱晉書曰：「石崇爲荆州刺史，劫奪殺人，以致巨富。」王丞相德音記曰：「丞相素爲諸父所重。王君夫問王敦：『聞君從弟佳人，又解音律，欲一作妓㊁，可與共來。』遂往。吹笛人有小忘，君夫聞，使黄門階下打殺之，顏色不變。丞相還，曰：『恐此君處世，當有如此事。』」兩説不同，故詳錄。

㊀使黄門交斬美人——東漢黄門令及中黄門諸宦，皆以宦官爲之，後世遂以黄門爲閹人之代稱，嵇康與山巨源絶交書：「豈可見黄門而稱貞哉！」此處指僕役之供内室使令者，以其出入閨闥，故以閹人爲之。輕詆六注引妒記：「曹氏聞，驚愕大恚，命車駕，將黄門及婢二十人，持食刀，自出尋討。」與此處同。禮記坊記注：「交，更也。」更互之義。黄門非一人，故使更互爲之。

㊁欲一作妓——華嚴經音義上引切韻：「妓，女樂也。」又作「伎」，方正四〇「王丞相作女伎」是也。

2 石崇厠常有十餘婢侍列㊀，皆麗服藻飾，置甲煎粉㊁、沈香汁之屬，無不畢備。又與新衣著令出。客多羞不能如厠。王大將軍往，脱故衣，著新衣，神色傲然。羣婢相謂曰：「此客必能作賊！」語林曰：「劉寔詣石崇，如厠，見有絳紗帳大牀㊂，茵蓐甚麗，兩婢持錦香囊。寔遽反走，即謂崇曰：『向誤入卿室内。』崇曰：『是厠耳！』」

㊀石崇厠常有十餘婢侍列——李詳曰：「漢書外戚衛皇后子夫傳：帝起更衣，子夫侍尚衣。更衣即厠所，有美人列侍，帝戚平陽主家始有之，石崇仿之，所以爲侈。」

㊂甲煎粉——宋書范曄傳：「撰和香方，其序之曰：『棗膏昏鈍，甲煎淺俗。』」庾信鏡賦：「脂和甲煎。」倪璠注引陳藏器本草拾遺：「甲煎以諸藥及美果花燒灰和蠟治成，可作口脂。」

㊂絳紗帳——晉書劉寔傳作「絳紋帳」。

3 武帝嘗降王武子家，武子供饌，並用琉璃器。婢子百餘人，皆綾羅絝⿰衤羅，以手擎飲食。烝豘肥美，異於常味。帝怪而問之。答曰：「以人乳飲豘㊀。」帝甚不平，食未畢，便去。王、石所未知作㊁。 ⿰衤羅，一作襬㊂。

㊀以人乳飲豘——晉書王濟傳作「以人乳蒸之」。

㊁王、石所未知作——謂王愷、石崇所不能爲。御覽三七一引世說無此六字。

㊂⿰衤羅一作襬——案⿰衤羅字不見字書，作襬是也。絝與袴同；襬，顏師古急就篇注：「裠卽裳也，一曰帔，一曰襬。」絝襬卽袴裙。

4 王君夫以粭糒澳釜㊀，石季倫用蠟燭作炊。君夫作紫絲布步障碧綾裏四十里，石崇作錦步障五十里以敵之㊁。石以椒爲泥，王以赤石脂泥壁。 晉諸公贊曰：「王愷字君夫，東海人，王肅子也。雖無檢行，而少以才力見名，有在公之稱。既自以外戚，晉氏政寬，又性至豪。舊制：鴆不得過江，爲其羽櫟酒中，必殺人。愷爲翊軍時，得鴆於石崇而養之，其大如鶖，喙長尺餘，純食蛇虺。司隸奏按愷、崇㊂，詔悉原之，卽燒於都街。愷肆其意色，無所忌憚。爲後軍將軍。卒諡曰『醜』。」

㊀以粭糒澳釜——通鑑八一晉紀三注：「粭，餳也。今台、明謂以水沃釜爲澳鑊。」糒，乾飯。謂以餳糖和飯擦鍋子。

㊁步障——通鑑晉紀三注：「步障，夾道設之以障蔽。」

㊂司隸奏按愷崇——李詳曰：「晉書王愷傳：『石崇與愷將爲鴆毒之事，司隸校尉傅祗劾之。』案司隸所劾，因愷、崇豢養毒鳥，留之害人，故焚於都街。如晉書言，似二人謀爲悖逆之事，殊爲誤會。左傳莊公三十二年正義，引晉諸公贊曰：『晉制，鴆不得渡江，有重法。石崇爲南中郎，得鴆，以與王愷養之。大如鵝，喙長尺餘，純食蛇虺。司隸傅祗於愷家得此鳥，奏之，宣示百官，燒於都街。』以三書所引竅之，正義最悉也。」

5 石崇爲客作豆粥，咄嗟便辦㊀。恒冬天得韭蓱齏㊁。又牛形狀氣力不勝王愷牛，而與愷出遊，極晚發，爭入洛城，崇牛數十步後迅若飛禽，愷牛絕走不能及。每以此三事爲搤腕，乃密貨崇帳下都督及御車人㊂，問所以。都督曰：「豆至難煮，唯豫作熟末，客至，作白粥以投之。韭蓱齏是擣韭根，雜以麥苗爾。」復問馭人牛所以駛。馭人云：「牛本不遲，由將車人不及，制之爾㊃。急時聽偏轅，則駛矣。」愷悉從之，遂爭長。石崇後聞，皆殺告者。

晉諸公贊曰：「崇性好俠，與王愷競相誇衒也。」

㊀咄嗟——李詳曰：「左思詠史詩：『咄嗟復彫枯。』孫楚陟陽侯詩：『咄嗟安可保。』二字並爲晉世方言，猶云倏忽也。」

㊁冬天得韭蓱齏——「蓱齏」，御覽二七引世說作「萍虀」，下同。宋晉書石崇傳作「蓱虀」。

㊂乃密貨崇帳下都督——「貨」，御覽二七作「賄」。

㊃由將車人不及制之爾——晉書石崇傳作「良由馭者逐不及，反制之」，語意更明。

6 王君夫有牛名八百里駮㊀，常瑩其蹄角。王武子語君夫：「我射不如卿，今指賭卿牛，以千萬對之。」君夫既恃手快，且謂駿物無有殺理，便相然可，令武子先射。武子一起便破的，却據胡牀，叱左右速探牛心來。須臾，炙至，一臠便去。相牛經曰：「牛經出甯戚，傳百里奚。漢世河西薛公得其書，以相牛，千百不失。本以負重致遠，未服輜軿，故文不傳。至魏世，高堂生又傳以與晉宣帝，其後王愷得其書焉。」臣按其相經云：「陰虹屬頸，千里。」注曰：「陰虹者，雙筋自尾骨屬頸。甯戚所飯者也。」愷之牛，其亦有陰虹也㈡。甯戚經曰：「棰頭欲得高，百體欲得緊，大膁疏肋難齝㈢，龍頭突目好跳。又角欲得細，身欲促，形欲得如卷。」

㈠八百里駮——程大昌演繁露：「王濟（當作王愷）之八百里駮，駮亦牛也。言其色駮而行速，日可八百里也。」

㈡其亦有陰虹也——「其」字影宋本及沈校本無，非是，此句乃揣測之辭。

㈢大膁疏肋難齝——「齝」上原衍「齡」字，據影宋本及沈校本刪。案齊民要術所引亦無此字。齝，爾雅釋獸：「牛曰齝。」注：「食之已久，復出嚼之。」卽反芻之義。此字齊民要術作「飼」。

7 王君夫嘗責一人無服餘衵，因直，內著曲閤重閨裏，不聽人將出。遂饑經日，迷不知何處去。後因緣相爲，垂死，迺得出。

8 石崇與王愷爭豪，並窮綺麗以飾輿服。續文章志曰：「崇資產累巨萬金。宅室輿馬，僭擬王者。庖膳必窮水陸之珍。後房百數，皆曳紈綉，珥金翠，而絲竹之藝，盡一世之選。築榭開沼，殫極人巧。與貴戚羊琇、王愷之徒競相高以侈靡，而崇爲居最之首，琇等每愧羨以爲不及也。」武帝，愷之甥也，每助愷。嘗以一珊瑚樹高二尺許賜愷，枝柯扶疏，世罕其比。愷以示崇；崇視訖，以鐵如意擊之，應手而碎。愷既惋惜，又以爲疾己之寶，聲色甚厲。崇曰：「不足恨，今還卿。」乃命左右悉取珊瑚樹，有三尺、四尺，條幹絕世，光彩溢目者六七枚，如愷許比甚衆。愷惘然自失。南州異物志曰：「珊瑚生大秦國，有洲在漲海中，距其國七八百里，名珊瑚樹洲。底有盤石，水深二十餘丈，珊瑚生於石上。初生白，軟弱似菌，國人乘大船載鐵網先沒在水下，一年便生網目中。其色尚黃，枝柯交錯，高三四尺，大者圍尺餘。三年色赤，便以鐵鈔發其根，繫鐵網於船，絞車舉網。還，裁鑿恣意所作。若過時不鑿，便枯索蟲蠹。其大者輪之王府，細者賣之。」廣志曰：「珊瑚，大者可爲車軸。」

9 王武子被責，移第北邙下。晉諸公贊曰：「濟與從兄恬不平㈠。濟爲河南尹，未拜，行過王宮，吏不時下道，濟於車前鞭之，有司奏免官。論者以濟爲不長者。尋轉太僕，而王恬已見委任㈡，濟遂斥外。」于時人多地貴，濟好馬射，買地作埒㈢，編錢匝地竟埒。時人號曰「金溝」。「溝」，一作「埒」。

㈠濟與從兄恬不平——「恬」，沈校本作「佑」，是，晉書本傳同。案恬乃王導子，不特世代有先後，濟太原，恬琅邪，族望亦不相同。

㈡而王恬已見委任——「王恬」，沈校本作「王佑」，是，晉書本傳同。

㈢埒——界埒也，又庫垣也。謂築短垣圍之以爲界埒。

10 石崇每與王敦入學戲，見顏、原象。家語曰：「顏回字子淵，魯人。少孔子二十九歲而髮白，三十二歲蚤死。」原憲，已見。而歎曰：「若與同升孔堂，去人何必有間！」王曰：「不知餘人云何，子貢去卿差近。」史記曰：「端木賜字子貢，衞人。嘗相魯，家累千金，終於齊。」石正色云：「士當令身名俱泰，何至以甕牖語人！」原憲以甕爲戶牖。

11 彭城王有快牛㊀，至愛惜之。朱鳳晉書曰：「彭城穆王權，字子輿，宣帝弟馗子。太始元年封。」王太尉與射，賭得之。彭城王曰：「君欲自乘，則不論；若欲噉者，當以二十肥者代之。既不廢噉，又存所愛。」王遂殺噉㊁。

㊀彭城王有快牛——此事不見晉書，似與汰侈六「王君夫有牛名八百里駮」條是一事，而傳聞有誤。案彭城王權薨於咸寧元年，時王衍年才二十，名位尚微，不合有賭射之事。

㊁王遂殺噉——遂，竟也。

12 王右軍少時，在周侯末坐㊀，割牛心噉之，於此改觀。俗以牛心爲貴，故羲之先食之。

㊀周侯——周顗。

忿狷第三十一

1 魏武有一妓，聲最清高，而情性酷惡。欲殺則愛才，欲置則不堪。於是選百人，一時俱教。少時果有一人聲及之，便殺惡性者。

2 王藍田性急。嘗食雞子，以筯刺之，不得，便大怒，舉以擲地。雞子於地圓轉未止，仍下地以屐齒蹍之，又不得。瞋甚，復於地取內口中，齧破卽吐之。王右軍聞而大笑曰：「使安期有此性，猶當無一豪可論，況藍田邪？」中興書曰：「述清貴簡正，少所推屈，唯以性急爲累。」安期，述父也，有名德，已見㊀。

㊀「安期」四句——王承字安期，見政事九。

3 王司州嘗乘雪往王螭許。王胡之、王恬，並已見㊀。恬，小字螭虎。司州言氣少有牾逆於螭，便作色不夷。司州覺惡，便輿牀就之㊁，持其臂曰：「汝詎復足與老兄計！」按王氏譜，胡之是恬從祖兄。螭撥其手曰：「冷如鬼手馨，彊來捉人臂！」

㊀王胡之、王恬並已見——王胡之見言語八一，王恬見德行二九。

㊁便輿牀就之——禮記曾子問：「遂輿機而往。」疏：「抗舉以往。」輿牀就之猶言移牀就之。

4 桓宣武與袁彥道樗蒱。袁彥道齒不合㊀，遂厲色擲去五木。溫太真云：「見袁生遷怒，知顏子爲貴。」論語曰：「哀公問：『弟子孰爲好學？』孔子曰：『有顏回者好學，不遷怒，不貳過，不幸短命死矣！』」

㊀齒——博齒也，卽骰子。晉書葛洪傳：「不知棋局幾道，樗蒱齒名。」

5 謝無奕性麤彊，以事不相得，自往數王藍田㊀，肆言極罵。王正色面壁不敢動。半日，謝去，良久，轉頭問左右小吏曰：「去未？」答云：「已去。」然後復坐。時人歎其性急而能有所容。

㈠數——謂數其罪而責之。

6 王令詣謝公，値習鑿齒已在坐，當與併榻。王徙倚不坐，公引之與對榻。去後，語胡兒曰㈠：「子敬實自清立，但人爲爾，多矜咳㈡，殊足損其自然。」劉謙之晉紀曰：「王獻之性甚整峻，不交非類。」

㈠胡兒——謝朗小字，朗，安兄據之子，見文學七一。

㈡矜咳——沈校本「咳」作「硋」，疑是。後漢書方術傳序：「夫物之所偏，未能無蔽，雖云大道，其硋或同。」注：「硋音五愛反。」則硋卽礙也。矜，矜持；硋，拘執。晉人講門地，士庶不同坐，書中屢見。謝安見獻之不肯與習同榻，故以拘於習俗譏之。

7 王大、王恭嘗俱在何僕射坐，中興書曰：「何澄字子玄㈠，清正有器望，歷尚書左僕射。」恭時爲丹陽尹，大始拜荆州。靈鬼志謠徵曰：「初，桓石民爲荆州，鎭上明㈡，民忽歌黃曇曲曰：『黃曇英，揚州大佛來上明㈢。』少時石民死，王忱爲荆州。」佛大，忱小字也。訖將乖之際，大勸恭酒，恭不爲飲，大逼彊之轉苦。便各以裙帶繞手。恭府近千人，悉呼入齋；大左右雖少，亦命前，意便欲相殺。何僕射無計，因起排坐二人之間，方得分散。所謂勢利之交，古人羞之。

㈠何澄字子玄——子玄，晉書何準傳作季玄。

㈡鎭上明——「上明」原作「上時」，據沈校本改，晉書五行志引靈鬼志正作「上明」。案晉書桓沖傳：「上疏曰：『南平孱陵縣界，地名上明，田土膏良，可以資業軍人。臣司存閫外，輒隨宜處分。』於是移鎭上明。」

㊂揚州大佛來上明——「上明」原作「上朋」，據沈校本改，五行志正作「上明」。志云：「忱小字佛大，是大佛來上明也。」

8 桓南郡小兒時，與諸從兄弟各養鵝共鬭。南郡鵝每不如，甚以爲忿。迺夜往鵝欄間，取諸兄弟鵝悉殺之。既曉，家人咸以驚駭，云是變怪，以白車騎㊀。車騎曰：「無所致怪，當是南郡戲耳！」問，果如之。

㊀車騎——桓沖，玄之季父，見夙惠七。

讒險第三十二

1 王平子形甚散朗，內實勁俠。鄧粲晉紀云：「劉琨嘗謂澄曰：『卿形雖散朗，而內勁狹㊀，以此處世，難得其死。』澄默然無以答。後果爲王敦所害。劉琨聞之，曰：『自取死耳。』」

㊀而內勁狹——「勁狹」，影宋本作「勁俠」，晉書王澄傳作「動俠」，通鑑八八晉紀同，注云：「言其心輕易動，又豪俠自喜也。」

2 袁悅有口才㊀，能短長說㊁，亦有精理。始作謝玄參軍，頗被禮遇。後丁艱，服除還都，唯齎戰國策而已。語人曰：「少年時讀論語、老子，又看莊、易，此皆是病痛事，當何所益邪？天下要物，正有戰國策。」既下，說司馬孝文王㊂，大見親待，幾亂機軸，俄而見誅。袁氏譜曰：「悅字元禮，陳郡陽夏人。父朗，給事中。仕至驃騎咨議。太元中，悅有寵於會稽王，每勸專覽朝權，王頗納其言。王恭聞其說㊃，言於孝武，乃託以它罪，殺悅於市中。既而朋黨同異之聲播於朝野矣。」

㊀袁悅有口才——「袁悅」，晉書本傳及會稽王道子傳、王國寶傳並作「袁悅之」。

㊁能短長說——劉向戰國策序：「中書本號，或曰國策，或曰國事，或曰短長，或曰事語，或曰長書，或曰脩書，臣向以爲戰國時游士輔所用之國，爲之策謀，宜爲戰國策。」高誘注：「六國時縱橫之說，一曰短長書，一曰國本。」此云「短長說」，蓋謂縱橫捭闔之說。

㊂司馬孝文王——即會稽王司馬道子，晉書作「文孝王」，本書皆作「孝文王」，不詳其故。

㊃王恭聞其說——「王恭」原誤作「王粲」，據沈校本改。

3 孝武甚親敬王國寶、王雅，雅別傳曰：「雅字茂建，東海沂人㊀。少知名。」晉安帝紀曰：「雅之爲侍中，孝武甚信而重之。王珣、王恭特以地望見禮，至於親幸，莫及雅者。上每置酒燕集，或召雅未至，上不先舉觴。時議謂珣、恭宜傅東宮，而雅以寵幸超授太傅、尚書左僕射。」雅薦王珣於帝，帝欲見之。嘗夜與國寶及雅相對，帝微有酒色，令喚珣，垂至，已聞卒傳聲。國寶自知才出珣下，恐傾奪其寵，因曰：「王珣當今名流，陛下不宜有酒色見之，自可別詔召也。」帝然其言，心以爲忠，遂不見珣。

㊀「雅字茂建」二句——晉書本傳作「字茂達，東海郯人。」案晉書地理志，東海郡有郯無沂。

4 王緒數讒殷荊州於王國寶，殷甚患之，求術於王東亭。曰：「卿但數詣王緒，往輒屏人，因論它事。如此，則二王之好離矣。」殷從之。國寶見王緒，問曰：「比與仲堪屏人何所道？」緒云：「故是常往來，無它所論。」國寶謂緒於己有隱，果情好日疏，讒言以息。按國寶得寵於會稽王㈠，由緒獲進，同惡相求，有如市賈，終至誅夷，曾不攜貳。豈有仲堪徼間而成離隙？

㈠會稽王——會稽文孝王道子，簡文帝子，孝武帝時進位丞相。

尤悔第三十三

1 魏文帝忌弟任城王驍壯，因在卞太后閤共圍棋，並噉棗。文帝以毒置諸棗蔕中，自選可食者而進。王弗悟，遂雜進之。既中毒，太后索水救之，帝預敕左右毀缾罐，太后徒跣趨井，無以汲，須臾遂卒。魏略曰：「任城威王彰，字子文，太祖卞太后第二子。性剛勇而黃須。北討代郡，獨與麾下百餘人突虜而走。太祖聞曰：『我黃須兒可用也。』」魏志春秋曰㈠：「黃初三年，彰來朝㈡。初，彰問璽綬，將有異志，故來朝不即得見，有此忿懼而暴薨㈢。」復欲害東阿，太后曰：「汝已殺我任城，不得復殺我東阿！」魏志方伎傳曰：「文帝問占夢周宣：『吾夢磨錢文，欲滅，而愈更明，何謂㈣？』宣悵然不對。帝固問之，宣曰：『陛下家事，雖欲爾，而太后不聽，是以欲滅更明耳。』帝欲治弟植之罪㈤，逼於太后，但加貶爵。」

㈠魏志春秋曰——「魏志」，當作「魏氏」。

㈡「黃初三年」二句——魏志任城王傳作「四年朝京都」。

㈢有此忿懼而暴薨——魏志任城王傳注引魏氏春秋作「彰忿怒暴薨」。

㈣「欲滅」二句——魏志方伎傳「欲滅」作「欲令滅」，「何謂」作「此何謂邪」。

㈤帝欲治弟植之罪——「帝」上魏志方伎傳有「時」字，是。

2 王渾後妻，琅邪顏氏女。王時爲徐州刺史，交禮拜訖，王將答拜，觀者咸曰：「王侯州將，新婦州民㊀，恐無由答拜。」王乃止。武子以其父不答拜，不成禮，恐非夫婦，不爲之拜，謂爲「顏妾」，顏氏恥之。以其門貴，終不敢離。婚姻之禮，人道之大，豈由一不拜而遂爲妾媵者乎！世說之言，於是乎紕繆。

㊀王侯州將新婦州民——晉書地理志，琅邪國屬徐州，故云。

3 陸平原河橋敗㊀，爲盧志所讒，被誅。王隱晉書曰：「成都王穎討長沙王乂，使陸爲都督前鋒諸軍事。」機別傳曰：「成都王長史盧志，與機弟雲趣舍不同。又黃門孟玖求爲邯鄲令於穎㊁，穎教付雲。雲時爲左司馬，曰：『刑餘之人，不可以君民。』玖聞此，怨雲，與志讒構日至。及機於七里澗大敗㊂，玖誣機謀反所致，穎乃使牽秀斬機。先是，夕夢黑幔繞車，手決不開，惡之。明旦，秀兵奄至。機索戎服㊃，著衣幍。見秀，容貌自若，遂見害，時年四十三。軍士莫不流涕。是日，天地霧合，大風折木，平地尺雪。」干寶晉紀曰：「初，陸抗誅步闡，百口皆盡，有識尤之。及機、雲見害，三族無遺。」臨刑歎曰：「欲聞華亭鶴唳㊄，可復得乎？」八王故事曰：「華亭，吳由拳縣郊外墅也。有清泉茂林。吳平後，陸機兄弟共遊於此十餘年。」語林曰：「機爲河北都督，聞警角之聲，謂孫丞曰：『聞此不如華亭鶴唳。』」故臨刑而有此歎。

㊀河橋——晉書武帝紀：「泰始十年，立河橋於富平津。」又杜預傳：「預又以孟津渡險，有覆没之患，請建河橋於富平津。」

㈡又黃門孟玖求爲邯鄲令於穎——晉書陸雲傳作「孟玖欲用其父爲邯鄲令」。

㈢七里澗——通鑑八四晉紀六注：「水經注：鴻臺陂在洛陽東北二十里，其水東流，左合七里澗。武帝泰始十年，立城東七里澗石橋。」

㈣機索戎服——「索」，凌刻本作「解」。王校曰：「晉書陸機傳作『釋』，則作『解』是。」案「解」與下句「著衣帢」相應。

㈤華亭鶴唳——通鑑八五晉紀注：「華亭時屬吳郡。嘉興縣界有華亭谷、華亭水，至唐始分嘉興縣爲華亭縣。今縣東七十里，其地出鶴，土人謂之鶴窠。」

4 劉琨善能招延，而拙於撫御。一日雖有數千人歸投，其逃散而去，亦復如此，所以卒無所建。鄧粲晉紀曰：「琨爲并州牧，糺合齊盟，驅率戎旅，而內不撫其民，遂至喪軍失士，無成功也。」敬徹按㈠：琨以永嘉元年爲并州，于時晉陽空城，寇盜四攻，而能收合士衆，抗行淵、勒㈡，十年之中，敗而能振。不能撫御，其得如此乎？凶荒之日，千里無煙，豈一日有數千人歸之！若一日數千人去之，又安得一紀之間以對大難乎？

㈠敬徹——影宋本作「敬胤」，不知何人。影宋本所附考異五一事，「元帝始過江謂顧驃騎曰」條注末有敬胤按語兩條，「王敦爲大將軍鎮豫章」條末及「元皇帝既登阼」條末各有敬胤按語一條，另一條與此同，凡四事五條。前有敘言，云：「疑敬胤專録此傳疑糾繆。」似以此五一事爲敬胤所輯録。又謂「其所載以宋齊人爲今人，則敬胤者孝標以前人也。」皆未見確據。書闕簡脫，姑存疑以俟知者。

㈡抗行淵勒——「抗行」，沈校本作「抗衡」，按書譜敘：「吾書比之鍾張，鍾當抗行，或謂過之。」作「行」義亦可通。

5 王平子始下，丞相語大將軍：「不可復使羌人東行。」平子面似羌。按王澄自爲王敦所害，丞相名德，豈應有斯言也！

6 王大將軍起事，丞相兄弟詣闕謝，周侯深憂諸王，始入，甚有憂色。丞相呼周侯曰：「百口委卿！」周直過不應。既入，苦相存救。既釋，周大說飲酒。及出，諸王故在門。周曰：「今年殺諸賊奴，當取金印如斗大，繫肘後。」大將軍至石頭，問丞相曰：「周侯可爲三公不？」丞相不答。又問：「可爲尚書令不？」又不應。因云：「如此，唯當殺之耳！」復默然。逮周侯被害，丞相後知周侯救己，歎曰：「我不殺周侯，周侯由我而死，幽冥中負此人！」虞預晉書曰：「敦克京邑，參軍呂漪說敦曰：『周顗、戴淵皆有名望，足以惑衆。視近日之言，無慚懼之色。若不除之，役將未歇也。』敦卽然之，遂害淵、顗。初，漪爲臺郎，淵既上官，素有高氣，以漪小器待之，故售其說焉。」

7 王導、温嶠俱見明帝，帝問温前世所以得天下之由。温未答頃，王曰：「温嶠年少未諳，臣爲陛下陳之。」王迺具叙宣王創業之始㈠，誅夷名族，寵樹同己，及文王之末高貴鄉公事㈡。宣王創業，誅曹爽、任蔣濟之流者是也。高貴鄉公之事，已見上㈢。明帝聞之，覆面著牀曰：「若如公言，祚安得長！」

㈠宣王——司馬懿。

㈡文王——司馬昭。

㈢高貴鄉公之事已見上——見方正八。

8 王大將軍於衆坐中曰：「諸周由來未有作三公者。」有人答曰：「唯周侯邑五馬領頭而不克。」大將軍曰：「我與周洛下相遇，一面頓盡。值世紛紜，遂至於此！」因爲流涕。鄧粲晉紀曰：「王敦參軍有於敦坐樗蒱，臨當成都㊀，馬頭被殺㊁，因謂曰：『周家奕世令望，而位不至三公。伯仁垂作而不果，有似下官此馬。』敦慨然流涕曰：『伯仁總角時，與於東宮相遇，一面披衿，便許之三司㊂。何圖不幸，王法所裁。悽愴之深，言何能盡！』」

㊀成都——御覽七五三引投壺變：「三百六十籌得一馬，三馬成都。」

㊁馬頭被殺——晉書周顗傳作「馬於博頭被殺」。案此所云「馬頭」及下文「下官此馬」之「馬」疑即樗蒱經「打馬」、「踏馬」之「馬」，參閱任誕三四箋。

㊂三司——後漢書順帝紀注：「三司，三公也，卽太尉、司空、司徒也。」

9 温公初受劉司空使勸進㊀，母崔氏固駐之，嶠絕裾而去。温氏譜曰：「嶠父襜㊁，娶清河崔參女。」迄於崇貴，鄉品猶不過也。每爵，皆發詔。虞預晉書曰：「元帝卽位，以温嶠爲散騎侍郎。嶠以母亡，逼賊，不得往臨葬，固辭。詔曰：『嶠以未葬，朝議又頗有異同，故不拜。其令八坐議㊂，吾將折其衷。』」

㊀劉司空——劉琨，見言語三五、三六。

㊁嶠父襜——「襜」，晉書温嶠傳作「憺」。

㊂其令八坐議——「八坐」，原誤作「入坐」，據影宋本及沈校本改。八坐同八座，漢晉以六曹尚書及令、僕二人爲八座，見通典職官典。

10 庾公欲起周子南，子南執辭愈固。庾每詣周，庾從南門入，周從後門出。庾嘗一往奄至，周不及去，相對終日。庾從周索食，周出蔬食，庾亦彊飯極歡，并語世故，約相推引，同佐世之任。既仕，至將軍二千石，尋陽記曰：「周邵字子南，與南陽翟湯隱於尋陽廬山。庾亮臨江州，聞翟、周之風，束帶躡履而詣焉。聞庾至，轉避之。亮復密往，值邵彈鳥於林，因前與語。還便云：『此人可起。』即拔爲鎮蠻護軍、西陽太守。」其集載與邵書曰：「西陽一郡，戶口差實。非履道真純，何以鎮其流遁？詢之朝野，僉曰足下。今具上表，請足下臨之無讓。」而不稱意。中宵慨然曰：「大丈夫乃爲庾元規所賣！」一歎，遂發背而卒。

11 阮思曠奉大法，敬信甚至。大兒年未弱冠，忽被篤疾。阮氏譜曰：「牖，字彥倫㊀，裕長子也。仕至州主簿。」兒既是偏所愛重，爲之祈請三寶，晝夜不懈。謂至誠有感者，必當蒙佑。而兒遂不濟。於是結恨釋氏，宿命都除。以阮公智識，必無此弊。脫此非謬，何其惑歟！夫文王朞盡，聖子不能駐其年；釋種誅夷，神力無以延其命。故業有定限，報不可移。若請禱而望其靈，匪驗而忽其道，固陋之徒耳，豈可與言神明之智者哉！

㊀牖字彥倫——「牖」，晉書阮裕傳作「傭」，是。陳留阮氏譜同。

12 桓宣武對簡文帝，不甚得語。廢海西後，宜自申敘，乃豫撰數百語，陳廢立之意。既見簡文，簡文便泣下數十行。宣武矜愧，不得一言。

13 桓公臥語曰：「作此寂寂，將爲文、景所笑㊀。」既而屈起坐曰：「既不能流芳後世，亦不足復遺臭萬載邪？」續晉陽秋曰：「桓溫既以雄武專朝，任兼將相，其不臣之心，形于音迹。曾臥對親僚，撫枕而起曰：『爲爾寂寂，爲文、景所笑。』衆莫敢對。」

㈠文景——文謂晉文帝司馬昭，景謂晉景帝司馬師。

14 謝太傅於東船行，小人引船，或遲或速，或停或待。又放船從橫，撞人觸岸，公初不呵譴。人謂公常無嗔喜。曾送兄征西葬還，征西，謝奕。日莫雨駛，小人皆醉㈠，不可處分，公乃於車中手取車柱撞馭人，聲色甚厲。夫以水性沈柔，入隘奔激，方之人情，固知迫隘之地，無得保其夷粹。孟子曰：「湍水決之東則東，決之西則西。搏而躍之，可使過顙；激而行之，可使在山。豈水之性哉？人可使爲不善，性亦猶是也。」

㈠「日莫雨駛」二句——「駛」，御覽一〇作「馭」，下無「小」字，當於「雨」下逗，「馭人」連讀。

15 簡文見田稻，不識，問是何草，左右答是稻。簡文還，三日不出，云：「寧有賴其末而不識其本！」文公種菜，曾子牧羊㈠，縱不識稻，何所多悔？此言必虛。

㈠「文公種菜」二句——陸賈新語輔政：「故智者之所短，不如愚者之所長，文公種米，曾子駕羊。」淮南子泰族訓，說苑雜言並云：「文公種米，曾子架羊。」此作「種菜」、「牧羊」，誤。

16 桓車騎在上明畋獵，東信至，傳淮上大捷，語左右云：「羣謝年少大破賊！」因發病薨。談者以爲此死，賢於讓揚之荆。續晉陽秋曰：「桓沖本以將相異宜，才用不同。忖己德量不及謝安，故解揚州以讓安，自謂少經軍鎮。及爲荆州，聞苻堅自出淮、淝，深以根本爲慮，遣其隨身精兵三千人赴京師。時安已遣諸軍，且欲外示閑暇，因令沖軍還。沖大驚，曰：『謝安乃有廟堂之量，不閑將略。吾量賊必破襄陽而并力淮、泗。今大敵果至，方遊談示暇，遣諸不經事年少，而實寡弱，天下誰知㊀，吾其左衽矣！』俄聞大勳克舉，慚慨而薨。」

㊀「而實寡弱」二句——晉書桓沖傳作「衆又寡弱，天下事可知。」

17 桓公初報破殷荊州㊀，周祗隆安記曰：「仲堪以人情注於玄，疑朝廷欲以玄代己，遣道人竺僧懋齎寶物遺相王寵幸媒尼左右，以罪狀玄，玄知其謀而擊滅之。」曾講論語，至「富與貴是人之所欲，不以其道得之不處」，孔安國注曰：「不以其道得富貴，則仁者不處。」玄意色甚惡。

㊀桓公初報破殷荊州——「公」疑當作「玄」，形近致誤。書中以桓公稱溫。玄，皆稱其名，或稱桓南郡。

紕漏第三十四

1 王敦初尚主，敦尚武帝女舞陽公主㊀，字修褘。如厠，見漆箱盛乾棗，本以塞鼻，王謂厠上亦下果㊁，食遂至盡。既還，婢擎金澡盤盛水，瑠璃盌盛澡豆，因倒著水中而飲之，謂是乾飯。羣婢莫不掩口而笑之。

㊀敦尚武帝女舞陽公主——「舞陽公主」，晉書王敦傳作「襄城公主」。

㊁王謂厠上亦下果——下果，謂設果食。「下」即德行六「餘六龍下食」之「下」。

2 元皇初見賀司空，言及吳時事，問：「孫皓燒鋸截一賀頭㊀，是誰？」司空未得言，元皇自憶曰：「是賀劭㈡。」劭，卽循父也。皓凶暴驕矜，劭上書切諫，皓深恨之。親近憚劭貞正，譖云謗毀國事，被詰責，後還復職。劭中惡風，口不能言語。皓疑劭託疾，收付酒藏，考掠千數，卒無一言。遂殺之。司空流涕曰：「臣父遭遇無道，創巨痛深，無以仰答明詔。」禮云：「創巨者其日久，痛深者其愈遲。」元皇愧慚，三日不出。

㈠孫皓燒鋸截一賀頭──三國志考異：「此傳（吳志賀邵傳）不載燒鋸截頭事，裴注亦不之及。」案通鑑八〇晉紀二云：「吳中書令賀邵中風不能言，去職數月，吳主疑其詐，收付酒藏，掠考千數，卒無一言，乃燒鋸斷其頭，徙其家族於臨海。」與此注全同，或卽取材於此。

㈡是賀劭──「劭」，吳志作「邵」，晉書賀循傳同。

3 蔡司徒渡江，見彭蜞，大喜曰：「蟹有八足，加以二螯。」令烹之。既食，吐下委頓，方知非蟹。後向謝仁祖說此事，謝曰：「卿讀爾雅不熟，幾爲勸學死！」大戴禮勸學篇曰：「蟹二螯八足，非蛇蟺之穴，無所寄託者，用心躁也㈠。」故蔡邕爲勸學章，取義焉。爾雅曰：「蜎蠌小者勞㈡。」卽彭蜞也㈢，似蟹而小。今彭蜞小於蟹而大於彭蜎，卽爾雅所謂蜎蠌也。然此三物皆八足二螯，而狀甚相類。蔡謨不精其小大，食而致斃。故謂讀爾雅不孰也㈣。

㈠「大戴禮勸學篇曰」五句──案大戴禮記「蟺」作「鱓」，二字古通。

㈡蜎蠌小者勞──「勞」，爾雅釋魚作「蟧」，是。

㈢卽彭蜞也──「蜞」，爾雅釋魚郭璞注作「蜎」，是。

㈣故謂讀爾雅不孰也──「孰」，影宋本及沈校本並作「熟」。案「孰」與「熟」通。

4 任育長年少時，甚有令名。武帝崩，選百二十挽郎，一時之秀彥，育長亦在其中。王安豐選女壻，從挽郎搜其勝者，且擇取四人，任猶在其中。童少時，神明可愛，時人謂育長影亦好。自過江，便失志。王丞相請先度時賢㊀共至石頭迎之，猶作疇日相待，一見便覺有異。坐席竟，下飲㊁，便問人云：「此爲茶爲茗？」覺有異色，乃自申明云：「向問飲爲熱爲冷耳。」嘗行從棺邸下度，流涕悲哀。王丞相聞之曰：「此是有情癡。」晉百官名曰：「任瞻字育長，樂安人。父琨，少府卿。瞻歷謁者僕射、都尉、天門太守。」

㊀先度時賢——謂先渡江者。

㊁下飲——李詳曰：「陸羽茶經引此并原注云：『下飲謂設茶也。』」

5 謝虎子嘗上屋熏鼠，虎子，據小字。據字玄道，尚書褒第二子㊀，年三十三亡。胡兒既無由知父爲此事。聞人道癡人有作此者，戲笑之，時道此，非復一過。太傅既了己之不知，因其言次，語胡兒曰：「世人以此謗中郎，亦言我共作此。」中郎，據也，章仲反。按世有兄弟三人，則謂第二者爲中。今謝昆弟有六，而以據爲中郎，未可解。當由有三時以中爲稱，因仍不改也。胡兒懊熱，一月日閉齋不出。太傅虛託引己之過，以相開悟，可謂德教。

㊀尚書褒第二子——「褒」，影宋本作「裒」，是。

6 殷仲堪父病虛悸，聞牀下蟻動，謂是牛鬭。殷氏譜曰：「殷師字師子。祖識，父融，並有名。師至驃騎咨議。生仲堪。」續晉陽秋曰：「仲堪父曾有失心病，仲堪躬不解帶，彌年，父卒。」孝武不知是殷公㊀，問仲堪：「有一般病如此不？」仲堪流涕而起曰：「臣進退唯谷。」大雅詩也。毛公注曰：「谷，窮也。」

㊀孝武不知是殷公——「殷公」，御覽七四一、九四七並作「殷父」，是。

7 虞嘯父爲孝武侍中，帝從容問曰：「卿在門下，初不聞有所獻替。」虞家富春，近海，謂帝望其意氣㊀，對曰：「天時尚煖，𩸞魚蝦鮓未可致，尋當有所上獻。」帝撫掌大笑。中興書曰：「嘯父，會稽人，光祿潭之孫，右將軍純之子㊁。少歷顯位，與王廞同廢爲庶人。義旗初，爲會稽內史。」

㊀謂帝望其意氣——晉書本傳作「謂帝有所求」。按漢書宣帝紀：「或擅興繇役，飾廚傳，稱過使客。」注引韋昭曰：「廚謂飲食，傳謂傳舍，言修飾意氣，以稱過使而已。」「意氣」蓋指供饋。此言「謂帝望其意氣」，而對以「天時尚煖，𩸞魚蝦鮓未可致，尋當有所上獻」，則亦謂饋獻也。參閱附錄詞語簡釋「意氣」條。

㊁右將軍純之子——李詳曰：「劉注引中興書，嘯父，右將軍純之子。晉書虞潭傳：『子仡嗣，官至右將軍司馬。仡卒，子嘯父嗣。』是名仡，不名純；右將軍司馬又與右將軍有異也。」

8 王大喪後，朝論或云國寶應作荊州。晉安帝紀曰：「王忱死，會稽王欲以國寶代之，孝武中詔用仲堪，乃止。」國寶主簿夜函白事云：「荊州事已行。」國寶大喜，其夜開閤喚綱紀㊀，話勢雖不及作荊州，而意色甚恬。曉遣參問，都無此事。卽喚主簿數之曰：「卿何以誤人事邪？」

㊀其夜開閤喚綱紀——「其」原作「而」，據影宋本及沈校本改。李詳曰：「文選三十六李善注：綱紀，謂主簿也。又引虞預晉書『東平主簿王豹白事齊王曰：況豹雖陋，故大州之綱紀也』。觀此條下喚主簿，是綱紀卽主簿也。」

惑溺第三十五

1 魏甄后惠而有色，先爲袁熙妻，甚獲寵。曹公之屠鄴也，令疾召甄，左右白：「五官中郎已將去。」公曰：「今年破賊，正爲奴。」魏略曰：「建安中，袁紹爲中子熙娶甄會女㈠。紹死，熙出在幽州，甄留侍姑。及鄴城破，五官將從而入紹舍，見甄怖，以頭伏姑膝上。五官將謂紹妻袁夫人扶甄令舉頭，見其色非凡，稱嘆之。太祖聞其意，遂爲迎娶，擅室數歲。」世語曰：「太祖下鄴，文帝先入袁尚府，見婦人被髮垢面，垂涕立紹妻劉後。文帝問，知是熙妻，使令攬髮，以袖拭面，姿貌絕倫。既過，劉謂甄曰：『不復死矣！』遂納之，有寵㈡。」魏氏春秋曰：「五官將納熙妻也，孔融與太祖書曰：『武王伐紂，以妲己賜周公。』太祖以融博學，真謂書傳所記。後見融問之，對曰：『以今度古，想其然也。』」

㈠娶甄會女——魏志文昭甄皇后傳：「父逸，上蔡令。」與魏略不同。

㈡有寵——「寵」，原誤作「玉」，據影宋本及沈校本改。案魏志后妃傳注引世語正作「寵」。

2 荀奉倩與婦至篤，冬月婦病熱，乃出中庭自取冷，還以身熨之。婦亡，奉倩後少時亦卒，以是獲譏於世。粲別傳曰：「粲常以婦人才智不足論，自宜以色爲主。驃騎將軍曹洪女有色，粲於是聘焉。容服帷帳甚麗，專房燕婉。歷年後，婦病亡。未殯，傅嘏往喭粲，粲不哭而神傷㈠。嘏問曰：『婦人才色並茂爲難。子之聘也，遺才存色，非難遇也。何哀之甚？』粲曰：『佳人難再得。顧逝者不能有傾城之異，然未可易遇也。』痛悼不能已已，歲餘亦亡。亡時年二十九。粲簡貴，不與常人交接，所交者一時俊傑。至葬夕，赴期者裁十餘人㊁，悉同年相知名士也，哭之，感慟路人。粲雖褊隘，以燕婉自喪，然有識猶追惜其能言。」奉倩曰：「婦人德不足稱，當以色爲主。」裴令聞之，曰：「此乃是興到之事，非盛德言，冀後人未昧此語。」何劭論粲曰：「仲尼稱『有德者有言』，而荀粲減於是，力顧所言有餘㊂，而識不足。」

㊀粲不哭而神傷——「不哭」，原作「不明」，據影宋本改。案魏志荀彧傳注引正作「不哭」。

㊁赴期者裁十餘人——「期」字魏志注無。

㊂力顧所言有餘——「力」，影宋本及沈校本並作「內」。

3 賈公閭充別傳曰：「充父逵，晚有子，故名曰充，字公閭，言後必有充閭之異。」後妻郭氏酷妒。有男兒名黎民，生載周，充自外還，乳母抱兒在中庭，兒見充喜踊，充就乳母手中嗚之。郭遙望見，謂充愛乳母，卽殺之。兒悲思啼泣，不飲它乳，遂死。郭後終無子。晉諸公贊云：「郭氏，卽賈后母也。爲性高朗，知后無子，甚憂愛愍懷㊀，每勸厲之。臨亡，誨賈后令盡意於太子，言甚切至。趙充華及賈謐母並勿令出入宮中。又曰：『此皆亂汝事。』后不能用，終至誅夷。」臣按傅暢此言㊁，則郭氏賢明婦人也。向令賈后撫愛愍懷，豈當縱其妒悍，自斃其子？然則物我不同，或老壯情異乎？

㊀甚憂愛愍懷——「憂」，沈校本作「撫」，是。愍懷太子遹，惠帝長子，謝才人所生。

㊁臣按傅暢此言——「臣」不知何人，此段疑是後人評語，闌入注文。案晉諸公贊傅暢作。

4 孫秀降晉，晉武帝厚存寵之，太原郭氏録曰㈠：「秀字彥才，吳郡吳人。爲下口督㈡，甚有威恩。孫皓憚，欲除之，遣將軍何定遡江而上，辭以捕鹿三千口供厨。秀豫知謀，遂來歸化。世祖喜之，以爲驃騎將軍、交州牧。」妻以姨妹蒯氏，室家甚篤。妻嘗妒，乃罵秀爲貉子㈢。晉陽秋曰：「蒯氏，襄陽人，祖良，吏部尚書。父鈞，南陽太守。」秀大不平，遂不復入。蒯氏大自悔責，請救於帝。時大赦，羣臣咸見。既出，帝獨留秀，從容謂曰：「天下曠蕩，蒯夫人可得從其例不？」秀免冠而謝，遂爲夫婦如初。

㈠太原郭氏録曰——李詳曰：「此何法盛中興書也，傳寫遺其書名。法盛中興書，於諸姓各爲一録，如會稽賀録、琅邪王録、陳郡謝録、丹陽薛録、潯陽陶録，凡數十家，此郭氏録當衍『氏』字。」

㈡爲下口督——「下口」當作「夏口」。吳志孫匡傳：「子泰，泰子秀，爲前將軍、夏口督。秀，公室至親，提兵在外。皓意不能平。建衡二年，皓遣何定將五千人至夏口獵。先是民間僉言秀當見圖，而定遠獵，秀遂驚，夜將妻子、親兵數百人奔晉。」

㈢貉子——輕詆之辭，北史王羆傳有「老羆當道臥，貉子那得過」之語。疑「貉」乃當時對南人輕侮之稱。晉書陸機傳：「宦人孟玖、弟超並爲穎所嬖寵。超領萬人爲小都督，未戰，縱兵大掠，機録其主者。超將鐵騎百餘人，直入機麾下奪之，顧謂機曰：『貉奴，能作督否？』」

5 韓壽美姿容，賈充辟以爲掾。充每聚會，賈女於青瑣中看，見壽，說之㈠，恒懷存想，發於吟詠。後婢往壽家，具述如此，并言女光麗。壽聞之心動，遂請婢潛修音問，及期往宿。壽蹻捷絶人，踰牆而入，家中莫知。晉諸公贊曰：「壽字德真，南陽赭陽人㈠，曾祖暨，魏司徒，有高行。」壽敦家風，性忠厚，豈有若斯之事。諸書無聞，唯見世說，自未可信。自是充覺女盛自拂拭，說暢有異於常。後會諸吏，聞壽有奇香之氣，是外國所貢，一著人則歷月不歇。十洲記曰：「漢武帝時，西域月氏國王遣使獻香四兩，大如雀卵，黑如桑椹，燒之，芳氣經三月不歇。」蓋此香也。充計武帝唯賜己及陳騫，餘家無此香，疑壽與女通，而垣牆重密，門閤急峻，何由得爾？乃託言有盜，令人修牆。使反，曰：「其餘無異，唯東北角如有人跡，而牆高非人所踰。」充乃取女左右婢考問，卽以狀對。充秘之，以女妻壽。郭子謂與韓壽通者，乃是陳騫女，卽以妻壽，未婚而女亡；壽因娶賈氏。故世因傳是充女。

㊀「賈女」二句——此下御覽三九二有「乃問其婢識此人否，婢說是其先主」二句。

㊁南陽赭陽人——「赭陽」，晉書賈謐傳作「堵陽」，續漢書地理志南陽郡、晉書地理志南陽國下並有堵陽，無赭陽。按後漢書光武紀：「以廷尉岑彭爲征南大將軍討鄧奉於堵鄉。」李賢注：「水經注：堵水南經小堵鄉。在今唐州方城縣，堵音者。」是赭堵音讀相同，赭陽卽堵陽也。文選南都賦：「赭陽東陂。」則作「赭」亦有據。

6 王安豐婦常卿安豐㊀。安豐曰：「婦人卿壻，於禮爲不敬，後勿復爾。」婦曰：「親卿愛卿，是以卿卿。我不卿卿，誰當卿卿！」遂恒聽之。

㊀卿——陔餘叢考：「六朝以來，大抵以『卿』爲敵以下之稱。王戎妻呼戎爲卿，戎曰：『婦那得卿壻！』答曰：『親卿愛卿，是以卿卿，我不卿卿，誰復卿卿？』山濤謂妻曰：『我當爲三公，不知卿堪作夫人否？』夫呼妻爲卿則無詞，妻呼夫爲卿則謂不可，益見卿爲敵以下之稱也。世說：王夷甫不與庾子嵩交，庾卿之不置。王曰：『君不得爲爾！』庾曰：『卿自君我，我自卿卿，我自用我法，卿自用卿法。』南史王規傳：朱异嘗因酒卿規，規責以無禮。南齊陸慧曉見士大

夫，未嘗卿之，曰：『貴人不可卿，賤者乃可卿，人生何容立輕重於懷抱！』故常呼人官位。北齊祖信年少時，父遜爲李庶所卿，信欲報之。乃詣庶，謂曰：『暫來見卿，還辭卿去。』」於此稱謂之間，亦可見當時夫婦間之關係。世說列此事於惑溺門，亦以戎夫婦爲篤而無禮也。

7 王丞相有幸妾姓雷，頗預政事，納貨。蔡公謂之「雷尚書」。語林曰：「雷有寵，生恬、洽。」

仇隙第三十六

1 孫秀既恨石崇不與綠珠，干寶晉紀曰：「石崇有妓人綠珠，美而工笛，孫秀使人求之。崇別館北邙下，方登涼觀，臨清水㈠。使者以告，崇出其婢妾數十人以示之，曰：『任所以擇。』使者曰：『本受命者，指綠珠也。未識孰是？』崇勃然曰：『綠珠吾所愛，不可得也！』使者曰：『君侯博古知今，察遠照邇，願加三思！』崇不然。使者已出，又反，崇竟不許。」又憾潘岳昔遇之不以禮。後秀爲中書令，岳省內見之，因喚曰：「孫令，憶疇昔周旋不？」秀曰：「中心藏之，何日忘之㈡！」岳於是始知必不免。王隱晉書曰：「岳父文德爲琅邪太守㈢，孫秀爲小吏，給使㈣，岳數蹴蹋秀，而不以人遇之也。」後收石崇、歐陽堅石，同日收岳。晉陽秋曰：「歐陽建字堅石，渤海人。有才藻，時人爲之語曰：『渤海赫赫，歐陽堅石。』初，建爲馮翊太守，趙王倫爲征西將軍，孫秀爲腹心，撓亂關中，建每匡正，由是有隙。」王隱晉書曰：「石崇、潘岳與賈謐相友善。及謐廢，懼終見危，與淮南王謀誅倫，事泄，收崇及親期以上皆斬之。初，岳母誡岳以止足之道，及收，與母別曰：『負阿母！』崇家河北，收者至，曰：『吾不過流徙交、廣耳。』及車載東市，始歎曰：「奴輩利吾家之財。」收崇人曰：「知財爲害，何不蚤散！」崇不能答。」石先送市，亦不相知。潘後至，石謂潘曰：「安仁，卿亦復爾邪？」潘曰：「可謂『白首同所歸』！」」語林曰：「潘、石同刑東市，石謂潘曰：『天下殺英雄，卿復何爲？』潘曰：『俊士塡溝壑，餘波來及人。』」潘金谷集詩云：「投分寄石友，白首同所歸。」乃成其讖。

㈠「方登」二句——王先謙校曰：「晉書石崇傳作『方登涼臺，臨淸流。』當從晉書爲是。」

㈡「中心」二句——詩經小雅隰桑句也。

㈢岳父文德爲琅邪太守——晉書潘岳傳作「父芘爲琅邪内史」，文德豈其字耶？

㈣孫秀爲小吏給使——「小吏」，晉書潘岳傳作「小史」。通鑑九九晉紀注：「給使，在左右給使令者也。」

2 劉璵兄弟少時爲王愷所憎㈠，嘗召二人宿，欲默除之。令作阬，阬畢，垂加害矣。石崇素與璵、琨善，聞就愷宿，知當有變，便夜往詣愷，問二劉所在。愷卒迫不得諱，答云：「在後齋中眠。」石便徑入，自牽出，同車而去，語曰：「少年何以輕就人宿！」劉璨晉紀曰：「琨與兄璵俱知名，遊權貴之間，當世以爲豪傑。」

㈠劉璵兄弟少時爲王愷所憎——「劉璵」，晉書本傳作「劉輿」。丁國鈞晉書校文曰：「以弟名琨例之，疑本作『璵』，然今晉書無作『璵』者。」案賞譽二八注引晉陽秋及八王故事並作「劉輿」。

3 王大將軍執司馬愍王，夜遣世將載王於車而殺之，當時不盡知也。晉陽秋曰：「司馬丞字元徵㈠，譙王遜子也，爲中宗湘州刺史㈡。路過武昌，王敦與燕會，酒酣，謂丞曰：『大王篤實佳士，非將御之才。』對曰：『焉知鉛刀不能一割乎？』敦將謀逆，召丞爲軍司馬㊂。丞歎曰：『吾其死矣。地荒民解㊃，勢孤援絕。赴君難，忠也；死王事，義也。死忠與義，又何求焉！』乃馳檄諸郡丞赴義㊄。敦遣從母弟魏乂攻丞，王廙使賊迎之，薨於車。敦既滅，追贈驃騎，謚曰愍王。」雖愍王家亦未之皆悉，而無忌兄弟皆穉。無忌別傳曰：「無忌字公壽，丞子也。才器兼濟，有文武幹。襲封譙王，衛軍將軍。」王胡之與無忌長甚相暱㊅，胡之嘗共遊。無忌入告母，請爲饌。母流涕曰：「王敦昔肆酷汝父，假手世將。司馬氏譜曰：「丞娶南陽趙氏女。」王廙別傳曰：「廙字世將，祖覽，父正。廙高朗豪率。王導、庾亮遊于石頭，會廙至。爾日迅風飛颿，廙倚船樓長嘯，神氣甚逸。導謂亮曰：『世將爲復識事。』亮曰：『正足舒其逸耳㊆。』性倨傲，不合己者面拒之，故爲物所疾。加平南將軍，薨。」吾所以積年不告汝者，王氏門彊，汝兄弟尚幼，不欲使此聲著，蓋以避禍耳。」無忌驚號，抽刃而出，胡之去已遠。

㊀司馬丞字元敬——「司馬丞」，晉書本傳作「司馬承」。通鑑九一晉紀作譙王承，注以爲「音拯，作『承』誤。」則此下諸「丞」字皆當作「承」。

㊁爲中宗湘州刺史——「湘州」，原誤作「相州」，據沈校本改。案晉書本傳正作「湘州」。晉書懷帝紀：「分荆、江八郡爲湘州。」地理志以爲分荆州及廣州之九郡，置湘州。

㊂召丞爲軍司馬——晉書本傳作「請承以爲軍司」，「馬」字衍。案軍司卽軍師，晉避景帝諱，改爲軍司。通典職官典以爲卽監軍之職。參見方正五校記。

㊃地荒民解——「解」，晉書本傳作「鮮」，是，「解」乃形近之譌。

㊄乃馳檄諸郡丞赴義——「丞」字沈校本無，是。

㈥王胡之與無忌長甚相暱——「王胡之」，晉書譙烈王無忌傳作「王廙子丹陽丞耆之」。案胡之字脩齡，耆之字脩載，下條云王脩載，則是耆之，非胡之。琅邪臨沂王氏譜：「廙四子：頤之襲爵，晉東海内史；胡之字脩齡，司州刺史；耆之字脩載，中書郎；羨之，鎮軍掾。」王廙傳但言子頤之，頤之弟胡之、耆之，羨之失載。

㈦正足舒其逸耳——「逸」下晉書本傳有「氣」字。

4 應鎮南作荆州，王隱晉書曰：「應詹字思遠，汝南南頓人，璩曾孫也㈠。爲人弘長有淹度，飾之以文才。司徒何充歎曰㈡：『所謂文質之士。』累遷江州刺史、鎮南將軍。」王脩載、譙王子無忌同至新亭與別。坐上賓甚多，不悟二人俱到。有一客道：「譙王丞致禍，非大將軍意，正是平南所爲耳。」無忌因奪直兵參軍刀，便欲斫脩載。走投水，舸上人接取得免。中興書曰：「褚裒爲江州㈢，無忌於坐拔刀斫耆之，裒與桓景共免之。御史奏無忌欲專殺害，詔以贖論。」前章既言無忌母告之，而此章復云客敘其事。且王廙之害司馬丞，遐邇共悉，脩齡兄弟豈容不知。法盛之言，皆實録也。

㈠璩曾孫也——晉書應詹傳作「璩之孫也」，是。魏志注，璩子貞，貞弟純，純弟秀，秀子詹。晉書應貞傳同。

㈡司徒何充歎曰——晉書應詹傳作「司徒何劭見之，曰：『君子哉若人！』」。

㈢褚裒爲江州——「裒」原誤作「褒」，據影宋本改。

5 王右軍素輕藍田。藍田晚節論譽轉重，右軍尤不平。藍田於會稽丁艱，停山陰治喪。右軍代爲郡，屢言出弔，連日不果。後詣門自通，主人既哭，不前而去，以陵辱之。於是彼此嫌隙大構。後藍田臨揚州，右軍尚在郡。初得消息，遣一參軍詣朝廷，求分會稽爲越州。

使人受意失旨，大爲時賢所笑。藍田密令從事數其郡諸不法，以先有隙，令自爲其宜。右軍遂稱疾去郡，以憤慨致終。中興書曰：「羲之與述志尚不同，而兩不相能。述爲會稽，艱居郡境。王羲之後爲郡，申尉而已，初不重詣，述深以爲恨。喪除，徵拜揚州，就徵，周行郡境，而不歷羲之。臨發，一別而去。羲之初語其友曰：『王懷祖免喪，正可當尚書；投老可得爲僕射。更望會稽，便自邈然。』述既顯授，又檢校會稽郡，求其得失，主者疲於課對。羲之恥慨，遂稱疾去郡，墓前自誓不復仕。朝廷以其誓苦，不復徵也。」

6 王東亭與孝伯語後漸異。孝伯謂東亭曰：「卿便不可復測。」答曰：「王陵廷爭，陳平從默，但問克終云何耳。」漢書曰：「呂后欲王諸呂，問右相王陵，以爲不可。問左丞相陳平，平曰：『可。』陵出讓平，平曰：『面折廷爭，臣不如君；全社稷，定劉氏，君不如臣。』」晉安帝紀曰：「初，王恭赴山陵，欲斬國寶，王珣固諫之，乃止。既而恭謂珣曰：『此日視君，一似胡廣。』珣曰：『王陵廷爭，陳平從默，但問克終如何也。』」

7 王孝伯死，縣其首於大桁。司馬太傅命駕出，至標所，孰視首，曰：「卿何故趣欲殺我邪？」續晉陽秋曰：「王恭深懼禍難，抗表起兵。於是遣左將軍謝琰討恭。恭敗走曲阿，爲湖浦尉所擒。初，道子與恭善，欲載出都，面相折數，聞西軍之逼，乃令於兒塘斬之㊀，梟首於東桁也。」

㊀兒塘——讀史方輿紀要二〇：「倪塘在上元縣東南二十五里。」「兒」與「倪」同。

8 桓玄將篡，桓脩欲因玄在脩母許襲之，庾夫人云：「汝等近過我餘年，我養之，不忍見行此事。」桓氏譜曰：「桓沖後娶潁川庾蔑女，字姚。」晉安帝紀曰：「脩少爲玄所侮，言論常鄙之，脩深憾焉，密有圖玄之意。

脩母曰：『靈寶視我如母，汝等何忍骨肉相圖！』脩乃止。」

右世說三十六篇，世所傳釐爲十卷，或作四十五篇，而末卷但重出前九卷中所載。余家舊藏，蓋得之王原叔家。後得晏元獻公手自校本，盡去重復，其注亦小加剪截，最爲善本。晉人雅尚清談，唐初史臣脩書，率意竄定，多非舊語，尚賴此書以傳後世。然字有譌舛，語有難解，以它書證之，間有可是正處。而注亦比晏本時爲增損。至於所疑，則不敢妄下雌黃，姑亦傳疑，以竢通博。紹興八年夏四月癸亥，廣川董弅題。

郡中舊有南史、劉賓客集版，皆廢于火，世說亦不復在。游到官，始重刻之，以存故事。世說最後成，因併識于卷末。淳熙戊申重五日，新定郡守笠澤陸游書。

附録

世説新語詞語簡釋

身　第一身稱代名詞，與「我」同，通鑑八十五注：「晉人自謂爲身。」

文學十一：「有詣王夷甫咨疑者，值王昨已語多，小極，不復相酬答，乃謂客曰：『身今少惡，裴逸民亦近在此，君可往問。』」又二十二：「丞相自起解帳帶麈尾，語殷曰：『身今日當與君共談析理。』」品藻七十六：「王曰：『若如公言，並不如此二人耶？』謝云：『身意正爾也。』」

卿　第二身稱代名詞，儕輩之間稱「君」，年爵較尊者稱「公」，均見前條例。下於己者或儕輩間親暱而不拘禮數者稱「卿」。

規箴十五：「王丞相爲揚州，遣八部從事之職，顧和時爲下傳還，同時俱見。王問顧曰：『卿何所聞？』」

品藻五十二：「有人問謝安石、王坦之優劣於桓公，桓公停欲言，中悔，曰：『卿喜傳人語，不能復語卿。』」

無交情者不得卿，又「貴人不可卿而賤者乃可卿」，見南史陸慧曉傳。貴賤指與己地位相比而言。

方正二十：「王太尉不與庾子嵩交，庾卿之不置。王曰：『君不得爲爾。』庾曰：『卿自君我，我自卿卿，我自用我法，卿自用卿法。』」

婦不可以卿夫。

惑溺六：「王安豐婦常卿安豐。安豐曰：『婦人卿壻，於禮爲不敬，後勿復爾。』婦曰：『親卿愛卿，是以卿卿。我不卿卿，誰當卿卿？』遂恒聽之。」

伊　第三身稱代名詞，同「彼」。

方正二十五：「諸葛恢大女適太尉庾亮兒，次女適徐州刺史羊忱兒。亮子被蘇峻害，改適江虨。恢兒娶鄧攸女。於時謝尚書求其小女婚，恢乃云：『羊、鄧是世婚，江家我顧伊，庾家伊顧我，不能復與謝裒兒婚。』」

尊　用以稱父。

賞譽七十六：「謝太傅未冠，始出西，詣王長史清言良久。去後，苟子問曰：『向客何如尊？』」（長史，王濛。苟子，濛子修小字。）

品藻四十八：「劉尹至王長史許清言，時苟子年十三，倚牀邊聽。既去，問父曰：『劉尹語何如尊？』」

亦以之稱諸父。

南史謝靈運傳：「謂方明（靈運叔父）曰：『阿連（方明子惠連）才悟如此，而尊作常兒遇之。長瑜當今仲宣，而飴以下客之食，尊既不能禮賢，宜以長瑜還靈運。』」

稱人之父曰「君家尊」。

品藻七十五：「謝公問王子敬：『君書何如君家尊（謂獻之父羲之）？』」

家君　對人自稱其父。

方正一：「陳太丘與友期行，期日中，過中不至，太丘舍去，去後乃至。元方時年七歲，門外戲。客問元方：『尊君在否？』答曰：『待君久不至，已去。』友人便怒，曰：『非人哉！與人期行，相委而去。』元方曰：『君與家君期日中。日中不至，則是無信；對子罵父，則是無禮。』」

亦以稱人之父。

言語六：「潁川太守髡陳仲弓。客有問元方：『府君何如？』元方曰：『高明之君也。』『足下家君何如？』曰：『忠臣孝子也。』」

兄伯　用以稱兄。

賞譽一五一：「子敬與子猷書，道：『兄伯蕭索寡會，遇酒則酣暢忘反，乃自可矜。』」

羣從　同宗曰從，同宗兄弟，總稱曰「羣從」。

賢媛二十六：「一門叔父，則有阿大、中郎；羣從兄弟，則有封、胡、遏、末。」

對人自稱其族人曰「家從」。

賞譽四十一：「庾太尉(亮)目庾中郎(敳)：『家從談談之許。』」(末四字有誤。敳爲亮之從父。)

中外　孫子與外孫，合稱「內外孫」。

漢書惠帝紀「及內外公孫」注，應劭曰：「內外公孫，謂王侯內外孫也。」

又稱爲「中外孫」。

夙惠四：「司空顧和與時賢共清言。張玄之、顧敷是中外孫，年並七歲，在牀邊戲。」

因稱中表兄弟爲「中外」。

賞譽一三九：「謝胡兒作王堪傳，不諳堪是何似人，咨謝公。謝公答曰：『潘安仁中外，安仁詩所謂「子親伊姑，我父唯舅」。』」

壻　夫亦曰壻，猶言夫壻。

賢媛二十二：「庾玉臺，希之弟也。希誅，將戮玉臺。玉臺子婦，宣武弟桓豁女也，徒跣求進。閽禁不納，因突入，號泣請。宣武笑曰：『壻故自急。』遂原玉臺一門。」

新婦　婦人自稱曰新婦。

文學三十九：「林道人詣謝公，東陽時始總角，新病起，體未堪勞，與林公講論，遂至相苦。母王夫人在壁後聽之，再遣信令還，而太傅留之。王夫人因自出，云：『新婦少遭家難，一生所寄，唯在此兒。』遂流涕抱兒以歸。」

夫亦以稱其婦。

賢媛九：「王公淵娶諸葛誕女，入室，言語始交，王謂婦曰：『新婦神色卑下，殊不似公休（誕字）。』」

小郎　婦人稱夫弟曰小郎。

規箴十：「王平子年十四五，見王夷甫妻郭氏貪欲，令婢路上儋糞。平子諫之，並言不可。郭大怒，謂平子曰：『昔夫人（謂平子母）臨終，以小郎囑新婦，不以新婦囑小郎。』」

宋書謝述傳：「小郎去必無及（謝純妻稱純弟述）。」

阿翁　孫呼祖曰翁。

排調四十：「張蒼梧是張憑之祖，嘗語憑父曰：『我不如汝。』憑父未解所以，蒼梧曰：『汝有佳兒。』憑時年數歲，斂手曰：『阿翁！詎宜以子戲父！』」

門公　猶言「家公」，古者家稱門，逸周書皇門解：「會羣門。」又曰：「大門宗子。」顏氏家訓風操：「言及先人，理當感慕。若沒，言須及者，則斂容肅坐，稱大門中；世父、叔父，則稱從兄弟門中；兄弟則稱亡者子某門中。」門公、家公，並謂父。

晉書山簡傳：「簡性溫雅，有父風，年二十餘，濤不之知也。簡歎曰：『我年幾三十，而不爲家公所知！』」

言語一百：「謝景重女適王孝伯兒，二門公甚相愛美（謂兩家之父，猶言兩親家）。」

大家　家音姑，大家，婦女之尊稱。

後漢書曹世叔妻傳：「（班昭）博學高才，有節行法度，帝數召入宮，令皇后、諸貴人師事焉，號曰『大家』。」

方正十八注引孔氏志怪：「有一老婢，問充得盌之由，還報其大家，卽女姨。」「大家」指其主婦。

官　門下及屬吏以稱府主。

傷逝十五：「王（東亭）在東聞謝（安）喪，往哭，督帥刁約不聽前，曰：『官平生在時，不見此客。』」

術解十一：「殷中軍妙解經脈，中年都廢。有常所給使，忽叩頭流血。浩問其故，乃云：『小人母年垂百歲，抱疾來久，若蒙官一脈，便有活理，訖就屠戮無恨。』」

傷逝十二注引續晉陽秋：「（郗超）將亡，出一小書箱付門生，云：『本欲焚此，恐官（指其父愔）年尊，必以傷愍爲斃。我亡後，若大損眠食，則呈此箱。』按此以門生稱愔之辭稱其父。

簡傲十一：「王子猷作桓車騎騎曹參軍。桓問曰：『卿何署？』答曰：『不知何署，時見牽馬來，似是馬曹。』桓又問官有幾馬。答曰：『不問馬，何由知其數。』」按此「官」字猶言公家，謂騎曹所領，非稱謂詞。

亦用以稱天子。

南史宋明恭王皇后傳：「太后嘗賜帝玉柄毛扇，帝嫌毛扇不華，因此欲加酖害，令太醫煮藥。左右止之曰：『若行此事，官便作孝子，豈得出入狡獪！』」

阿奴　對幼小者之愛稱，猶今吳語中之「阿囡」。兄以之呼弟。

德行三十三：「謝奕作剡令，有一老翁犯法，謝以醇酒罰之，乃至過醉而尤未已。太傅時年七八歲，著青布袴，在兄膝邊坐，諫曰：『阿兄，老翁可念，何可作此！』奕於是改容曰：『阿奴，欲放去耶？』遂遣之。」

方正二十六：「周叔治作晉陵太守，周侯、仲智往別。叔治以將別，涕泗不止。仲智恚之，便舍去。周侯獨留與飲酒言語，臨別，流涕撫其背曰：『奴（影宋本作「阿奴」）好自愛！』」

識鑒十四：「周伯仁母，冬至舉酒賜三子曰：『吾本謂度江託足無所，爾家有相，爾等並羅列吾前，復何憂！』周嵩起，長跪而泣曰：『不如阿母言。伯仁爲人志大而才短，名重而識闇，好乘人之弊，此非自全之道；嵩性狼抗，亦不容於世；唯阿奴碌碌，當在阿母目下耳。』」

雅量二十一：「周仲智飲酒醉，瞋目還面，謂伯仁曰：『君才不如弟，而橫得重名！』須臾，舉蠟燭火擲伯仁。伯仁笑曰：『阿奴火攻，固出下策耳！』」

祖以之呼孫。

南史齊廢帝鬱林王本紀：「（武帝）臨崩，執帝手曰：『阿奴，若憶翁，當好作！』」

父以之呼子。

容止二十五：「王敬豫有美形，問訊王公。王公撫其肩曰：『阿奴，恨才不稱。』」

夫以之呼其妻。

南史齊廢帝鬱林王何妃傳：「帝謂皇后爲阿奴，曰：『阿奴暫去。』」

但品藻四十三：「劉尹撫王長史背曰：『阿奴比丞相，但有都長。』」注云：「阿奴，濛小字也。」當是事實。

郎

奴稱主人曰郎。唐書宋璟傳：「鄭善果謂璟曰：『公奈何謂五郎爲卿？』璟曰：『以官正當爲卿。君非其家奴，何郎之云！』」

傷逝十二：「郗嘉賓喪，左右白郗公：『郎喪。』」

豪爽十：「桓石虔，司空豁之長庶也，小字鎮惡，年十七八，未被舉，而童隸已呼爲鎮惡郎。」

亦用以稱女壻。

雅量二十四：「庾小征西婦母阮語女：『聞庾郎能騎，我何由得見？』」

賢媛二十六：「王凝之謝夫人既往王氏，大薄凝之。既還謝家，意大不說。太傅釋慰之曰：『王郎，逸少之子，人身亦不惡，汝何以恨迺爾？』」

又婦稱夫亦曰郎。

賢媛二十九：「郗嘉賓喪，婦兄弟欲迎妹還，終不肯歸，曰：『生縱不得與郗郎同室，死寧不同穴？』」

民　部民對地方官長，自稱曰民，雖顯達者亦不例外。

政事十三：「陸太尉詣王丞相咨事，過後輒翻異，王公怪其如此。後以問陸，陸曰：『公長民短，臨時不知所言，既後覺其不可耳。』」按玩吳人，王導時領揚州刺史，玩乃其部民，故云。

規箴二十：「王右軍與王敬仁、許玄度並善，二人亡後，右軍爲論更克。孔巖誡之曰：『明府昔與王、許周旋有情，及逝沒之後，無慎終之好，民所不取。』」按孔巖（晉書作「嚴」）會稽人，羲之嘗爲會稽內史。

名勝　猶言名流。通鑑胡三省注：「江東人士，其名位通顯於時者，率謂之『佳勝』、『名勝』。」

文學二十九：「宣武集諸名勝講易，日說一卦。」

晉書王導傳：「帝親觀禊，乘肩輿，具威儀，敦、導及諸名勝皆騎從。」

勝達　勝謂名流，達謂顯達者。

任誕四十一：「刺史桓豁語令暮來宿，（羅友）答曰：『民已有前期，請別日奉命。』密遣人察之，至日，乃往荊州門下書佐家，處之怡然，不異勝達。」

劫　強盜。

政事二二：「陳仲弓爲太丘長，有劫賊殺財主。」賊殺二字連文。

自新二：「陸機赴假還洛，輜重甚盛，淵使少年掠劫。淵在岸上，據胡牀指麾左右，皆得其宜。機於船屋上遙謂之曰：『卿才如此，亦復作劫邪？』」

門生　投靠世族之門客，其地位高於一般僕隸，亦可以入仕。顏氏家訓風操：「失教之家，閽寺無禮，或以主君寢食嗔怒，拒客未通，江南深以爲恥。黃門侍郎裴之禮，號善爲士大夫，其門生僮僕，接於他人，折旋俯仰，辭色應對，莫不肅敬，與主無別也。」

雅量十九：「郗太傅在京口，遣門生與王丞相書，求女婿。」

賞譽一〇二：「謝公作宣武司馬，屬門生數十人於田曹中郎趙悅子。悅子以告宣武，宣武云：『且爲用半。』趙俄而悉用之。」

宋書陶潛傳：「潛有脚疾，使一門生二兒轝籃輿。」

宋書謝靈運傳：「奴僮既衆，義故門生數百，鑿山浚湖，功役無已。」

南史徐湛之傳：「門生千餘，皆三吳富人子，姿質端美，衣服鮮麗。每出入行游，塗巷盈滿。」

惟文學四：「聞崔烈集門生講傳，遂匿姓名，爲烈門人賃作食。」此處「門生」乃「門人」之同義詞。

義故 「義」謂義從。後漢書班超傳：「遂以幹爲假司馬，將弛刑及義從千人就超。」通鑑注：「義從，自奮願從行者。」魏志梁習傳：「發諸丁彊，以爲義從。」後卽以稱州郡自募之兵，亦曰「義隨」。晉書劉超傳：「出爲義興太守。未幾，徵拜中書侍郎，遷射聲校尉。時軍校無兵，義興人多義隨超，因統其衆以宿衛，號爲『君子營』。」「故」謂故吏。

送故 州郡官歿於任所，佐吏護喪回里，曰「送故」。

德行二十一：「王戎父渾，有令名，官至涼州刺史。渾薨，所歷九郡義故，懷其德惠，相率致賻數百萬，戎悉不受。」

夙惠七：「桓宣武薨，桓南郡年五歲，服始除，桓車騎與送故文武別，因指語南郡：『此皆汝家故吏佐。』玄應聲慟哭。」

官吏離任時，地方吏民斂錢相送，亦曰「送故」。

南史范述曾傳：「范述曾爲永嘉太守，勵志清白，不受饋遺。徵爲游擊將軍，郡送故舊錢二十餘萬，一無所受。」

綱紀 文選傅亮爲宋公修張良廟教注：「綱紀，主簿之司也。」通鑑晉明帝太寧二年：「有詔：王敦綱紀除名，參佐禁錮。」注：「綱紀，綜理府事者也。」

政事九：「王安期爲東海郡，小吏盜池中魚，綱紀推之。王曰：『文王之囿，與衆共之，池魚復何足惜。』」

紕漏八：「王大喪後，朝論或云國寶應作荆州。國寶主簿夜函白事云：『荆州事已行。』國寶大喜，其夜開閤喚綱紀，話勢雖不及作荆州，而意色甚恬。曉遣參問，都無此事。卽喚主簿數之曰：『卿何以誤人事邪？』」

周旋 交往，酬應。

規箴二十：「王右軍與王敬仁、許玄度並善，二人亡後，右軍爲論議更克。孔巖誡之曰：『明府昔與王、許周旋有情，及逝沒之後，無慎終之好，民所不取。』」

引申爲相與有交往之人。

儉嗇九：「郗公大聚斂，有錢數千萬，嘉賓遂一日乞與親友、周旋略盡。」

宋書范曄傳：「燿自往酬謝，因成周旋。」又云：「臣與范曄，本無素舊，中忝門下，與之鄰省，屢來見就，故漸成周旋。」

小人　士族階級輕視家中奴僕、府中吏役以及各行各業之普通百姓，一概目之爲「小人」，總言之曰「羣小」。

方正五十一：「劉真長、王仲祖共行，日旰未食。有相識小人貽其餐，肴案甚盛，真長辭焉。仲祖曰：『聊以充虛，何苦辭？』真長曰：『小人都不可與作緣。』」

賢媛二十二：「庾玉臺，希之弟也。希誅，將戮玉臺。玉臺子婦，宣武弟桓豁女也，徒跣求進。閽禁不內，女厲聲曰：『是何小人！我伯父門，不聽我前！』」

假譎三：「魏武常言：『人欲危己，己輒心動。』因語所親小人曰：『汝懷刃密來我側，我必說「心動」，執汝使行刑。汝但勿言其使，無他，當厚相報。』」

規箴十三：「元皇帝時，廷尉張闓在小市居，私作都門，蚤閉晚開，羣小患之。」

容止三十八：「庾長仁與諸弟入吳，欲住亭中宿。諸弟先上，見羣小滿屋，都無相避意。」

道人　晉宋間佛教初行，僧徒並稱道人。智度論：「得道者名爲道人，餘出家未得道者，亦名道人。」其自稱曰貧道。本書中凡言道人，皆僧人，非道士。

言語三十九：「高坐道人不作漢語。」注引高坐別傳曰：「和尚胡名尸黎密，西域人。」

又四十八：「竺法深在簡文坐，劉尹問：『道人何以游朱門？』答曰：『君自見其朱門，貧道如游蓬戶。』」

又六十三：「支道林常養數匹馬。或言：『道人畜馬不韻。』支曰：『貧道重其神駿。』」

南史陶弘景傳：「遺令：通以大袈裟覆衾蒙首足。明器有車馬。道人、道士並在門中，道人左，道士右。百日內夜常然燈，旦常香火。」

據上例，道人、道士有別，道教徒自稱道士，但亦有以「道士」稱僧徒者。

晉書呂纂載記：「道士句摩羅耆婆言於纂曰云云。耆婆，卽羅什之別名也。」

悠悠　路人，不相關涉之人，一般人。

賞譽一五三注引晉安帝紀：「悠悠之論，頗有異同。」按謂衆人之言。

南史劉穆之傳：「悠悠之言，云太尉與我不平。」按亦謂道路流言。

宋書劉秀之傳：「改定制令，疑民殺長吏科，議者謂值赦宜加徙送。秀之以爲律文雖不顯民殺官長之旨，若值赦但止徙送，便與悠悠殺人曾無一異。」按謂與常人相殺無異。

信　演繁露：「晉人書問凡言信至或遣信者，皆指信爲使臣也。」通鑑晉紀三十五胡注：「信，使也。」

文學六十七：「魏朝封晉文王爲公，備禮九錫，文王固讓不受。公卿將校當詣府敦喩，司空鄭沖馳遣信就阮籍求文。」

雅量一：「豫章太守顧劭，是雍之子。劭在郡卒。雍盛集僚屬自圍棋，外啟信至，而無兒書。」

棲逸十：「孟萬年及弟少孤，居武昌陽新縣。萬年遊宦，有盛名當世。少孤未嘗出，京邑人士思欲見之，乃遣信報少孤云：『兄病篤。』」

問　信札，消息。

德行四十三：「桓南郡既破殷荊州，收殷將佐十許人，咨議羅企生亦在焉。既出市，桓又遣人問：『欲何言？』答曰：『從公乞一弟以養老母。』桓亦如言宥之。桓先曾以一羔裘與企生母胡，胡時在豫章，企生問至，即日焚裘。」

晉書陸機傳：「久無家問。」

教　蔡邕獨斷：「諸侯言曰教。」文選傅亮爲宋公修張良廟教、修楚元王廟教皆是也，晉宋間，府主對僚屬所下之諭帖或批示亦曰教。

政事十七：「何驃騎作會稽，虞存弟謇作郡主簿，以何見客勞損，欲白斷常客，使家人節量擇可通者。作白事成，以見存，存時爲何上佐，正與謇共食，語云：『白事甚好，待我食畢作教。』」

賞譽七十四：「王藍田拜揚州，主簿請諱，教云：『亡祖、先君，名播海內，遠近所知；內諱不出於外。餘無所諱。』」

白事　僚屬向府主請示或報告用之公文，猶舊時官署中之稟帖。

政事十七（見「教」下例一。）

文學九十五：「王東亭到桓公吏，既伏閣下，桓令人竊取其白事，東亭即於閣下更作，無復向一字。」

筆　無韻之文謂之筆。文心雕龍總術：「今之常言，有文有筆，以爲無韻者筆也，有韻者文也。」南史顏延之傳：「帝嘗問以諸子才能，延之曰：『竣得臣筆，測得臣文。』」

文學七十：「樂令善於清言，而不長於手筆，將讓河南尹，請潘岳爲表。樂爲述己所以爲讓，標位二百許語，潘直取錯綜，便成名筆。」

自新二：「戴淵少時遊俠，不治行檢，嘗於江淮間攻掠商旅。（陸）機於船屋上遙謂之曰：『卿才如此，亦復作劫邪？』淵便泣涕，投劍歸機，機彌重之，定交，作筆薦焉。」

手　技能，猶今語「手段」。

方正四十二：「江僕射年少，丞相呼與共棋。王手嘗不如兩道許，而欲敵道戲。江曰：『恐不得爾。』」

南史齊武陵昭王曄傳：「上仍呼使射，屢發命中，顧四坐曰：『手何如？』」

引申爲有技能者，如今語「好手」、「高手」。

顏氏家訓雜藝：「古者卜以決疑，今人生疑於卜。十中六七，以爲上手，粗知大意，又不委曲。」

人身　猶言「人材」。

賢媛二十六：「王郎，逸少之子，人身亦不惡。」

南史陳伯之傳：「臨川內史王觀，僧虔之孫，人身不惡，可召爲長史。」

北史祖珽傳：「項羽人身亦何由可及，但天命不至耳。項羽布衣，率烏合衆，五年而成霸王業。陛下藉父兄資，財得至此，臣以爲項羽未易可輕。」

性理　猶今語「神志」。

文學八十：「習鑿齒史才不常，宣武甚器之。後至都見簡文，返命，宣武問：『相王何如？』答云：『一生不曾見此人。』從此忤旨，出爲衡陽郡，性理遂錯。」

宋書謝述傳：「述有心虛疾，性理時或乖謬。」

情　人情，輿論。

文學四十五：「于法開始與支公爭名，後情漸歸支。」

理　方法，可能。

術解八：「王丞相令郭璞試作一卦，卦成，郭意色甚惡，云：『公有震厄。』王問：『有可消伏理否？』」

又十一：「殷中軍妙解經脈，中年都廢。有常所給使忽叩頭流血。浩問其故，云：『小人母年垂百歲，抱疾來久，若蒙官一脈，便有活理。』」

晉書顧榮傳：「榮私于卓曰：『若江東之事可濟，當共成之。然卿觀事勢當有濟理不？』」

記功　記憶力。

任誕四十一：「襄陽羅友，爲人有記功。從桓宣武平蜀，按行蜀城闕觀宇，內外道陌廣狹，種植果竹多少，皆默記之。後宣武溧洲（當作冽洲）與簡文集，友亦預焉。共道蜀中事，亦有所遺忘，友皆名列，曾無錯漏。宣武驗以蜀城闕簿，皆如其言。」

風塵　寇警，變亂。

晉書劉頌傳：「夫吳越剽輕，庸蜀險絕，此故變釁之所出，易生風塵之地。」

又慕容暐載記：「觀虛實以措姦圖，聽風塵而伺國隙者，寇之常也。」

又苻堅載記：「陛下寵育鮮卑、羌、羯，布諸幾甸，舊人族類，斥徙遐方，今傾國而去，如有風塵之變者，其如宗廟何！」

南齊書張敬兒傳：「秣馬按劍，常願天下有風塵。」

引申爲流言紛擾。

德行三十五注引劉尹別傳：「爲政務鎮靜信誠，風塵不能移也。」

雅量十三：「有往來者云：『庾公有東下意。』或謂王公：『可潛稍嚴，以備不虞。』王公曰：『我與元規雖俱王臣，本懷布衣之好。若其欲來，吾角巾徑還烏衣，何所稍嚴！』」注引中興書曰：「於是風塵自消，內外緝穆。」

晉書桓溫傳：「獲撫軍大將軍、會稽王昱書，說風塵紛紜，妄生疑惑，辭旨危急，憂及社稷。」

又劉聰載記：「聞風塵之言，謂大將軍、衞將軍及左右輔皆謀奉太弟，剋季春構變，殿下宜爲之備。」

宋書建平王景素傳：「故從昏者忌明，同枉者毀正，搦弦爲鉤，張一作百，行坐欬嚏，皆生風塵。」

又范曄傳：「羣小爲臣妄生風塵，謂必嫌懼。」

又謂世俗之事，亦卽指世俗。

德行三十注：「僧法深不知其俗姓，蓋衣冠之胤也。值永嘉亂，投迹楊土，居止京邑。以業慈清淨，而不耐風塵，考室剡縣東二百里岇山中。」

賞譽十六：「王戎云：『太尉神姿高徹，如瑤林瓊樹，自然是風塵外物。』」

物　人，衆人，亦指與論。

南齊書焦度傳：「師伯啟孝武稱度氣力弓馬並絕人，帝召還充左右，見度身形黑壯，謂師伯曰：『真健物也。』」

南齊書豫章文獻王傳：「陛下留恩子弟，此情何異，外物政自强生閒節，聲其厚薄。故言啟至切，亦令羣物聞之。」外物猶言外人，羣物謂衆人。

方正十二：「預少賤，好豪俠，不爲物所許。」

物情　人情，人心。

文學六注引王弼別傳：「爲人淺而不識物情。」

晉書姚襄載記：「時或傳襄創重不濟，温軍所得士女莫不北望揮涕。其得物情如此。」

宋書沈懷文傳：「既物情不說，容虧化本。」

又吴喜傳：「所至之處，輒結物情。」

或作「情」，義亦相同。

文學四十五：「于法開始與支公爭名，後情漸歸支。」

何物　卽今言「什麼」。

賢媛十三：「賈充前婦，是李豐女。豐被誅，離婚徙邊。後遇赦得還，充已先取郭配女，武帝特聽置左右夫人。李氏別住外，不肯還充舍。郭氏語充，欲就省李，充曰：『彼剛介有才氣，卿往不如不去。』郭氏於是盛威儀，多將侍婢。既至，入戶，李氏起迎，郭不覺脚自屈，因跪再拜。既反，語充。充曰：『語卿道何物（我和你説什麼來。）？』」

亦作「何人」用。

言語六十五：「羊權爲黃門侍郎，侍簡文坐。帝問曰：『夏侯湛作羊秉敍，絶可想。是卿何物？有後不？』權潸然對曰：『亡伯令問夙彰，而無有繼嗣。』」

方正十八：「盧志於衆坐問陸士衡：『陸遜、陸抗是君何物？』」

亦用作疑問形容詞，與「何」同，「何物人」卽「何人」。

雅量十八：「褚公投錢唐亭住。爾時，吳興沈充爲縣令，當送客過浙江，客出，亭吏驅公移牛屋下。潮水至，沈令起彷徨，問：『牛屋下是何物人？』」

宋書張興世傳：「張興世何物人，欲輕據我上！」

北史獨孤盛傳：「宇文化及之亂，裴虔通引兵至成象殿，宿衞者皆釋仗走。盛謂虔通曰：『何物兵？形勢太異！』虔通曰：『事已然，不預將軍事。』盛罵曰：『老賊，何物語！』不及被甲，與左右十餘人逆拒之，爲亂兵所殺。」

何等　與「何」同。

雅量十八：「令有酒色，因遙問：『傖父欲食𪌭否？姓何等？』」

此家 猶言「此人」。後漢書王常傳：「後帝於大會中，指常謂羣臣曰：『此家率下江諸將，輔翼漢室，心如金石，真忠臣也。』」通鑑漢紀三十二胡三省注：「此家，猶言此人也。」

賞譽一四六注引語林：「羊䮕因酒醉，撫謝左軍謂太傅曰：『此家詎復後鎮西！』」

魏志崔琰傳「南陽許攸」下注引魏略：「其後從行出鄴東門，顧謂左右曰：『此家非得我，則不得出入此門也。』」

又婁圭下注引魏略：「及河北平定，隨在冀州。其後太祖從諸子出遊，子伯（圭字）時亦隨從，子伯顧謂左右曰：『此家父子，如今日爲樂也。』」

亦作「是家」。

後漢書明德馬皇后紀：「帝幸濯龍中，並召諸才人，下邳王已下皆在側，請呼皇后，帝笑曰：『是家志不好樂，雖來無歡。』」

又自稱曰「我家」，稱對方曰「君家」，並於代詞後綴以「家」字。

賞譽一三二：「王子猷說：『世目士少爲朗，我家亦以爲徹朗。』」

品藻六十九：「謝公問孫僧奴：『君家道衛君長云何？』」

臺 晉宋間謂朝廷、禁省爲「臺」，見容齋隨筆。

德行一注引海內先賢傳：「蕃爲尚書，以忠正忤貴戚，不得在臺，遷豫章太守。」

又二十九：「丞相還臺，及行，未嘗不送至車後。長豫亡後，丞相還臺，登車後，哭至臺門。」

方正三十四注引王隱晉書：「有頃，詔書徵峻，峻曰：『臺下云我反，反豈得活邪？』」「臺下」謂朝廷上。

晉書呂光載記：「鄉人高遠、史惠等言於業曰：『今孤城獨立，臺無救援。』」
南齊書高帝紀：「臺分遣衆軍擊杜姥宅、宣陽門諸賊，皆破平之。」

塢壁　通鑑卷八十七：「河内督將郭默收整餘衆，自爲塢主。」胡三省注：「城之小者曰塢，天下兵争，聚衆築塢以自守。」
識鑒十二：「王平子素不知眉子，曰：『志大其量，終當死塢壁間。』」注引晉諸公贊：「後行陳留太守，大行威罰，爲塢人所害。」
賞譽三十八注引曹嘉之晉紀：「劉疇字王喬，曾避亂塢壁，有胡數百欲害之。疇無懼色，援笳而吹之，爲出塞、入塞之聲，以動其遊客之思，於是羣胡皆泣而去之。」

杭　或作「桁」，通「航」，連船爲浮橋，大桁、朱雀航是也。
通「桁」，衣架。
任誕三十三：「王、劉共在杭南，酣宴於桓子野家。」
排調二十：「許文思往顧和許，既而喚顧共行，顧乃命左右取杭上新衣，易己體上所著。」

牀　坐具，今謂之榻。
規箴七：「晉武帝既不悟太子之愚，必有傳後意。帝嘗在陵雲臺上坐，衞瓘在側，欲申其懷，因如醉，跪帝前，以手撫牀曰：『此坐可惜！』」
容止一：「魏武將見匈奴使，自以形陋，不足雄遠國，使崔季珪代，帝自捉刀立牀頭。」
夙惠四：「司空顧和與時賢共清言。張玄之、顧敷是中外孫，年並七歲，在牀邊戲。」

胡牀　卽交椅。清異錄：「胡牀施轉關以交足，穿繩帶以容坐，轉縮須臾，重不數斤。」演繁露：「今之交牀，本自虜來，始名胡牀。隋高祖意在忌胡，器物涉胡名者，咸令改之，乃改『交牀』。」

容止二十四：「庾太尉在武昌，秋夜氣佳景清，使吏殷浩、王胡之之徒登南樓理詠。俄而（庾公）率左右十許人步來，因便據胡牀與諸人詠謔。」

自新二：「戴淵少時遊俠，嘗在江淮間攻掠商旅。使少年掠劫，淵在岸上，據胡牀指麾左右。」

任誕四十九：「王子猷出都，尚在渚下。舊聞桓子野善吹笛，遇桓於岸上過，便令人與相聞云：『聞君善吹笛，試爲我一奏。』桓卽便回，下車踞胡牀，爲作三調。」

平乘　通鑑注：「平乘，大船之樓。」按北史楊素傳：「素居永安，造大艦，名曰『五牙』，上起樓五層，高百餘尺，左右前後置六檣竿，並高百五十尺，容戰士八百人，旗幟加于上；次曰黃龍，置兵百餘人；自餘平乘、舴艋等各有差。」則平乘乃大船，大船之樓曰平乘樓，胡注非是。

豪爽十三：「桓玄西下，入石頭，外白司馬梁王奔叛。玄時事形已濟，在平乘上笳鼓並作，直高詠云：『簫鼓有遺音，梁王安在哉？』」

輕詆十一：「桓公入洛，過淮泗，踐北境，與諸僚屬登平乘樓，眺矚中原，慨然曰：『遂使神州陸沉，百年丘墟，王夷甫諸人不得不任其責！』」

函道　樓梯。

容止二十四：「庾太尉在武昌，秋夜氣佳景清，使吏殷浩、王胡之之徒登南樓理詠，音調始遒，聞函道中有屐聲甚厲，定是庾公。俄而率左右十許人步來。」

大舫有樓，故亦有函道。

宋書廬陵孝獻王義眞傳：「因宴舫內，使左右剔母舫函道以施己舫，而取其勝者。」

意氣　指饋獻或進奉，亦指饋獻之物。

紕漏七：「虞嘯父爲孝武侍中，帝從容問曰：『卿在門下，初不聞有所獻替。』虞家富春，近海，謂帝望其意氣，對曰：『天時尚煖，鮆魚蝦鮓未可致，尋當有所上獻。』帝撫掌大笑。」意氣句晉書本傳作「謂帝有所求」。

漢書宣帝本紀：「飾廚傳，稱過使客。」韋昭曰：「廚謂飲食，傳謂傳舍，謂修飾意氣以稱過使而已。」韋以「修飾意氣」釋「飾廚傳」，意氣卽指廚傳。

後漢書王符傳引潛夫論愛日篇：「百姓廢農桑而趨府廷者相續道路，非朝餔不得通，非意氣不得見。」

又仲長統傳引昌言法誡篇：「至如近臣外戚宦豎，請託不行，意氣不滿，立能陷人於不測之禍。」

以上二例，兼有賄賂之義。

又獨行傳陸續傳：「陸續字智初，會稽吳人也。仕郡戶曹史，太守尹興異之。楚王英謀反，陰疏天下善士。及楚事覺，顯宗得其錄，有尹興名，乃徵興詣廷尉。續與主簿梁宏、功曹史駟勳及掾史五百餘人詣洛陽詔獄就考。續母遠至京師，覘候消息，獄事特急，無緣與續相聞，母但作饋食，付門卒以進之。續對食悲泣，不能自勝。使者怪而問其故，續曰：『母來不得相見，故泣耳。』使者大怒，以爲獄門卒通傳意氣，召將案之。」

設　陳也，陳酒食曰設酒食，因稱飲饌爲「設」。

雅量二十：「過江初，拜官輿飾供饌。羊曼拜丹陽尹，客來蚤者，並得佳設，日晏漸罄，不復及精。」

南齊書王僧虔傳：「如客至之有設也。」

湯麩　即湯餅，今之湯麪。倦遊雜錄：「今人呼煮麪爲湯餅。」

容止二：「何平叔美姿儀，面至白，魏明帝疑其傅粉，正夏月，與熱湯麩，既噉，大汗出，以朱衣自拭，色轉皎然。」

看　訪候，探望，今語猶然，始見於韓非子外儲說左：「梁車新爲鄴令，其姊往看之。」

德行一：「陳仲舉爲豫章太守，至，便問徐孺子所在，欲先看之。」

又九：「荀巨伯遠看友人疾。」

又二十七：「周鎭罷臨川郡還都，未及上，住泊青溪渚，王丞相往看之。」

又四十四：「王恭從會稽還，王大看之。」

政事十八：「王、劉與林公共看何驃騎。」

著　置也。

德行六：「陳太丘詣荀朗陵，貧儉無僕役，乃使元方將車，季方持杖後從，長文尚小，載著車中。」

傷逝十：「及（王長史）亡，劉尹臨殯，以犀柄麈尾著柩中。」

抱朴子道意：「汝南彭氏，墓近大道，墓口有一石人。田家老母到市，買數片餅以歸。天熱，過蔭彭氏墓口樹下，以所買之餅暫著石人頭上。」

江統徙戎論：「徙馮翊、北地、新平、安定界內諸羌，著先零、罕幵、析支之地；徙扶風、始平、京兆之氐，出還隴右，著陰平、武都之界。」

下　此字有種種用法。上菜曰「下食」。

德行六：「陳太丘詣荀朗陵，既至，荀使叔慈應門，慈明行酒，餘六龍下食。」

設茶、送茶曰「下飲」。

紕漏四：「坐席竟，下飲，便問人云：『此爲茶爲茗？』覺有異色，乃自申明云：『向問飲爲熱爲冷耳。』」

設果品曰「下果」。

紕漏一：「王敦初尚主，如厠，見漆箱盛乾棗，本以塞鼻，王謂厠上亦下果，食遂至盡。」

提意見或表示意見曰「下意」。

政事六：「賈充初定律令，與羊祜共咨太傅鄭沖。沖曰：『皐陶嚴明之旨，非僕闇懦所探。』羊曰：『上意欲令小加弘潤。』沖乃粗下意。」

方正五十：「劉簡作桓宣武別駕，後爲東曹參軍，頗以剛直見疏。嘗聽記，簡都無言。宣武問：『劉東曹何以不下意？』答曰：『會不能用。』」

出主意亦曰「下意」。

南史王敬則傳：「人命至重，是誰下意殺之？」

簽名亦曰「下名」。

南齊書紀僧真傳：「初，上在領軍府，令僧真學上手迹下名。」

自長江上游向下游曰「下」，反之曰「上」。

豪爽六：「王大將軍始欲下都，處分樹置，先遣參軍告朝廷，諷旨時賢。祖車騎尚未鎮壽春，瞋目厲聲語使人曰：『卿語阿黑：何敢不遜！催攝面去，須臾不爾，我將三千兵槊脚令上。』王聞之而止。」

捉　以手執物。

德行十一：「管寧、華歆共園中鋤菜，見地有片金。管揮鋤與瓦石不異，華捉而擲去之。」（與「拾」同義。）

容止一：「魏武將見匈奴使，自以形陋，不足雄遠國，使崔季珪代，帝自捉刀立牀頭。」（與「持」同義。）

賢媛六：「許允婦奇醜。交禮竟，允無復入理，家人深以爲憂。桓範語許云：『阮家既嫁醜女與卿，故當有意，卿宜察之。』許便回入內，既見婦，卽欲出。婦料其此出無復入理，便捉裾停之。」（與「牽」同義。）

排調二十七：「初，謝安在東山居布衣時，兄弟已有富貴者，翕集家門，傾動人物。劉夫人戲謂安曰：『大丈夫不當如此乎？』謝乃捉鼻曰：『但恐不免耳。』」（與「捻」同義。）

併當　整理收拾，亦作「屏當」。

德行二十九：「王長豫爲人謹順，事親盡色養之孝。恒與曹夫人併當箱篋。」

雅量十五：「祖士少好財，人有詣祖，見料視財物，客至，屏當未盡，餘兩小簏，著背後，傾身障之。」

豁　漢書揚雄傳注：「開也。」

雅量一：「豫章太守顧劭，是雍之子。劭在郡卒。雍盛集僚屬自圍棋，外啓信至，而無兒書，雖神氣不變，而心了其故，以爪掐掌，血流沾褥。賓客既散，方歎曰：『已無延陵之高，豈可有喪明之責！』於是豁情散哀，顏色自若。」

引申爲忘棄之義。

德行四十：「殷仲堪既爲荆州，值水儉，食常五盌，盌外無餘肴。飯粒脫落盤席間，輒拾以啖之。雖欲率物，亦緣其性真素。每語子弟云：『勿以我受任方州，云我豁平昔時意。貧者，士之常，焉得登枝而捐其本！』」

行散　魏晉南北朝士大夫好服五石散之類，藥性燥烈，服後須緩步以消釋之，謂之「行散」，亦曰「行藥」，鮑照有行藥至城東橋詩，見文選。

德行四十一：「初，桓南郡、楊廣共説殷荊州，宜奪殷覬南蠻以自樹。覬亦卽曉其旨，嘗因行散，率爾去下舍，便不復還。」

文學一〇一：「王孝伯在京，行散至其弟王睹户前。」

賞譽一五三：「王恭始與王建武甚有情，後遇袁悦之間，遂致疑隙。然每至興會，故有相思時。恭嘗行散至京口射堂，於時清露晨流，新桐初引，恭目之，曰：『王大故自濯濯。』」

録　收捕，此是常用義。

政事十：「王安期作東海郡，吏録一犯夜人來。」

方正三十九：「梅頤嘗有惠於陶公，後爲豫章太守，有事，王丞相遣收之。侃曰：『王公既得録，陶公何爲不可放！』乃遣人於江口奪之。」

又作「收藏」、「貯藏」解。

抱朴子對俗：「又服還丹金液之法，若且欲留在世間者，但服半劑而録其半。若後求昇天，便盡服之。」

德行四十五：「吴郡陳遺，家至孝，母好食鐺底焦飯，遺作郡主簿，恒裝一囊，每煮食，輒貯録焦飯，歸以遺母。」

政事十六：「陶公性檢厲，勤於事。作荊州時，敕船官悉録鋸木屑，不限多少；官用竹，皆令録厚頭，積之如山。」

宋書張邵傳：「(子敷)求母遺物，唯得一扇，乃緘録之。」

料理　安排，照顧。

德行四十七：「吴道助、附子兄弟居在丹陽郡後，遭母童夫人艱，朝夕哭臨，號踊哀絶，路人爲之落淚。韓康伯時爲丹陽尹，母殷在郡，每聞二吴之哭，輒爲悽惻，語康伯曰：『汝若爲選官，當好料理此人。』韓後果爲吏部尚書，大吴不免哀制，小吳遂大貴達。」

簡傲十三：「王子猷作桓車騎參軍。桓謂王曰：『卿在府久，比當相料理。』」

儉嗇六：「衛江州在尋陽，有知舊人投之，都不料理，惟餉王不留行一斤，此人得餉便命駕。」

宋書吳喜傳：「處遇料理，反勝勞人（謂有功之人）。」

料事　治事。

政事十四：「丞相嘗夏月至石頭看庾公，庾公正料事。丞相云：『暑，可小簡之。』庾公曰：『公之遺事，天下亦未以爲允。』」

文學五十三：「張憑舉孝廉，欲詣劉尹，鄉里及同舉者共笑之。張遂詣劉，劉洗濯料事，處之下坐。」

咨　詢問。

政事八：「嵇康被誅後，山公舉康子紹爲祕書丞，紹咨公出處。」

方正五十八：「王文度爲桓公長史時，桓爲兒求王女，王許咨藍田（坦之父王述）。」

賞譽一三九：「謝胡兒作著作郎，嘗作王堪傳，不諳堪是何似人，咨謝公。」

咨事　有公事稟白，猶今語「請示」。

方正十七：「齊王冏爲大司馬，輔政，嵇紹爲侍中，詣冏咨事。」

任誕四十四：「羅友作荊州從事，桓宣武爲王車騎集別，友進，坐良久，辭出。宣武曰：『卿向欲咨事，何以便去？』答曰：『友聞白羊肉美，一生未曾得喫，故冒求前耳，無事可咨，今已飽，不復須駐。』」

咨嗟　贊歎，歎賞。

文學十九：「裴散騎娶王太尉女，婚後三日，諸壻大會，當時名士、王裴子弟悉集。郭子玄在坐，挑與裴談。子玄才甚豐贍，始數交，未快；郭陳張甚盛，裴徐理前語，理致甚微，四坐咨嗟稱快。」

賞譽四十八注引高坐傳：「庾亮、周顗、桓彝，一代名士，一見和尚，披衿致契。曾爲和尚作目，久之未得有云：『尸利密可稱卓朗。』於是桓始咨嗟，以爲標之極似。」

賞譽一四四：「許掾嘗詣簡文。爾夜風恬月朗，乃共作曲室中語。襟情之詠，偏是許之所長，辭寄清婉，有逾平日。簡文雖契素，此遇尤相咨嗟，不覺造膝，共叉手語，達於將旦。」

狡獪　游戲。

文學九十四：「袁伯彥（當作袁彥伯）作名士傳成，見謝公，公笑曰：『我嘗與諸人道江北事，特作狡獪耳，彥伯遂以著書。』」

南史宋明恭王皇后傳：「太后嘗賜帝玉柄毛扇，帝嫌毛扇不華，因此欲加酖害，令太醫煮藥。左右止之曰：『若行此事，官便作孝子，豈得出入狡獪？』」又齊廢帝鬱林王本紀：「與羣方共作諸鄙褻，擲塗、賭跳、放鷹、走狗雜狡獪。」

莊嚴　裝束、妝飾。華嚴探玄記：「莊嚴有二義：一是具德義；二，交飾義。」交飾，卽妝飾也。

方正十八注引孔氏志怪：「崔卽敕內，令女郎莊嚴。」

後漢書劉寬傳：「夫人欲試寬令恚，伺當朝會，裝嚴已訖，使侍婢奉肉羹，飜污朝衣。」

亦作「嚴裝」、「嚴妝」。

後漢書清河孝王傳：「常夜分嚴裝，衣冠待明。」

古詩爲焦仲卿妻作：「雞鳴天欲曙，新婦起嚴妝。」

沐浴　涵泳浸潤。

皇甫謐三都賦序：「二國之士，各沐浴所聞，家自以爲我土樂，人自以爲我民良，皆非通方之論也。」沐浴所聞，謂習於所聞。

引申爲服膺、傾倒之意。

賞譽一〇七：「孫興公爲庾公參軍，共遊白石山，衛君長在坐。孫曰：『此子神情都不關山水，而能作文。』庾公曰：『衛風韻雖不及卿諸人，傾倒處亦不近。』孫遂沐浴此言。」

又一四六注引語林：「羊驎因酒醉，撫謝左軍謂太傅曰：『此家詎復後鎮西？』太傅曰：『汝阿見子敬，便沐浴爲論兄輩。』」劉孝標曰：「推此言意，則安以玄不見真長，故不重耳。見子敬尚重之，況真長乎？」

消息　本與「消長」同義，出易豐卦：「天地盈虛，與時消息。」引申爲「增損」或「損益」，義與「斟酌」相近。

顏氏家訓書證：「西晉已往字書，何可全非？但令體例成就，不爲專輒耳。考校是非，特須消息。」

又風操：「又臨文不諱，廟中不諱，君所無私諱。益知聞名，須有消息。」盧文弨曰：「消息猶言節度。」

又文章：「陳孔璋居袁裁書，則呼操爲豺狼；在魏製檄，則目紹爲蛇虺。在時君所命，不得自專，然亦文人之巨患也，當務從容消息之。」

晉書恭帝紀：「安帝既不惠，帝每侍左右，消息溫涼寢食之節。」

又用爲「調養」之義。

晉書華嶠傳：「太康末，武帝頗親宴樂，又多疾病。屬小瘳，嶠與侍臣表賀，因微諫。帝手詔報曰：『輒自消息，無所爲慮。』」

又謝玄傳：「詔又使移鎮東陽城。玄卽路，於道疾篤。詔遣高手醫一人，令自消息。」

規箴二十三：「殷覬病困，殷荆州興晉陽之甲，往與覬別，涕零，屬以消息所患。覬答曰：『我病自當差，正憂汝患耳！』」

目　品題，品評。

言語八十五：「桓征西治江陵城甚麗，會賓僚出江津望之，云：『若能目此城者，有賞。』顧長康時爲客在坐，目曰：『遙望層城，丹樓如霞。』」

品藻二：「龐士元至吳，吳人並友之。見陸績、顧劭、全琮，而爲之目曰：『陸子所謂駑馬有逸足之用，顧子所謂駑牛可以負重致遠。』」

亦言「題目」。

政事七：「山司徒前後選，殆周遍百官，舉無失才，凡所題目，皆如其言。」

却略　退後。

古樂府隴西行：「酌酒持與客，客言主人持，却略再拜跪，然後持一杯。」

方正二十三：「元皇帝既登阼，以鄭后之寵，欲舍明帝而立簡文。周、王諸公並苦爭懇切，唯刁元亮獨欲奉少主以阿帝旨。元帝便欲施行，慮諸公不奉詔，於是先喚周侯、丞相入，然後欲出詔付刁。周、王既入，始至階頭，帝逆遣傳詔遏使就東廂。周侯未悟，卽却略下階；丞相披撥傳詔，徑至御牀前。」

帖騎　跨不施鞍韉之馬。

方正十九：「羊忱性甚貞烈。趙王倫爲相國，忱爲太傅長史，乃版以參相國軍事。使者卒至，忱深懼豫禍，不暇被馬，於是帖騎而避。」

南史齊武帝諸子傳：「數在園池中帖騎馳走竹樹下，身無虧傷。」

通　通報，傳達，是常用義。

言語三：「時李元禮有盛名，爲司隸校尉。詣門者，皆儁才清稱及中表親戚乃通。」

容止三十一：「王長史嘗病，親疏不通。林公來，守門人遽啟之曰：『一異人在門，不敢不啟。』」

口頭闡述亦曰「通」。

文學四〇：「支道林、許掾諸人共在會稽王齋頭。支爲法師，許爲都講。支通一義，四坐莫不厭心。」

又五十五：「支道林、許、謝盛德共集王家。謝顧謂諸人：『當共言詠，以寫其懷。』許便問主人：『有莊子不？』正得漁父一篇。謝看題，便各使四坐通。支道林先通，作七百許語。」

清閒　閒談，與「清言」同。

文學十二注引晉諸公贊：「後樂廣與頠清閒，欲說理，而頠辭喻豐博，廣自以體虛無，笑而不復言。」晉書「清閒」作「清言」。

南齊書王晏傳：「與賓客語，好屏人清閒。」

又始安王遙光傳：「每與上久清閒。」

作計　猶今語「打算」。

雅量三十一：「支道林還東，時賢並送於征虜亭。蔡子叔前至，坐近林公；謝萬石後來，坐小遠。蔡暫起，謝移就其處。蔡還，見謝在焉，因合褥舉謝擲地，自復坐。謝冠幘傾脫，乃徐起，振衣就席。坐定，謂蔡曰：『卿奇人，殆壞我面。』蔡答曰：『我本不爲卿面作計。』」

魏志田豫傳：「凡逋亡姦宄，爲胡作計不利官者，豫皆搆刺攪離。」

南史任昉傳：「西華冬月著葛帔練裙，道逢平原劉孝標，泫然矜之，謂曰：『我當爲卿作計。』乃著廣絕交論以譏其舊交。」

作緣　猶今語「打交道」。

方正五十一：「劉真長、王仲祖共行，日旰未食。有相識小人貽其餐，肴案甚盛，真長辭焉。仲祖曰：『聊以充虛，何苦辭？』真長曰：『小人都不可與作緣。』」

唱　首唱，首先發言。

文學五十七：「僧意在瓦官寺中，王苟子來，與共語，便使其唱理。」

高聲呼叫。

雅量二十八：「謝太傅盤桓東山時，與孫興公諸人汎海戲。風起浪涌，孫、王諸人色並遽，便唱使還。」

宋書張茂度傳：「永遣人覘賊，既返，唱云：『臺城陷矣！』」

南史宋桂陽王休範傳：「墨蠡等唱云：『太尉至。』……雖唱云『已平』，而無以爲據。」

北史齊後主馮淑妃傳：「後聲亂唱賊至，於是復走。」

行來　來往，出入。

賞譽一一四：「初，法汰北來，未知名，王領軍供養之。每與周旋行來，往名勝許，輒與俱。」（淩刻本於「行」下逗，「來」字屬下，非。）

晉書苻堅載記：「出入行來，爲之制限。」
南史孝義郭原平傳：「每行來，見人牽埭未過，輒迅檝助之。」
因謂「出門」爲「行來」，出門衣服爲「行來衣」。
排調二十：「許文思往顧和許，既而喚顧共行，顧乃命左右取杭上新衣，易己體上所著。許笑曰：『卿乃復有行來衣乎？』」
魏志齊王芳本紀注引魏書：「太后令帝常在式乾殿上講學，不欲使行來。帝徑去。太后來問，輒詐令黃門答言『在』耳。」

稍嚴　嚴，戒備也。稍嚴，謂略作戒備。
雅量十三：「有往來者云：『庾公有東下意。』或謂王公：『可潛稍嚴，以備不虞。』」
魏志滿寵傳：「降人稱吳大嚴，揚聲欲詣江北獵。」大嚴，謂大事戒備。
又田豫傳：「追豫到馬城，圍之十重。豫密嚴，使司馬建旌旗，鳴鼓吹，將步騎從南門出，胡人皆屬目往赴之。豫將精鋭自北門出，鼓譟而起，兩頭俱發，出虜不意。」密嚴，謂暗作軍事準備。

減　不及，不如。
賞譽二十六：「郭子玄有儁才，能言老莊，庾敳嘗稱之，每曰：『郭子玄何必減庾子嵩。』」
棲逸五：「何驃騎弟以高情避世，而驃騎勸之令仕，答曰：『予第五之名何必減驃騎！』」（何準爲驃騎將軍何充第五弟。）
賢媛十七：「李平陽，中夏名士，于時以比王夷甫。孫秀初欲立威權，咸云：『樂令民望，不可殺，減李重者又不足殺。』遂逼重自裁。」

任誕四十一：「謝公云：『羅友詎減魏陽元。』」

多　勝過。

賞譽四十六：「王大將軍與元皇表云：『舒風概簡正，允作雅人，自多於邃。』」

没　掩没，勝過。

品藻七十：「王子敬問謝公：『林公何如庾公？』謝殊不受，答曰：『先輩初無論，庾公自足没林公。』」

容止三十四：「王曰：『相王作輔，自然湛若神明，公亦萬夫之望，不然，僕射何得自没？』」自没，似是自甘處於其下之意。

可念　念，憐也，可念猶言「可憐」。

德行三十三：「謝奕作剡令，有一老翁犯法，謝以醇酒罰之，乃至過醉而猶未已。太傅時年七八歲，在兄膝邊坐，諫曰：『阿兄，老翁可念，何可作此！』」

南史齊廢帝東昏侯紀：「至蔣山定林寺，一沙門病，不能去，藏於草間，爲軍人所得，應時殺之。左右韓暉光曰：『老道人可念。』」

方正五十八「藍田愛念文度」，「愛念」「愛憐」之意。輕詆九「卿當念我」之「念」，亦憐也。

亦作「可愛」解。

輕詆六注引妒記：「望見兩三兒騎羊，皆端正可念。夫人遥見，甚憐愛之。」

可憐　可愛。賢媛二十一注引妒記：「我見汝亦憐，何況老奴！」唐元稹詩：「謝公最小偏憐女。」「憐」並訓「愛」。

言語八十四：「孫綽賦遂初，築室畎川，齋前種一株松，恒自手壅治之。高世遠時亦鄰居，語孫曰：『松樹子非不楚楚可憐，但永無棟梁用耳！』」

可恨　令人遺憾或惋惜，亦指缺點或失誤。

品藻二十七：「何次道爲宰相，人有譏其信任不得其人。阮思曠慨然曰：『次道自不至此。但布衣超居宰相之位，可恨惟此一條而已！』」

規箴十四：「郗太尉以王丞相末年多可恨，每見必欲苦相規誡。」

極　𢿱之借字，疲極也。史記屈原列傳：「勞苦倦極，未嘗不呼天也。」

文學二十：「衛玠始度江，見王大將軍，因夜坐，大將軍命謝幼輿。玠見謝，甚說之，遂達旦微言。玠體素羸，爾夕忽極，於此病篤，遂不起。」

體中小不適，亦曰「小極」。

言語三十三：「顧司空未知名，詣王丞相。丞相小極，對之疲睡。」

文學十一：「中朝時有懷道之流，有詣王夷甫咨疑者，值王昨已語多，小極，不復相酬答。」

惡　體中不適，亦指官能衰退。

容止十：「裴令公有儁容姿，一旦有疾至困，惠帝使王夷甫往看。王出，語人曰：『體中故小惡。』」

賢媛三十一：「王尚書惠嘗看王右軍夫人，問：『眼耳未覺惡不？』」

術解十：「郗愔信道甚精勤，常患腹內惡，諸醫不可療。」

酷　甚也，極也。

賢媛十九：「陶公少有大志，家酷貧。」

排調六十：「孝武屬王珣求女壻，曰：『王敦、桓温磊砢之流，既不可復得；且小如意，亦好豫人家事，酷非所須。正如眞長、子敬比，最佳。』」

忿狷一：「魏武有一妓，聲最清高，而情性酷惡。」

惑溺三：「賈公閭後妻郭氏酷妒。」

有意　有意識，有知解。

文學六十四：「提婆初至，爲東亭第講阿毗曇。始發講，坐裁半，僧彌便云：『都已曉。』卽於坐分數四有意道人，更就餘屋自講。」

品藻二十九：「郗司空家有傖奴，知及文章，事事有意。王右軍向劉尹稱之，劉問：『何如方回？』王曰：『此正小人有意向耳，何得便比方回？』」

有情　有交誼，交好。

方正二十七：「周伯仁爲吏部尚書，在省內，夜疾危急。時刁玄亮爲尚書令，營救備親好之至，良久小損。明旦，報仲智，仲智狼狽來。始入户，刁下牀對之大泣，說伯仁昨危急之狀。仲智手批之，刁爲辟易於户側。既前，都不問病，直云：『君在中朝，與和長輿齊名，那與佞人刁協有情！』逕便出。」

賞譽一五三：「王恭始與王建武甚有情，後遇袁悅之間，遂致疑隙。」

異同　偶詞偏義，常作「異議」或「不同意見」解。

識鑒二十二：「郗超與謝玄不善。于時朝議遣玄北討，人間頗有異同之論，唯超曰：『是必濟事。』」

豪爽七：「庾穉恭既常有中原之志，文康時，權重未在己；及季堅作相，忌兵畏禍，與穉恭歷同異者久之。」

宋書臨川王道規傳：「盧循擁隔中流，扇張同異。」

又劉湛傳：「合黨連羣，構扇同異。」

又謝瞻傳：「祕書早亡，談者亦互有同異。」

又顏延之傳：「徐羡之等疑延之爲同異，意甚不悦。」

以上諸例，其「同」字皆無義。

異同得失　兩個偶詞中，但取下一偶詞，而下一偶詞中，又只取一「失」字，其餘三字皆無義，作「過失」解。

德行三十九：「王子敬病篤，道家上章，應首過，問子敬：『由來有何異同得失？』子敬曰：『不覺有餘事，惟憶與郗家離婚。』」

陵遲　蹉跎，淹滯。

德行十四注引虞預晉書：「祥以後母故，陵遲不仕。年向六十，刺史呂虔檄爲別駕。」

賞譽五十八：「王大將軍與丞相書，稱楊朗曰：『世彥識器理致，才隱明斷。既爲國器，且是楊侯淮之子，位望殊爲陵遲。』」

詆突　亦作「底突」，詆與底，皆「牴」之借字，牴突即「唐突」之意。

傷逝十九：「桓玄當篡位，語卞鞠云：『昔羊子道恒禁吾此意。今腹心喪羊孚，爪牙失索元，而忽忽作此詆突，詎允天心！』」

南史江革傳：「革精信因果，而帝未知，謂革不奉佛法，因賜革覺意詩五百字，云：『唯當強精進，自強行勝修。豈可作底突，如彼必死囚！』又手敕曰：『果報不可不信，豈得底突，如對元延明耶？』」

方幅　本義爲方整，指形體。

引申爲「正面」。

南史徐勉傳：「吾清明門宅無相容處，所以爾者，亦復有以。前割西邊施宣武寺，既失西廂，不復方幅。」

宋書衡陽文王義季傳：「遣軍政欲乘際會，拯危急，以申威援，本無驅馳平原，方幅爭鋒理。」

又引申爲「正當」或「光明正大」之義。

賢媛十八：「周浚作安東時，行獵，値暴雨，過汝南李氏。李氏富足，而男子不在。有女名絡秀，聞外有貴人，與一婢於內宰豬羊，作數十人飲食，事事精辦。浚因求爲妾，遂生伯仁兄弟。絡秀語伯仁等：『我所以屈節爲汝家作妾者，門戶計耳。汝若不與吾家作親親者，吾亦不惜餘年！』伯仁等悉從命。因此李氏在世得方幅齒遇。」（晉書作「遂得爲方雅之族」。）

南史齊臨汝侯坦之傳：「夜遣內左右密賂文季，文季不受。帝大怒，謂坦之曰：『豈有人臣拒天子賜！』坦之曰：『官遣誰送？』帝曰：『內左右。』坦之曰：『帝若詔敕出賜，令舍人主書送往，文季寧敢不受？政以事不方幅，故仰遣耳。』」

又引申爲「公開」之義。

巧藝十注引語林：「王（坦之）以圍棋爲手談，故其在哀制中，祥後客來，方幅會戲。」

宋書吳喜傳：「不欲方幅露其罪惡。」

矜假　「矜」謂「矜持」，「假」謂「造作」，合言之，即「矯揉造作」之意。

排調五十：「范啓與郗嘉賓書曰：『子敬舉體無饒，縱掇皮無餘潤。』郗答曰：『舉體無餘潤，何如舉體非真者？』范性矜假多煩，故嘲之。」

品藻九注引荀綽兗州記：「(閭丘)沖清平有鑒識，博學有文義。性尤通達，不矜不假。」

衿契　知己。析言之，「衿」謂「衿抱」，「契」謂「契誼」。賞譽四十八注引高坐傳：「庾亮、周顗、桓彝，一代名士，一見和尚，披衿致契。」

方正二十九：「顧孟著嘗以酒勸周伯仁，伯仁不受，顧因移勸柱，而語柱曰：『詎可便作棟梁自遇！』周得之欣然，遂爲衿契。」

忌　妒也，今語曰「妒忌」。

輕詆六注引妒記：「丞相曹夫人性甚忌，禁制丞相不得有侍御，乃至左右小人亦被檢簡，時有妍妙，皆加誚責。」

南史劉峻傳：「敬通有忌妻，至於身操井臼。」

經　長，擅長。

品藻三十六：「撫軍問孫興公：『卿自謂何如？』曰：『下官才能所經，悉不如諸賢。』」

規箴十四：「郗太尉晚節好談，既雅非所經，而甚矜之。以王丞相末年多可恨，方當乖別，必欲言其所見，意滿口重，辭殊不流。」

排調四十八：「魏長齊雅有體量，而才學非所經。初宦當出，虞存嘲之曰：『與卿約法三章：談者死，文筆者刑，商略抵罪。』」

正　恰恰，此常用義。

文學七十五：「庾子嵩作意賦成。從子文康見，問曰：『若有意耶，非賦之所盡。若無意耶，復何所賦？』答曰：『正在有意無意之間。』」

又四十六：「殷中軍問：『自然無心於禀受，何正善人少，惡人多？』」

止也，僅也，乃晉宋人常語，亦作「政」。

言語六十二：「謝太傅語王右軍曰：『中年傷於哀樂，與親友別，輒作數日惡。』王曰：『年在桑榆，自然至此。正賴絲竹陶寫，但恒恐兒輩覺，損欣樂之趣。』」

政事十五：「丞相末年，略不復省事，正封籙諾之。」

文學五十五：「許便問主人：『有莊子不？』正得漁父一篇。」

自新一：「乃入吳尋二陸，平原不在，正見清河。」

讒險二：「袁悅有口才，能短長說。語人曰：『少年時讀論語、老子，又看莊、易，此皆是病痛事，當何所益邪？天下要物，正有戰國策。』」

抱朴子極言：「或不曉帶神符，行禁戒，思身神，守真一，則正可令內疾不起，風濕不犯耳。」

宋書庾炳之傳：「主人問：『有好牛不？』云：『無。』問：『有好馬不？』又云：『無，政有佳驢耳。』」

又沈慶之傳：「左右從者不過三五人。騎馬履行園田，政一人視馬而已。」

正當　只應，只能。

賢媛十一：「山公與嵇、阮一面，契若金蘭。他日，二人來，妻勸公止之宿，具酒肉。夜穿墉以視之。公入曰：『二人何如？』妻曰：『君才致殊不如，正當以識度相友耳。』」

南史齊鄱陽王鏘傳：「宣城公政當投井求活，豈有一步動哉！」

又作「卽將」解。

文學五十三：「張憑擧孝廉，遂詣劉(尹)，淸言彌日，因留宿至曉。張退，劉曰：『卿且去，正當取卿共詣撫軍。』」

又作「只是」解。

言語五十九：「初，熒惑入太微，尋廢海西；簡文登阼，復入太微，帝惡之。時郗超爲中書，在直，引超入曰：『天命脩短，故非所計，政當無復近日事不？』」

儉嗇九：「郗公大聚斂，有錢數千萬，嘉賓意甚不同。常朝旦問訊，遂及財貨事。郗公曰：『汝正當欲得吾錢耳。』迺開庫一日，令任意用。」

正復　卽使。

規箴十二注引晉陽秋：「鯤曰：『不就朝覲，鯤懼天下私議也。』敦曰：『君能保無變乎？』鯤曰：『公若入朝，鯤請侍從。』敦曰：『正復殺君等數百，何損於時！』遂不朝而去。」

抱朴子對俗：「不死之事已定，無復奄忽之慮，正復且遊地上，或入名山，亦何所復憂乎？」

由來　向來，從來。

德行三十九：「王子敬病篤，道家上章，應首過，問子敬：『由來有何異同得失？』子敬曰：『不覺有餘事，唯憶與郗家離婚。』」

方正十四：「晉武帝時，荀勗爲中書監，和嶠爲令。故事：監、令由來共車。」

尤悔八：「王大將軍於衆坐中曰：『諸周由來未有作三公者。』」

故　本來。

言語五十九：「天命修短，故非所計，政當無復近日事否？」（「故非所計」，通鑑作「本非所計」。）

又作「仍舊」、「依然」解。

言語十七：「鄧艾口喫，語稱『艾艾』。晉文王戲之曰：『卿云「艾艾」，定是幾艾？』對曰：『「鳳兮鳳兮」，故是一鳳。』」

方正十：「諸葛靚與武帝有舊，帝欲見之而無由，乃請諸葛妃呼靚。既來，帝就太妃間相見。禮畢，酒酣，帝曰：『卿故復憶竹馬之好不？』」「故復」猶「尚復」。

尤悔六：「王大將軍起事，丞相兄弟詣闕謝。周侯深憂諸王，始入，甚有憂色。丞相呼周侯曰：『百口委卿！』周直過不應。既入，苦相存救。既釋，周大說飲酒。及出，諸王故在門。」

史記龜策列傳：「江淮間居人爲兒時，以龜枝牀，至後老死，家人移牀，而龜故生。」

水經注河水：「有一道人，命過燒葬，燒之數千束樵，故坐火中。」

南史沈慶之傳：「慶之既通貴，鄉里老舊素輕慶之者，後見皆膝行而前。慶之歎曰：『故是昔時沈公。』」

用以加重肯定或否定語氣，與「當然」或「確實」相近。

德行四十四：「王恭從會稽還，王大看之。見其坐六尺簟，因語恭：『卿東來，故應有此物，可以一領及我。』」

言語八十六：「王子敬語王孝伯曰：『羊叔子自復佳耳，然亦何與人事，故不如銅雀臺上妓。』」

賞譽一一〇：「王、劉聽林公講，王語劉曰：『向高坐者，故是凶物。』」

又一四四：「許掾嘗詣簡文，共叉手語，達於將旦。既而曰：『玄度才情，故未易多有許。』」

又作「有意」、「特地」解，與今作「故意」解者相同。

政事十八：「王、劉與林公共看何驃騎，驃騎看文書，不顧之。王謂何曰：『我今故與林公來相看，望卿擺撥常務，應對玄言。』」

亦用作商榷或推測語氣，與加重語氣者其別甚微。

言語一〇五：「謝混問羊孚：『何以器舉瑚璉？』羊曰：『故當以為接神之器。』」

文學五十八：「司馬太傅問謝車騎：『惠子其書五車，何以無一言入玄？』謝曰：『故當是其妙處不傳。』」

定 畢竟，究竟。

言語十七：「卿云『艾艾』，定是幾艾？」

方正四十七：「王述轉尚書令，事行便拜。文度曰：『故應讓杜、許。』藍田云：『汝謂我堪此不？』文度曰：『何為不堪，但克讓自是美事，恐不可闕。』藍田慨然曰：『既云堪，何為復讓？人言汝勝我，定不如我。』」

輕詆二十七：「殷顗、庾恒並是謝鎮西外孫，嘗俱詣謝公，謝公熟視殷，曰：『阿巢故似鎮西。』於是庾下聲語曰：『定何似？』謝公續復云：『巢頰似鎮西。』」

南史朱百年傳：「室家素貧，母以冬月亡，衣並無絮，自此不衣緜帛。嘗寒時就(孔)覬宿，衣悉裌布，飲酒醉眠，覬以卧具覆之，百年不覺也。既覺，引卧具去體，謂覬曰：『緜定奇溫。』」

北史薛聰傳：「帝戲謂聰曰：『世人謂卿諸薛是蜀人，定是蜀人不？』」

直 古「直」與「特」一聲，與「但」字、「止」字同義。

言語三〇：「庾公造周伯仁，伯仁曰：『君何所欣悅而忽肥？』庾曰：『君復何所憂慘而忽瘦？』伯仁曰：『吾無所憂，直是清虛日來，滓穢日去耳。』」

賞譽九十一：「簡文道王懷祖：『才既不長，於榮利又不淡，直以真率少許，便足對人多多許。』」

簡傲十三：「王子猷作桓車騎參軍。桓謂王曰：『卿在府久，比當相料理。』初不答，直高視，以手版拄頰云：『西山朝來，致有爽氣。』」

偏　特別，最。

文學三十四：「殷中軍雖思慮通長，然於才性偏精。」

又五十二：「謝公因子弟集聚，問毛詩何句最佳。遏稱曰：『「昔我往矣，楊柳依依；今我來思，雨雪霏霏。」』公曰：『「訏謨定命，遠猷辰告。」謂此句偏有雅人深致。』」

尤悔十一：「阮思曠奉大法，敬信甚至。大兒年未弱冠，忽被篤疾。兒既是偏所愛重，爲之祈請三寶，晝夜不懈。」

唐元稹詩：「謝公最小偏憐女。」「偏憐」亦謂愛憐特甚。

覺　通作「較」，相差，相距。

捷悟三：「魏武嘗過曹娥碑下，楊脩從。碑背上見題作『黃絹幼婦，外孫齏臼』八字。魏武謂脩曰：『解否？』答曰：『解。』魏武曰：『卿未可言，待我思之。』行三十里，魏武乃曰：『吾已得。』令脩別記所知。脩曰：『所謂「絕妙好辭也」。』魏武亦記之，與脩同，乃歎曰：『我才不及卿，迺覺三十里。』」

又七：「王東亭作桓宣武主簿，嘗春月與石頭兄弟乘馬出郊。時彥同遊者連鑣俱進，唯東亭一人常在前，覺數十步。」

假譎六：「王大將軍既爲逆，頓軍姑孰。晉明帝乃著戎服，騎巴賨馬，陰察軍形勢。行敦營匝而出。軍士覺，曰：『此非常人也！』敦命騎追之，已覺多許里。」

以上諸條「覺」字皆「較」(「軍士覺」之「覺」字讀本音。)之借字，「魏武」條御覽九十三引「覺」作「較」，可證。杜詩：「與兄行年校一歲，賢者是兄愚者弟。」句法正同。唐寫本不悟「覺」字之義，臆改爲「三十里覺」，非。

或即作「比較」解。

賞譽十四注引虞預晉書：「陔及二弟歆、茂，皆總角見稱，並有器望，鄉人諸父未能覺其多少。」魏志胡質傳注引此，下云：「時同郡劉公榮名知人，嘗造周，周謂曰：『卿有知人名，欲使三兒詣卿，卿爲目高下，以效郭許之聽，可乎？』」故知「覺其多少」乃「較其高下」之義。

術解一：「得周時玉尺，荀試以校己所治鐘鼓金石絲竹，皆覺短一黍。」

或作「校」。

吳志張紘傳注：「臣松之以爲秣陵之與蕪湖，道里所校無幾。」校，相去。

亦作「差別」、「差異」解，又可用作名詞。

魏志高貴鄉公紀注引魏氏春秋：「湯武、高祖，雖俱受命，賢聖之分，所覺縣殊。」

晉書蔡謨傳：「又是時兗州、洛陽、關中皆舉兵擊季龍。今此三處反爲其用，方之於前，倍半之覺也。若石生不能敵其半，而征西欲當其倍，愚所疑也。」

南齊書高帝紀：「前湘州刺史王蘊，太后兄子，少有膽力，以父楷名宦不達，欲以將途自奮。每撫刀曰：『龍淵、太阿，汝知我者！』叔父景文誡之曰：『阿答，汝滅我門戶！』蘊曰：『答與童烏，貴賤覺異。』童烏，景文子絢小字；答，蘊小字也。」

不翅　亦作「不啻」，猶言「不止」。

文學六十：「殷仲堪精覈玄論，人謂莫不研究。殷乃歎曰：『使我解四本，談不翅爾。』」「不翅爾」謂不止如此。

排調八：「王渾與婦鍾氏共坐，見武子從庭過，渾欣然謂婦曰：『生兒如此，足慰人意。』婦笑曰：『若使新婦得配參軍，生兒故可不啻如此。』」

假譎十二：「王文度弟阿智，惡乃不翅。」

顏氏家訓止足：「常以二十口家，奴婢盛多，不可出二十人，良田十頃，堂室纔蔽風雨，車馬僅代杖策，蓄財數萬，以擬吉凶急速。不啻此者，以義散之，不至此者，勿非道求之。」

不必　未必。

簡傲十二：「謝公常與謝萬共出西，過吳郡，阿萬欲相與共萃王恬許，太傅云：『恐伊不必酬汝，意不足爾。』」

何有　豈有，焉有。

言語六：「潁川太守髡陳仲弓。客有問元方府君何如。元方曰：『高明之君也。』『足下家君何如？』曰：『忠臣孝子也。』客曰：『易稱：二人同心，其利斷金；同心之言，其臭如蘭。何有高明之君而刑忠臣孝子者乎？』」

又九：「昔伯成耦耕，不慕諸侯之榮；原憲桑樞，不易有官之宅。何有坐則華屋，行則肥馬，侍女數十，然後爲奇！」

將無　與「得無」同，猶言「莫非」。

文學十八：「阮宣子有令聞。太尉王夷甫見而問曰：『老莊與聖教同異？』對曰：『將無同？』」

德行一九：「王戎云：『太保居在正始中，不在能言之流；及與之言，理中清遠。將無以德掩其言？』」

或作「將不」。

言語一〇八：「謝靈運好戴曲柄笠，孔隱士謂曰：『卿欲希心高遠，何不能遺曲蓋之貌？』謝答曰：『將不畏影者未能忘懷？』」

不足　不必，不值得。

政事八注引山公啓事曰：「詔選祕書丞，濤薦曰：『紹平簡溫敏，有文思，又曉音，當成濟也。猶宜先作祕書郎。』詔曰：『紹如此，便可爲丞，不足復爲郎也。』」

汰侈八：「石崇與王愷爭豪。武帝，愷之甥也，嘗以一珊瑚樹高二尺許賜愷。愷以示崇；崇視訖，以鐵如意擊之，應手而碎。愷既惋惜，又以爲疾己之寶，聲色甚厲。崇曰：『不足恨，今還卿。』乃命左右悉取珊瑚樹，有三尺、四尺者六七枚，如愷許比甚衆。」

抱朴子對俗：「彭祖言：『天上多尊官大神，新仙者位卑，所奉事者非一，但更勞苦。』故不足役役（一作「汲汲」）於登天，而止人間八百餘年也。」

南史陸澄傳：「穀梁舊有麋信，近益以范甯，不足兩立。」謂不必並立於學官。

晉書苻堅載記：「因遣其黃門郎韋華持節切讓丕等，仍賜以劍，曰：『來春不捷者，汝可自裁，不足復持面見吾也。』」

何足　何必。

文學四十五：「于法開始與支公爭名，後情漸歸支，意甚不分，遂遁跡剡下。遣弟子出都，語使過會稽。戒弟子：『道林講，比汝至，當在某品中。』因示語攻難數十番，云：『舊此中不可復通。』弟子如言詣支公，正值講，因謹述開意，往反多時，林公遂屈，厲聲曰：『君何足復受人寄載來！』」

南史齊宗室傳衡陽公諶傳：「諶弟誄。誅諶之日，輔國將軍蕭季敞啓求收誄，深加排苦，乃至手相摧辱。誄徐曰：『已死之人，何足至此！君不憶相提拔時邪？幽冥有知，終當相報。』」

未展　未及。任昉奏彈劉整言整就其嫂范求米，而范「米未展送」，下文作「范未得還」，是其證。

德行四十五：「吳郡陳遺，母好食鐺底焦飯，遺作郡主簿，恒裝一囊，每煮食，輒貯録焦飯，歸以遺母。後值孫恩賊出吳郡，袁府君卽日便征。遺已聚斂得數斗焦飯，未展歸家，遂帶以從軍。」

南齊書王儉傳：「吏部尚書王晏啟及儉喪，上答曰：『儉年德富盛，志用方隆，豈意暴疾，不展救護，便爲異世！奄忽如此，痛酷彌深。』」

無爲　不必，不應，不可。

雅量十四：「王丞相主簿欲檢校帳下，公語主簿：『欲與主簿周旋，無爲知人几案間事。』」

假譎十一：「愍度道人始欲過江，與一傖道人爲侶，謀曰：『用舊義往江東，恐不辦得食。』便共立心無義。既而此道人不成渡，愍度果講義積年。後有傖人來，先道人寄語云：『爲我致意愍度，無義那可立？治此計權救饑爾，無爲遂負如來也！』」

不辦　不能，不會。

假譎十一：「用舊義往江東，恐不辦得食。」見前。

任誕三十四：「桓宣武少家貧，戲大輸，債主敦求甚切。思自振之方，莫知所出。陳郡袁耽俊邁多能，宣武欲求救于耽。耽時居艱，遂變服，隨温去與債主戲。耽素有藝名，債主就局，曰：『汝故當不辦作袁彥道邪？』」耽字彥道。

無容　不可能，不能。

言語二十二注：「按華令思舉秀才入洛，與王武子相酬對，皆與此言不異。無容二人同有此辭，疑世說穿鑿也。」

南齊書庾杲之傳：「臣昨夜及旦，更增氣疾，自省綿痼，頃刻危殆，無容復臥。」

南齊書高帝紀：「行路之人，尚不應爾，今日遽可一門同盡，無容奉敕。」

乃可　與「耐可」同。李白秋浦歌：「水如一匹練，此地即平天，耐可乘明月，看花上酒船？」王琦注引田汝成曰：「杭人言『寧可』曰『耐可』，音如『能可』。鄭康成禮記注：『耐，古書『能』字也。』」方言藻：「李太白詩『耐可乘流直上天』，耐與奈通，『耐可』猶言『那可』。」「乃可」即「那可」也。

任誕二〇：「張季鷹縱任不拘，時人號爲『江東步兵』。或謂之曰：『卿乃可縱適一時，獨不爲身後名邪？』」

南齊書張敬兒傳：「足下乃可不通大理？要聽君子之言，豈可罔滅天理，一何若茲！」

又訓「寧可」、「寧使」。

南史宋宗室傳上：「及殷亡，口血出，衆疑遐行毒害。孝武使彥節從弟祗諷彥節啓證其事。彥節曰：『行路之人，尚不應爾，今日乃可一門同盡，無容奉敕。』」

但輕詆二十四：「庾道季詫謝公曰：『裴郎云：「謝安謂裴郎乃可不惡，何得爲復飲酒！」』」與上兩義皆不相符，俟續詳之。

仍　因。

政事十六：「陶公性檢厲，勤於事。嘗發所在竹篙，有一官長連根取之，仍當足。乃超兩階用之。」（劉應登曰：「謂就連竹根用爲篙，以代鐵足。」）

忿狷二：「王藍田性急。嘗食雞子，以筯刺之，不得，便大怒，舉以擲地。雞子於地圓轉未止，仍下地，以屐齒蹍之。」

南史劉善明傳：「與崔祖思友善，及聞祖思死，慟哭，仍得病。建元二年卒。」

北史念賢傳：「以大家子戍武川鎮，仍家焉。」

遂　竟，終。

傷逝七：「顧彥先平生好琴，及喪，家人常以琴置靈牀上。張季鷹往哭之，不勝其慟。遂徑上牀鼓琴，作數曲竟，撫琴曰：『顧彥先，頗復賞此否？』因又大慟，遂不執孝子手而出。」（前一「遂」字常用義。）

排調六十五：「桓玄素輕桓崖。崖在京下有好桃，玄連就求之，遂不得佳者。」

汰侈十一：「彭城王有快牛，至愛惜之。王太尉與射，賭得之。彭城王曰：『君欲自乘，則不論；若欲噉者，當以二十肥者代之，既不廢噉，又存所愛。』王遂殺噉。」

後漢書鍾離意傳：「而比日密雲，遂無大潤。」

南史何敬容傳：「其署名，『敬』字則大作『苟』，小爲『文』；『容』字大爲『父』，小爲『口』。陸倕戲之曰：『公家苟既奇大，父亦不小。』敬容遂不能答。」

顏氏家訓慕賢：「此人後生無比，遂不爲世所稱，亦是奇事。」

又誡兵：「大則陷危亡，小則貽恥辱，遂無免者。」

劣　僅也。

輕詆六注引妒記：「丞相曹夫人性甚忌，禁制丞相不得有侍御。王公不能久堪，乃密營別館，衆妾羅列，兒女成行。後元會日，夫人於青疏臺中望見兩三小兒騎羊，皆端正可念。語婢：『汝出問，是誰家兒？』給使不達旨，乃答云：『是第四、五等諸郎。』曹氏聞，驚愕大恚，命車駕，將黃門及婢二十人，人持食刀，自出尋討。王公亦遽命駕，飛轡出門，猶患牛遲，乃以左手攀車蘭，右手捉麈尾，以柄助御者打牛，狼狽奔馳，劣得先至。」

南史劉懷慎傳：「德願善御車，嘗立兩柱，使其中劣容車軸，乃於百餘步上振轡長驅，未致數步，打牛奔，從柱間直過，其精如此。」

又胡藩傳：「江津岸壁立數丈，休之臨岸置陣，無由可登。帝呼藩令上，藩有難色。帝怒，命左右錄來，欲斬之。藩不受命，顧曰：『寧前死耳。』以刀穿岸，劣容脚指，徑上。」

又王瑩傳：「令卒與杖，搏頰乞原，劣得免。」

脫　或然之詞，猶言「設使」、「偶然」。

賞譽十七：「王汝南既除所生服，遂停墓所。兄子濟每來拜墓，略不過叔，叔亦不候濟。脫時過止，寒溫而已。」

陶潛與殷晉安別：「脫有經過便，念來存故人。」

又有「忽然」之義。

南史明山賓傳：「此牛經患漏蹄，療差已久，恐後脫發，無容不相語。」

又劉瓛傳：「脫爾逮今，二代一紀。」

亦作「佻脫」。

文學四十三注引語林：「浩於佛經有所不了，故遣人迎林公。林乃虛懷欲往，王右軍駐之曰：『淵源思致淵富，既未易爲敵，且己所不解，上人未必能通。縱復服從，亦名不益高；若佻脫不合，便喪十年所保。可不須往。』」

向　方纔，以前。

文學九十五：「王東亭到桓公吏，既伏閤下，桓令人竊取其白事，東亭卽於閤下更作，無復向一字。」

賞譽七十六：「謝太傅未冠，始出西，詣王長史清言良久。去後，苟子問曰：『向客何如尊？』」

顏氏家訓兄弟：「沛國劉璡嘗與兄瓛連棟隔壁，瓛呼之數聲，不應，良久方答。瓛怪問之，乃曰：『向來未著衣帽故也。』」

却後　過後，此後。

假譎九：「温公喪婦。從姑劉氏家唯有一女，甚有姿慧。姑以屬公覓婚，却後少日，公報姑云：『已覓得婚處。』」

其言將來事，則曰「却去」。

魏志武帝紀注引魏武故事載十二月己亥令曰：「去官之後，年紀尚少。顧視同歲中，年有五十，未名爲老。內自圖之，從此却去二十年，待天下清，乃與同歲中始舉者等耳。」

小悉　猶言「少頃」。

賞譽九：「羊公還洛，郭弈爲野王令，羊至界，遣人要之，郭便自往。既見，歎曰：『羊叔子何必減郭太業！』復往羊許，小悉還，又歎曰：『羊叔子去人遠矣！』」按晉書本傳云：「少選復往。」少選，亦少頃也。

會　今語「終究」、「反正」。

方正五十：「劉簡作桓宣武別駕，後爲東曹參軍，頗以剛直見疏。嘗聽記，簡都無言。宣武問：『劉東曹何以不下意？』答曰：『會不能用。』」

規箴二十五：「桓南郡好獵，或行陳不整，麏兔騰逸，參佐無不被繫束。桓道恭，玄之族也，頗敢直言，常自帶絳綿繩著腰中。玄問：『此何爲？』答曰：『公獵，好縛人士，會當被縛，手不能堪芒也。』玄自此小差。」

居然　除常義外，又作「昭然」、「顯然」、「自然」解。

夙惠三：「因問明帝：『汝意謂長安何如日遠？』答曰：『日遠。不聞人從日邊來，居然可知。』」

魏志何夔傳：「顯忠貞之賞，明公實之報，則賢不肖之分，居然別矣。」

南史王融傳：「昭略曰：『不知許事，且食蛤蜊。』融曰：『物以羣分，方以類聚。君長東隅，居然應嗜此族。』」

於此　同「於是」，連接詞。

文學二十：「衛玠始度江，見王大將軍，因夜坐，大將軍命謝幼輿，玠見謝，甚說之，遂達旦微言。玠體素羸，恒爲母所禁，爾夕忽極，於此病篤，遂不起。」

又七十九：「庾仲初作揚都賦成，以呈庾亮。亮以親族之懷，大爲其名價，於此人人競寫，都下紙爲之貴。」

御覽四四四引裴子語林：「夏少明在東國不知名，聞裴逸民知人，乃裹糧寄載，入洛從之。逸民果知之，又嘉其志局，用爲西門候，於此遂知名。」

爾　同「然」，作「如此」解。

言語九〇：「孝武將講孝經，謝公兄弟與諸人私庭講習。車武子難苦問謝，謂袁羊曰：『不問則德音有遺，多問則重勞二謝。』袁曰：『必無此嫌。』車曰：『何以知爾？』」

賢媛八：「許允爲晉景王所誅，門生走入告其婦。婦正在機中，神色不變，曰：『蚤知爾耳。』」

任誕二十九：「衛君長爲溫公長史，溫公甚善之。每率爾攜酒脯就衛，箕踞相對彌日；衛往溫許亦爾。」

品藻三十七：「桓大司馬下都，問真長曰：『聞會稽王語奇進，爾邪？』」

阿堵　指示形容詞或指示代名詞，卽今語之「這」、「這個」。

文學二十三：「殷中軍見佛經，云：『理亦應阿堵上。』」

雅量二十九注引宋明帝文章志：「桓溫止新亭，大陳兵衛，呼安及坦之，欲於坐害之。安神姿舉動不異於常，舉目徧歷溫左右衛士，謂溫曰：『安聞諸侯有道，守在四鄰，明公何有於壁間著阿堵輩？』溫笑曰：『正自不能不爾。』」

規箴九：「王夷甫口未嘗言『錢』字。婦欲試之，令婢以錢遶牀，不得行。夷甫晨起，見錢閡行，呼婢曰：『舉却阿堵物！』」

巧蓺十三：「顧長康畫人，或數年不點目精。人問其故。顧曰：『四體妍蚩，本無關於妙處，傳神寫照，正在阿堵中。』」

馨　形容詞或副詞之語尾，猶今語之「般」或「樣」。

忿狷三：「王司州嘗乘雪往王螭許。司州言氣少有牾逆於螭，便作色不夷。司州覺惡，便輿牀就之，持其臂曰：『汝詎復足與老兄計！』螭撥其手曰：『冷如鬼手馨，彊來捉人臂！』」

言語二十二：「桓宣武語人曰：『昨夜聽殷、王清言，甚佳，仁祖亦不寂寞，我亦時復造心；顧看兩王掾，輒翣如生母狗馨。』」

其言「這般」、「這樣」，則曰「爾馨」、「如馨」、「寧馨」，三者皆一音之轉。

文學三十三：「殷中軍嘗至劉尹所，清言良久，殷理小滙，遊辭不已，劉亦不復答。殷去後，乃云：『田舍兒强學人作爾馨語！』」

品藻二十六：「王丞相云：『見謝仁祖，恒令人得上。』與何次道語，唯舉手指地曰：『正自爾馨。』」

方正四十四：「桓大司馬詣劉尹，卧不起。桓彎彈彈劉枕，丸迸碎牀褥間。劉作色而起曰：『使君，如馨地寧可鬬戰求勝！』」

容止二十九注引語林：「王仲祖有好儀形，每覽鏡自照，曰：『王文開那生如馨兒！』」王濛父名訥，字文開。

晉書王衍傳：「衍神情明秀。總角嘗造山濤，濤嗟歎良久，曰：『何物老嫗，生寧馨兒！』」

容齋隨筆：「『寧馨』，晉宋間人語助耳，至今吳中人語言尚多用『寧馨』字爲問，猶言『若何』也。」王若虛謬誤雜辨：「邁引晉人語爲證，是矣。『若何』，則義不然。惟桑榆雜録曰：『寧猶「如此」。馨，語助也。』此得其當。」按癸辛雜志云：「天台徐淵子詞云：『他年青史總無名，我也寧亨，你也能亨。』注：『能亨，鄉音也。』」今吳語猶有之，讀如「捺哈」，義爲「怎樣」，正與容齋所言合。「寧馨」與「能亨」一音之轉，惟語意稍變。徐詞中之「能亨」，解作「怎樣」或「這樣」，並通。「爾馨」、「如馨」、「寧馨」諸詞，本身並無褒貶義，隨所用之場合而變。後人據晉書例，乃以「寧馨兒」爲佳兒之代稱，殊誤。南史宋前廢帝紀：「太后疾篤，遣呼帝。帝曰：『病人間多鬼，那可往！』太后怒，語侍者曰：『將刀來破我腹，那得生寧馨兒！』」同一「寧馨兒」而作貶義詞，與晉書例恰相反。

爲是　或作「爲」，猶言「豈是」。

賢媛二十八：「王江州夫人語謝遏曰：『汝何以都不復進？爲是塵務經心，天分有限？』」

宋書王微傳：「長以大散爲和羹，弟爲不見之耶？」

或連用「爲……爲」，與「抑」同義，猶今語「還是」。

晉書苻堅載記：「（洛）謀於衆曰：『孤於帝室，至親也，主上不能以將相任孤，常擯孤於外，既投之西裔，復不聽過京師，此必有伏計，令梁成沉孤於漢水矣。爲宜束手就命？爲追晉陽之事以匡社稷邪？』」

弘明集宗炳答何衡陽書：「然則人事之表，幽闇之理，爲取廓然唯空？爲猶有神明耶？」

王融永明十一年策秀才文：「豈薪槱之道未弘？爲網羅之目尚簡？」

上，下　東晉都於建康，處長江下游，故自都泝江而西皆曰「上」，自荆江等州赴建康皆曰「下」。

豪爽六：「王大將軍始欲下都，處分樹置，先遣參軍告朝廷，諷旨時賢。祖車騎尚未鎮壽春，瞋目厲聲語使人曰：『卿語阿黑：何敢不遜！催攝面去，須臾不爾，我將三千兵槊脚令上。』王聞之而止。」

方正三十二：「王敦既下，住船石頭。」

東　通鑑注：「建康以會稽、吳郡爲東。」

雅量三十三：「謝安南免吏部尚書，還東。」注引晉百官名：「謝奉字弘道，會稽山陰人。」

輕詆七：「褚太傅初渡江，嘗入東，至金昌亭，吳中豪右燕集亭中。」

中朝　晉南渡以後，稱西晉爲中朝，以其在中原也。

言語二十七：「中朝有小兒，父病，行乞藥。」

容止二十六注引江左名士傳：「永和中，劉真長、謝仁祖共商略中朝人士。」

傷逝二注引竹林七賢論：「文康云：『中朝所不聞，江左忽有此論，蓋好事者爲之耳。』」

晉書目錄：「右晉十二世十五帝，一百五十六年。中朝四帝，都洛陽，五十四年；江左十一帝，都建康，一百二年。晉南渡以後，稱洛都曰『中朝』。」

又周顗傳：「顗在中朝時，能飲酒一石，及過江，雖日醉，每稱無對。」

西朝　西晉都洛陽，渡江後以其在建康之西，故又稱「西朝」。

品藻十二：「王大將軍在西朝時，見周侯，輒扇障面不得住。後度江左，不能復爾。」

但西晉末年所謂西朝，則指愍帝即位於長安。

劉琨勸進表：「臣等奉表使還，仍承西朝以去年十一月不守。」文選李善注引王隱晉書懷紀曰：「洛陽破，大司馬南陽王保於長安立秦王爲皇太子，懷帝崩，皇太子卽位。」西朝謂長安，以其在洛陽之西，故云。

晉書劉波傳：「近覽西朝傾覆之際。」

詞語簡釋檢字表

世説新語人名索引

一、本索引只收«世説新語»本文中出現的漢至晉代的人物，劉孝標的注文概不收録。

二、以姓名或常見稱謂爲主目，其字、號、小名、官名、爵號、謚號等，附注括號之内。

三、«世説新語»本文中有姓無名或有名無姓的人物，凡劉孝標注中已指明，即按本來姓名立目，並附注原書稱謂，以備查考。例如“車育”條即是。

四、只有姓氏而無名字的婦女，一律注明從屬關係，並出參見條目。

五、姓名相同而非一人者，分別立目，注明各自字號、時代等特征，以資區别。

0023$_0$ 卞

0023$_1$ 應

0023$_2$ 康

0023$_7$ 庾

1010₄ 王

1314₀ 武

1710₈ 丞

1710₇ 孟

1712₀ 刁

2423₁ 德

2424₁ 侍

2520₆ 仲

2522₇ 佛

2590₀ 朱

2610₄ 皇

2641₃ 魏

2643₀ 吴

2690₀ 和

2694₁ 釋

2722₀ 向

2722₇ 脩

7122$_0$ 阿

7132$_7$ 馬

7171$_1$ 匡

7173$_2$ 長

7210$_0$ 劉

7529_6 陳

7722_0 周

7722_0 陶

7724_7 服

7778_2 歐

7833_4 愍

7876_4 臨

8010_4 全

8033_1 無

8050_1 羊